The Complete
Modern C++ Programming

모던 C++ 프로그래밍

김상진 지음

서 문

C++ 프로그래밍 언어는 객체지향 프로그래밍을 지원하도록 C 언어를 확장한 고급 프로그래밍 언어이다. C++는 개발된 이후 지금까지 가장 사랑을 받는 언어 중 하나이다. C++의 인기 비결 중 하나는 뛰어난 성능이다. 객체지향 프로그래밍 언어 중 C++와 성능 측면에서 경쟁 대상이 되는 언어는 없다. C++ 초창기에는 당연히 없고, C++ 이후 수많은 언어가 새롭게 개발되어 사용되고 있는 오늘날에도 없다. 시대 요구에 가장 잘 부합한 언어이었기 때문에 금방 대세 언어 위치를 차지하게 되었고, 그것이 꽤 오랫동안 지속되었다.

1990년대 초에 윈도우 3.1이 출시되면서 개인 컴퓨터를 위한 GUI 기반 윈도우 응용의 수요가 폭발하였다. 마이크로소프트는 C 언어 기반 윈도우 API를 제공하였지만, 이를 이용하여 GUI 응용을 개발하는 것은 쉽지 않았다. 더 효과적으로 윈도우 GUI 응용을 개발하기 위해 여러 종류의 객체지향 기반 응용 프레임워크(예: 볼랜드 사의 OWL(Object Windows Library), 마이크로소프트의 MFC(Microsoft Foundation Class Library) 등)가 출시되었다. 출시된 프레임워크의 대부분은 모두 C++ 라이브러리이었기 때문에 C++가 윈도우 응용을 개발하는 가장 기본 프로그래밍 언어로 자리를 잡게 되었으며, C++의 인기를 견인하게 되었다.

웹의 등장, 그 이후 스마트폰의 등장으로 소프트웨어 개발 시장이 윈도우 응용에서 웹 응용, 모바일 응용으로 이동하면서 C++의 개발 시장 점유율이 점점 하락하는 계기가 되었다. 하지만 객체지향 언어 중 성능 측면에서 C++의 경쟁자가 없으므로 여전히 고성능을 요구하는 소프트웨어는 C++를 이용하여 개발하고 있다. C++를 이용하여 개발되고 있는 대표적인 것이 우리가 널리 사용하고 있는 브라우저이다. 또 데이터베이스를 포함하여 수많은 시스템 소프트웨어도 C++를 이용하여 개발하고 있으며, 많은 3D 게임 엔진(예, UE(Unreal Engine))도 C++ 기반이다. 더욱이 C++ 커뮤니티의 노력으로 C++가 계속 발전하고 있다. 매월 프로그래밍 언어의 순위를 발표하는 TIOBE는 2022년에 올해의 언어로 C++를 선정하였다.

C++가 처음 개발된 시기에는 프로그래밍 언어 표준의 필요성에 대한 인식이 부족하였다. C++는 특정 기업의 소유가 아니므로 C++ 초창기에는 각 컴파일러 및 통합 개발 환경 개발 회사가 독자적으로 언어를 개선하고 기능을 추가하였다. 이 때문에 서로 호환되지 않는 버전이 존재하게 되어 여러 가지 불편함을 초래하였다. 이 문제점을 해결하기 위해 국제 표준 기구에서 C++ 표준화 작업을 진행하였고, 1998년에 첫 공식 C++ 표준이 제정되었다. 하지만 2003년 두 번째 버전인 C++03이 제정된 이후에는 한동안 새 버전의 표준이 제정되지 않았다.

C++ 시장 점유율이 낮아지고, C++에는 없는 새로운 기능을 갖춘 여러 프로그래밍 언어가 새롭게 등장함에 따라 C++는 매우 큰 위기를 맞게 되었다. 다른 언어와 보조를 맞추고, 컴퓨팅 환경 변화에 대처하기 위해 2011년을 시작으로 major 주기를 6년, minor 주기를 3년으로 하여 언어를 지속해서 개선하기로 하였다. 2011년에 발표된 버전이 C++11이며, C++11 이후 C++를 모던(modern) C++라 한다. C++의 가장 최신 버전은 2023년에 발표된 C++23이다.

C++는 자바, 파이썬과 달리 표준을 담당하는 기구에서 표준만 발표할 뿐 컴파일러나 표준 라이브러리를 제공하지 않는다. 따라서 사용하고 있는 컴파일러의 최신 버전이 최신 표준을 어디까지 지원하는지 파악할 필요가 있다, 이 때문에 코드의 이식성을 높이기 위해서는 대부분의 컴파일러가 지원하는 기능만 사용하는 것이 필요하다. 하지만 불필요한 기능을 새롭게 도입하지 않으므로 새 버전이 제정되면 어떤 변화가 있는지 관심을 가질 필요가 있으며, 가능하면 새 기능을 사용하여 프로그래밍하는 것이 효과적이다.

C++는 매우 복잡한 언어이기 때문에 프로그래밍 언어를 처음 배우는 언어로 적합한 언어가 아니다. 물론 C++의 복잡한 부분을 제외하고 프로그래밍 언어를 처음 접하는 분들도 이해할 수 있도록 내용을 구성할 수 있지만, 이 책은 빠진 것 없이 C++의 모든 것을 포함하도록 내용을 구성하고 있다. 따라서 프로그래밍 언어를 처음 접하는 분들보다는 다른 언어를 통해 프로그래밍에 대한 기본적인 이해가 있는 분들에게 더 적합한 책이다. C++를 전문적으로 깊이 학습하기 위한 교재로서 좋은 역할을 할 수 있을 것으로 생각된다.

C++는 이처럼 지원하는 기능이 많고, 문법이 복잡한 언어이다. 또 효율성을 매우 중요하게 생각하는 언어이다. 이 때문에 C++는 새 기능이 오용할 가능성이 크고, 강건성에 문

제가 될 수 있더라도 개발자가 유용하게 사용할 수 있는 기능이면 언어에 추가하는 것을 주저하지 않는다. 물론 언어에 있는 모든 기능을 전부 이해해야 프로그래밍을 할 수 있는 것은 아니다. 항상 어떤 것을 하는 방법은 유일하지 않다. 하지만 한 가지 도구보다는 여러 도구를 지니고, 각 도구를 적절하게 사용할 줄 알면 더 효과적으로 프로그래밍을 할 수 있다.

이 책은 표준 C++를 설명한다. C++20까지 포함하여 설명하지만, 현재 컴파일러들이 C++20을 온전히 지원하지 못하고 있으므로 해당 내용을 실습할 때는 사용하는 컴파일러가 어디까지 지원(https://en.cppreference.com/w/cpp/compiler_support)하고 있는지 먼저 확인해야 한다. 물론 예제 코드를 컴파일할 때 최신 표준을 이용하도록 올바른 옵션을 포함해야 한다.

C++ 언어의 문법만 소개하는 것은 아니다. 문법 기능을 충분히 이해할 수 있도록 다양한 예제를 제시하고 있다. 또 널리 사용하는 프로그래밍 팁과 설계 방법도 소개하고 있다. 장별로 학습한 내용을 이해하였는지 확인할 수 있는 퀴즈와 연습문제도 제공하고 있다.

객체지향 프로그래밍을 지원하는 언어를 소개하는 방법에는 크게 객체 먼저(object early) 방식과 객체 나중(late object) 방식이 있다. 객체 나중 방식은 객체지향을 책 후반부로 미루고 객체지향과 관련이 없는 부분을 먼저 다룬다. 반면에 객체 먼저 방식은 책 시작부터 객체지향을 중심으로 언어와 프로그래밍을 설명한다. 이 책은 객체 나중 방식으로 C++를 소개한다.

객체 나중 방식을 사용하지만, 객체지향 내용을 간단하게 소개만 하는 것이 아니라 충분히 자세히 다룬다. 특히, 객체지향 설계 원리 중 핵심 원리인 SOLID를 포함하여 객체지향 개념을 기초부터 핵심까지 모두 설명하고 있다. 또 일부 객체지향 설계 패턴에 대해서도 관련 장에서 소개하고 있다.

프로그래밍 언어를 학습하는 가장 좋은 방법은 너무 당연하지만, 프로그래밍을 많이 해보는 것이다. 보통 프로그래밍 연습을 하기 위해 leetcode(www.leetcode.com), 프로그래머스(programmers.co.kr), 백준(www.acmicpc.net) 같은 프로그래밍 경시 대회 사이트에 있는 경시 대회 문제나 기술 면접 문제를 풀어보는 경우가 많다. 특히, 요즘 중요 전문 개발 기업에서 코딩 테스트를 통해 개발자를 채용하기 때문에 이런 연습을 하는 개발

자 취업 준비생이 많을 것이다. 하지만 이와 같은 문제를 풀어보는 것만으로는 소프트웨어 개발에 필요한 모든 역량을 갖출 수 없다. 특히, 소프트웨어 설계 능력은 이와 같은 문제 풀이를 통해 얻을 수 없다.

소프트웨어 설계 능력을 기르기 위해서는 직접 소프트웨어를 개발해 보아야 한다. 그런데 콘솔 기반 응용을 만들어 보는 것은 재미가 없을 뿐만 아니라 실제 현장에서 개발하는 응용의 형태와 차이가 크다. 따라서 소프트웨어 설계 능력은 GUI 기반 응용의 개발을 통해 습득하는 것이 가장 효과적이다. C++는 표준 라이브러리에 GUI 라이브러리가 포함되어 있지 않다. 하지만 .NET이나 Qt6와 같은 GUI 라이브러리를 이용하여 C++로 GUI 기반 응용을 개발해 볼 수 있다. GUI 라이브러리를 이용하지 않더라도 소프트웨어 설계 능력을 기르기 위해 현존하는 다양한 서비스나 응용의 일부 요소를 단순화하여 흉내를 내어 보는 것은 꼭 필요하다.

프로그래밍할 때, 코드의 가독성을 매우 중요하게 생각해야 한다. 영리한 코드이지만 이해하기 어려운 코드보다 누구나 이해할 수 있는 가독성이 높은 코드가 좋은 코드이다. 이 때문에 좋은 프로그래밍 습관을 기르는 것이 중요하다. 이를 위해 코드 리뷰를 많이 하는 것도 프로그래밍 학습에 꼭 필요한 부분이다. 하지만 직접 해보지 않고 다른 개발자의 해결책만 보는 것은 좋은 학습 방법이 아니다. 직접 여러 가지 방법으로 해결해 본 후에, 만든 해결책과 다른 개발자의 해결책을 비교해 보는 것이 좋은 개발자가 되는 지름길이다. 특히, 코드 리뷰 이후, 내 코드의 문제점을 개선하고, 다른 개발자의 코드에서 얻은 교훈을 반영하는 과정이 있어야 한다.

물론 프로그래밍하기 위해서는 언어를 배우고, 컴퓨터 지식과 프로그래밍하기 위한 다양한 이론과 기법을 학습해야 한다. 이 책은 C++를 자세히 깊게 전문적으로 이해하는 데 필요한 모든 내용을 다루고 있다. 저자가 현장에서 개발자로 다양한 응용을 C++로 개발해 본 것은 아니지만 오랫동안 대학에서 C++를 포함한 각종 프로그래밍 관련 교과를 강의하면서 얻은 프로그래밍 노하우가 잘 정리되어 있어 프로그래밍 학습에 매우 훌륭한 동반자가 될 수 있을 것으로 생각한다.

저자는 대학에서 강의하면서 강의 내용을 매번 녹화하여 유투브에 업로드하고 있다. 다음 유투브 채널에 오면 이 책과 관련된 C++ 강의도 볼 수 있다.

https://youtube.com/SangjinKim

이 책을 통해 C++를 학습할 때 강의 영상이 조금은 도움이 될 수 있을 것으로 생각한다.

C++를 학습하기 위해서는 C++ 컴파일러와 통합 개발 환경의 설치가 필요하다. 간단한 프로그래밍은 online-ide.com, compiler explorer(godbolt.org) 등과 같은 온라인 통합 개발 환경을 이용할 수 있다. 저자는 보통 맥에서 xcode를 설치하고, eclipse (https://www.eclipse.org) CDT 통합 개발 환경을 사용한다. 윈도우의 경우에 mingw64 (https://www.mingw-w64.org/)와 eclipse CDT 통합 개발 환경을 설치하면 같은 환경에서 C++ 프로그래밍을 연습할 수 있다. 마이크로소프트의 visual studio code도 무료로 사용할 수 있는 다양한 언어를 지원하는 좋은 통합 개발 환경이다. 최신 기능을 테스트할 때는 앞서 언급한 바와 같이 사용하는 컴파일러가 최신 C++ 표준과 관련하여 어디까지 지원하고 있는지 먼저 파악해야 한다.

이제 이 책을 통해 C++를 정복해 보길 권한다.

2024년 3월

김상진

차 례

제1장 C++ 소개 / 21

제4장 배열, 문자열, 열거형 / 99

제5장 포인터와 참조 / 127

제7장 모듈화와 함수 / 193

제8장 객체와 클래스 1부 / 231

제9장 객체와 클래스 2부 / 257

제10장 예외 처리 / 291

제11장 Is-A, Has-A, Use-A / 321

제12장 상속과 다형성 / 351

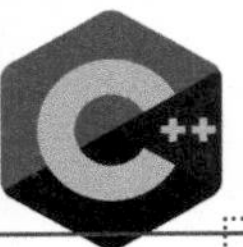

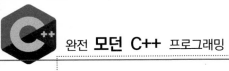

제13장 연산자 다중 정의 / 389

제14장 C++의 빅5 / 427

제15장 범용 프로그래밍 / 467

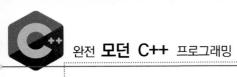

제16장 STL 자료구조 / 505

제17장 기타 / 543

제 1 장

C++ 소개

제 1 장 C++ 소개

1. C++의 역사

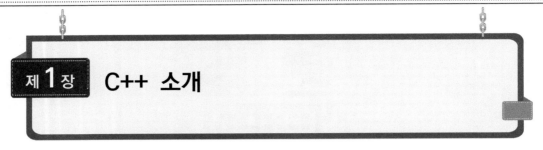

C++ 언어는 객체지향 프로그래밍을 지원하도록 기존 C 언어를 확장한 고급 프로그래밍 언어이다. 이에 C++ 언어의 역사를 살펴보기 전에 간단하게 먼저 C 언어의 역사부터 살펴보자. 프로그래밍 언어는 그것을 처음 개발한 시기의 컴퓨팅 환경과 응용의 특성, 당시 개발자의 요구사항을 반영하여 개발한다. 이 때문에 해당 언어를 만든 목적, 언어를 개발한 시기의 컴퓨팅 환경과 기술을 이해하는 것은 언어 이해에 큰 도움이 된다. 그런데 시간이 지남에 따라 컴퓨팅 환경과 기술은 발전하고 바뀌므로 자연스럽게 프로그래밍 언어도 바뀐 특성과 요구사항을 수용하고, 그것을 반영하도록 개선이 필요하다. 하지만 언어를 개선하여도 언어가 가진 초기 특성 자체를 바꾸기는 어렵다.

1.1. C의 역사

1967년 M. Richard는 운영체제와 컴파일러를 개발하기 위해 BCPL이라는 프로그래밍 언어를 개발하였다. 이 시기는 응용의 개발이 중요한 것이 아니라 컴퓨팅 시스템 환경을 구축하는 것이 중요한 시기이었다. 컴퓨팅 환경 구축에 가장 핵심이 되는 소프트웨어는 운영체제이다. 같은 이유로 1970년 Bell 연구소의 K. Thompson은 BCPL을 기반으로 B라는 프로그래밍 언어를 개발하였으며, 이 언어를 이용하여 초기 유닉스 운영체제를 개발하였다. 하지만 BCPL이나 B는 타입이 없는 언어이었다. 이 점을 보완하기 위해 같은 Bell 연구소의 D. Ritchie는 B를 확장한 C 언어를 개발하였다. 재미있는 것은 B 언어를 개선하였기 때문에 이 언어의 이름을 C라고 하였다는 것이다. C 언어도 운영체제를 좀 더 효과적으로 개발하기 위해 만든 언어이다. 운영체제를 개발하기 위해서는 일반 응용과 달리 하위 수준에서 시스템 하드웨어에 대한 접근이 필요하다. 이에 C 언어는 범용 고급 프로그래밍 언어임에도 불구하고 이와 같은 요소를 가지게 되었고, 성능을 매우 중요시하였다.

C 언어가 개발된 이후, C 언어는 유닉스 운영체제 개발의 기본 프로그래밍 언어가 되었고, 이 운영체제의 응용도 C 언어를 이용하여 개발하였다. 따라서 C 언어가 컴퓨팅 분야에서 가장 널리 사용하는 중요한 언어로 자리 잡게 되었고, 지금까지 그것의 영향력을 유지하고 있다. 또 최근에는 로봇 프로그래밍을 비롯한 임베디드 시스템 시장의 확대, 사물 인터넷의 확산으로 하드웨어를 직접적으로 제어하는 소프트웨어 개발이 큰 비중을 차지하게 되면서 C언어의 영향력이 이전 70, 80년대 수준으로 높아지고 있다. 그러나 표준 C 언어는 1989년이 되어야 처음으로 제정되었다. 이것은 프로그래밍 언어 표준의 필요성에 대한 인식이 부족하였고, 컴퓨팅 환경이 지금처럼 성숙되어 있지 못하였기 때문이다. 참고로 C 언어에 대한 가장 최신 표준은 2017년에 제정된 C17[1)]이다. 하지만 다른 언어와 달리 최신 C 언어 표준과 초기 C 언어를 비교하면 큰 차이가 없다.

1.2. C++의 역사

1979년 B. Stroustrup은 박사 학위 과정 중 C 언어를 이용하여 객체지향 프로그래밍을 할 수 있도록 C 언어를 확장하는 "C with classes"라는 프로젝트를 시작하였다. 학위를 받고 Bell 연구소로 자리를 옮긴 후에도 이 작업을 계속하였으며, 1983년에 C++라는 이름의 C를 확장한 범용 고급 프로그래밍 언어의 개발을 완료하였다. 1985년에 C++ 언어의 성전(聖典)인 "The C++ Programming Language"라는 책을 출간하였다. 이 서적은 초기 C++ 언어의 표준 역할을 하였다.

90년대 초부터 PC의 보급이 확대되고, 마이크로소프트의 윈도우 운영체제가 PC의 유일 운영체제로 위치하게 됨에 따라 PC 시장에서는 윈도우 응용을 개발하는 것이 가장 중요한 요소가 되었다. 윈도우 응용은 GUI(Graphic User Interface) 프로그래밍으로 이루어지며, GUI 프로그래밍은 각 GUI 컴포넌트(버튼, 텍스트필드 등)의 특성 때문에 객체지향 기반으로 프로그래밍하는 것이 매우 효과적이다. 이 때문에 객체지향 개발 패러다임이 주된 개발 패러다임으로 자리 잡게 되었으며, 객체지향 프로그래밍이 발전하는 계기가 되었다. 실제 객체지향 개념은 1950년대에 처음 소개되었으며, 1970년대에 smalltalk라는 언어에서 처음으로 객체지향이라는 용어를 사용하였다.

초기 C++ 언어는 국제 표준 없이 개발자의 서적에 근거하여 각 컴파일러 및 통합 개발

1) 2024년에 C23이 발표될 예정이다. C23 표준에는 bool 타입이 추가되고, constexpr, nullptr과 같은 기존 C++에 있는 내용이 추가될 예정이다.

환경 개발 회사가 독자적으로 개선하고 기능을 추가하면서 발전하였다. 이 때문에 서로 호환되지 않는 다양한 버전이 존재하였다. 이에 1998년에 C++98이라는 첫 공식 ISO 표준이 발표되었으며, 2003년에 두 번째 버전인 C++03이 발표되었다. 하지만 그 이후에는 C++ 개선에 대한 요구가 없어 오랫동안 새 버전이 발표되지 않고 C++03을 사용하였으며, 지금도 많은 곳에서 여전히 C++03을 사용하고 있다.

C++ 언어의 초창기와 달리 1995년 이후부터 급속하게 성장한 웹 때문에 웹 프로그래밍이 소프트웨어 개발 시장에서 큰 비중을 차지하게 되었다. 웹 프로그래밍은 브라우저에서 동작하는 front-end와 서버에서 동작하는 back-end의 특성이 서로 매우 다르며, 둘 다 C++와 잘 맞지 않는 부분이 많았다. 이에 C++ 대신에 Java, C#, PHP, Python, Javascript 등 다양한 프로그래밍 언어가 새롭게 등장하였고, 컴퓨팅 산업에 의미 있는 비중을 차지하게 되었다. 이것은 스마트폰의 발달로 모바일 프로그래밍이 또 다른 한 축을 차지하는 오늘날에도 마찬가지이다. 이와 같은 새로운 언어와 새로운 컴퓨팅 환경의 등장으로 C++도 변화를 거부하기 어렵게 되었다. 이에 C++도 2011년부터는 major 주기를 6년, minor 주기를 3년으로 하여 언어를 개선하기로 C++ 커뮤니티에서 결정하고, 그것의 첫 작품으로 2011년에 C++11이라고 하는 새 국제 표준을 발표하였다. 지금은 이 주기에 따라 C++23의 확정을 앞두고 있으며, C++11 이후 C++를 **모던**(modern) **C++**라 한다.

1.3. C++의 특징

C++는 개발할 때부터 기존 C 언어로 작성한 모든 프로그램이 C++에서도 동작해야 한다는 전제조건을 가지고 있었다. 따라서 C++는 C의 좋은 점과 나쁜 점을 모두 물려받을 수밖에 없었다. 예를 들어, C++는 bool이라는 논리형을 가지고 있지만 C언어는 이와 같은 타입이 없다. 이에 조건문과 반복문에 있는 조건식의 평가 결과가 이전 C처럼 정수 타입이면 이를 자동으로 bool 타입으로 변환해 주는 규칙을 사용하고 있다. C++는 현재 C++23이 가장 최신 버전이지만 초기 C++가 가지고 있는 모든 특징은 가장 최신의 C++ 버전도 여전히 그대로 가지고 있다. 이 책은 C++20에 새롭게 추가된 것까지 설명하지만, 아직 컴파일러들이 C++20도 온전하게 지원하지 않고 있으므로 C++20의 새 기능들은 간략하게 설명하고, 전반적으로는 C++17 위주로 설명한다.

자바는 특정 기업이 소유한 언어이기 때문에 언어의 새 버전과 함께 그것을 컴파일하고 실행할 수 있는 SDK(Software Development Kit)를 항상 같이 출시한다. 따라서 새 버전의 발표와 동시에 새 버전의 기능을 사용할 수 있다. 파이썬은 PSF(Python Software Foundation)라는 비영리 단체가 주도하며, 자바와 마찬가지로 언어의 새 버전과 SDK를 항상 같이 출시한다. 즉, 해당 언어를 번역하고 실행할 수 있는 SDK를 여러 기업에서 개발하는 형태가 아니다. 반면에 C++의 표준화 작업은 ISO 표준화 기구에서 담당하며, C++ 컴파일러를 개발하는 기업이나 단체는 표준화가 발표되어 확정된 이후, 이를 지원하기 위한 컴파일러 개선 작업을 진행한다. 따라서 우리가 사용하는 컴파일러에 따라 표준의 지원 정도가 상이하다.

프로그래밍 언어가 지속해서 개선되는 이유 중 하나는 당연하지만 기존 버전의 문제점을 해소하기 위한 것이다. 하지만 기존에 작성된 문법 오류가 없는 프로그램 소스는 새 버전에서도 계속 잘 번역되고 동작하여야 하므로 문제가 있는 요소를 개선하는 새로운 기능을 추가하더라도 이전 기능은 계속 유지하는 것이 일반적이다. 이 때문에 새 기능을 추가하더라도 새 키워드를 되도록 도입하지 않는다. 새 키워드를 도입하면 기존 소스를 번역하는 데 문제가 발생할 수 있다.

우리는 새 기능이 언어에 추가되어도 이전 기능만을 이용하여 프로그래밍할 수 있다. 하지만 아무 의미 없이 새 기능을 도입한 것은 아니므로 새 기능을 왜 추가하였는지 관심을 가져야 하며, 되도록 이들을 학습하여 활용하는 것이 바람직하다. 참고로 언어에 새 기능을 추가하는 이유는 크게 다음과 같이 3가지 이유가 있다.

- 이유 1. 기존 불편한 요소 극복: 예) C++11의 가시영역 제한 열거형
- 이유 2. 간결성 향상: 예) C++11의 지역 변수 타입 자동 유추
- 이유 3. 강건성 향상: 예) C++11에서 생성자 또는 타입 변환 연산자 정의에 사용할 수 있는 explicit 수식어

이와 같은 측면에서 C++의 다음과 같은 특징을 이해할 필요가 있다.

- 특징 1. C 언어와 호환된다.
- 특징 2. C 언어와 달리 객체지향을 지원한다.
- 특징 3. 특징 1 때문에 C++도 저수준 프로그래밍을 지원하며, 성능 측면에서 매우 우수하다.
- 특징 4. 복잡한 문법을 가지고 있다.

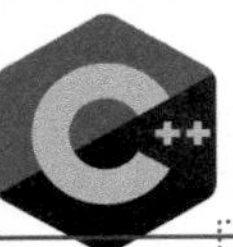

• 특징 5. 강건성보다는 효율성을 중요시한다.

다섯 번째 특징이 자바와 비교하였을 때 가장 다른 측면이다. C++는 오용할 수 있는 기능이더라도 프로그래머들이 유용하게 사용할 수 있다면 해당 기능을 도입하는 쪽을 선택한다. 예를 들어, 연산자 다중 정의(overloading)가 여기에 해당한다. C++는 클래스를 정의하면서 연산자를 다중 정의할 수 있다. 예를 들어, 사용자 정의 클래스에 + 연산자를 다중 정의한 다음, + 연산자를 이용하여 새 타입을 이용한 식을 작성하여 사용할 수 있다. 연산자의 다중 정의를 통해 간결하게 프로그래밍할 수 있지만 +가 가지는 원래의 의미와 전혀 다른 의미로 사용할 수 있어 가독성에 오히려 나쁜 영향을 줄 수 있다.

C++ 언어뿐만 아니라 대부분의 고급 프로그래밍 언어의 개선 주기도 매우 짧아지고 있다. 개선 주기가 빠르면 개발자의 학습 부담은 증가하지만, 필요한 개선이 빠르게 된다는 이점도 있다. 빠른 개선 주기 때문에 언어 간 차이도 매우 빠르게 줄어들고 있다. 특정 언어가 도입한 기능이 좋은 호응을 얻으면 다른 언어도 그와 유사한 기능을 빠르게 도입하고 있다. 예를 들어, C++를 포함하여 람다 표현식(lambda expression)으로 대표되는 함수형 프로그래밍을 지원하지 않는 언어가 지금은 거의 없다. 람다 표현식은 17장에서 자세히 설명한다.

2. C++ 개요

2.1. C++ 소스 코드의 구조

C와 마찬가지로 C++도 헤더 파일과 소스 파일 두 종류의 파일을 사용하여 프로그램을 작성한다. C++의 헤더 파일은 보통 '.h' 확장자를 사용하고, 소스 파일은 '.cpp' 확장자를 사용한다. 참고로 이전에는 C와 구분하기 위해 헤더 파일의 확장자로 '.hpp'를 사용한 적도 있다. 헤더 파일에는 함수 선언, 클래스 정의 등을 하고, 소스 파일에는 함수 정의, 클래스 메소드 정의 등을 한다.

컴파일 방식의 고급 프로그래밍 언어로 작성한 소스 코드는 컴파일러를 이용하여 번역하고, 번역한 목적 코드를 결합하여 실행 파일을 만들어야 실행할 수 있다. 컴파일러가 소스 코드를 번역하기 위해서는 그 소스 코드가 올바르게 작성한 것인지 판단할 수 있어야 한다. 예를 들어, 특정 함수를 호출하는 문장을 번역하기 위해서는 해당 함수의 정의나 그것을 대신할 수 있는 함수 선언이 필요하다. C나 C++에서 컴파일러는 소스 파일 단위로 번역 작업을 진행한다. 이 단위를 TU(Translation Unit)라 한다. 따라서 다른 소스 파일에 정의되어 있는 것을 사용해야 하면 그것을 컴파일러가 이해할 수 있도록 필요한 정보를 헤더 파일에 포함하고, 헤더 파일을 해당 파일에 포함해야 한다.

컴파일러를 이용하여 번역한 목적 파일은 링커(linker)를 통해 결합하여 최종 실행 파일을 생성한다. 번역하고 결합하는 과정에서 중요하게 적용하는 규칙이 **유일 정의 규칙**(ODR, One Definition Rule)이다. 이 규칙에 따르면 변수, 함수 등의 정의는 프로그램 내에 오직 한 개만 존재해야 한다. 따라서 헤더 파일에 함수 정의가 있을 때, 그것을 여러 소스 파일에 포함하면 같은 함수가 여러 번 정의되어 ODR 규칙에 어긋나는 문제점이 발생한다. 이 때문에 보통 헤더 파일에 일반 함수를 정의하면 문제가 발생한다. 구조체나 클래스의 정의는 조금 다르다. 소스 파일 단위로 작업을 진행하기 때문에 같은 구조체와 클래스를 여러 파일에서 사용한다면 중복 정의를 하지 않을 수 없다. 따라서 이들의 중복 정의는 그들의 내용이 같으면 허용한다. 실제 구조체나 클래스는 번역되어 실행 코드를 만드는 것이 아니기 때문에 함수와 조금 성격이 다른 측면도 있다.

최근에는 자바처럼 클래스를 정의할 때 메소드의 정의까지 포함할 때도 많다. 이와 같은 방식의 정의도 ODR 규칙에 어긋난다고 생각할 수 있다. 하지만 메소드를 클래스 내에 정의하면 이 함수는 자동으로 inline 함수가 된다. inline 함수는 해당 코드를 호출 위치에 삽입하는 것이기 때문에 구조체나 클래스 정의처럼 중복 정의가 불가피하다. 따라서 이들은 링커가 다르게 처리한다.

참고로 클래스를 정의하면서 클래스 내에 메소드를 모두 정의하는 것은 다음과 같은 단점이 있다.

- 단점 1. TU마다 반복적으로 같은 것을 번역할 수 있으므로 전체 컴파일 시간이 길어질 수 있다.
- 단점 2. 링커에 따라 프로그램 크기도 커질 수 있다.
- 단점 3. 헤더 파일의 변경은 그 헤더 파일을 포함한 모든 소스 파일의 재컴파일이 필요하다.
- 단점 4. 구현의 내용이 공개된다.

두 개 파일로 나누어 구현하는 것이 번거롭고, 좋은 작은 크기의 클래스만 사용한다면 클래스 내에 메소드를 정의하는 것이 무조건 나쁘다고만 할 수 없다는 주장도 있다.

```
#ifndef GREETING_H_
#define GREETING_H_
#include <string>

class Greeting {
private:
    std::string mName;
public:
    void setName(std::string_view name) {
        mName = name;
    }
    std::string sayHello() {
        return mName + ", " + "안녕";
    }
};

#endif
```

〈그림 1.1〉 greeting.h

헤더 파일은 한 소스 파일을 작업할 때도 여러 번 포함할 수 있다. 이 경우에는 중복 정의 오류가 발생한다. 따라서 한 소스 파일에 특정 헤더 파일을 한 번만 포함하기 위해 그림 1.1과 같은 형태의 전처리 문장을 사용한다. #ifndef는 다음에 제시된 토큰이 정의되어 있는지를 확인하는 전처리 문장이고, 정의되어 있다면 #endif를 만날 때까지의 내용은 무시한다. #define은 토큰을 정의하는 전처리 문장이다. 실제 대부분의 헤더 파일은 이와 같은 전처리 문장을 이용한다.

2.2. 번역과 실행

다른 고급 프로그래밍 언어와 마찬가지로 C++를 이용하여 프로그램을 개발할 때, 보통 사용하는 통합 개발 환경을 이용하여 프로젝트를 먼저 정의한다. 한 프로젝트에는 여러 개의 헤더 파일과 소스 파일을 포함할 수 있다. 하지만 프로젝트를 통해 하나의 실행 파일을 만드는 것이 목표이므로 프로젝트 내에 main 함수는 하나만 존재해야 한다. 프로그래머가 작성한 파일만 이용하여 실행 파일을 만드는 것은 아니고, 프로그램에서 사용하는 표준 라이브러리 요소를 결합하여 실행 파일을 생성한다.

C++도 C와 마찬가지로 컴파일러가 소스 코드를 번역하기 전에 전처리기가 전처리 작업을 한다. 컴파일러는 전처리기가 미리 작업한 소스 코드를 목적 환경의 기계어로 번역한다. 번역된 파일을 목적 파일이라 하며, 이 목적 파일은 링커를 이용하여 표준 라이브러리 목적 파일과 결합하여 최종 실행 파일을 생성한다. 실행 파일을 만들기 위해서는 반드시 main 함수가 필요하며, 프로그램 전체에 하나의 main 함수만 있어야 한다. 실행 파일은 운영체제를 통해 실행한다. 이처럼 세 단계를 통해 최종 실행 파일을 생성하지만, 단계 1과 단계 2는 각 소스 파일 단위로 이루어진다. 따라서 각 소스 파일은 별도 번역할 수 있어야 하며, 일부 부족한 부분은 최종 결합 과정에서 채워지는 형태이다.

2.3. 프로그램의 실행과 메모리

프로그램을 실행하면 실행 코드는 메모리로 옮겨진다. 프로그램을 실행할 때 사용하는 메모리 공간은 이것이 전부가 아니다. 프로그램이 실행되면 각종 데이터를 생성하고 사용하는데, 이 데이터를 유지할 메모리 공간도 필요하다. 한 프로그램을 실행할 때 그것의 데이터를 유지하기 위해 사용하는 메모리 공간은 크게 **함수 스택**(function stack, call stack)과 **힙**(heap)으로 구분한다. 힙은 다시 논리적으로 광역 공간과 동적 데이터 공간으로 구분할 수 있다.

함수가 호출되면 함수 스택에 함수를 위한 공간이 자동 확보되고, 이 공간을 **스택 프레임**(stack frame)이라 한다. 함수의 스택 프레임은 함수가 종료하면 자동 반납된다. 이 공간에 복귀 주소, 함수가 사용하는 매개 변수, 지역 변수, 임시 변수 등을 유지한다. 따라서 이 공간에 확보한 변수의 수명(lifetime)은 함수의 수명과 같으며, 자동으로 관리된다. 실행 환경에 따라 한 프로그램이 사용할 수 있는 스택 공간의 크기가 제한될 수 있다. 제한된 공간 이상을 사용하면 스택 오버플로가 발생하였다고 하며, 프로그램이 비정상 종료한다. 예를 들어, 무한 재귀가 일어나면 스택 오버플로가 발생한다.

프로그램이 사용하는 데이터의 수명이 함수 수명과 다른 것이 있다. 전역 변수는 프로그램과 수명이 같으며, 동적 데이터는 생성한 후 소멸할 때까지 공간을 유지해야 한다. 이와 같은 데이터는 힙 공간에 확보된다. 프로그램이 사용한 모든 공간은 프로그램이 종료하면 회수된다. 하지만 이것에 의존하여 프로그램이 사용하는 메모리를 관리하는 것은 적절하지 않다. 특히, 프로그램은 한번 실행하면 컴퓨터를 종료할 때까지 계속 실행하는 경우가 많으므로 직접 반납해야 하는 데이터는 더 이상 필요 없으면 반납하는 것이 올바른 프로그래밍 방법이다.

3. Hello World 프로그램

```
#include <iostream>

/*
 * Hello.cpp
 */
int main()
{
    // 콘솔에 Hello, World 출력
    std::cout << "Hello, World" << std::endl;
    return 0;
}
```

〈그림 1.2〉 hello.cpp

항상 그렇듯 어떤 프로그래밍 언어를 학습할 때, 제일 먼저 작성해 보는 프로그램이 콘솔에 "Hello, World"을 출력하는 프로그램이다. C++ 언어로 작성된 "Hello, World" 프로그램은 그림 1.2와 같다. 이 프로그램을 통해 기초적인 C++ 문법을 살펴보자.

3.1. 소스 코드의 작성

대부분의 고급 프로그래밍 언어와 마찬가지로 C++도 대소문자를 구별한다. 소스 코드에 등장하는 각종 이름을 프로그래밍에서 **식별자**(identifier)라 하는데, 영문이 같지만, 대소문자가 다르면 서로 다른 식별자로 인식한다. 따라서 main과 Main은 서로 다른 식별자이다. 식별자 중에 사용자가 다른 용도로 사용할 수 없고, 해당 언어에서 특별한 용도로 사용하는 컴파일러가 알고 있는 식별자를 **키워드**(keyword)라 한다.

C++에서 소스 코드를 작성하는 방법에 대한 제약은 없다. 단어와 단어 사이의 공백, 탭, 줄 바꿈 수는 아무런 의미가 없다. 모든 언어가 이와 같은 특성이 있는 것은 아니다. 최근에 널리 사용하는 파이썬은 들여쓰기를 통해 블록을 정의하기도 한다. 제약이 없다고 프로그래머가 마음대로 코드를 작성하면 가독성이 떨어지기 때문에 들여쓰기 등 적절한 형식을 갖추어 작성하여야 한다.

C++도 C와 마찬가지로 중괄호를 이용하여 프로그래밍 블록을 나타낸다. 중괄호처럼 시작과 끝 기호가 쌍으로 필요한 경우 시작과 끝을 올바르게 매칭하지 않으면 잘못 해석되거나 문법 오류가 발생할 수 있다. 따라서 보통 괄호처럼 쌍이 필요하면 시작과 끝을 모두 입력한 후에 그것의 내부를 채우는 것이 좋은 방법이며, 시작과 그것의 끝을 잘 식별할 수 있도록 그림 1.2의 main 함수 블록과 같이 같은 위치에 배치하는 것도 좋은 방법이다.

3.2. 주석

주석은 컴파일러가 번역할 때 무시하는 부분으로 소스 코드 문서화에 매우 중요한 요소이다. C++는 다음 두 가지 형태로 주석을 추가할 수 있다.

- //: 해당 기호 이후 그 줄 끝까지 주석으로 간주한다.
- /* */: 두 기호 사이에 있는 내용은 모두 주석으로 간주하며, 여러 줄에 걸쳐 주석을 작성할 수 있다.

프로그램은 여러 개발자가 함께 개발하는 것이 일반적이며, 혼자 개발하더라도 시간이 지난 후에는 해당 부분을 왜 그렇게 작성하였는지 이해하기 어려운 경우가 많다. 이 때문에 코드를 이해하는 데 도움이 되는 내용을 주석으로 프로그램에 포함하여 나중에 코드를 읽을 때 활용할 수 있다. 하지만 불필요한 주석은 코드를 읽는 데 방해가 될 수 있다. 따라서 꼭 필요한 주석만 포함하는 것이 가장 바람직하며, 본인만 이해할 수 있도록 주석을 작성하는 것도 좋은 방법이 아니다. 보통 코드의 동작 원리를 설명하는 것이 아니라 왜 그렇게 작성하였는지 설명하는 주석이 좋은 주석이다.

주석도 코드를 수정하면 함께 수정해야 하는데, 많은 경우 코드만 수정하고 주석은 그

대로 유지하는 경우가 많다. 이것은 코드를 이해하는데 매우 큰 혼란을 줄 수 있다. 따라서 최근에는 주석이 없어도 가독성이 우수한 코드를 훌륭한 코드라 하며, "don't comment bad code, rewrite it"라고 하는 프로그래밍 개발 팁을 매우 중요한 프로그래밍 방법으로 여기고 실천하고 있다. 이 팁은 주석을 추가하기 전에 가독성을 높이는 노력을 선행해야 한다는 것이다.

예를 들어, 다음과 같은 코드가 있다고 하자.

```
// 졸업조건 충족여부 검사
if(student.GPA >= 2.0 && student.totalCredit >= 150) {
```

주석이 없다면 if 문의 조건식이 무엇을 검사하는 식인지 이해하기 힘들 수 있다. 하지만 위 코드를 다음과 같이 수정하면 주석이 없어도 조건식이 무엇을 검사하는 것인지 쉽게 이해할 수 있다.

```
if(student.graduationRequirementSatisfied()) {
```

더욱이 이처럼 조건식의 검사를 함수로 모델링하면 여러 곳에서 사용할 수 있으며, 다음에 졸업 조건이 바뀌더라도 해당 함수만 수정하면 되기 때문에 위와 같이 프로그래밍하면 가독성뿐만 아니라 수정 용이성도 향상된다. 물론 이처럼 코딩하기 위해서는 기본적인 영어 실력이 있어야 한다.

3.3. 전처리 문장

일반 프로그래밍 문장은 끝에 ;이 오지만 전처리 문장 끝에는 ;을 사용하지 않으며, # 기호로 시작한다. 이들 전처리 문장은 컴파일러가 소스 코드를 목적 코드로 번역하기 전에 전처리기라는 특수 소프트웨어에 의해 처리된다. 가장 많이 사용하는 전처리 문장은 #include로 헤더 파일을 포함하기 위해 사용한다. 특히, 표준 라이브러리에 정의된 함수나 클래스를 사용하기 위해서는 이와 관련된 정보가 포함되어 있는 헤더 파일을 #include를 이용하여 포함하여야 한다. 이와 같은 #include 문들은 소스 파일의 시작 부분에 가장 먼저 사용해야 한다.

C++는 C를 포함하는 언어이기 때문에 기존 C 언어로 작성된 코드도 C++ 컴파일러로 번역하여 실행 파일을 만들어 실행할 수 있어야 한다. 하지만 C++에서 기존 C 언어에서 사용하던 라이브러리 함수를 사용하고 싶으면 C 언어처럼 할 수 있지만, C++로 특화된 동일 헤더 파일을 포함하는 것이 올바른 방법이다. 예를 들어, stdlib.h 파일을 포함하고 싶으면 다음과 같은 #include 문을 사용한다.

```
#include <cstdlib>
```

이처럼 C++에서 C 표준 라이브러리 헤더 파일을 포함할 때 확장자 .h를 생략하며, 헤더 파일 이름 앞에 c를 추가한다.

C++20에는 모듈(module) 개념이 도입되어 C++20부터는 전처리 문장 대신에 import 문을 이용하여 다른 파일에 정의되어 있는 정보를 참조한다. 다음은 모듈 개념을 이용한 프로그램 작성 예이다.

```
export module helloworld;
import <iostream>;
export void hello() {
    std::cout << "Hello, World" << std::endl;
}
```

이 소스는 helloworld라는 모듈을 정의하고 있으며, 이 모듈을 import하면 hello 함수를 사용할 수 있다. 다음은 helloworld 모듈을 import하여 hello 함수를 호출하여 사용하고 있다.

```
import helloworld;

int main() {
    hello();
    return 0;
}
```

3.4. 타입

프로그램은 기본적으로 데이터를 처리한다. 데이터는 그것의 종류에 따라 해당 데이터를 컴퓨터 내부에 표현할 때 필요한 공간이 다르다. 프로그래밍에서는 특정 종류의 데이터를 분류하기 위해 **타입**(type)이라는 개념을 사용한다. 예를 들어, 10은 정수 타입이며, 정수 타입도 사용하는 공간의 크기에 따라 해당 공간에 표현할 수 있는 정수의 범위가 달라진다. C/C++에서는 기본 정수 타입을 int라는 키워드를 사용하여 나타낸다. 타입은 해당 타입이 가질 수 있는 값의 범위인 도메인(domain)과 해당 타입을 가지고 할 수 있는 연산에 의해 그 특성이 결정된다. 타입에 대해서는 2장에서 자세히 설명한다.

3.5. 함수

그림 1.2에 주어진 프로그램은 하나의 함수로만 구성되어 있다. C 언어로 작성된 프로그램은 함수로 구성되며, 전체 프로그램을 어떤 함수로 구성하는지가 가장 핵심적인 프로그래밍 설계 기술이었다. C++는 객체지향을 지원하기 때문에 객체지향 기반으로 프로그램을 작성하면 함수 대신에 클래스가 주된 구성 요소가 된다.

함수는 프로그램에서 실행하는 가장 작은 단위이며, **높은 응집성**(high cohesion)과 **낮은 결합성**(low coupling)을 가져야 한다. 높은 응집성이란 함수가 한 가지 일만 하여야 한다는 것을 말하며, 낮은 결합성이란 이 함수의 수정이 다른 함수에 영향을 주지 않아야 한다는 것을 말한다. 응집성은 매개 변수의 수와 라인 수로 판단하기도 한다. 매개 변수의 수가 너무 많거나 함수를 구성하는 라인 수가 많으면[2] 함수가 한 가지 일이 아니라 여러 가지 기능을 동시에 하고 있을 경향이 높다. 또 다른 판단 기준은 함수 이름을 명명하기 어렵거나 명명된 이름이 복잡하면 응집성이 낮을 수 있다.

두 함수가 같은 전역 변수를 사용할 경우가 높은 결합성을 가지는 대표적인 예이다. 한 함수가 몸체에서 다른 함수를 호출하면 해당 함수에 의존하는 형태가 되며, 의존하는 함수가 수정되면 이 함수도 수정해야 할 수 있다.

C++에서 함수는 C와 동일하게 다음과 같이 정의한다.

반환타입 함수이름(매개 변수 목록) { 함수몸체 }

2) 모듈화가 부족하여 라인 수가 많은 것일 수 있다.

함수가 정의되는 위치에 따라 반환 타입 앞 또는 매개 변수(parameter) 목록과 함수 몸체 사이에 각종 수식어가 올 수 있다. 또 함수 정의 위치와 상관없이 함수 관련 정보를 알 수 있도록 함수 선언만 미리 할 수 있다. 함수 선언은 함수 정의에서 몸체 부분을 제외하고 프로그래밍 문장 끝을 나타내는 ;을 붙이면 된다. 함수 선언은 매개 변수를 나열할 때 이름을 생략할 수 있지만 이름이 문서화 측면에서 매우 중요하기 때문에 함수 선언에서도 이름을 생략하지 않는 것이 바람직하다.

```
1  #include <iostream>
2
3  void outputHelloWorld();
4
5  int main() {
6     outputHelloWorld();
7     return 0;
8  }
9
10 void outputHelloWorld() {
11    std::cout << "Hello, World" << std::endl;
12 }
```

〈그림 1.3〉 함수 선언과 정의

컴파일러가 번역하는 방식 때문에 함수 호출 이전에 반드시 호출하는 함수의 선언 또는 정의가 있어야 한다. 보통 여러 파일에서 사용하는 함수는 그것의 선언을 헤더 파일에 포함하여 사용한다. 그림 1.3의 3번째 줄에 있는 함수 선언을 삭제하면 6번째 줄의 함수 호출을 번역할 때 컴파일러는 outputHelloWorld 함수에 대한 정보가 없어 문법 검사를 할 수 없으므로 번역은 실패한다.

3.6. 함수의 반환 타입과 return 문

함수는 그것의 실행 결과로 함수를 호출한 측에게 값을 반환하여 줄 수 있다. 전형적인 함수는 입력을 전달받아 계산하고, 그 결과를 돌려주는 형태이다. 하지만 모든 함수가 반환 값을 가지는 것은 아니다. 이전 파스칼(pascal) 언어는 이 때문에 반환 값이 있는 함수

(function)와 없는 프로시져(procedure)를 구분하기도 하였다. 반환 값을 가지는 함수는 함수 정의 또는 선언에 해당 타입을 함수 이름 앞에 제시해야 하며, 반환 값이 없으면 그 자리에 void라는 키워드를 사용한다.

C에서 void 키워드는 매개 변수가 없는 함수를 정의할 때도 사용하였다. C에서 다음 foo 함수는 매개 변수가 없는 함수이고, bar는 매개 변수 목록을 알 수 없는 함수이다.

```
void foo(void);
void bar();
```

하지만 C++에서는 위 두 함수 모두 매개 변수가 없는 함수로 해석하므로, C++는 매개 변수 목록이 없는 것을 나타내기 위해 void 키워드를 위 foo처럼 사용하는 경우는 거의 없다.

함수는 더는 실행할 문장이 없거나 return 문을 만나면 종료한다[3]. 하지만 반환 타입이 있는 경우에는 반드시 return 문에 의해 종료해야 하며, 함수는 함수의 반환 타입과 호환하는 타입의 값을 반환해야 한다.

3.7. main 함수

main 함수는 프로그램을 실행하였을 때 처음으로 실행하는 함수이다. main은 운영체제가 호출하는 함수로 main에서 반환하는 값은 운영체제에게 프로그램의 정상 종료 여부를 알려주는 역할을 한다. 보통 0을 반환하여 정상적인 종료를 알린다. 표준을 따르지 않고 main 함수의 반환 타입을 void로 지정하여 사용하는 경우도 있다. 또 int를 반환 타입으로 사용하는 main은 return 문으로 끝나지 않아도 문법 오류가 아니다. 참고로 main은 키워드는 아니지만, 키워드와 큰 차이 없이 프로그램이 실행되었을 때 처음 실행하는 함수의 이름으로만 사용해야 한다.

3.8. namespace

프로그래머의 골칫거리 중 하나는 프로그램에서 필요한 식별자 이름을 정하는 것이다.

3) 이 외에 예외가 발생하여도 함수의 실행은 종료한다.

이 때문에 C++부터는 같은 이름이 서로 충돌하지 않으면 중복하여 사용할 수 있도록 해준다. 예를 들어, 모호하지 않다면 같은 이름의 함수를 여러 개 정의하여 사용할 수 있다. 식별자 명명을 더욱 폭넓게 할 수 있도록 C++는 namespace라는 개념을 도입하였다. namespace는 식별자의 선언 구역을 정의하여 구분할 수 있도록 해준다. 따라서 namespace가 다르면 같은 이름의 식별자를 중복하여 사용할 수 있다.

보통 여러 개발자가 큰 규모의 프로그램을 나누어 개발하면 서로 같은 이름의 식별자를 다른 용도로 사용할 수 있으며, 표준 라이브러리에 있는 식별자와 같은 이름의 식별자를 사용할 수 있다. 이와 같은 이름 충돌 문제를 해결해 주는 것이 namespace이다.

```
std::cout << "hi\n";
```

(1) 방법 1

```
using std::cout;
cout << "hi\n";
```

(2) 방법 2

```
using namespace std;
cout << "hi\n";
```

(2) 방법 3

〈그림 1.4〉 특정 namespace에 있는 식별자를 사용하는 방법

그림 1.2에 사용된 cout, endl 등은 표준 라이브러리에 정의된 식별자이다. 이들은 std라는 namespace에 정의된 식별자이다. 따라서 이들을 프로그램에서 사용하고 싶으면 그림 1.4에 제시된 3가지 방법 중 한 가지 방법을 사용해야 한다. 방법 1은 각 식별자를 사용할 때마다 식별자가 정의된 namespace 이름을 함께 사용하는 방법이다. 이때 가시영역 해소 연산자인 ::을 사용한다. 방법 2는 사용할 이름마다 using 문을 이용하여 해당 namespace에 있는 이름을 사용할 것임을 알리는 방법이다. 방법 3은 사용할 namespace을 using 문을 통해 알리는 방법이다.

방법 2는 많은 식별자를 사용할 때는 불편하므로 방법 1 또는 방법 3을 주로 사용한다. 방법 3이 간결성 측면에서는 가장 효과적이지만, 특정 식별자가 어느 namespace에 정의된 것인지 명백하게 나타나지 않는 문제점이 있다. 특히, 여러 개의 namespace을 함께 사용해야 하면 이 문제가 심각한 결과를 초래할 수 있다. 이 때문에 최근에는 조금 불편하더라도 방법 1을 많이 사용한다.

특정 namespace에 포함되어 있지 않으면 **광역 영역**(global scope)에 포함되어 있다고 한다. main 함수는 반드시 광역 영역에 포함되어 있어야 한다. C 표준 라이브러리에 포함

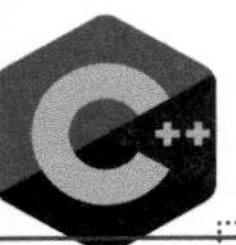

된 scanf, printf 등도 C++에는 모두 std namespace에 포함되어 있다. 이것을 해주는 것이 cstdio 등과 같은 헤더 파일이다. 따라서 C++에서 C 표준 라이브러리 함수를 사용하고 싶으면 cstdio와 같은 헤더 파일을 #include하고 std::printf로 사용하는 것이 올바른 방법이다. 하지만 std namespace를 사용하지 않고, 함수 이름만 사용하여도 문법 오류 없이 번역된다. 이것은 호환을 위해 C 표준 라이브러리는 광역 영역과 std namespace에 중복 정의하고 있기 때문이다.

namespace는 namespace 키워드를 이용하여 다음과 같이 정의한다. 이때 구조체나 클래스처럼 끝에 ;을 사용하지 않는다.

```
namespace cse {
    void foo() {
        //
    }
}
```

위와 달리 namespace 블록 내에는 함수 선언만 포함하고, 정의는 블록 외부에 할 수 있다. 이때 정의하는 함수의 소속을 알 수 있도록 다음과 같이 함수 이름 앞에 namespace를 붙여 주어야 한다.

```
namespace cse {
    void bar();
}

void cse::bar() {
    //
}
```

namespace는 다른 정의와 달리 여러 파일에 나누어 정의할 수 있다. 또 namespace 내에 또 다른 namespace를 중첩하여 정의할 수 있다. 큰 규모의 프로젝트를 작성하는 경우가 아니면 namespace를 정의하지 않고 충분히 프로그래밍할 수 있지만 규모가 커지면 namespace을 잘 나누어 개발하는 것이 더 효과적이다.

3.9. 기본 입출력

C에서는 어떤 기능이 필요하면 해당 기능을 해주는 함수를 찾아 그 함수를 사용한다. 반면에 객체지향을 지원하는 언어에서는 필요한 기능이 객체지향 기반으로 모델링하는 기능이면 해당 기능을 제공하는 클래스를 찾아 그것의 객체를 생성하여 사용한다. 보통 객체는 프로그래머가 직접 생성하지만, 특별한 객체는 라이브러리에서 미리 생성해 놓을 수 있다. 기본 입출력에서 사용하는 std::cout과 std::cin은 이처럼 라이브러리에서 미리 생성해 놓은 객체이다. std::cout은 표준 출력이고, std::cin은 표준 입력을 처리할 때 사용하는 객체이다.

객체를 이용하여 어떤 기능을 수행하기 위해서는 해당 기능을 제공하는 객체의 메소드를 호출해야 한다. 그런데 C++는 연산자를 다중 정의하여 메소드 대신에 연산자를 이용하여 필요한 기능을 수행할 수 있다. 원래 비트 이동 연산으로 사용된 <<, >> 연산자를 다중 정의하여 데이터를 콘솔에 출력하고, 키보드로부터 데이터를 입력받을 때 사용한다, 두 연산자의 방향이 매우 직관적이다. 출력은 표준 출력으로 데이터를 내보는 것이기 때문에 std::cout 객체 쪽으로 방향이 향하며, 입력은 표준 입력에 타이핑된 데이터를 변수로 받는 것이기 때문에 변수 쪽으로 방향이 향한다.

```
#include <iostream>

int main() {
    std::cout << "정수 입력: ";
    int n1{0};
    std::cin >> n1;
    int n2{0};
    std::cout << "정수 입력: ";
    std::cin >> n2;
    std::cout << n1 << "+" << n2 << " = " << n1 + n2 << std::endl;
    return 0;
}
```

〈그림 1.5〉 두 정수의 합을 구하는 프로그램

그림 1.5는 std::cout과 std::cin을 이용하는 간단한 프로그램이다. 이 프로그램의 6번째 줄에서는 정수 하나를 키보드로부터 입력받아 n1 변수에 저장하고 있다. 이것을 C언어에서 했다면 다음과 같이 하였을 것이다.

```
int n1 = 0;
scanf("%d", &n1);
```

위 코드와 그림 1.5의 입력 방법의 차이점은 다음과 같다.

- 차이점 1. 객체를 이용하여 입력을 처리하고 있음
- 차이점 2. 함수 대신에 연산자를 사용하고 있음
- 차이점 3. 변수에 입력받을 때 주소 연산자의 사용이 필요 없음

이와 같은 차이점을 정확하게 이해하기 위해서는 참조 타입(reference type)과 인자의 참조 전달, 연산자를 다중 정의하는 방법 등을 이해하여야 한다. 따라서 이에 대한 설명은 해당 내용을 설명하는 부분으로 미룬다. 다만, 현시점에서는 이와 같은 차이가 있다는 것을 인식하고 사용하는 것이 필요하다.

C에서 scanf나 C++에서 std::cin을 이용한 데이터 입력은 모두 내부적으로 버퍼를 사용하는 버퍼 기반 입력이다. 그림 1.5의 6번째 문장이 실행될 때 일어나는 일을 더 구체적으로 살펴보자. std::cin 객체는 먼저 버퍼에 요구하는 데이터가 있는지 살펴본다. 버퍼가 비어 있으면 콘솔에 새 데이터의 입력을 기대한다는 표시를 해준다. 이때 사용자가 데이터를 입력하고 엔터 키를 누르면 사용자가 입력한 데이터는 버퍼에 모두 문자 단위로 저장된다. std::cin은 버퍼가 채워지면 버퍼에서 사용자가 요구한 데이터를 취하여 사용자가 전달한 변수에 저장해 준다. 이때 필요한 타입 변환이 일어난다. 사용자가 프로그램에서 기대한 타입과 다른 타입의 데이터를 입력하면 오동작할 수 있다.

그림 1.5를 보면 변수를 선언하고 초기화하는 방법도 기존 C와 다르다는 것을 알 수 있다. C++는 변수 선언 위치에 대한 제한이 없으며, 변수의 초기화도 C++11부터는 중괄호를 이용하여 어떤 형태든 같은 방법으로 초기화할 수 있도록 하고 있다. 중괄호를 이용한 초기화는 2장에서 자세히 설명한다.

std::endl은 “end of a line”의 약자로서 std::cout에 출력하면 줄 바꿈이 이루어지

고, 사용하고 있는 출력 버퍼를 비우는 기능을 해준다. 따라서 std::cout << '\n'과 std::cout << std::endl은 후자의 경우 추가로 버퍼까지 비운다는 차이점만 있다. 버퍼를 비우는 연산은 추가적인 비용이 소요되기 때문에 std::endl을 자주 사용하는 것은 효율적이지 못하다.

데이터 입력을 처리할 때 버퍼에 있는 내용을 무시하기 위해 std::cin의 ignore 메소드를 종종 이용한다. 예를 들어, 다음과 코드가 있다고 하자.

```
1  int n{0};
2  std::cin >> n;
3  std::string name;
4  std::getline(std::cin, name);
5  std::cout << "정수: " << n << ", 이름: " << name << std::endl;
```

3번째 줄에서 버퍼에 있는 정수를 취하고 나면 버퍼에는 줄 바꿈 문자가 남아있다. 따라서 4번째 줄의 std::getline 함수가 실행되면 사용자가 새롭게 타이핑한 문자열을 입력받는 것이 아니라 버퍼에 있는 줄 바꿈 문자 하나만 처리한다. 이 문제 때문에 정수를 입력받은 다음에 std::getline를 이용하여 문자열을 입력받아야 하면 먼저 버퍼를 비우는 작업이 필요하다. 이를 위해 4번째 줄 다음에 다음과 같은 문을 추가할 수 있다.

```
std::cin.ignore(std::numeric_limits<std::streamsize>::max(), '\n');
```

여기서 첫 번째 인자는 버퍼의 최대 크기를 나타낸다. std::cin의 ignore 메소드는 첫 인자로 주어진 바이트만큼 또는 '\n' 문자를 만날 때까지 입력 버퍼에 있는 내용을 무시하게 된다.

한 줄 입력을 처리할 때 std::string에 선언되어 있는 std::getline 함수를 활용할 수 있다. 이때도 주소 개념을 사용하지 않는다는 것을 주목할 필요가 있다. 참고로 std::string은 C++에서 문자열을 처리할 때 사용하는 표준 라이브러리에서 제공하는 클래스이다. std::cin도 getline 메소드를 가지고 있지만, 이 메소드는 std::string이 아니라 C 스타일의 문자열을 인자로 요구한다. std::string은 4장에서 자세히 설명한다.

std::cout을 이용하여 형식화된 출력을 하는 것은 C때 널리 사용한 printf 함수와 비교하면 매우 번거롭다. 그런데 C++20은 형식화된 출력을 쉽게 할 수 있도록 std::format이라는 새로운 함수를 제공해 준다. 이 함수는 C의 sprintf와 유사하게 문자열에 형식화된 출력을 할 수 있게 해준다. 하지만 그 방법은 printf처럼 사용하는 것이 아니라 파이썬에서 사용하는 형식화된 문자열 출력과 유사하다. 다음은 std::cout과 std::format 함수를 이용한 형식화된 출력의 예이다.

```
std::cout << std::format("이름: {}, 평점: {:.2f}\n", name, gpa);
```

주어진 예에서 알 수 있듯이 큰따옴표 내에 중괄호를 이용하여 형식화된 출력 위치를 결정하며, 중괄호 내에 형식 명세를 이용하여 원하는 형식의 출력을 만들 수 있다. 이 함수를 사용하기 위해서는 〈format〉 헤더를 포함해야 한다.

퀴즈

1. std::cin과 scanf을 비교하는 다음 설명 중 **틀린** 것은?

   ① std::cin은 >> 연산자를 이용하여 특정 변수에 데이터를 입력받을 때 주소 연산자를 사용하지 않는다.

   ② std::cin과 scanf는 둘 다 버퍼 입력을 사용한다.

   ③ std::cin은 객체이고, scanf는 함수이다.

   ④ C++에서는 scanf를 사용할 수 없다.

2. namespace와 관련된 다음 설명 중 **틀린** 것은?

   ① namespace는 C++ 키워드이다.

   ② . 연산자를 이용하여 식별자가 어느 namespace에 정의되어 있는지 나타낸다. 예) std.cout

   ③ 여러 개의 namespace를 사용할 수 있으므로 using을 이용하는 것보다 식별자마다 정의된 namespace를 앞에 붙여 주는 것이 바람직하다.

   ④ 표준 라이브러리에 있는 식별자는 모두 std라는 namespace에 정의되어 있다.

3. C++ 소스를 컴파일하고 실행 파일을 만드는 과정과 관련된 다음 설명 중 **틀린** 것은?

   ① 컴파일러는 모든 소스 파일을 모아 한 번에 번역하여 하나의 목적 코드를 생성한다.

   ② 특정 함수 호출을 번역하기 위해서는 함수 호출 이전에 호출하는 함수의 선언이나 정의가 반드시 있어야 한다.

   ③ 헤더 파일에 함수를 정의하면 이 헤더 파일이 여러 소스 파일에 포함되어 결합하는 과정에서 오류가 발생할 수 있다. 이와 관련된 규칙이 유일 정의 규칙(ODR, One Definition Rule)이다.

   ④ 실행 파일을 만들기 위해서는 반드시 main 함수가 있어야 하며, 프로그램 전체의 하나만 있어야 한다.

연습문제

1. 주어진 다음 프로그램에서 문법 오류가 있는 곳, 논리 오류가 있는 곳, 문법 및 논리 오류는 아니지만 수정이 필요한 곳을 모두 찾아라.

```
#include <iostream.h>
struct Student {
    std::string name;
    int year;
};

int main() {
    Student student = getStudent();
    std::cout << student.year <= 2? "저학년": "고학년";
    return 1;
}

void getStudent() {
    std::cout << "학년: ";
    int year;
    std::cin >> &year;
    std::string name;
    std::cout << "이름: ";
    std::getline(std::cin, &name);
    return Student{name, year};
}
```

2. 주어진 다음 프로그램과 관련하여 다음 각각에 대해 답하라.

```
#include <iostream>
#include <string>

```

```
int main() {
    std::cout << “ 문자열의 개수: ”;
    int n;
    std::cin >> n;
    std::string max(“ ”);
    for(int i{0}; i < n; ++i) {
        std::string word;
        std::getline(std::cin, word);
        if(max < word) max = word
    }
    std::cout << max;
    return 0;
}
```

① 주어진 프로그램이 무엇을 하는 프로그램인지 설명하라.

② 이 프로그램은 실제 실행하면 기대한 것과 다르게 동작한다. 이 프로그램의 문제점을 설명하고, 이를 해결하도록 프로그램을 수정하라.

3. C++20은 기존에 사용한 #include 대신에 import 문을 이용할 수 있다. 또 더 쉽게 형식화된 출력할 수 있도록 std::format 함수를 라이브러리를 통해 제공한다. 현재 사용하고 있는 C++ 컴파일러의 import 문과 std::format 함수의 지원 여부를 조사하라.

4. 그림 1.5의 프로그램을 실행한 후에 다음 각각 입력하였을 때, 결과를 설명하라.

① 10 20 30 40을 입력하고 엔터를 누른 경우

② 스페이스바를 여러 번 누른 후 10을 입력하고 엔터를 누른 경우

③ hello 10을 입력한 경우

④ 10.5 20을 입력하고 엔터를 누른 경우

제2장

C++ 원시 타입

제 2 장 C++ 원시 타입

1. 타입

프로그램은 그 기능을 수행하기 위해 다양한 데이터를 처리한다. 특히, 오늘날 프로그램에서 사용하는 데이터는 점점 많아지고 복잡해지고 있다. 데이터는 그것의 종류에 따라 컴퓨터로 표현하는 방식이 다르며, 필요한 공간이 다르다. 이와 같은 데이터의 종류를 나타내기 위해 프로그래밍에서는 자료유형 또는 **타입**이라는 개념을 사용한다. 예를 들어, C++에서 "CSE"는 문자열 타입으로 분류하고, 10은 정수 타입이다.

타입은 크게 언어에 포함된 타입과 사용자가 정의한 타입으로 분류할 수 있다. 표준 라이브러리를 통해 제공하는 수많은 타입도 언어에 포함된 타입이 아니라 사용자 정의 타입에 해당한다. 보통 타입은 그 타입이 가질 수 있는 값의 범위와 그 타입을 이용하여 할 수 있는 연산에 의해 정의된다. 컴퓨터를 이용하여 처리하기 가장 쉽고 효율적인 타입은 정수이다. 정수는 그 정수를 표현하기 위해 사용하는 공간의 크기에 따라 그 범위가 달라진다. 예를 들어, 4bit를 사용하면 0에서 15까지의 수를 표현할 수 있거나 -8에서 7까지 표현할 수 있다. 이와 같은 범위를 해당 타입의 **도메인**이라 한다. 보통 정수 타입에 대해서는 사칙연산을 할 수 있는데, 이 중 나눗셈 연산은 그것의 피연산자가 모두 정수인 경우와 하나가 부동 소수일 때 평가 방법이 다르다. 이처럼 각 타입을 사용할 때 각 타입을 이용하여 할 수 있는 연산과 그 연산의 특징을 올바르게 이해해야 프로그래밍을 오류 없이 정확하게 할 수 있다.

2. 변수

프로그래밍에서 특정 데이터는 보통 한 번만 사용하지 않으며, 해당 데이터의 값도 프로그램이 실행되는 동안 바뀔 수 있다. 프로그래밍에서 특정 데이터를 유지하고 접근하기 위해 **변수**(variable)라는 개념을 사용한다. 변수란 어떤 데이터의 값을 저장한 곳을 말한다. 프로그램이 실행되는 동안 프로그램에서 사용하는 데이터는 주기억장치에 유지되므로, 변수가 가리키는 곳은 바로 메모리이며, 메모리의 위치 정보를 이용하여 접근한다. 데이터의 종류에 따라 필요한 공간의 크기가 다르다. 따라서 변수를 선언할 때, 타입 정보와 이름의 제공이 필요하다. 타입 정보에 의해 필요한 공간이 결정되며, 이름을 통해 해당 데이터가 필요할 때 다른 데이터와 구분하여 접근할 수 있다.

2.1. 변수의 종류

변수는 크게 다음과 같은 3가지 기준을 이용하여 분류할 수 있다.

- 기준 1. 선언 위치: 전역 변수, 지역 변수, 매개 변수, 멤버 변수
- 기준 2. 변수가 직접 값을 유지하는지 여부: 일반 변수, 포인터 변수, 참조 변수
- 기준 3. 변수를 통해 접근하는 값의 개수: 원시 타입, 복합 타입

전역 변수는 함수 밖에 선언된 변수이며, 함수 내에 선언된 변수는 지역 변수라 한다. 함수 정의에서 함수 이름 다음에 오는 괄호 내에 선언된 변수를 매개 변수라 하고, 클래스나 구조체의 구성 요소를 위해 클래스나 구조체 내에 선언된 변수를 멤버 변수라 한다. 변수는 선언된 위치에 따라 **가시영역**(scope)과 **수명**이 다르다.

보통 변수에 데이터 값 자체를 유지하지만, 값 대신에 값이 저장된 위치 정보를 유지할 수 있다. 이 위치 정보를 보통 **주소**(address)라 한다. 값 대신에 그것의 주소를 유지하는 변수를 포인터 변수라 한다. 참조 변수는 기존 변수에 또 다른 이름(alias)을 붙이는 개념이다. 포인터 변수는 * 기호를 사용하여 선언하며, 참조 변수는 & 기호를 사용하여 선언한다. 참조 변수의 종류에 따라 & 기호를 하나 또는 두 개를 사용하여 선언한다. 보통 선언할 때 사용한 기호를 해당 변수를 이용하여 값에 접근할 때도 사용하지만 참조 변수는 값에 접근할 때 참조한 변수가 무엇인지에 따라 달라진다. 참조 변수가 참조하는 변수가 원시 타입인지, 포인터인지, 배열인지 등에 따라 달라지며, 원래 변수와 동일하게 사용한다.

값 자체를 유지하는 일반 변수는 어떤 값을 유지하느냐에 따라 차지하는 공간이 다르지만, 포인터 변수는 주소 정보를 유지하기 때문에 해당 변수를 통해 접근하는 값의 종류와 상관없이 고정된 크기의 공간을 사용한다. 참조 변수는 자체 공간을 가지지 않는다. 따라서 참조 변수에 주소 연산자를 적용하면 참조 변수 자체가 아니라 참조하는 변수의 주소를 얻게 된다.

일반적으로 기준 2는 데이터의 값을 유지하는 값 타입(value type)과 데이터의 주소를 유지하는 참조 타입으로 분류하지만, C++는 참조 변수라는 것이 별도 있고, C++의 참조 변수는 주소를 유지하는 타입이 아니므로 이처럼 분류할 수 없다. C++의 포인터가 일반적인 언어에서 말하는 참조 타입에 해당한다.

종류별 변수 선언의 예는 다음과 같다.

```
int a{10};
int& c{a};
int* b{&a};
int*& d{b}; // 포인터 변수에 대한 참조
```

여기서 a는 일반 변수이고, c는 참조 변수, b는 포인터 변수이다. d는 포인터 변수 b의 또 다른 이름이며, *d를 통해 역참조할 수 있고, d를 이용하여 b가 유지하는 주솟값을 바꿀 수 있다. 참조 변수는 다른 변수와 달리 선언과 동시에 초기화해야 하며, 한 번 초기화한 이후에는 참조하는 것을 바꿀 수 없다. 이것이 포인터 변수와 가장 큰 차이점이다. 하지만 주어진 예시처럼 참조 변수를 사용하는 경우는 별로 없고, 보통은 참조 전달 방식의 매개 변수를 선언할 때 주로 사용한다.

이들 변수는 다음과 같이 대입문 왼쪽에 위치하여 해당 변수의 값을 바꿀 수 있다.

```
a = 5;
c = 3;
*b = 2;
*d = 3;
```

이와 같은 문장을 실행하면 변수 a의 값은 10에서 차례로 5, 3, 2, 3으로 바뀌게 된다.

포인터와 참조 변수에 대해서는 5장에서 더 자세히 설명한다.

원시 타입은 변수에 값을 하나만 유지하는 타입을 말하며, 복합 타입은 변수에 여러 개 값을 유지하는 타입(또는 변수 이름을 통해 여러 개 값에 접근할 수 있는 타입)을 말한다. C++에는 C 언어의 포함된 원시 타입인 char, int, float, double 등을 모두 사용할 수 있으며, long long 타입과 논리형인 bool이 추가되었다. C++ 언어 자체에 포함된 복합 타입에는 문자열과 배열이 있으며, 구조체와 클래스를 통해 사용자 정의 복합 타입을 새롭게 정의하여 사용할 수 있다.

변수에 값을 하나만 유지하는 타입을 정확하게 나타내는 용어는 **원자 타입**(atomic type)이며, 원시 타입은 정확하게는 **근본 타입**(fundamental type)으로 다른 타입을 정의할 때 사용하는 언어에 내장되어 있는 타입(native type, built-in type)을 말한다. C++ 표준에서 근본 타입은 **산술**(arithmetic) **타입**, void, std::nullptr_t[4]로 정의하고 있다. 산술 타입이란 사칙 산술 연산이 정의된 언어 내장 타입을 말하며, 여기에는 bool 타입도 포함된다. 근본 타입, 포인터 타입, 열거형 타입을 합쳐 스칼라(scalar) 타입이라 하며, 스칼라 타입은 모두 원자 타입이다. 근본 타입을 이용하여 정의한 타입을 **합성**(compound) **타입**이라 한다.

2.2. 변수의 선언과 초기화

C++는 변수 선언 위치에 대한 제약이 없다. 이 때문에 보통 가독성의 도움이 되고, 가시영역을 최대한 제한할 수 있는 위치에 선언한다. 변수 선언에는 변수의 타입과 이름이 주어져야 하며, 선언과 동시에 초기화할 수 있다. 변수의 초기화는 매우 중요하며, 초기화하지 않은 변수를 사용하는 것이 쉽게 범하는 오류 중 하나이다. C++11 이전까지는 형태를 보면 다음과 같이 총 3가지 방식의 초기화 문법이 있었다.

```
int a = 1;          // =을 이용한 초기화
int b(2);           // 괄호를 이용한 초기화
int n[5] = {0};     // =와 중괄호를 이용한 초기화
```

기존 C 언어에서 사용한 문법과 C++를 최초 개발하면서 추가된 문법이 합쳐지면서 만

4) std::nullptr_t는 nullptr의 타입을 말한다.

들어진 결과이다. 많은 초기화 문법은 혼란을 초래하기 때문에 C++11에서는 모든 경우에 중괄호를 이용하여 한 가지 문법을 가지고 균일하게 초기화할 수 있도록 하였다. 특히, 새 초기화 문법은 정보 손실이 발생할 수 있는 초기화는 문법 오류가 되도록 하여 강건성도 높였다.

```
1  int a = 10;
2  int b{10};
3  int c = 2.5;      // warning
4  int d{2.5};       // error
5  float f1{a};      // error
6  float f2{10};     // ok
```

〈그림 2.1〉 중괄호를 이용한 초기화 문법

그림 2.1은 새 문법을 이용한 원시 타입 변수를 초기화한 예이다. 첫 번째와 세 번째는 이전에 많이 사용한 =을 이용한 초기화이고, 나머지는 모두 새 문법인 중괄호를 이용하여 초기화하고 있다. 세 번째와 네 번째를 비교해 보면 강건성 측면에서의 차이점을 쉽게 이해할 수 있다. 중괄호를 이용한 초기화는 정보 손실이 발생할 수 있으면 문법 오류이다.

타입 변환은 크게 **확장 변환**(widening conversion, promotion)과 **축소 변환**(narrowing conversion, demotion)으로 구분할 수 있다. 일반적으로 변환하는 타입의 도메인이 더 크면 확장이고, 그 반대면 축소 변환이다. 따라서 축소 변환을 하면 정보 손실이 발생할 수 있다. 보통 정수 타입에서 부동 소수 타입으로 변환은 부동 소수 타입의 도메인이 정수 타입보다 더 크기 때문에 확장 변환에 해당하지만, 부동 소수의 정확성(precision) 문제 때문에 C++는 정수 타입과 부동 소수 타입 간 변환을 그 방향과 상관없이 모두 축소 변환으로 간주한다. 실제 int를 float, long 타입을 double 타입으로 변환하면 기존 정수에 유지한 값과 다른 값을 유지할 수 있다. 이 때문에 위 다섯 번째 문장이 문법 오류가 되는 것이다. 따라서 앞으로는 강건성 측면에서 가급적 중괄호를 이용한 초기화 문법을 사용하는 것이 바람직하다.

변수를 선언한 후에 사용하지 않으면 컴파일러는 보통 경고를 준다. C++17부터는 변수 선언 앞에 [[maybe_unused]] 속성을 수식하면 이 경고를 주지 않는다. 개발하는 과정에서 선언하였지만, 아직 활용하지 않는 변수에 대한 경고를 무시하고 싶으면 이 속성을 이용하면 된다. 이 속성은 함수, 열거형 등을 수식할 수도 있다.

2.2.1. auto

C++11부터는 지역 변수를 선언할 때, 타입 이름 대신에 auto 키워드를 사용하면 컴파일러가 초깃값을 이용하여 자동으로 타입을 유추한다. C++11에서 auto 키워드를 사용하면 통일된 중괄호를 이용한 초기화 대신에 이전에 사용한 = 연산자를 사용해야 시스템에서 타입을 올바르게 유추할 수 있었다.

```
auto n1{1};
auto n2 = 1;  // C++11에서는 이와 같은 형태를 권장함
```

위 예에서 첫 번째 문장의 n1 변수는 C++11에서는 int가 아니라 std::initializer_list〈int〉 타입으로 유추한다. std::initializer_list〈int〉 타입은 균일한 중괄호 초기화를 위해 C++11에서 도입한 타입이며, 초깃값 목록을 이용하여 객체를 초기화할 수 있도록 해준다. 이 타입에 대해서는 16장에서 더 자세히 설명한다.

이 문제는 중괄호를 이용한 균일한 초기화 문법에 걸림돌이 되어 C++17부터는 위 첫 번째 문장은 int로 해석하도록 바뀌었고, C++17에서 초깃값 목록으로 유추하도록 auto를 사용하고 싶으면 다음과 같이 = 와 중괄호를 함께 사용해야 한다.

```
auto n1 = {1};    // C++17, std::initialize_list<int>로 해석
```

실제 타입 대신에 auto를 사용하는 것의 장점은 다음과 같다.

- 장점 1. 프로그래머의 실수를 줄여주는 효과가 있음
- 장점 2. 프로그램의 간결성을 높여주는 효과가 있음
- 장점 3. 프로그램의 수정을 용이하게 해줌

이와 같은 장점에도 불구하고 프로그래머의 의도와 다르게 타입을 유추할 수 있으므로 주의할 필요가 있다. 이 문제는 auto가 사용하는 유추 규칙을 프로그래머가 잘못 이해하고 사용할 수 있기 때문이다.

auto는 절대 참조 타입으로 유추하지 않으며, 상수 타입으로 유추하지도 않는다. 따라서 상수 타입으로 유추되기를 원하면 const, constexpr 등을 auto와 함께 사용해야 하며, 참조 타입으로 유추되기를 원하면 & 기호를 auto와 함께 사용해야 한다. 하지만 초깃값이 주소 연산자를 이용하여 주소가 주어지면 *를 함께 사용하지 않아도 포인터 타입으로 유추하여 준다.

참고로 C++14부터는 auto 키워드를 함수의 반환 타입으로 사용할 수 있다. 함수 반환 타입으로 사용하면 return 문을 이용하여 타입을 유추한다. 반환 타입으로 auto를 사용하는 함수 내에 return 문들이 서로 다른 타입을 반환하면 문법 오류가 된다. 따라서 다음은 문법 오류이다.

```
auto foo(int n) {
    if(n > 0) return 1;
    else return 2.0;
}
```

또 재귀 함수의 경우에는 유추할 수 있도록 재귀 호출 이전에 값을 반환하는 return 문이 있어야 한다.

C++20부터는 auto를 함수의 매개 변수 타입으로 사용할 수 있다. auto를 함수의 매개 변수 타입으로 사용하면 이 함수는 범용 함수가 된다. 원래 template 키워드를 사용하여 타입 매개 변수를 정의하여 범용 함수를 정의하는데, C++20부터는 template 키워드 없이 간결하게 매개 변수의 타입을 auto로 사용하여 범용 함수를 정의할 수 있다. 이 부분은 15장에서 다시 설명한다.

2.2.2. decltype

C++11부터는 auto 외에 타입을 지정할 때 decltype을 사용할 수 있다. decltype은 sizeof처럼 함수 형태로 사용하며, 괄호 안에 표현식을 포함한다. decltype은 auto와 마찬가지로 타입이 필요한 곳에 실제 타입 대신에 사용할 수 있다. auto와의 차이점은 auto는 초깃값을 이용하여 타입을 유추하는 반면 decltype은 괄호에 기술된 표현식을 이용하여 타입을 유추한다. 하지만 이 표현식을 실제 실행하는 것은 아니며, 컴파일 시간에 표현식을 분석하여 타입을 유추한다. 이 때문에 사용하는 방식에 따라 auto보다 더 정확하게

우리가 원하는 바를 얻을 수 있다.

```
int n{0};
auto n1{1};          // int n1{1}
decltype(n) n2{1};   // int n2{1}
```

위 예와 같이 decltype을 사용하는 경우는 별로 없지만 n은 정수 변수이기 때문에 n2는 int 변수로 유추된다.

auto와의 차이점은 다음 예를 통해 확인할 수 있다.

```
const int N{0};
int n{0};
int& r{n};
decltype(N) n1{1};      // const int n1{1}
decltype(n) n2{1};      // int n2{1}
decltype(r) n3{n};      // int& n3{n}
decltype(auto) n4{r};   // int& n4{r}
```

위와 같은 타입으로 유추하도록 auto를 이용하여 선언하고자 하면 다음과 같이 해야 한다.

```
const auto n1{1};    // const int n1{1}
auto& n3{n};         // int& n3{n}
```

참고로 decltype(n)과 decltype((n))은 다르게 해석한다. n이 int 변수이면 decltype(n)은 int로 해석한다. 따라서 int가 아니라 int 참조로 해석할 수 있도록 변수 이름을 괄호로 묶어 decltype((n))처럼 사용하면 int&로 해석한다. decltype과 관련된 더 고급적인 내용은 15장에서 설명한다.

C++14부터는 decltype을 auto와 함께 사용할 수 있다. 특히, 범용 함수의 반환 타입을 지정하기 위해 decltype(auto)를 많이 사용한다.

2.3. 변수의 가시영역과 수명

```
const int MAXWIDTH{100};
const int MAXHEIGHT{100};

struct Point {
    void set(int xpos, int ypos) {
        if(xpos >= 0 && xpos < MAXWIDTH) x = xpos;
        if(ypos >= 0 && ypos < MAXHEIGHT) y = ypos;
    }
    void move(int deltaX, int deltaY) {
        int newX{x + deltaX};
        int newY{y + deltaY};
        if(newX >= 0 && newX < MAXWIDTH &&
            newY >= 0 && newY < MAXHEIGHT) {
            x = newX;
            y = newY;
        }
    }
    int x{0};
    int y{0};
};

int main() {
    Point p;
    p.set(10, 10);
    for(int i{0}; i < 2; ++i)
        p.move(10, 10);
    std::cout << p.x << ", " << p.y << std::endl;
    return 0;
}
```

〈그림 2.2〉 변수의 가시영역과 수명

변수의 가시영역이란 주어진 변수를 이용하여 프로그래밍할 수 있는 영역을 말하며, 수명이란 주어진 변수가 공간을 할당받아 공간을 차지하고 있는 기간을 말한다. 변수의 가시영역과 수명은 변수가 선언된 위치에 따라 다르다. 이를 정확하게 이해하여야 올바르게 프로그래밍할 수 있다.

〈표 2.1〉 변수 선언 위치에 따른 가시영역과 수명

종류	가시영역	수명	예
전역 변수	파일	프로그램	MAXWIDTH
지역 변수	블록	함수	p
멤버 변수	구조체, 클래스	객체	x

그림 2.2에는 변수들이 다양한 위치에 선언되어 있다. MAXWIDTH와 MAXHEIGHT는 전역 변수이고, p, i, newX 등은 지역 변수이며, Point 구조체 내부에 선언된 x와 y는 멤버 변수이다. 그밖에 xpos, deltaX 등은 매개 변수이다. 참고로 C++부터는 구조체도 클래스처럼 구조체 내에 함수를 정의하여 사용할 수 있다. 각 선언 위치별 가시영역과 수명은 표 2.1과 같다.

전역 변수는 프로그램이 실행되면 공간을 차지하며, 프로그램이 실행되는 동안 계속 사용이 가능하다. 또 전역 변수의 가시영역은 선언 이후 파일 끝까지이므로 구조체 내 함수 정의에서도 사용할 수 있다. 실제로는 정의된 파일뿐만 아니라 다른 파일에서도 사용할 수 있다. 전역 변수의 사용을 정의된 파일 내로 제한하고 싶으면 static 키워드로 수식하면 된다. 다른 파일에 선언된 전역 변수를 사용하고 싶으면 extern 키워드를 이용하여 변수를 선언해야 한다. 이처럼 전역 변수는 사용할 수 있는 영역이 제한되지 않기 때문에 상수를 제외하고는 절대 전역 변수를 사용하지 않는 것이 바람직하다.

지역 변수는 해당 변수가 포함된 함수가 실행되면 공간을 차지하게 되며, 함수의 실행이 종료되면 자동으로 사용한 공간을 반납한다. 지역 변수는 중괄호로 묶인 블록 영역 내에서 선언된 이후 해당 블록 끝까지 사용할 수 있다. 예를 들어, 그림 2.2의 p 변수는 선언된 이후 main 함수 내에서만 사용할 수 있고, main 함수가 실행되는 동안 공간을 차지하고 있다. 지역 변수는 이처럼 선언 이후에만 사용할 수 있으므로 C 때와 달리 함수 시작 위치에 변수를 선언하는 것보다 가독성에 도움이 되는 위치에 선언하면 가시영역을 줄이는 효과도 있다. for 문의 제어 변수로 사용하고 있는 i의 수명도 main 함수와 같다.

하지만 가시영역은 main 함수 전체가 아니라 for 문 내로 제한된다. 매개 변수도 지역 변수와 동일한 가시영역과 수명을 가진다. 예를 들어, move 함수의 deltaX 매개 변수는 해당 함수가 호출될 때 공간을 차지하게 되며, 함수가 실행되는 동안 해당 위치에 존재한다.

멤버 변수는 해당 구조체 또는 클래스 내에 어디서든지 사용할 수 있다. 멤버 변수는 다른 변수와 달리 선언 이후 그 아래 영역에서만 사용할 수 있는 것이 아니라 선언된 위치와 무관하게 선언된 구조체 또는 클래스 내에 어디서든지 사용할 수 있다. 그것을 보여주기 위해 그림 2.2에서는 선호하는 스타일이 아니지만 멤버 변수를 구조체 맨 아래에 선언하고 있다.

```
1   int n{-1};
2
3   void foo() {
4       int n{0};
5       {
6           int n{1}, m{0};
7           std::cout << n << ", " << m << '\n';
8           std::cout << ::n << '\n';
9       }
10      std::cout << n << '\n';
11      std::cout << ::n << '\n';
12      {
13          int m{0};
14          std::cout << n << ", " << m << '\n';
15      }
16  }
```

〈그림 2.3〉 가시영역의 중첩

이름이 같은 두 변수의 가시영역이 중첩될 수 있다. 이 경우 작은 영역의 변수를 우선한다. 그림 2.3의 7번째 줄에서 n은 6번째 줄에 선언된 변수 n이고, 10번째 줄에서 n은 4번째 줄에 선언된 변수 n이다. 이처럼 C++는 가시영역의 중첩을 제한하지 않는다. C++는 보통 가시영역이 중첩되어 단순 이름으로 접근할 수 없는 변수에 접근하는 방법을 제공해 준다. 하지만 두 개의 지역 변수가 중첩되면 가려진 더 큰 범위의 변수에 접근하는 방법은 없다. 그림 2.3의 11번째 줄처럼 전역 변수와 지역 변수가 충돌하면 가시영역 해소 연산자를 이용하여 가려진 변수를 사용할 수 있다. 하지만 가시영역이 중첩되도록 변수를 선언하는 것은 적절하지 않다.

변수의 가시영역과 식별자의 namespace 영역은 다른 개념이다. 변수의 가시영역은 해당 변수를 이용하여 프로그래밍할 수 있는 영역을 말하고, 식별자의 이름 영역은 해당 이름이 정의되어 있는 영역을 말하며, 식별자가 정의되어 있는 영역을 나누기 위한 목적을 가지고 있다.

변수의 수명은 크게 자동(auto), 정적(static), 동적(dynamic), 3종류로 구분할 수 있다. 일반 지역 변수는 자동에 해당하며, 함수가 실행되면 함수의 스택 프레임에 할당되며, 함수가 종료하면 자동 반납된다. static 지역 변수나 전역 변수는 정적에 해당한다. static 지역 변수는 함수가 실행되면 처음 공간이 할당되며, 프로그램이 종료할 때까지 유지된다. 보통 힙 공간에 별도 영역에 할당된다. 동적 할당된 공간은 동적 수명에 해당한다. 이 공간은 동적 할당한 순간부터 힙 공간에 존재하며, 프로그램에서 직접 반납할 때까지 유지된다. 이때 주의해야 할 것은 이 공간을 가리키는 변수의 수명은 동적 할당된 공간의 수명과 같지 않을 수 있다.

2.4. 변수 vs. 상수

프로그램 내에서 사용하는 값이 프로그램이 수행되는 동안 변하지 않을 수 있다. 이 경우에는 상수로 만들어 해당 값을 실제 변경할 수 없도록 하여 프로그램의 강건성을 높일 수 있다. 상수도 어떤 의미가 있을 수 있고, 여러 곳에서 사용할 수 있으므로 상수 자체를 사용하는 것보다 의미 있는 이름을 부여한 다음 사용하는 것이 바람직하다. 이와 관련하여 프로그래밍의 중요 팁 중에 “don't use magic numbers”라는 것이 있다. 상수 개념은 원시타입 값 데이터에만 국한되는 것은 아니다. 모든 종류의 데이터도 그 데이터를 생성한 이후 변할 필요가 없으면 변할 수 없도록 상수화해 주는 것이 강건성에 효과적이다.

C++에서 값을 상수로 처리하는 방법은 변수를 선언한 뒤에 해당 변수가 유지하는 값을 초기화한 이후 변경할 수 없도록 하는 것이다. 그림 2.3의 MAXWIDTH와 MAXHEIGHT가 여기에 해당한다. C++에서는 const 키워드를 이용하여 변수를 상수화한다. 초창기 C에서는 #define 전처리 문장을 이용하여 상수를 정의하였다. #define을 이용하는 것과

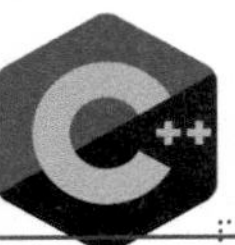

const 변수의 차이점은 다음과 같다.

- 차이점 1. #define를 이용하여 정의한 이름은 전처리기가 처리한 이후 컴파일 과정에서는 존재하지 않는다. 이 때문에 디버깅할 때 불편할 수 있다.
- 차이점 2. #define를 이용한 정의는 언제든지 #undef한 후에 다시 정의할 수 있다.
- 차이점 3. const를 이용한 상수는 일반 변수와 마찬가지로 가시영역을 제한(예: 함수 내에 정의하면 해당 함수 내에서만 사용할 수 있음)할 수 있다.
- 차이점 4. const를 이용한 상수는 공간을 차지하며, 선언할 때 지정한 타입을 가진다. 또 일반 다른 변수처럼 포인터 변수가 가리킬 수 있는 등 다른 일반 변수와 동일하게 사용할 수 있다.
- 차이점 5. const는 수치 상수와 문자열 상수뿐만 아니라 구조체 변수나 객체 변수를 상수화할 수 있다.

이와 같은 차이점을 종합해 보면 const를 이용한 상수가 강건성 측면에서 #define을 이용하는 것보다 좋다는 것을 알 수 있다.

참고로 C++11부터는 constexpr 키워드가 추가되었다. const는 변수를 수정하지 못한다는 것을 말하며, constexpr는 컴파일 시간에 평가가 가능하다는 것을 말한다. constexpr 변수도 선언 이후에는 수정할 수 없다. 이 키워드의 사용법은 7장에서 다시 설명한다. C++20에는 함수를 수식할 때 사용할 수 있는 consteval과 변수를 선언할 때 사용할 수 있는 constinit이 추가되었다. consteval 함수는 컴파일 시간에만 호출할 수 있다. constinit는 전역 변수, 정적 지역 변수, 정적 멤버 변수에 적용할 수 있으며, 0 초기화나 컴파일 시간 상수 초기화로 제한된다. 하지만 constexpr과 달리 constinit 변수는 나중에 값을 변경할 수 있다.

3. 식별자

프로그램에서 사용하는 각종 이름을 **식별자**라 한다. 프로그래머들은 변수 이름, 클래스/구조체 이름, 함수 이름 등을 가독성 있게 명명해야 한다. 이때 사용하는 규칙은 다음과 같다.

- 규칙 1. 영문자, 숫자, 밑줄문자(_)만을 사용할 수 있으며, 숫자로 시작할 수 없다.

(실제로 다양한 유니코드 문자도 사용할 수 있음)

- 규칙 2. 중간에 공백문자를 포함할 수 없다.
- 규칙 3. public과 같은 키워드는 사용자 정의 식별자로 사용할 수 없다.
- 규칙 4. 대소문자를 구분한다.

규칙 1에 의하면 _total, sum, box01 등은 유효한 식별자이지만 12dice, white-box 등은 유효하지 않다. 이와 같은 문법은 외우기보다는 컴파일러 입장에서 생각해 보고 이해하는 것이 필요하다. _total처럼 밑줄문자로 시작하는 이름은 유효한 식별자이지만 표준 라이브러리에서 많이 사용하고 있으므로 프로그래머는 가급적 이와 같은 형태는 사용하지 않는 것이 바람직하다.

당연히 사용할 수 없는 키워드뿐만 아니라 제한적 키워드, main과 같은 식별자, printf 처럼 라이브러리에서 사용하는 식별자도 되도록 사용하지 않는 것이 가독성에 도움이 된다. final, override 등 키워드는 아니지만 특정 위치에 사용하면 키워드처럼 사용하는 식별자를 **제한적 키워드**라 한다. 제한적 키워드는 호환성을 높이기 위해 해당 식별자를 키워드로 등록하지 않고 특정 위치에서 사용하면 키워드처럼 해석하여 사용한다.

식별자는 그것의 용도에 따라 그 의미가 잘 전달되도록 명명하고, 식별자의 종류에 따라 통일성 있게 정의하는 것이 가독성에 중요하다. 식별자는 그것의 형태만 보면 이것이 어떤 종류의 식별자인지 알 수 있도록 해야 한다. 보통 식별자의 종류에 따라 다음과 같은 관례를 사용한다. 참고로 C++ 라이브러리는 이 관례를 따르지 않는다. C++ 라이브러리는 클래스/구조체 이름도 소문자로 시작한다.

- 클래스/구조체 이름: 대문자로 시작 낙타 표기법 (예: People)
- 변수, 함수 이름: 소문자로 시작 낙타 표기법 (예: getName)
- 상수 이름: 모두 대문자 (예: MAX)

여기서 낙타 표기법이란 여러 단어를 이용하여 하나의 식별자를 정의할 경우, 각 단어의 첫 문자를 대문자로 사용하는 표기법을 말한다. 낙타 표기법 대신에 단어와 단어 사이에 밑줄 문자를 사용하는 뱀 표기법도 널리 사용하고 있다. 특히, 여러 단어를 이용하여 상수를 정의할 때, 모두 대문자로 사용하면 단어가 구분되지 않기 때문에 주로 낙타 표기법을 사용하더라도 상수만 뱀 표기법을 사용하는 경우도 많다.

변수와 함수는 모두 소문자로 시작하지만, 함수 이름 뒤에는 항상 괄호가 오기 때문에 프로그램 내에서 이들을 쉽게 구분할 수 있다. 변수는 보통 데이터이기 때문에 명사를 사용하여 명명하며, 함수는 기능이기 때문에 동사를 사용하여 명명하므로 이름을 통해서도 보통 구분할 수 있다. 함수 이름은 추가로 반환 타입이 있는 경우와 없는 경우로 구분하여 다음과 같이 명명하는 것을 권장하고 있다.

- 반환 타입이 있는 경우: 반환하는 값을 설명하는 이름 사용
- 반환 타입이 없는 경우: 메소드가 하는 일을 설명하는 이름 사용

복합 타입 변수는 종종 students처럼 복수를 사용하기도 한다.

3.1. C++ 키워드

〈표 2.2〉 C++ 키워드 목록

bool	char	short	int	long	float	double
char8_t	char16_t	char32_t	wchar_t	signed	unsigned	
const	consteval	constexpr	constinit	auto	static	extern
register	volatile	decltype	typeid	namespace	sizeof	
enum	struct	union	alignas	alignof		
class	super	this	virtual	explicit	mutable	
public	private	protected	inline	operator	friend	
template	typename	void	return			
if	else	switch	case	default		
while	do	for	break	continue	goto	
throw	try	catch	noexcept	static_assert		
true	false	new	delete	nullptr	typedef	using
static_cast	reinterpret_cast		dynamic_cast		const_cast	
export		concept	requires			asm
and	and_eq	bitand	bitor	not	not_eq	or
or_eq	xor	xor_eq	compl			
thread_local		co_await	co_return	co_yield		

〈표 2.3〉 C++ 제한적 키워드

final	override	import	module			

〈표 2.4〉 C++ 전처리기 식별자

if	elif	else	endif			
ifdef	ifndef	define	undef	defined		
include	line	error	pragma			

C++의 키워드는 표 2.2와 같다. 여기에 나열된 키워드 중 C 언어부터 사용한 키워드도 있고, C++11 이후에 추가된 키워드도 있다. 또 C 언어부터 사용한 키워드이지만 그것의 용도가 추가된 키워드도 있다. 이처럼 언어에 새 기능을 도입할 때, 새로운 키워드를 추가하기보다는 기존 키워드를 재활용하는 경우가 많다. 새 키워드를 추가하면 기존에 잘 컴파일되는 소스 코드 중 해당 키워드를 사용자 식별자로 사용한 소스 코드는 올바르게 컴파일되지 않는 문제점이 발생한다. 키워드의 사용이 모호하지 않다면 한 키워드를 여러 가지 용도로 사용할 수 있다. 물론 이것이 가독성에 문제가 될 수 있다.

표 2.3은 특정 위치에서 사용하면 키워드로 취급하는 제한적 키워드이고, 표 2.4에는 C++ 전처리기에서 사용하는 식별자이다.

4. C++ 원시 타입

C++에는 기본적으로 bool, char, int, long long, float, double, 6가지 원시 타입이 있다. 이 중 int는 signed, unsigned, short, long 수식어가 추가되어 다음과 같이 6개의 세부 타입으로 사용할 수 있다. 참고로 signed 수식어는 보통 생략한다.

```
int, unsigned int, short int, unsigned short int, long int, unsigned long int
```

long long 타입도 signed, unsigned 수식어를 가질 수 있다. 따라서 char8_t, char16_t, char32_t, wchar_t를 제외하면 총 13개의 원시 타입이 있다고 할 수 있다.

이 외에 라이브러리에 정의되어 있는 size_t도 프로그래밍할 때 많이 사용한다. size_t는 sizeof 연산자의 평가 결과 타입으로 부호가 없는 정수 타입이다.

C++에서 각 원시 타입의 크기는 표준에 정의되어 있지 않다. 각 컴파일러 개발업체가 해당 컴파일러가 동작하는 컴퓨팅 환경에 맞게 크기를 정의하여 사용할 수 있다. 다만, short와 int는 최소 2byte 이상이어야 하며, long int와 long long은 4byte 이상이어야 하고, 다음 규칙은 반드시 지켜야 한다.

sizeof(short int) ≦ **sizeof(int)** ≦ **sizeof(long int)** ≦ **sizeof(long long)**

MacBook Pro에서 xcode 기반 clang을 이용하여 실행하였을 때, short int부터 long long까지의 크기는 각각 2, 4, 8, 8이었다. 이처럼 각 타입이 차지하는 공간의 크기는 필요하면 항상 sizeof 연산자를 이용하여 계산한 후에 사용해야 한다.

4.1. 정수 타입

앞서 살펴본 바와 같이 C++에는 다양한 크기의 정수 타입이 존재한다. 접미사가 없는 정수 상수가 주어지면 int, long, long long 타입 중 해당 값을 유지할 수 있는 가장 작은 타입으로 해석한다. 따라서 보통 우리가 사용하는 다수의 10진수 정수는 int 타입으로 처리한다.

```
int abs(int n) {
    return (n >= 0)? n: -n;
}
```

〈그림 2.4〉 abs 함수

정수 중 signed 형을 사용할 때 항상 음수가 양수보다 하나 더 많다는 것과 각 타입이 사용하는 크기에 의해 정수 범위가 제한된다는 것을 인식하고 있어야 한다. 예를 들어, 절댓값을 구하는 함수를 그림 2.4와 같이 정의하였다고 하자. 이 함수는 큰 문제가 없어 보이지만 INT_MIN 값을 인자로 전달하면 그것에 대응하는 양수가 없어 오버플로가 발생한다. 오버플로란 정수, 부동 소수와 같은 수치 타입이 도메인 범위를 벗어난 수를 가질 경우를 말한다. C++에서 정수 타입을 사용할 때 이와 같은 현상이 발생하면 프로그래머가 기대하는 값 대신에 엉뚱한 값을 가지게 된다.

unsigned 타입은 양수만 유지한다. 따라서 어떤 값이 양수만 가질 경우 unsigned 타입을 사용하는 것이 바람직하다고 생각할 수 있지만, 오히려 오류의 원인이 될 수 있다. 예를 들어, 은행 계좌의 입금을 처리하는 함수를 다음과 같이 선언할 수 있다.

```
void deposit(unsigned int amount);
```

당연히 은행에 입금할 수 있는 금액은 양수이어야 하므로 매개 변수를 unsigned int로 선언하는 것이 맞는다고 생각할 수 있다. 하지만 이와 같은 함수에 음수를 전달하면 어떤 현상이 나타날까? C++에서는 unsigned 타입에 음수를 대입하면 그것을 양수로 해석한다. 따라서 전혀 엉뚱한 값을 처리하는 문제가 생긴다. 그러므로 매개 변수의 경우에는 사전 조건이 양의 정수이어도 signed 타입으로 처리하고, 오류를 발견할 수 있도록 음수 입력에 대해 예외 처리를 하는 것이 올바른 프로그래밍 방법이다.

4.1.1. 오버플로

정수는 사용하는 공간의 크기에 의해 범위가 제한되기 때문에 정수를 사용할 때는 필요한 정수의 범위를 잘 고려하여 그 범위에 맞는 타입을 사용해야 한다. 또한 정수 계산을 할 때는 범위를 초과하지 않는지 주의해야 한다. 예를 들어, 다음 문제를 살펴보자.

문제 2.1. 양의 정수 n이 주어졌을 때, 다음 연산을 할 수 있다.

- n이 짝수이면 n을 n / 2로 교체함
- n이 홀수이면 n을 n + 1 또는 n - 1로 교체함

이 경우 n이 1이 되기 위한 최소 연산 수를 계산하라.

위 문제를 해결하는 한 가지 방법은 가능한 모든 경우를 조사해 보고, 그중에 최솟값을 찾으면 된다. 참고로 모든 경우를 조사해 보아야 하는 문제는 보통 재귀 함수를 이용하여 구현한다. 이 문제에서 오버플로와 관련된 문제가 있는가? 이 문제를 해결하는 함수의 선언을 생각하여 보자.

```
int minReplacement(int n);
```

우리는 함수를 구현할 때 함수의 매개 변수 타입을 보고, 그것의 범위를 생각하여 필요한 예외적 상황을 찾아야 한다. 이 문제도 앞서 살펴본 절댓값과 비슷하게 INT_MAX를 인자로 전달하면 n + 1을 계산할 때 오버플로가 발생한다.

둘 다 양수 값을 유지하고 있는 int 타입의 변수 n과 k를 더할 때 오버플로가 발생하는지 검사는 다음과 같은 조건문을 사용할 수 없고,

```
if(n + k > std::numeric_limits<int>::max())
```

다음과 같이 사용해야 한다.

```
if(n > std::numeric_limits<int>::max() - k)
```

다음 문제를 생각하여 보자.

문제 2.2. 지금까지 총 n개 버전을 개발한 제품이 있다. 그런데 마지막 버전이 품질 검사를 통과하지 못하였다. 각 버전은 이전 버전을 이용하여 개발하기 때문에 이전 버전이 품질 검사를 통과하지 못하면 다음 버전도 통과하지 못한다. n개 버전이 있을 때, 처음으로 품질 검사를 통과하지 못한 버전을 찾아라.

위 문제는 1부터 하나씩 검사하면 시간이 너무 많이 걸린다. 이처럼 검색하는 것을 순차 검색(sequential search)이라 한다. 순차 검색보다 빠른 검색 방법은 이진검색(binary search)이다. 이진검색을 하기 위해서는 데이터가 정렬되어 있어야 한다. 이 문제는 각 버전을 바로바로 검사할 수 있으므로, 주어진 n의 중간 위치에 해당하는 버전을 먼저 검사한 후, 이 버전에 문제가 없으면 상위 반을, 문제가 있으면 하위 반을 검사하는 형태로 이진검색을 할 수 있다. 이것을 코드로 나타내면 그림 2.5와 같다.

```
1  int firstBadVersion(int n) {
2      int low{1};
3      int high{n};
4      while(low <= high) {
5          int mid{(low + high) / 2};
6          if(isBadVersion(mid)) high = mid - 1;
7          else low = mid + 1;
8      }
9      return low;
10 }
```

〈그림 2.5〉 이진 검색을 활용한 firstBadVersion 함수

제시된 코드는 알고리즘 측면에서는 특별한 문제가 없다. 하지만 이 코드도 전달된 인자 값과 첫 번째 통과하지 못하는 버전의 번호에 따라 오버플로가 발생할 수 있다. 제시된 코드에서 오버플로가 발생할 수 있는 위치는 5번째 줄밖에 없다. 즉, low와 high의 합이 int 범위를 초과할 수 있다.

이와 같은 오버플로 문제는 크게 다음과 같은 3가지 방법을 사용하여 해결할 수 있다.

- 방법 1. 사용하는 값보다 큰 범위의 타입을 사용한다.
- 방법 2. 같은 효과를 얻지만, 오버플로가 발생하지 않도록 식을 바꾼다.
- 방법 3. 오버플로가 발생하지 않는 라이브러리에서 제공하는 타입을 사용한다.

C++에서는 환경에 따라 long의 범위가 int보다 크지 않을 수 있으므로 long을 사용하더라도 여전히 오버플로가 일어날 수 있다. 이 경우에는 double을 활용할 수 있다.

```
int mid{static_cast<int>((low + high)/2.0)};
```

하지만 도메인이 더 큰 타입을 사용하면 성능에 영향을 줄 수 있으므로 두 번째 방법으로 해결할 수 있으면 두 번째 방법이 가장 효과적이다. 위 예의 경우에는 다음과 같이 식을 바꾸면 오버플로가 발생하지 않는다.

```
int mid{low + (high - low) / 2};
```

특정 정수 타입의 최댓값과 최솟값을 프로그래밍에 활용하고 싶으면 C부터 사용한 〈climits〉에 선언되어 있는 INT_MAX와 같은 상수를 사용하거나 C++에서 새롭게 도입한 std::numeric_limits를 활용할 수 있다. std::numeric_limits는 상수가 아니라 함수[5] 이지만 범용 클래스이므로 모든 타입에 대해 동일한 방법으로 사용할 수 있다. 예를 들어, int 타입에 대한 최댓값과 최솟값이 필요하면 다음을 활용할 수 있다.

```
std::numeric_limits<int>::max()
std::numeric_limits<int>::min()
```

위에서 int는 타입 인자이다. 다른 타입의 최댓값 또는 최솟값을 얻고 싶으면 이 타입 인자만 바꾸면 된다. 이처럼 std::numeric_limits은 일관된 방법으로 모든 타입의 최댓값과 최솟값을 얻을 수 있을 뿐만 아니라 INT_MAX와 같은 상수와 달리 15장에서 설명하는 범용 프로그래밍할 때도 사용할 수 있는 이점이 있다.

4.1.2. 고정크기 정수 타입

앞서 언급한 바와 같이 정수의 크기는 컴파일러에 의해 결정되기 때문에 프로그래머가 확신할 수 없다. 이 때문에 C++11부터는 라이브러리를 통해 고정 크기의 정수 타입을 다음과 같이 제공하고 있다.

- 1byte: int8_t, uint8_t
- 2byte: int16_t, uint16_t
- 4byte: int32_t, uint32_t
- 8byte: int64_t, uint64_t

이들을 사용하고 싶으면 #include 〈cstdint〉를 포함하여야 한다.

4.1.3. 정수 상수

정수 상수는 2진수, 8진수, 10진수, 16진수로 표현할 수 있으며, 2진수, 8진수, 16진수는 각각 0b, 0, 0x 접두사를 사용한다. 따라서 10, 0b1010, 012, 0xA는 모두 같은 값이다. 10진수의 경우 접미사 u, l, ll을 사용하여 unsigned, long, long long을 나타낼 수 있으며, C++14부터는 긴 수 중간 구분자로 작은 따옴표를 사용할 수 있다.

5) std::numeric_limits은 inline 함수이므로 성능에는 차이가 없다.

4.1.4. 난수 발생

프로그래밍에서 난수를 발생해야 하는 경우가 많다. C에서는 보통 srand로 난수 발생기를 초기화한 후에 rand 함수를 이용하여 필요한 난수를 발생하여 사용하였다. C++11부터는 더욱 성능이 좋은 다양한 난수 생성 알고리즘이 표준 라이브러리 〈random〉에 추가되었다. 가장 많이 사용하는 형태가 다음과 같다.

```
std::random_device rd;
std::mt19937 rng{rd()};
```

먼저 하드웨서에서 제공하는 난수 발생 장치를 사용하기 위한 std::random_device 객체를 생성해야 한다. 이 객체를 이용하여 사용할 난수 생성 알고리즘에 초깃값을 제공해야 한다. 여기서 std::mt19937은 메르센 트위스터 알고리즘이다. 특별한 알고리즘을 지정하지 않고 std::default_random_engine을 이용할 수 있다. 이 경우 시스템에서 지정한 기본 알고리즘을 사용한다. 보통 프로그램에서 std::random_device와 난수 발생 알고리즘은 하나만 생성하여 사용한다. 이 때문에 많은 경우 이 두 객체는 전역 변수로 많이 정의한다. 하지만 특정 함수에서만 난수를 발생하면 해당 함수의 정적 지역 변수로 생성한다.

난수 생성 알고리즘이 준비되면 난수 발생 범위와 분포를 결정해야 한다. 6면 주사위가 필요하면 다음과 같이 균일 분포 객체를 생성한 후에,

```
std::uniform_int_distribution<> dice6{1, 6};
```

실제 난수가 필요할 때는 다음을 이용하여 난수를 얻는다. 여기서 std::uniform_int_distribution은 범용 클래스이다. 범용 클래스는 15장에서 자세히 설명한다.

```
dice6(rng)
```

4.2. 부동 소수 타입

부동 소수도 정수와 마찬가지로 오버플로가 발생할 수 있지만, 범위가 매우 크기 때문에 보통 일반적인 계산에서 정수와 달리 오버플로 문제가 발생하지 않는다. 또 발생하더라도 정수와 달리 엉뚱한 값을 가지는 것이 아니라 무한대를 의미하는 값을 가지게 된다. 하

지만 부동 소수는 범위 내에 있는 모든 수를 나타낼 수 없으므로 **정확성**(precision)이라는 전혀 다른 문제를 가지고 있다. 특정한 구간만 생각하여도 해당 구간에 존재하는 부동 소수는 무한하다. 이 때문에 사용하는 표현 방법에 따라 표현할 수 없는 수는 그 수와 가장 가까운 값으로 대신 표현할 수밖에 없다. 이 차이 때문에 발생하는 오류를 **반올림 오차**(round-off) 오류라 한다.

다음 코드를 실행하면 반올림 오차 오류 때문에 c 값이 기대되는 5.0 대신에 4.0이 출력된다. 따라서 부동 소수를 사용할 때는 반올림 오차 오류를 주의해야 한다. 특히, 이 때문에 부동 소수는 가급적 비교식에 사용하지 않는 것이 바람직하다.

```
double a{3e16};
double b{a - 5};
double c{a - b};
std::cout << std::fixed;
std::cout.precision(2);
std::cout << a << '\n';
std::cout << b << '\n';
std::cout << c << '\n';
```

부동 소수 타입의 최댓값, 최솟값을 나타내는 상수는 <cfloat>에 선언되어 있지만 정수 타입과 마찬가지로 std::numeric_limits를 이용할 수 있다. 부동 소수는 앞서 언급한 바와 같이 오버플로가 발생하면 엉뚱한 값으로 바뀌지 않고 무한대를 의미하는 값을 가지며, 0 나누기를 하여도 산술 예외가 발생하는 것이 아니라 그 결과는 무한대이다.

무한대를 나타내는 상수는 C부터 사용한 <cmath>에 선언된 INFINITY를 사용하거나 다음을 이용하면 된다.

```
std::numeric_limits<double>::infinity()
```

부동 소수에서는 0은 아니지만 0과 매우 가까운 수를 표현할 수 없는 경우도 존재하며, 이를 **언더플로**라 한다. 언더플로가 발생하여도 엉뚱한 값을 가지지 않고 0이 된다.

정수에서 최솟값은 가장 작은 음수값을 의미하지만, 부동 소수에서는 0에 가장 가까운 값을 나타낸다. 이렇게 하는 이유는 정수는 양수와 음수가 대칭적이지 않지만, 부동 소수는 대칭적이기 때문이다. 이 때문에 부동 소수에서는 0의 표현이 -0.0과 0.0 두 개가 존재한다. 따라서 실제 가장 작은 부동 소수 값을 얻고 싶으면 최댓값의 부호를 바꾸면 된다.

0 나누기를 할 수 있다고 모든 부동 소수 연산이 가능한 것은 아니다. 0을 0으로 나누거나 sqrt(-1.0)을 실행하면 유효한 부동 소수를 얻을 수 없다. 이와 같은 결과를 나타내기 위해 기존 C부터 사용한 <cmath>에 선언된 NAN 상수를 이용하거나 다음을 이용할 수 있다.

```
std::numeric_limits<double>::quiet_NaN()
```

이처럼 <limits>를 이용하면 정수와 부동 소수 관련 각종 상수를 모두 얻을 수 있으므로 익숙해지면 C부터 사용한 상수 대신에 이를 사용하는 것이 훨씬 편리하다.

부동 소수 상수는 접미사 없이 사용하면 double 타입이 되며, f 또는 F 접미사를 사용하면 float, l 또는 L를 사용하면 long double 타입이 된다. 부동 소수 상수는 보통 10진수로 표현하며, C++17부터는 16진수로도 표현할 수 있다. 16진수로 표현할 때는 정수와 마찬가지로 앞에 0x 또는 0X로 시작해야 한다. 또 과학적 표기법으로 부동 소수 상수를 나타낼 때 10진수는 e 또는 E를 사용하며, 16진수는 p 또는 P를 사용한다. 예를 들어, 0.1e2와 0x1.4p3은 둘 다 10.0을 나타낸다. 여기서 p3은 2^3을 나타내며, 0x1.4p3의 해석은 다음과 같다.

$$(1 \times 16^0 + 4 \times 16^{-1}) \times 2^3 = (1 + 0.25) \times 8 = 10$$

4.3. 문자 타입

C 언어를 개발할 당시에는 다중 언어 지원에 대한 개념이 없었다. 오직 영문자만 처리하면 되었다. 따라서 C 언어에서 문자 타입은 ASCII 코드를 처리하기 위한 타입이었으며, 이에 char 타입의 크기는 1byte이었다. 이것이 지금까지 유지되고 있다. 하지만 현재는 다양한 언어를 지원해야 하므로 char16_t, char32_t, wchar_t 등의 타입이 표준에 들어오게 되었다. C++20부터는 char8_t 타입도 추가되었다. 영문자를 처리할 때 많이 사용하는 std::isspace, std::isdigit, std::islower와 같은 함수는 <cctype>에 선언되어 있다.

문자를 처리할 때 **코드값**(codepoint)과 **인코딩**(encoding)을 잘못 이해하는 경우가 종종 있다. 코드값은 각 문자를 나타내는 값이다. 예를 들어, ASCII 코드에서 대문자 'A'의 코드값은 65이다. 인코딩은 주어진 코드값을 표현하는 방법이다. ASCII 코드와 달리 유니코드는 최대 4byte이지만 항상 4byte로 모든 문자를 표현하는 것은 효율적이지 못하다. 따라서 UTF8, UTF16, UTF32 인코딩 방식이 있으며, 이들은 각각 1byte, 2byte, 4byte 단위로 항상 문자를 표현한다. 이와 같은 인코딩 방식을 효과적으로 처리하기 위해 도입된 타입이 char8_t, char16_t, char32_t이다. 다른 프로그램에서 생성한 텍스트 데이터를 처리해야 하는 것처럼, 프로그램이 외부 데이터를 사용하거나 다른 프로그램이 사용해야 하는 데이터를 생성해야 하면 사용하는 인코딩이 매우 중요할 수 있다. 하지만 데이터를 내부적으로만 사용하면 인코딩을 인식하지 않고 프로그래밍하여도 아무 문제가 없다.

문자 타입을 사용할 때 각 문자의 코드 값을 실제 알 필요는 없다. char 타입의 변수 c가 유지하는 문자가 소문자인지 알고 싶으면 std::islower(c)를 이용하는 것이 가장 바람직하지만, 다음과 같이 구현할 때도 종종 있다.

```
if(c >= 97 && c <= 122)
```

하지만 이보다는 다음과 같이 구현하는 것이 가독성 측면에서 훨씬 효과적이다.

```
if(c >= 'a' && c <= 'z')
```

프로그래밍하기 위해 절대 각 문자의 문자 코드를 외울 필요는 없다. 하지만 코드의 특성을 이해하고 활용할 수 있어야 한다. 다음 특징은 프로그래밍할 때 많이 활용하는 특성이며, 이것은 사용하는 실제 코드와 무관하게 항상 만족하는 특성이다.

- 특징 1. 영문 소문자와 대문자의 코드는 차례로 할당되어 있다.
- 특징 2. 숫자를 나타내는 문자는 '0'부터 차례로 할당되어 있다.

```
char maxFreqChar(std::string_view s) {
    int freq[26]{};
    for(size_t i{0}; i < s.size(); ++i) ++freq[s[i] - 'a'];
    int max{0};
```

```
    int maxIndex{0};
    for(int i{0}; i < 26; ++i)
        if(max < freq[i]) {
            max = freq[i];
            maxIndex = i;
        }
    return static_cast<char>(i + 'a');
}
```

〈그림 2.6〉 가장 많이 등장하는 문자를 찾아주는 maxFreqChar 함수

어떤 영문 소문자로만 구성된 문자열이 주어졌을 때, 가장 많이 등장하는 문자는 그림 2.6과 같이 계산할 수 있다. std::string_view는 C++에서 문자열을 처리할 때 사용하는 클래스 타입이며, 이에 대해서는 4장에서 자세히 설명한다. 문자열의 개별 문자를 배열 색인 연산자로 접근할 수 있을 때 문자 코드의 특성에 의해 s[i] - 'a'는 각 문자를 0에서 25 사이의 수로 매핑하여 준다. 빈도수 배열을 계산하면서 가장 많이 등장하는 문자를 찾을 수 있다. 하지만 문자마다 검사를 진행해야 하므로 빈도수 배열을 모두 구한 후에 26번의 반복을 통해 가장 많이 등장하는 문자를 찾는 것이 다양한 길이의 입력을 고려하였을 때 더 효과적이다.

빈도수 배열을 이용하여 해결할 수 있는 또 다른 문제인 다음 문제를 생각하여 보자.

문제 2.3. 영문 소문자로만 구성된 두 개의 문자열 s와 t가 주어진다. t는 s를 구성하는 문자를 임의로 재배치한 다음 한 문자를 임의의 위치에 추가한 문자열이다. 추가된 문자를 찾아라.

이 문제도 두 문자열에 대한 빈도수 배열을 구한 다음에 두 배열을 비교하여 쉽게 추가된 문자를 찾을 수 있다. 하지만 이 문제는 길이가 더 긴 t 문자열의 모든 문자를 더한 후에, 여기서 s 문자열의 모든 문자를 빼면 추가된 문자의 코드값을 찾을 수 있다. 덧셈 대신에 XOR 연산을 이용할 수도 있으며, XOR 연산을 이용하면 오버플로 문제를 전혀 고려할 필요가 없다.

4.4. 논리형 타입

C에는 논리형이 없다[6]. 이 때문에 정수를 이용하여 조건문, 반복문에 필요한 조건식을 평가하였다. C++부터는 bool 타입이 있으므로 조건식은 bool 타입으로 평가한다. 대신 C와의 호환을 위해 스칼라 타입(가시영역 제한 열거형은 제외)은 자동으로 bool 타입으로 변환하여 준다. 스칼라 타입에서 0에 해당하는 값(포인터 타입의 경우 nullptr)은 false로 변환하고, 그 외에 값은 true로 변환한다. 예를 들어, if(n)에서 n이 int 타입이면 이것을 자동으로 bool 타입으로 변환하여 조건식을 평가한다.

bool 타입을 사용할 때 종종 잘못 프로그래밍하는 스타일은 bool 변수를 다시 true나 false와 비교하는 것이다. 올바른 프로그래밍 방법은 다음과 같이 bool 변수 자체를 이용하는 것이다.

```
bool isMarried{false};
//
if(isMarried) ...
if(!isMarried) ...
```

또 p가 포인터 타입일 때, p가 nullptr이 아닌지 검사하기 위해 if(p != nullptr) 대신에 if(p)를 사용할 수 있다.

6) 최신 표준인 C23에는 bool이 추가되었다.

퀴즈

1. 다음을 실행한 후 a 값은?

```
double a{std::numeric_limits<double>::min()};
a = a / 10;
```

① std::numeric_limits<**double**>::quiet_NaN()
② std::numeric_limits<**double**>::infinity()
③ 0.0
④ -std::numeric_limits<**double**>::min()

2. 다음과 같은 선언이 있을 때, 다음 중 문법 오류가 **아닌** 것은?

```
int a{10};
long b{10};
```

① **float** f{a};
② **int** c{2.5};
③ **int** d{b};
④ **double** g{10};

3. 주어진 변수 선언 중 변수의 타입이 int인 것은? 주어진 선언에서 x는 다음과 같이 선언된 변수이며,

```
int x{0};
```

답은 C++17 표준 이상을 기준으로 하고 있다.

① **auto** a = {1};
② **auto** a{&x};
③ **decltype**((x)) a{x};
④ **auto** a{x};

4. 2의 보수표현을 이용하여 정수를 나타낸다고 가정하고, 4bit 크기 타입이 있다고 하자. 이 경우 이 타입의 도메인은 –8에서 7이다. 현재 이 타입의 변수가 7를 유지하고 있을 때, 이 변수에 1를 더한 결괏값은?

   ① -7　　② 8　　③ -1　　④ -8

5. 다음과 같은 배열 변수가 있다.

```
int a[5]{1, 2, 3, 4, 5};
```

   이 배열 변수의 참조 변수를 선언하고 싶다. 다음 중 올바르게 선언한 것은?

   ① `int (&b)[5]{a};`　　② `int& b[5]{a};`
   ③ `int* b[5]{a};`　　④ `int (*b)[5]{a};`

6. C++20을 기준으로 다음 중 auto를 사용할 수 **없는** 것은?

   ① 매개 변수　　② 멤버 변수
   ③ 지역 변수　　④ 함수 반환 타입

연습문제

1. $n(\geq 1)$개의 동전이 주어진다. 이 동전을 계단식으로 배치하고 싶다. 즉, 각 $k(\geq 1)$ 행마다 k개 동전을 정확하게 배치하고 싶다. 주어진 n개의 동전으로 최대 배치할 수 있는 완전 행의 수를 계산하는 다음 함수를 완성하라. 예를 들어, 5개의 동전이 주어지면 첫 번째 행에 1개, 두 번째 행에 2개, 마지막 행에 2개를 배치하므로 5개로 배치할 수 있는 완전 행의 수는 2이다.

```
int arrangeCoins(int n);
```

2. 양의 정수 n이 주어졌을 때, 다음을 만족하는 피봇 정수 x를 찾아라.

   - 조건. 1에서 x까지 합과 x에서 n까지 합이 같아야 함

   이와 같은 정수가 존재하면 해당 정수를 반환하고, 없으면 -1을 반환하는 다음 함수를 완성하라.

```
int pivotInteger(int n);
```

   예를 들어, n = 8이면 피봇 정수는 6이다.

3. 두 개의 양의 정수가 주어졌을 때, 0을 얻기 위해 필요한 뺄셈 연산의 수를 계산하는 다음 함수를 완성하라. 항상 큰 수에서 작은 수를 빼야 하며, 큰 수는 뺄셈의 결과로 바뀐다.

```
int countOperations(int a, int b);
```

   예를 들어, 2와 3이 주어지면, 3 - 2, 2 - 1, 1 - 1, 3번의 연산을 통해 0을 얻을 수 있다.

제3장

표현식

제 3 장 표현식

1. 표현식

프로그래밍에서 어떤 계산을 하기 위한 식이나 데이터를 서로 비교하기 위한 식을 서술해야 하는 경우가 많다. 프로그래밍 언어에서 연산자와 피연산자로 구성된 식을 **표현식**이라 하며, 표현식이 프로그래밍 문장 내에 등장하면 평가되어 그 결괏값이 그 식을 대체한다. 따라서 표현식 작성 방법을 학습하는 것은 프로그래밍 언어 학습의 기초이다.

표현식을 올바르게 작성하기 위해서는 해당 언어에서 제공하는 연산자마다 다음을 알아야 한다.

- 연산자의 기능을 이해하여야 한다.
- 연산자의 피연산자 수를 알아야 한다. C++의 경우 단항, 이항, 삼항 총 3종류가 있으며, 삼항 연산자는 선택 연산자 ?: 하나밖에 없다.
- 피연산자가 올 수 있는 위치를 알아야 한다. 단항은 피연산자의 왼쪽 또는 오른쪽에 올 수 있다. ++와 --는 왼쪽, 오른쪽에 모두 올 수 있으며, 피연산자의 위치에 따라 그것의 평가 방법도 다르다.
- 연산자의 **우선순위**(precedence)를 알아야 한다. 두 개의 연산자가 같은 피연산자를 취하면 우선순위에 따라 평가하는 순서가 달라진다.
- 연산자의 **평가 방향**(associativity)을 알아야 한다. 두 개의 연산자가 같은 피연산자를 취하고 있고, 두 연산자의 우선순위가 같으면 연산자의 평가 방향에 따라 왼쪽에서 오른쪽(순방향) 또는 오른쪽에서 왼쪽(역방향)에 있는 연산자 순으로 평가가 이루어진다.

일반적으로 프로그래밍 언어에서 연산자는 언어에 내장되어 있는 타입만 피연산자로 사용할 수 있다. 하지만 C++는 사용자 정의 타입에 기존 연산자를 다중 정의하여 사용할 수 있다. 이렇게 다중 정의하더라도 해당 연산자의 피연산자 수, 우선순위, 평가 방향을 바꿀 수 없으며, 연산자의 다중 정의를 통해 기존 원시 타입에 대한 연산자의 기능을 바꿀 수 없다. 연산자 다중 정의는 13장에서 자세히 설명한다.

1.1. 우선순위와 평가 방향

C++ 연산자의 우선순위는 C와 호환되어야 하므로 C와 동일하다. 연산자의 우선순위는 크게 다음과 같다.

- 단항 연산자가 이항 연산자보다 우선순위가 높다.
  - 단항 연산자는 우선순위 측면에서 크게 3종류로 구분된다. 가장 우선순위가 높은 것은 :: 연산자이며, 피연산자가 앞에 오는 후위 연산자(postfix, 예: 함수 호출, 배열 색인, 멤버 접근 연산자(., ->), 후위 증감 등)가 뒤에 오는 전위 연산자(prefix, 예: 단항 뺄셈 연산자, 역참조 연산자 등)보다 우선순위가 높다.
- 이항 연산자의 우선순위는 산술, 비교, 논리, 대입 순이다.
  - 비트 연산자의 위치가 위 분류에서 직관적이지 않을 수 있다. 비트 이동은 산술 연산자에 가까우므로 산술과 비교 사이에 있고, 비트 논리곱, 비트 XOR, 비트 논리합, 비트 부정은 이 순서로 비교와 논리 사이에 위치한다.
- 산술 이항 연산자 중에는 곱셈 계열이 덧셈 계열보다 높다.

예를 들어, 다음과 같은 표현식을 생각하여 보자.

```
k = -a + b * c > 0 && a < 0
```

이 표현식에는 총 7개의 연산자가 등장한다. 이 중에 가장 우선순위가 높은 것은 단항 연산자인 -이고, 가장 우선순위가 낮은 것은 대입 연산자이다. 대입은 당연히 가장 낮아야 대입 오른쪽에 있는 식의 결괏값이 대입 왼쪽에 있는 변수에 할당할 수 있다. 또 논리 연산자는 조건식을 결합하기 위해 사용하기 때문에 당연히 비교 연산자가 논리 연산자보다 우선순위가 높다. 우선순위를 정확히 모르더라도 괄호를 이용하면 항상 원하는 표현식을 작성할 수 있다. 하지만 우선순위를 정확하게 이해하지 못하면 다른 소스를 읽는 데 문제가 될 수 있다.

평가 방향은 다음만 알고 있으면 된다.

- 단항 연산자: 앞서 언급한 바와 같이 단항 연산자는 크게 3 분류로 나누어진다. 이 중에 후위 연산자만 역방향이고, 나머지는 순방향이다. 따라서 단항 연산자는 항상 피연산자와 가까운 것부터 평가한다.
- 이항 연산자: 보통 작성된 순서로 평가가 이루어진다. 단, 삼항 조건과 대입 계열 연산자 등만 역방향으로 평가가 이루어진다.

평가 방향과 관련하여 표현식 3 * 3 / 2의 평가 순서를 생각하여 보자. 두 개의 연산자의 우선순위가 같으므로 두 연산자의 평가 방향을 고려하여야 한다. 두 연산자는 모두 이항 연산자이므로 작성된 순서로 평가가 이루어진다. 따라서 3 * 3을 먼저 평가한다. 대입은 연속적인 대입이 가능해야 하므로 다른 이항 연산자와 평가 방향이 반대이다. a = b = 1이면 b = 1부터 평가하며, 대입 연산자로 구성된 표현식의 평가 값은 대입된 값이다. 따라서 b = 1을 평가한 다음 a = 1의 평가가 이루어진다.

1.2. 표현식의 평가와 타입

표현식을 평가할 때 피연산자의 타입에 따라 평가 결과가 달라진다. 표현식을 평가하는 과정에서 다음과 같은 경우에는 자동 타입 변환이 이루어진다.

- 경우 1. 이항 연산자의 두 피연산자의 타입이 다른 경우
- 경우 2. 대입 연산자의 왼쪽에 있는 표현식의 타입과 오른쪽 표현식의 평가 결과 타입이 다른 경우

대입 연산자 왼쪽에 올 수 있는 것을 다른 말로 **Lvalue**라 하며, 경우 2에서는 항상 Lvalue의 타입이 우선된다. 즉, Lvalue의 타입과 오른쪽 표현식의 평가 결과 타입에 따라 확장 변환이 일어날 수 있고, 축소 변환이 일어날 수 있다. 일반적으로 도메인 크기가 작은 것을 큰 타입으로 변환하는 것을 확장 변환이라 하고, 그 반대를 축소 변환이라 한다. C++는 부동 소수와 정수 간 변환은 도메인 크기와 무관하게 축소 변환으로 간주한다. 도메인 크기가 큰 타입의 값을 작은 타입으로 변환하면 정보가 손실될 수 있다. 부동 소수를 정수로 변환하면 소수점 이하 정보가 손실되므로 당연히 정보가 손실되며, 거꾸로 정수를 부동 소수로 변환하여도 정확성 문제 때문에 값이 바뀔 수 있다.

경우 2와 유사하게 함수에 인자를 전달할 때, 함수에서 값을 반환할 때도 자동 타입 변

환이 이루어질 수 있다. 인자 전달에서는 매개 변수 타입으로 변환되고, 함수에서 값을 반환할 때는 함수의 반환 타입으로 자동 변환이 일어날 수 있다. 또 switch 문의 표현식이 정수 타입이 아닌 경우, 조건식이 bool 타입이 아니면 자동 타입 변환이 이루어진다.

경우 1은 **산술 변환**(arithmetic conversion)이라 하고, 나머지는 함축적 변환(implicit conversion)이라 한다. 산술 변환에서는 int보다 작은 타입이 비트 연산자를 포함하여 산술 연산자의 피연산자로 사용하면 int 또는 unsigned int로 확장 변환이 먼저 이루어진다. 이항 연산자의 경우 두 피연산자 타입이 다르면 정수 타입 간에는 확장 변환을 통해 두 타입을 일치시킨 후에 연산을 수행한다. 하나가 정수이고 다른 하나가 부동 소수 타입이면 정수 타입을 부동 소수 타입으로 변환하며, 앞서 언급한 것처럼 C++에서 정수를 부동 소수로 변환하면 값이 바뀔 수 있으므로 축소 변환으로 분류한다.

보통 int 타입을 double로 변환하면 값이 바뀌지 않지만, 이 외에 정수를 부동 소수로 변환할 경우, 두 타입의 실제 크기에 따라 값이 달라질 수 있다. 특히, int를 float, long을 float, long을 double로 변환하면 시스템에서 사용하는 각 타입의 공간 크기에 따라 다를 수 있지만 값이 변할 수 있다. 예를 들어, int와 float가 모두 4byte인 경우 다음을 실행하면 보통 값이 바뀐다.

```
int n{123456789};
float f{0.0};
f = n;      // f = 123456792
```

이항 연산자의 피연산자 중 하나는 정수 타입이고, 다른 하나는 부동 소수 타입이면 정수 타입을 부동 소수 타입으로 변환한다. 예를 들어, 5 / 2.0 식의 경우 하나는 int이고, 다른 하나는 double 타입이므로 5가 5.0으로 변환된 뒤에 부동 소수 나눗셈이 일어난다.

1.3. signed와 unsigned 타입의 혼합 연산

이항 연산자의 두 피연산자 타입이 일치하지 않으면 자동 변환을 통해 두 피연사자를 같은 타입으로 바꾼 후 연산을 수행한다. 그런데 두 타입이 모두 정수 타입일 때, 두 타입의 signed, unsigned가 다르면 상황에 따라 음수가 양수로 변환될 수 있어 심각한 문제를 초래할 수 있다. 이와 관련된 규칙은 다음과 같다.

- 경우 1. unsigned 타입의 rank[7]가 signed 타입과 같거나 큰 경우: 작은 signed 타입의 값을 큰 타입의 unsigned 타입으로 변환
- 경우 2. signed 타입의 rank가 unsigned 타입보다 큰 경우
  - 경우 2-1. signed 타입이 unsigned 타입의 모든 값을 나타낼 수 있는 경우: 작은 unsigned 타입의 값을 큰 타입의 signed 타입으로 변환
  - 경우 2-2. signed 타입이 unsigned 타입의 모든 값을 나타낼 수 없는 경우: 둘 다 큰 타입의 unsigned 타입으로 변환

기본 원칙은 확장 변환(rank가 큰 쪽이 우선)이다. 다만 2-2는 예외적으로 rank가 큰 쪽의 unsigned 타입으로 변환된다.

예를 통해 각 경우를 살펴보자. 다음은 경우 1에 대한 예이다.

```
unsigned long a{10};
int b{-10};
bool comp{a < b};
```

표현식 a < b에서 두 피연산자의 타입이 다르다. 타입이 다른 경우 작은 타입을 큰 타입으로 변환해야 하는데, 큰 타입은 unsigned이고, 작은 타입은 signed이다. 따라서 경우 1에 해당하며, b가 unsigned long 타입으로 변환된다. 음수를 unsigned로 변환하면 매우 큰 수가 되므로 comp 변수는 false가 아니라 true로 초기화된다.

다음은 경우 2-1에 대한 예이다. 특별히 문제가 발생하지 않는 예이다.

```
long a{-10};
unsigned int b{10};
bool comp{a < b};
```

첫 번째 예와 달리 큰 타입이 signed이다. 이때 int는 4byte이고, long은 8byte라 가정하면 작은 타입의 unsigned 범위의 모든 수를 signed long이 나타낼 수 있다. 이 예에서는 unsigned가 signed로 바뀌지만 값이 변하지 않으므로 기대한 결과를 그대로 얻게 되

7) 정수형 타입의 rank: signed char, short, int, long, long long 순이다.

며, 이 예에서 comp는 true로 초기화된다.

다음은 경우 2-2에 대한 예이다. 이 예에서 long과 long long은 모두 8byte로 그 크기가 같다고 가정하자. 내부적으로 크기가 같아도 변환할 때 순위는 long long이 long보다 큰 타입이다.

```
long long a{-10};
unsigned long b{10};
bool comp{a < b};
```

큰 타입과 작은 타입이 실제 크기가 같으므로 작은 타입 unsigned의 전체 범위를 큰 타입이 나타낼 수 없다. 이 경우 a와 b를 모두 unsigned long long 타입으로 변환한다. 그런데 a는 음수이므로 매우 큰 양수로 바뀌며, 기대한 것과 다르게 comp는 false로 초기화된다. 3가지 예에서는 비교 연산자를 통해 실제 변환의 적용을 살펴보았는데, a * b 값을 살펴보아도 어떤 변환이 일어나는지 쉽게 이해할 수 있다.

결론적으로 signed, unsigned가 다른 두 정수 타입 간의 연산을 할 때 주의해야 한다. 특히, signed 타입의 값이 음수를 유지하고 있을 때 unsigned로 변환되면 값이 바뀌므로 심각한 오류의 원인이 될 수 있다. 이 때문에 signed와 unsigned 타입 간 비교할 때는 직접 비교하지 않고 〈utility〉에 있는 std::cmp_equal, std::cmp_not_equal, std::cmp_less, std::cmp_greater, std::cmp_less_equal, std::cmp_greater_equal을 이용하는 것이 바람직하다.

1.4. Lvalue와 Rvalue

Lvalue와 Rvalue는 표현식을 분류하기 위한 것(변수의 분류가 아님)으로써 최초 C에서는 대입 연산자 왼쪽에서 올 수 있는 식을 Lvalue, 올 수 없는 것을 Rvalue라 하였다. 하지만 const 개념의 추가로 이 정의가 더는 성립하지 않게 되었다. 이에 C++ 초창기에 Lvalue는 & 연산자를 이용하여 그 위치를 참조할 수 있는 것이라고 정의하였고, Rvalue는 Lvalue가 아닌 것으로 정의하였다. 즉, 대입 연산자 왼쪽에 올 수 없어도 위치를 참조할 수 있으면 Lvalue로 분류하였다. 보통 수정 가능한(modifiable) Lvalue만 대입문 왼쪽에 올 수 있다. 이 정의에 의하면 Lvalue는 left value가 아니라 locator value라는 표

현이 더 어울리는 표현이다. 실제 대입 연산자 왼쪽에 위치하기 위해서는 공간을 차지하고 있어야 하며, 공간을 차지하고 있으면 & 연산자를 이용하여 그 주소를 얻을 수 있다. 하지만 공간을 차지하고 있다고 해당 위치에 있는 값을 무조건 변경할 수 있는 것은 아니다.

주소 연산자의 피연산자로 올 수 있는 것과 아닌 것의 구분은 그렇게 어려운 것은 아니다. 하지만 C++11 이후에는 표현식을 Lvalue, Rvalue로 구분하는 것이 아니라 더 정확하게 분류하기 위해 Lvalue, **Xvalue**(eXpiring value), **PRvalue**(Pure Rvalue)로 구분한다. 이 3가지 분류의 상위 개념으로 GLvalue(Generalized Lvalue)와 Rvalue가 있다. GLvalue는 Lvalue와 Xvalue를 합친 것이고, Rvalue는 Xvalue와 PRvalue를 합친 것이다. 이 개념들에 대해서는 14장에서 자세히 설명한다. 이렇게 LValue와 Rvalue 개념이 확장되고 변했지만, 초기부터 지금까지 계속 유지되는 것은 Rvalue의 정의이다. Rvalue는 처음부터 지금까지 Lvalue가 아닌 것을 말한다.

14장 전까지는 Lvalue, Xvalue, PRvalue 개념을 이해하지 못하더라도 어떤 표현식이 대입 연산자 왼쪽에 올 수 있는지는 알고 있어야 한다. 예를 들어, 다음과 같은 배열 선언이 있으면,

```
int a[5]{1, 2, 3, 4, 5};
```

a[0]은 대입 연산자 왼쪽에 올 수 있지만 a 자체는 대입 연산자 왼쪽에 올 수 없다.

2. 연산자

2.1. 대입 연산자

대입 연산자는 이항 연산자 중에 가장 우선순위가 낮은 연산자이다. 대입 연산자를 설명할 때 C에서는 Lvalue와 Rvalue 개념을 사용한다. 대입 연산자 왼쪽에 올 수 있는 것과 올 수 없는 것이 있으며, C에서는 대입 연산자 왼쪽에 올 수 있는 것을 Lvalue라 하였다. 이전 절에서 언급한 바와 같이 이 개념이 현재는 매우 복잡해졌다. 다음과 같은 코드가 있다고 하자.

```
int a{0}, b{0};
a = 5;
b = a + 3;
a * b = 4; // error
```

C++에서는 const, constexpr 등으로 수식되지 않은 원시 타입 변수는 수정 가능한 Lvalue이다. 따라서 a와 b는 대입 연산자 왼쪽에 올 수 있지만, a * b는 Lvalue가 아니므로 대입 연산자 왼쪽에 올 수 없다.

참고로 아래 예에서 알 수 있듯이 변수의 종류와 변수를 선언할 때 사용한 수식어에 따라 대입 연산자 왼쪽에 사용할 수 있고, 없을 수도 있다.

```
int a{0};
int n1[5]{}, n2[5]{};
const int n3[5]{1, 2, 3, 4, 5};
int *p{nullptr};
a = 5;
n1[0] = 1;
p = &a;
*p = 10;
p = 100;        // error
n1 = n2;        // error
n3[0] = 0;      // error
```

C부터 간결성을 위해 도입한 요소들이 많다. 연산자 중에서는 다음과 같은 복합 대입 연산자가 대표적인 간결성을 위해 도입한 연산자이다.

+= -= *= /= %= <<= >>= &= |= ^=

복합 대입 연사자도 대입 연산자와 같은 계열의 연산자이며, 우선순위와 평가 방향이 대입 연산자와 같다.

2.2. 산술 연산자

산술 연산자 중 나머지 연산자를 제외하고는 정수와 부동 소수에 모두 사용할 수 있다. 하지만 그것의 의미는 다를 수 있다. 특히, 정수 나눗셈은 부동 소수 나눗셈의 평가 결과에서 소수 부분을 제외한다. 나머지 연산자는 정수만 피연산자로 가질 수 있으며, 두 피연산자가 양의 정수일 때만 그 결과가 직관적이기 때문에 보통 양의 정수만 피연산자로 사용하는 것이 바람직하다. 음의 정수를 나머지 연산자의 피연산자로 사용하면 그것의 평가 결과는 다음 식에 의해 결정된다.

$$a \% b = a - (a/b) \times b$$

산술 연산에서 두 피연산자의 타입이 다를 수 있다. 정수 타입의 경우에는 타입뿐만 아니라 signed/unsigned 여부도 다를 수 있다. 앞서 설명한 것처럼 이 경우 표준에 정해진 순위에 따라 순위가 높은 타입으로 변환되며, 변환 과정에서 값이 바뀔 수 있으므로 주의해야 한다. 특히, signed/unsigned 여부가 다를 때, signed 타입의 음수가 unsigned 타입으로 변환하면 기대한 것과 매우 다른 결과를 얻을 수 있으므로 주의해야 한다.

2.3. 증가, 감소 연산자

이 연산자도 복합 대입 연산자와 마찬가지로 간결성을 위해 도입된 연산자이다. 이 연산자는 다른 단항 연산자와 달리 피연산자 앞에 올 수 있고, 뒤에 올 수도 있다. 이 연산자의 평가 방법은 피연산자의 위치에 따라 달라지며, 전위를 사용한 표현식은 Lvalue이지만 후위 연산자를 사용한 식은 Rvalue이다. 따라서 독립적으로 사용하지 않고 다른 연산자와 함께 사용하면 그 해석이 복잡하다. 이 때문에 복잡하게 사용하지 않고 독립적으로만 사용하는 것도 한 가지 좋은 방법이다. 또 독립적으로 사용할 때는 피연산자 앞에 오는 형태로 사용하는 것이 효과적이다. 특히, 나중에 클래스에 이 연산자를 다중 정의할 때 전위와 후위의 성능 차이를 보면 그 이유를 명확하게 이해할 수 있다.

이 연산자의 평가는 피연산자 앞에 오면 증가 또는 감소한 값으로 평가하며, 피연산자 뒤에 오면 증가 또는 감소하기 전 값으로 평가한다. 이 연산자는 식에서 평가하는 과정에서 피연산자를 증가하거나 감소하는 것이 아니라 정해진 시점 전에 증가 또는 감소가 이루어진다. 이 시점을 C 언어에서는 sequence point라 한다. 이 시점이 매우 다양하므로 누구나 오해하지 않도록 프로그래밍하는 것이 바람직하다. 확실한 것은 다음 문장을 실행하기 전에 피연산자는 증가 또는 감소한다.

예를 들어, 다음과 같은 문장의 실행 결과는 어떻게 될까? 여기서 변수 a와 n은 모두 int 타입이다.

```
n = ++a + 2 + a++;
```

위 문장은 a를 두 번 변경하고 있다. 실제 위 문장의 평가 순서는 표준에 정의되어 있지 않다. 표준에 정의되어 있지 않으면 컴파일러가 정한 규칙에 따라 평가가 이루어진다. 따라서 이처럼 평가 순서가 모호한 표현식이나 문장을 작성하는 것은 바람직하지 않다. 일반적으로 한 문장에서 변수는 한 번만 수정하는 것이 바람직하며, 한 문장에서 여러 변수의 값을 수정하는 것도 바람직하지 않다.

2.4. 비교와 논리 연산자

총 6개의 비교 연산자(==, !=, 〉, 〉=, 〈, 〈=)가 있고, 3개의 논리 연산자(&&, ||, !)가 있다. 논리곱(&&), 논리합(||) 연산자는 **지연 평가**(lazy evaluation), 단축 회로 평가(short-circuit evaluation)을 한다. 즉, 왼쪽 피연산자로 온 식을 먼저 평가한 후에 해당 평가 결과에 따라 연산자의 평가 결과가 확정되면 오른쪽 피연산자에 대한 평가는 생략한다. 예를 들어, 다음과 같은 코드에서

```
int a{0}, b{0};
std::cin >> a >> b;
bool isMultiple{a != 0 && b % a == 0};
```

isMultiple 변수는 a가 0이면 논리곱 연산자의 왼쪽 식이 false로 평가되기 때문에 오른쪽 식은 평가가 이루어지지 않고, 전체식은 false로 평가된다.

참고로 ?: 연산자도 지연 평가를 하는 연산자 중 하나이다. E1? E2: E3에서 E1의 평가 결과에 따라 E2와 E3 중 하나는 평가가 이루어지지 않는다. 논리곱, 논리합 대신에 비교식을 작성할 때 비트 논리곱 &, 비트 논리합 |을 사용할 수 있는데, 이 경우 지연 평가가

이루어지지 않는다. 이 때문에 비교식을 작성할 때 비트 논리곱이나 논리합을 사용하는 경우는 거의 없다. 하지만 비트 XOR 연산자 ^을 복잡한 비교식을 간결하게 작성하기 위해 사용할 수 있다. E1 ^ E2 비교식의 의미를 생각하여 보고, 필요할 때 활용하면 간결한 비교식을 작성하는 유용한 팁이 될 수 있다. ^ 연산자를 이용한 조건식의 작성은 6장에서 자세히 설명한다.

C++20부터는 〈=〉 삼방향 비교 연산자가 추가되었다. 이 연산자를 다른 말로 우주선(spaceship) 연산자라 한다. 이 연산자는 비교 연산자를 쉽게 다중 정의하기 위해 도입된 연산자이다. 이 연산자를 이용하여 a 〈=〉 b처럼 두 피연산자를 비교하면 그 결과는 다음 셋 중 하나이다.

- 양수: a가 b보다 크다는 것을 의미
- 0: a와 b가 같다는 것을 의미
- 음수: a가 b보다 작다는 것을 의미

따라서 a 〈=〉 b는 a - b로 해석하는 것이 가장 편한 해석 방법이다.

피연산자가 정수 타입이면 삼방향 비교 연산자의 결과는 완전 순서(strong ordering) 타입으로 분류하며, 부동 소수 타입이면 부분 순서(partial ordering) 타입으로 분류한다. 부분 순서 타입에는 순서를 결정할 수 없는 경우가 존재한다. 예를 들어, NaN과 일반 부동 소수의 비교는 순서를 결정할 수 없다. 또 완전 순서에서는 같다(equal)는 개념을 사용하지만 부분 순서에서는 등가(equivalent) 개념을 사용한다. 0.0과 -0.0은 같은 것이 아니라 등가이다. 약한 순서(weak ordering)도 있는데, 약한 순서는 부분 순서처럼 등가 개념을 사용하지만 부분 순서와 달리 결정할 수 없는 경우는 존재하지 않는다. 예를 들어, 대소문자를 구분하지 않는 문자열의 비교는 대소문자만 다른 두 문자열은 등가이지만 같은 것은 아니므로 약한 순서에 해당한다. 이 연산자의 도입으로 비교 연산자의 다중 정의가 간결해졌다. 이 부분은 13장에서 자세히 설명한다.

2.5. 비트 연산자

비트 부정(~), 비트 논리곱(&), 비트 논리합(|), 비트 XOR(^), 비트 이동(〈〈, 〉〉), 총 6개의 비트 관련 연산자가 있다. 일반 응용을 개발할 때, 비트 연산을 사용할 이유는 별로 없다. 하지만 실제 우리가 가장 널리 사용하는 정수는 컴퓨터 내에서는 비트로 표현되며,

정수의 비트 표현 특성을 알면 각종 계산을 더 효율적으로 수행할 수 있다.

공간을 절약하기 위해 비트 벡터(각 비트가 특정 데이터의 존재 여부를 나타내는 일련의 비트를 유지하는 자료구조) 개념을 사용할 때도 종종 있으며, 비트 벡터 구현에서 비트 연산자의 사용은 필수적이다. 또 n개에서 r개를 선택하는 조합 문제를 해결하기 위해 비트 표현을 사용할 수 있다. $n$bit를 00...0에서 11...1까지 1씩 증가하면서 값이 1인 비트가 r개이면 그 위치에 해당하는 요소를 선택하여 조합 문제를 해결할 수 있다.

문제 3.1. int 변수 n이 주어졌을 때 다음 각각을 비트 연산을 이용하여 구현하라.
① n이 짝수인지 또는 홀수인지 비트 연산을 이용하여 판단하라.
② n * 2 또는 n / 2를 비트 연산을 이용하여 계산하라.
③ n % 8을 비트 연산을 이용하여 계산하라.
④ n이 2의 거듭제곱인지 비트 연산을 이용하여 계산하라.

정수가 홀수인지 짝수인지는 마지막 비트 값에 의해 결정된다. 따라서 비트 연산을 이용하여 홀수인지 판단하고 싶으면 그림 3.1과 같이 구현할 수 있다. n * 2 또는 n / 2는 비트 이동 연산을 이용하여 그림 3.2와 같이 구현할 수 있다.

```
bool isOdd(int n) {
    return (n & 1);  // n % 2
}
```

〈그림 3.1〉 비트 연산을 이용한 isOdd 함수

```
int multiplyBy2(int n) {
    return n << 1;
}
```

〈그림 3.2〉 비트 연산을 이용한 multiplyBy2 함수

a << b나 a >> b에서 b가 음수이면 정의되어 있지 않아 사용할 때 주의해야 한다.

C++20 이전까지 a << b에서 a가 음수인 경우도 정의되어 있지 않았으며, a가 signed인지 unsigned인지에 따라 평가 방법이 다르다. C++20 이후에는 a >> b의 경우 a가 signed인지 unsigned인지와 무관하게 항상 산술 이동을 한다. 참고로 a가 양수일 때, a << b에 의해 가장 최상위 비트가 1이 되어 결괏값이 음수가 될 수 있어 주의가 필요하다.

```
bool isPowerOf2(int n) {
   return n > 0 && (n & (n - 1)) == 0;
}
```

〈그림 3.3〉 비트 연산을 이용한 isPowerOf2 함수

n % 8은 n이 양의 정수일 때 마지막 3비트 값이 된다. 따라서 n & 0x07과 n % 8은 같다. n이 2의 거듭제곱 수이면 그것을 비트로 표현하였을 때 값이 1인 비트가 정확하게 한 개만 있어야 한다. 정확하게 값이 1인 비트가 한 개만 있을 때, 그 수에서 1을 빼면 해당 비트 위치 하나 아래부터 비트 값이 모두 1이 된다. 따라서 n & (n - 1)은 0이 된다. n이 2의 거듭제곱이 아니면 비트 값이 1인 것의 개수가 2개 이상이 된다. 2개 이상인 값에서 1을 빼면 비트 값이 1인 가장 하위 비트 이하 비트는 모두 변하지만 그것의 상위 비트들은 변하지 않는다. 따라서 n & (n - 1)은 0이 될 수 없다. 이를 이용하면 2의 거듭제곱인 수를 판단하는 함수를 그림 3.3과 같이 구현할 수 있다.

문제 3.2. int 변수 n이 주어졌을 때 특정 비트 값을 조작하는 방법을 구현하라. 이때 j번째 비트란 하위 j번째 비트를 의미한다.

① n의 j번째 비트 값을 구하라.
② n의 j번째 비트 값을 1 또는 0으로 바꾸어라.
③ n의 j번째 비트 값을 토글(0이면 1, 1이면 0)하라.

n의 j번째 비트 값은 j번째 비트를 0번째 위치로 이동한 다음 해당 값을 그림 3.4와 같이 취하면 된다. n의 j번째 비트 값을 1 또는 0으로 바꾸기 위해서는 해당 위치만 특정 값을 가진 비트를 만들어야 한다. 그림 3.5는 해당 비트를 1로 바꾸는 함수이고, 0으로 바꾸고 싶으면 해당 위치만 0이고 나머지는 1인 값을 만들어 논리곱을 하면 된다. 이 값은 그림 3.5의 (1 << j) 값을 비트 부정하면 된다. 토글하고 싶으면 setjthBit 함수에서 논리합

대신에 XOR 연산을 사용하면 된다.

```
int getBit(int n, int j) {
    return (n >> j) & 1;
}
```

〈그림 3.4〉 j번째 비트값을 반환하여 주는 getBit 함수

```
int setjthBit(int n, int j) {
    return n | (1 << j); // n & ~(1 << j)
}
```

〈그림 3.5〉 j번째 비트를 1로 설정하여 주는 setBit 함수

그림 3.4와 그림 3.5에 제시된 함수는 인자 j에 대한 검사를 하고 있지 않다. 실제 다음과 같은 예외 처리가 필요하다.

```
if(j < 0 || j >= sizeof(n) * 8) throw std::invalid_argument("");
```

예외 처리에 대해서는 10장에서 자세히 설명한다.

2.6. 강제 타입 변환

한 타입을 특정 타입으로 바꾸고 싶으면 C에서는 괄호 안에 변환하고자 하는 타입을 사용하여 다음과 같이 강제 타입 변환을 할 수 있다.

```
int n{9}, m{2};
double f{(double)n / m};
```

C++에서도 여전히 이 방법을 사용할 수 있으며, 기존 형태 대신에 다음과 같이 함수 형태를 사용할 수 있다.

```
f = double(n) / m;
```

참고로 함수 형태의 강제 타입 변환과 C 스타일의 강제 타입 변환 연산자는 피연산자의 위치가 달라지기 때문에 우선순위가 다르다.

C++에서는 타입 변환하는 특성에 따라 다음과 같이 4가지 새로운 형태의 타입 변환 연산자를 새롭게 도입하였다.

- 방법 1. **const_cast**〈type〉(expression): 포인터 또는 참조 변수의 상수성을 제거할 때 사용한다.
- 방법 2. **static_cast**〈type〉(expression): 일반적으로 사용하는 변환 연산자이며, 컴파일 시간에 타입 변환 가능 여부를 검사한다.
- 방법 3. **dynamic_cast**〈type〉(expression): 상속과 관련되어 있으며, 12장에서 자세히 설명한다.
- 방법 4. **reinterpret_cast**〈type〉(expression): 서로 상관이 없는 포인터 타입 간에 변환을 해준다.

이 중에 앞서 살펴본 예제는 방법 2에 해당한다. 앞서 살펴본 예제를 C++에서 새로 도입한 연산자를 이용하여 작성하면 다음과 같으며, C++에서는 이 방법을 권장한다.

```
int n{9}, m{2};
double f{static_cast<double>(n) / m};
```

새 방식을 권장하는 이유는 용도에 따라 구분되며, 잘못된 변환의 경우 문법 오류를 주고, 가독성이 향상되기 때문이다.

const_cast는 다음과 같이 포인터 또는 참조 변수의 상수성을 제거할 때 사용한다.

```
int N{10};
const int* p{&N};
const int& r{N};
std::cout << N << '\n';
int* pp{const_cast<int*>(p)};
int& rr{const_cast<int&>(r)};
*pp = 3;
```

```
std::cout << N << '\n';
rr = 4;
std::cout << N << '\n';
```

위 코드에서 N이 const이면 나머지 상수 포인터와 참조 변수의 상수성을 제거하더라도 N 값이 변경되지 않는다. 연산자 다중 정의할 때 const_cast을 사용하여 코드 중복을 제거하기도 한다. 이 부분은 13장에서 소개한다.

퀴즈

1. 표현식 평가에서 연산자 우선순위와 관련된 다음 설명 중 **틀린** 것은?

   ① 단항 연산자 중 피연산자의 오른쪽(후위)에 위치하는 연산자가 왼쪽(전위)에 위치하는 연산자보다 우선순위가 높다.
   ② 논리곱과 논리합은 우선순위가 같다.
   ③ 비트 이동 연산자는 비교 연산자보다 우선순위가 높다.
   ④ 곱셈 계열의 산술 연산자가 덧셈 계열보다 우선순위가 높다.

2. 2의 보수 표현법을 사용하는 4bit 타입이 있다고 가정하고, a = 0b0110, b = 0b1010 데이터가 있을 때, a 〈〈 1과 b 〉〉 1의 값은? 이때 〉〉는 산술 이동을 한다고 가정한다.

   ① 4, 5 ② 12, -3
   ③ -4, -3 ④ 12, 5

3. 다음 중 지연 평가(lazy evaluation)를 하는 연산자가 **아닌** 것은? 지연 평가는 불필요한 평가를 하지 않는 평가 방식을 말한다.

   ① a && b ② a? b: c
   ③ a ^ b ④ a || b

4. 이항 연산자의 두 피연산자의 타입이 주어졌을 때, 다음 중 실제 연산이 이루어지는 타입을 **잘못** 제시한 경우는? 제시된 경우처럼 변환이 될 수 있지만 실제 타입의 크기에 따라 다를 수 있는 경우도 잘못 제시한 경우에 해당한다.

   ① `int, float` ⇒ `float, float`
   ② `int, unsigned long` ⇒ `unsigned long, unsigned long`
   ③ `char, int` ⇒ `int, int`
   ④ `long long, unsigned long` ⇒ `long long, long long`

5. 0b0101이 있을 때, 이 값과 0b0011를 비트 논리곱, 비트 논리합, XOR한 결과는?

① 0b1110, 0b1000, 0b1001
② 0b0001, 0b0111, 0b1001
③ 0b0011, 0b0011, 0b0110
④ 0b0001, 0b0111, 0b0110

6. 9 / 2 / 2, 9 / 2 * 3, 두 개의 표현식의 평가 결과는?

① 2, 12　　② 9, 1　　③ 2, 1　　④ 9, 12

연습문제

1. 32bit 정수의 비트 값을 뒤집는 다음 함수를 작성하라.

```
uint32_t reverseBits(uint32_t n);
```

2. 두 개의 정수 a와 b가 주어졌을 때, 비트 연산만 사용하여 두 값의 덧셈을 구하는 다음 함수를 완성하라.

```
int sum(int a, int b);
```

3. C++에서 >> 연산자는 보통 산술 이동을 한다. 비트 연산자만 이용하여 논리 이동을 구현하라. 예를 들어, int 변수 n의 값이 0xc0000000일 때 n >>= 1을 하면 n은 0xe0000000이 된다. 하지만 아래 함수를 구현하여 n = logicalRightShift(n, 1)을 실행하면 0x60000000이 되어야 한다.

```
int logicalRightShift(int num, int shiftcount);
```

제**4**장

배열, 문자열, 열거형

제 4 장 배열, 문자열, 열거형

1. 배열

배열은 대부분의 고급 프로그래밍 언어가 언어 자체에 포함하여 제공하는 복합 타입이다. 배열은 같은 종류의 여러 개의 값을 하나의 데이터로 취급할 수 있도록 해준다. 예를 들어, 40명 학생의 성적을 처리해야 할 때 복합 타입이 없다면 40개의 정수 변수를 선언해야 하며, 평균과 같은 집단 연산을 계산하는 프로그램을 작성하는 것이 거의 불가능한 수준이 된다. 배열은 같은 종류의 여러 개의 값을 하나의 이름과 색인을 이용하여 접근할 수 있게 해준다.

배열을 사용할 때 **용량**(capacity)과 **크기**(size) 개념을 잘 이해하여야 한다. 배열의 용량이란 배열을 생성할 때 확보한 공간을 의미하며, 배열의 크기는 현재 사용 중인 공간을 말한다. 예를 들어, 최대 정수 10개를 저장할 수 있는 배열을 생성하였지만, 정수 5개만 현재 유지하고 있다면, 이 배열의 용량은 10이지만 크기는 5가 된다.

1.1. 배열의 특성

프로그래밍 언어마다 약간의 차이가 있을 수 있지만, 배열의 특성은 보통 언어와 무관하게 다음과 같다.

- 특성 1. 동질 구조이다.
- 특성 2. 요소 간의 순서가 존재한다.
- 특성 3. 배열의 요소는 위치를 이용하여 접근한다.
- 특성 4. 배열의 용량은 생성할 때 정해지며, 같은 위치에서 확장할 수 없다.
- 특성 5. 임의 접근을 제공한다.

배열은 물리적으로는 동질 구조이지만 논리적으로는 동질 구조가 아닐 수 있다. 예를 들어, 일차원 정수 배열의 첫 요소에 개수를 유지하고, 나머지에는 값을 유지하면 첫 요소와 나머지 요소의 논리적 특성은 다르지만, 물리적 특성은 같다. C 스타일 문자열도 문자열 끝을 나타내는 널 문자와 문자열을 구성하는 문자와 논리적으로는 성격이 다르다. 배열은 선형 구조이므로 요소 간의 순서가 존재한다. 어떤 요소가 주어지면 그것의 앞 요소와 뒤 요소가 있으면 유일하다. 이 때문에 배열에 있는 요소는 위치를 이용하여 접근하는데, 이때 사용하는 값을 색인이라고 한다. 색인은 위치 계산을 위해 보통 0부터 시작한다. 배열의 가장 큰 단점은 생성한 위치에서 용량을 확장할 수 없다는 것이다. 이 때문에 필요한 공간이 가변적이고 그 편차가 크면 공간이 낭비될 수 있다. 배열의 가장 큰 장점은 임의 접근을 제공한다는 것이다. 임의 접근을 제공할 수 있는 이유는 물리적으로 동질 구조이고, 연속 공간으로 배열 공간을 확보하기 때문이다. 연속 공간으로 확보해야 하므로 현재 위치에서 용량의 확장이 가능하지 않다.

1.2. 배열의 선언

배열은 다음과 같이 타입 정보와 용량을 주어 선언한다.

```
int studentScores[40];
```

어떤 함수 내에 이처럼 선언하면 용량이 40인 정수 배열이 해당 함수의 스택 프레임에 생성되며, 배열의 각 요소의 값은 초기화되지 않는다. 이와 같은 정적 배열의 용량은 컴파일 시간에 결정할 수 있어야 하므로 변수를 이용하여 용량을 지정할 수 없다.

배열은 선언할 때 초깃값 목록을 제시하여 배열의 각 요소를 초기화할 수 있다. 이때 목록에 제시된 초깃값의 수는 용량과 같거나 적어야 한다.

```
int n1[5];
int n2[5]{1, 2, 3, 4, 5};
int n3[5]{};
int n4[5]{1};
int n5[]{1, 1, 1, 1, 1};
```

n1은 초깃값 목록을 사용하지 않고 있으므로 배열의 각 요소는 초기화되지 않는다. n3은

n1과 마찬가지로 초깃값을 하나도 제시하지 않았지만, 빈 초깃값 목록을 사용하였기 때문에 모든 요소가 기본값인 0으로 초기화된다. 배열의 용량보다 적은 수의 초깃값을 제시하면 나머지 요소는 0으로 초기화된다. 따라서 n4의 경우에는 첫 번째 요소를 제외한 나머지 요소는 모두 0으로 초기화된다. 초깃값 목록을 제시할 때 용량을 제시하지 않을 수 있는데, 이 경우에 제시된 값의 개수만큼 용량이 확보된다. 따라서 n5의 용량은 5이다. 참고로 배열을 선언할 때는 auto를 활용할 수 없다.

배열의 용량은 sizeof 연산자를 이용할 수 있고, 〈array〉에 선언된 std::size 함수를 이용하여 얻을 수 있다. 예를 들어, 위 예에서 n1의 용량은 다음과 같이 얻을 수 있다.

```
size_t capacity{sizeof(n1) / sizeof(n1[0])};
capacity = std::size(n1);
```

참고로 배열을 주소로 전달하면 해당 함수의 매개 변수를 사용하여 배열의 용량을 알 수 없다. size_t는 현재 컴파일러가 사용하는 sizeof 평가 값을 저장할 수 있는 unsigned 타입의 정수형이다.

1.3. 배열 선택식

배열의 개별 요소에 접근할 때는 [] 연산자와 색인을 이용한다. 참고로 대부분의 고급 프로그래밍 언어는 선언/정의할 때 사용한 기호를 해당 변수를 이용하여 데이터에 접근할 때도 사용한다. 물론 참조 변수처럼 사용하지 않는 경우도 존재한다. 배열의 선택식은 대입 연산자의 왼쪽에 올 때와 오른쪽에 올 때 의미가 다르다.

실제 배열에 있는 데이터에 접근하기 위해서는 해당 주소를 계산해야 한다. 이 주소는 색인과 개별 요소가 차지하는 공간의 크기를 이용하여 계산한다. 이 때문에 색인은 0부터 시작한다. 배열의 유효한 범위를 벗어난 접근을 하더라도 C++는 실행 시간 예외를 발생하지 않는다. 하지만 유효한 색인을 사용하지 않으면 논리 오류이므로 이와 같은 오류가 발생하지 않도록 프로그래밍해야 한다. 배열에서 유효한 색인은 0부터 (용량 - 1)까지이다. 하지만 용량과 크기가 다르면 0부터 (크기 - 1)까지만 사용해야 한다. 보통 int나 unsigned int를 사용하면 색인의 범위가 사용한 정수 타입의 범위를 벗어날 수 있으므로 색인 타입으로 size_t를 많이 사용한다.

문제 4.1. 정렬된 정수 배열에서 중복된 요소를 제거하라. 이때 추가 공간을 사용하지 않고(in-place) 구현해야 한다. 중복된 요소를 제거한 배열의 크기를 반환하여야 하며, 새 배열 크기 이후에는 어떤 값이 와도 무관하다.

```
size_t removeDuplicates(int nums[], size_t size);
```

추가 공간을 사용한다는 것은 입력 배열과 같은 크기의 배열을 만들어 문제를 해결하는 것을 말한다. 추가 공간을 사용하지 않고 구현하면 공간을 절약할 수 있지만 구현이 더 복잡해진다. 추가 공간을 사용하지 않는 알고리즘을 만드는 것이 아직 익숙하지 않으면 추가 공간을 사용하는 알고리즘을 먼저 구현한 다음 그것을 바꾸는 방법으로 비슷한 유형의 여러 문제를 해결해 보면 추가 공간을 사용하지 않는 알고리즘을 만드는 방법을 이해하게 될 것이다. 보통 추가 공간을 사용하는 알고리즘에서 추가 공간을 조작하기 위해 사용하는 색인 변수가 있을 것이다. 이 변수를 추가 공간 대신에 입력 배열에 적용하면 추가 공간을 사용하지 않는 버전을 보통 만들 수 있다.

```
size_t removeDuplicates(int nums[], size_t size) {
    int* tmp{new int[size]};
    tmp[0] = nums[0];
    size_t j{1};
    for(size_t i{1}; i < size; ++i)
        if(nums[i] != nums[i - 1]) tmp[j++] = nums[i];
    std::copy(tmp, tmp + j, nums);
    delete [] tmp;
    return j;
}
```

〈그림 4.1〉 추가 공간을 사용하는 removeDuplicates 함수

그림 4.1에 추가 공간을 사용한 removeDuplicates 함수가 제시되어 있다. 이 예에서 알 수 있듯이 필요한 추가 공간의 크기를 사전에 알 수 없으므로 동적 생성할 수밖에 없다. 물론 최대 크기를 알면 충분히 큰 크기를 확보할 수 있지만, 이 방법은 공간을 많이 낭비할 수 있다. 또 추가 공간을 사용하면 결과 데이터를 원래 배열에 복사해 주어야 한

다. 이 복사는 반복문을 이용할 수 있지만 제시한 것처럼 메모리 복사를 해주는 라이브러리 함수를 이용하는 것이 더 효과적인 방법이다. 여기서 j가 추가 공간에 사용한 색인이다. 이 j는 항상 i와 같거나 작다. 따라서 이 색인을 바로 nums 배열에 적용하면 추가 공간을 사용하지 않고 그림 4.2와 같이 구현할 수 있다.

```
size_t removeDuplicates(int nums[], size_t size) {
    size_t j{1};
    for(size_t i{1}; i < size; ++i)
        if(nums[i] != nums[i - 1]) nums[j++] = nums[i];
    return j;
}
```

〈그림 4.2〉 추가 공간을 사용하지 않는 removeDuplicates 함수

문제 4.2. 정수 배열에서 주어진 요소를 모두 제거하라. 이때 추가 공간을 사용하지 않고 (in-place) 구현해야 한다. 해당 요소를 제거한 배열의 크기를 반환하여야 하며, 배열의 있는 요소의 순서가 바뀌어도 되고, 새 배열 크기 이후에는 어떤 값이 와도 상관없다.

```
size_t removeElements(int nums[], size_t size, int val);
```

이 문제는 배열에 있는 요소의 순서가 바뀌어도 되기 때문에 맨 뒤 요소를 제거하는 요소의 자리로 옮기면 된다. 이때 주의할 점은 옮긴 요소 자체가 제거해야 하는 값일 수 있으니 옮긴 후에 해당 위치부터 다시 반복하도록 구현해야 한다. 요소의 순서를 유지하고 싶으면 그림 4.2의 함수에서 i와 j 색인 변수를 0으로 초기화하고, 조건문을 다음과 같이 바꾸면 된다.

```
if(nums[i] != val) nums[j++] = nums[i];
```

1.4. 다차원 배열

배열을 선언할 때 사용하는 [] 기호를 여러 개 사용하여 원하는 차원의 배열을 선언할 수 있다. 2차원 배열은 종종 사용하지만, 그 이상은 실제 응용에서 거의 사용하지 않는다. C++에서 다차원 배열도 임의 접근을 제공하기 위해 연속적인 공간에 할당한다. 따라서 다음 두 배열은 모두 동일하게 정수 9개를 연속적으로 저장할 수 있는 공간을 확보한다.

```
int a[9];
int b[3][3];
```

다차원 배열도 초깃값 목록을 이용하여 다음과 같이 선언과 동시에 초기화할 수 있다.

```
int mindmap[3][3]{{1, -1, 2}, {0, 2, -1}, {0, 1, -1}};
```

> **문제 4.3.** 지뢰찾기 게임을 만들고자 한다. 9 × 9 2차원 정수 배열을 이용하여 지뢰찾기 게임의 진행 맵을 구성해야 한다. 이 맵은 지뢰가 있는 곳은 −1로 표시하고, 나머지는 주변 셀에 있는 지뢰 개수의 합을 가지고 있어야 한다. 10개의 랜덤한 위치에 지뢰를 설치한 후에 나머지 셀의 값들을 올바르게 채워야 한다.
>
> ```
> void installMines(int map[][9]);
> void initMap(int map[][9]);
> ```

두 개의 값을 쌍으로 여러 개 유지해야 하는 경우 이를 처리하기 위해 다음과 같은 방법을 사용할 수 있다.

- 방법 1. 구조체를 정의한 후 구조체 배열을 선언하여 사용한다.
- 방법 2. 두 개의 값이 같은 타입이면 열 용량이 2인 2차원을 배열을 선언하여 사용한다.
- 방법 3. 두 개의 일차원 배열을 선언하여 사용한다.

방법 1은 별도 구조체를 정의해야 하는 번거로움이 있지만 가독성이 좋다. 별도 구조체 대신에 범용 구조체인 std::pair를 활용할 수 있다. 방법 2는 설명한 것처럼 두 개 값의 타입이 같아야만 사용할 수 있는 방법이다. 방법 3은 간결하게 프로그래밍할 수 있어 자주 사용하는 기법이지만 데이터의 자리를 자주 옮겨야 하면 두 배열 위치를 일관성 있게 옮겨야 하는 번거로움이 있다. 이 외에 맵(map) 자료구조를 이용할 수도 있다.

1.5. 배열 대체제

실제 기존 C++ 소스 코드를 보면 배열을 사용하는 프로그램이 별로 없다. 보통 C++에서 배열이 필요하면 배열 대신에 범용 클래스인 std::vector를 많이 사용한다. C++는 연산자를 다중 정의할 수 있으므로 std::vector는 선언하는 방법이 기존 배열과 다르지만 선언한 이후에는 배열과 동일하게 색인 연산자 []를 이용하여 프로그래밍할 수 있다. int를 저장할 std::vector가 필요하면 다음과 같이 선언하여 사용할 수 있다.

```
std::vector<int> vec1;
std::vector<int> vec2(10, 1);
```

여기서 vec2는 용량과 크기가 모두 10이며, 모두 1로 초기화된 상태로 생성된다.

배열 대신 std::vector를 사용하는 것의 이점은 다음과 같다.

- 이점 1. 용량이 고정되어 있지 않고 필요하면 자동 확장된다.
- 이점 2. 클래스이므로 제공하는 다양한 생성자를 이용하여 편리하게 초기화할 수 있다.
- 이점 3. std::vector를 생성하면 하나의 객체를 생성하는 것이므로 함수에 인자로 전달할 때 다른 객체와 마찬가지로 참조 전달 방식으로 쉽게 전달할 수 있다. 배열은 주소로 전달하면 전달받은 함수에서는 배열로 인식되지 않으며, 용량이나 크기 정보를 항상 같이 전달해야 한다. 하지만 std::vector는 전달받은 함수에서도 std::vector로 인식하며, 자체적으로 용량, 크기 정보를 유지하고 있으므로 이들을 별도 전달할 필요도 없다.
- 이점 4. 용량이 아니라 크기만큼 반복하는 foreach for 문을 이용할 수 있다.
- 이점 5. 함께 제공하는 다양한 메소드를 사용할 수 있고, 다양한 범용 라이브러리 함수를 활용할 수 있다.

용량이 부족하면 자동 확장해 주지만 이것에 의존하는 것보다 생성할 때 용량을 충분히 확보한 후에 사용하는 것이 훨씬 효과적이다. 일차원 배열만 std::vector가 대신할 수 있는 것은 아니다. 다차원 배열도 std::vector가 대신할 수 있다.

std::vector 대신에 std::array도 배열 대신에 사용할 수 있는 범용 클래스이다. std::array는 배열을 객체로 취급할 수 있게 해주며, std::vector와 달리 용량이 처음 생성한 용량으로 고정된다. 이들에 대한 더 구체적인 사용법은 15장에서 설명한다.

2. 문자열

문자열은 일련의 문자로 구성된 복합 타입이며, 언어 자체에 포함되어 있는 타입이다. 프로그래밍할 때 정수와 더불어 가장 많이 사용하는 타입이다. 문자열은 복합 타입이므로 무거운 데이터이다. 즉, 많은 공간을 차지할 수 있으며, 생성과 소멸하는 비용이 비교적 고가이다. 이 때문에 값 전달 방식으로 다른 함수에 전달하지 않는다.

기존 C 언어의 문자열은 항상 마지막 요소로 널 문자('\0')를 유지하며, 이를 통해 문자열의 끝을 알 수 있다. 이 때문에 널 문자로 끝나는 문자열을 **C 스타일 문자열**이라 한다. C 스타일 문자열은 const char*, char*와 같이 시작 주소를 가리키는 포인터를 이용하여 처리하거나 const char[]나 char[]와 같이 문자 배열에 유지하여 처리하였다.

C++는 C를 포함하고 있으므로 C에서 사용한 방법으로 문자열을 처리할 수 있지만 C++는 객체지향 언어이므로 주로 std::string 객체를 이용하여 문자열을 처리한다. C++17부터는 함수에 문자열을 효율적으로 전달하기 위해 std::string_view 클래스가 추가되었다. C++는 연산자를 다중 정의할 수 있으므로 색인 연산자 []를 이용하여 std::string과 std::string_view 객체를 기존 C 스타일 문자열처럼 프로그래밍할 수 있다. 또 해당 클래스에서 제공하는 다양한 메소드를 이용하여 문자열을 처리할 수 있다.

C++에서 문자열 리터럴(literal)은 여전히 C 스타일 문자열로 해석한다. 따라서 문자열 리터럴의 타입은 const char*이며, 끝에 모두 널 문자가 있다. **리터럴**이란 프로그램에 등장하는 상수 데이터를 말하며, 상수이므로 값을 수정할 수 없다. 문자열 리터털은 큰 따옴표를 이용하여 나타낸다. 한 가지 특이한 점은 다른 데이터와 달리 이와 같은 리터럴은 프

로그램 수명을 가진다. 다른 타입의 리터럴은 이 특성을 활용하는 경우는 거의 없지만 문자열 리터럴은 종종 이 특성을 활용한다. C++14부터 문자열 리터럴 끝에 s를 추가하여 const char*가 아니라 std::string 타입으로 인식하도록 프로그래밍할 수 있다. 이에 대해서는 2.2절에서 추가로 자세히 설명한다.

문자열 리터럴을 사용할 때 접두사로 L, u8, u, U, R를 사용할 수 있다. L은 각 문자를 wchar_t로 처리하며, u8, u, U는 각각 UTF-8, UTF-16, UTF-32 인코딩을 사용한다. 따라서 u8, u, U 접두사를 사용하면 각각 char, char16_t, char32_t로 각 문자를 처리한다. C++20에서는 u8은 char 대신에 char8_t를 이용한다.

기존 문자열 리터럴과 달리 **R 접두사**는 따옴표와 괄호로 문자열의 시작과 끝을 나타낸다. 따옴표와 괄호 사이에 선택적으로 다음과 같이 임의의 문자열을 포함할 수 있다.

```
std::string name{R"foo("Gildong" "Hong")foo"};
```

R 접두사를 사용하면 확장 문자열을 사용하지 않고 원하는 문자를 문자열 리터럴에 포함할 수 있다.

std::string은 내부적으로 C 스타일 문자열을 유지할 수 있지만 끝에 널 문자가 있다고 인식하고 프로그래밍하지 않는다. 심지어 std::string은 문자열 내에 여러 개의 널 문자를 유지할 수 있다. C++ 프로그래밍을 하더라도 문자열 리터럴은 C 스타일 문자열이므로 std::string과 C 스타일 문자열을 함께 사용한다. C 스타일 문자열을 전혀 사용하지 않도록 프로그래밍할 수 있지만 이렇게 하는 것은 효율성 측면에서 바람직하지 않다.

2.1. C 스타일 문자열

앞서 설명한 바와 같이 C 스타일 문자열은 포인터로 처리할 수 있고, 배열로 처리할 수 있다. 이 둘의 차이점을 잘 이해하고 있어야 한다. 다음 두 변수의 차이점을 생각하여 보자.

```
char aName[]{"Gildong"};
const char* pName{"Gildong"};
```

aName은 문자 배열을 만든 후에 그 내용을 "Gildong"으로 채운 형태이다. 따라서 aName의 용량은 널 문자까지 포함하여 8이다. pName은 문자열 리터럴의 시작 주소를 가리키는 포인터이다. 이 때문에 aName은 aName[0] = 'g' 형태의 문장을 이용하여 문자열을 구성하는 개별 문자를 수정할 수 있지만, pName은 문자열 자체가 상수이기 때문에 const 수식어와 무관하게 수정할 수 없다.

C 언어는 주소 전달 방식으로 문자열을 함수의 인자로 전달하며, 문자열을 받은 함수는 끝에 있는 널 문자를 이용하여 문자열을 처리한다.

2.2. std::string

C++에서 문자열은 주로 std::string을 사용하여 처리하며, 이 클래스를 사용하기 위해서는 〈string〉을 include해야 한다. 앞서 언급한 바와 같이 std::string은 내부적으로 C 스타일 문자열을 유지하지만, 끝에 널 문자가 있다는 것을 직접 활용하여 프로그래밍하지 않는다. 문자열의 길이가 필요하면 length나 size 메소드를 이용한다. 색인 연산자가 다중정의되어 있으므로 색인 연산자를 이용하여 언제든지 개별 문자에 접근하고, 필요하면 수정할 수도 있다.

다음 예는 색인 연산자를 이용하여 name이 유지하는 첫 문자를 수정하고 있으며, size 메소드를 이용하여 문자열의 길이를 출력하고 있다. name의 현재 길이는 7이다.

```
std::string name{"Gildong"};
name[0] = 'G';
std::cout << name.size(); << '\n';
```

위 name처럼 std::string을 사용하고 있을 때, 그것에 대응되는 C 스타일 문자열이 필요하면 &name[0], name.c_str()를 이용할 수 있다. 이때 std::string은 문자열 중간에 널 문자를 유지할 수 있으므로 기대하는 것과 다른 문자열을 얻을 수 있어 주의가 필요하다.

다음에 제시된 첫 문장처럼 auto를 이용하면 std::string이 아니라 const char*로 해석한다. C++14부터는 접미사 s를 이용하면 auto도 std::string으로 유추한다. 다음에서 s2는 std::string 타입이다.

```
auto s1{"gildong"};
auto s2{"gildong"s};
```

접미사 s는 다음 namespace 중 하나를 사용해야 이용할 수 있다.

```
using namespace std::literals
using namespace std::string_literals
```

접미사 s의 이점은 다음과 같다.

- 이점 1. 타입 유추할 때 std::string으로 유추한다.
- 이점 2. std::string을 더 간결하게 생성할 수 있다.
- 이점 3. 중간에 널 문자를 포함할 수 있다.

std::string은 다음과 같이 생성할 수 있다.

```
std::string name1{"Gildong"};              // "Gildong"
std::string name2{"Gildong", 7};           // "Gildong"
std::string name3{"Gildong Hong", 7};      // "Gildong"
std::string space{' ', 5};                 // 5개 공백 문자로 구성된 문자열
std::string name4{name1, 3, 4};            // "dong"
std::string name5{name1, 3};               // "dong"
std::string name6{name1.substr(3, 4)};     // "dong"
```

보통 첫 번째 문장처럼 사용하지만, 이 경우 생성자의 인자로 C 스타일 문자열을 받고 있으므로 내부적으로 strlen 함수를 이용하여 문자열 길이를 계산한 다음 필요한 공간을 확보하고 복사하는 과정이 일어난다. 따라서 두 번째 문장처럼 생성하면 문자열 길이를 별도 계산하지 않기 때문에 조금 더 효율적일 수 있다. 하지만 우리가 보통 인자로 제공하는 C 스타일 문자열은 매우 짧으므로 성능에 의미 있는 차이가 나타나지는 않는다.

std::string에는 문자나 부분 문자열 검색을 위한 find, rfind, 문자열을 서로 비교하기 위한 compare, 부분 문자열을 교체하기 위한 replace, 특정 위치에 문자나 부분 문자열을 삽입하기 위한 insert, 특정 위치에 있는 문자나 부분 문자열을 제거하기 위한 erase,

주어진 문자열에 있는 여러 문자를 동시에 검색하기 위한 find_first_of, find_last_of, find_first_not_of, find_last_of, 문자열을 원시 타입으로 변환하기 위한 stoi, stol, stod 등 문자열을 처리할 때 유용하게 사용할 수 있는 메소드가 많이 포함되어 있다. 또 C++20부터는 starts_with, ends_with 등이 추가되었다.

2.3. std::string_view

C++17부터 함수에 문자열 인자를 효과적으로 전달하기 위해 std::string_view라는 새로운 클래스가 라이브러리에 추가되었다. 이 클래스는 데이터를 소유하지 않는 타입(non-owning type)[8]이다. std::string_view는 문자열 자체를 유지하지 않고, 문자열의 시작 위치와 크기 정보만 유지한다. 실제 데이터는 다른 곳에 존재한다. 이 때문에 원 데이터가 수정되면 string_view를 통해 접근하는 데이터도 달라진다. 같은 이유로 문자열을 구성하는 개별 문자를 수정할 수 없다. 하지만 순수 불변 타입은 아니다. 유지하는 시작 주소와 크기를 수정할 수 있다. 따라서 std::string_view가 유지하는 시작 주소나 크기만 바꾸어 string_view를 통해 바라보는 문자열을 바꿀 수 있다. 이를 해주는 메소드가 remove_prefix와 remove_suffix이다.

std::string_view는 데이터를 소유하는 것이 아니므로 객체 생성 과정에서는 동적 할당이나 데이터 복사가 일어나지 않는다. 개별 문자를 수정만 못 할 뿐 std::string과 동일하게 문자열을 처리할 수 있다. 또 remove_prefix와 remove_suffix를 이용하여 효율적으로 바라보는 문자열의 구간을 바꿀 수 있다.

std::string_view의 가장 큰 이점은 문자열 인자 처리에 있다. 보통 std::string을 인자로 받는 함수는 인자를 효과적으로 전달하기 위해 참조 전달 방식을 사용한다. 참조 전달은 객체를 효과적으로 전달하기 위해 C++에서 새롭게 도입한 인자 전달 방식이며, 주소 전달 방식과 동일한 효과를 얻을 수 있다. 전달 방식과 관련된 보다 더 자세한 사항은 5장과 7장에서 설명한다. 여기서는 std::string_view의 효과를 이해하는 데 필요한 정도만 설명한다.

---

8) C++20부터 함수에 std::vector 타입의 인자를 효과적으로 전달하기 위해 데이터를 소유하지 않는 std::span이 추가되었다.

C++에서 문자열을 하나 받는 함수는 보통 다음과 같이 정의한다.

```
void foo(const std::string& w); // 버전 1
```

참조 전달로 인자를 전달하고 싶으면 위처럼 &를 이용하여 매개 변수를 정의한다. 여기서 const를 사용하지 않으면 문자열 리터럴은 Rvalue이므로 이 함수의 인자로 전달할 수 없다. 참고로 문자열 리터럴은 C 스타일 문자열이며, 그것의 타입은 const char*이다.

그런데 버전 1에 문자열 리터럴을 인자로 전달하면 임시 std::string 객체가 하나 생성된다. 이 비용을 절약하기 위해 보통 다음과 같은 함수를 다중 정의한다.

```
void foo(const char* w); // 버전 2
```

이렇게 두 개 함수를 다중 정의하고, foo("apple")과 같이 호출하면 버전 2 함수가 호출된다.

이처럼 두 개 함수를 다중 정의하는 것은 번거롭다. 이 때문에 하나만 정의하여도 전달하는 인자의 타입과 무관하게 효율적으로 전달할 수 있도록 C++17은 std::string_view를 도입하였다. std::string_view를 이용하여 문자열을 인자로 받고 싶으면 다음과 같이 값 전달을 이용한다.

```
void foo(std::string_view w); // 버전 3
```

std::string_view는 불변 타입이며, 값 전달하고 있으므로 const의 수식은 불필요하다.

다음과 같은 2개의 호출이 있을 때, 버전 1과 버전 3을 비교하여 보자.

```
foo(s); // s는 std::string 객체
foo("apple");
```

버전 1에서 foo(s)는 참조 전달로 받고 있으므로 인자 전달 과정에서 비용은 발생하지 않으며, 어떤 객체도 새롭게 생성되지 않는다. 버전 3에서는 std::string_view 매개 변수 객체가 생성되지만, 시작 주소와 크기만 추출하여 객체를 생성하므로 생성 비용은 무시할 수 있다. 따라서 이와 같은 형태의 호출에서는 버전 3이 특별한 이점은 없다. 하지만 버전 1에 대해 foo("apple")을 호출하면 임시 std::string 객체가 생성되며, 이 과정에서 공간 확보와 복사 비용이 소요된다. 반면에 버전 3에 대해 foo("apple")을 호출하면 foo(s) 때와 마찬가지로 시작 주소와 크기만 추출하여 객체를 생성하므로 생성 비용은 무시할 수 있다. 즉, std::string_view는 std::string 객체나 C 스타일 문자열 인자를 같은 저렴한 비용으로 처리할 수 있다. 물론 std::string_view로 C 스타일 문자열을 받으면 문자열의 길이를 계산하는 비용(strlen 호출 비용)이 발생한다.

따라서 문자열 데이터의 소유가 필요 없고, 개별 데이터의 수정이 필요 없는 함수의 매개 변수 타입은 std::string 대신에 std::string_view를 사용하는 것이 효과적이며, std::string_view를 사용하면 앞서 제시한 것처럼 값 전달 방식을 사용한다. 반환하는 문자열의 소유권을 넘겨줄 필요가 없으면 std::string_view는 함수의 반환 값으로도 활용할 수 있다. 이때 다음과 같이 자동 소멸하는 문자열을 std::string_view로 반환하는 것은 논리 오류이므로 주의해야 한다.

```
std::string_view foo() {
    std::string s;
    //
    return s;
}
```

하지만 다음은 문제가 없다.

```
std::string_view foo() {
    //
    return "apple";
}
```

문자열 리터럴은 프로그램 수명을 가지고 있으므로 위와 같이 사용할 수 있다.

std::string_view 타입으로 처리하고 있는 데이터를 이용하여 std::string 객체를 생성해야 하는 경우가 종종 있다. 이 경우 다음과 같이 하는 소스를 종종 볼 수 있다.

```
std::string s1{v.begin(), v.end()}; // v: std::string_view 값 타입 변수
std::string s2{v.data(), v.size()};
```

여기서 begin과 end는 문자열의 반복자(iterator)를 반환하여 주는 메소드이고, data 메소드는 문자열의 시작 주소를 반환하는 메소드이다. 하지만 다음을 이용하는 것이 가장 간결하고 보편적인 방법이다.

```
std::string s{v}; // v: std::string_view 값 타입 변수
```

2.4. 문자열 프로그래밍

문자열과 관련된 몇 가지 프로그래밍 예제를 살펴보자.

문제 4.4. 주어진 문자열을 정수로 바꾸어라. 이때 앞에 일련의 공백 문자가 오면 무시되어야 하며, 숫자가 나오기 전에 - 또는 +가 나올 수 있고, 숫자 뒤에 오는 숫자가 아닌 문자는 무시한다. 만약 숫자로 변환할 수 없으면 0을 반환해야 한다. -2^{31}보다 작은 수가 오면 INT_MIN, $2^{31}-1$보다 큰 수가 오면 INT_MAX를 반환해야 한다.

```
int stringToInt(std::string_view num);
```

문제 4.4의 경우 std::string에 이 기능을 해주는 stoi 메소드가 있다. 하지만 이 문제는 이것을 이용하여 해결하는 것이 아니라 프로그래밍 연습을 위해 stoi를 직접 만들어 보는 문제이다. 이 문제에서 문자열을 숫자로 변환하는 것은 다음과 같이 하면 되는데,

```
while(i < num.size() && std::isdigit(num[i])) {
    ret = ret * 10 + (num[i] - '0');
```

이때 발생할 수 있는 오버플로 문제를 어떻게 처리하는지가 중요하다.

문제 4.5. 주어진 문자열에 특정 문자의 등장 횟수를 계산하라.

```
size_t charFrequency(std::string_view word, char c);
```

문제 4.5는 그림 4.3과 같이 단순 반복문을 이용하여 구현할 수 있다. 같은 함수를 C 언어에서 구현하면 그림 4.4와 같다. 제시된 것처럼 C 언어에서는 const char*로 인자를 처리하며, 내부적으로 널 문자를 이용하여 문자열의 길이를 파악하거나 strlen 함수를 이용한다. 반면에 C++는 널 문자를 이용하지 않으며, 심지어 C++는 새롭게 추가된 foreach for 문을 사용하면 더 간결하게 프로그래밍할 수 있다.

```
size_t charFrequency(std::string_view word, char c) {
    size_t count{0};
    for(size_t i{0}; i < s.size(); ++i) if(str[i] == c) ++count;
    // for(auto ch: word) if(ch == c) ++count;
    return count;
}
```

〈그림 4.3〉 반복문을 이용한 C++ 버전의 charFrequency 함수

```
size_t charFrequency(const char* word, char c) {
    size_t count{0};
    for(size_t i = 0; s[i] != '\0'; ++i) if(str[i] == c) ++count;
    // for(size_t i = 0; i < strlen(str); ++i) if(str[i] == c) ++count;
    return count;
}
```

〈그림 4.4〉 반복문을 이용한 C 버전의 charFrequency 함수

```
size_t charFrequency(std::string_view word, char c) {
    return std::count(word.begin(), word.end(), c);
}
```

〈그림 4.5〉 std::count를 이용한 charFrequency 함수

우리는 항상 어떤 문제를 해결할 때 해당 문제를 쉽게 해결하기 위해 사용할 수 있는 라이브러리 함수가 있는지 찾아볼 필요가 있다. 이 문제는 그림 4.5와 같이 std::count 함수를 이용하여 해결할 수 있다. std::count는 〈algorithm〉에 선언되어 있다.

반복자는 복합 타입에서 각 개별 요소를 차례로 방문하고자 할 때 사용하는 객체를 말한다. 반복자는 다양한 종류의 복합 타입을 동일 방법으로 접근하여 사용할 수 있도록 해준다. C++에서 반복자는 포인터 개념을 사용하며, 두 개의 반복자를 생성하여 사용한다. 보통 begin에서 반환하여 주는 반복자를 차례로 이동함으로써 개별 요소에 접근한다. 이 이동은 end와 같은 것을 가리킬 때까지 반복한다. 프로그래밍에서 구간은 닫힌 시작과 열린 끝 형태로 많이 표현한다. C++의 반복자도 마찬가지이다. 따라서 end는 마지막 요소를 가리키는 것이 아니라 그다음 요소가 있다고 가정하였을 때의 위치를 가리킨다.

```
size_t charFrequency(std::string_view  word, char c) {
    size_t count{0};
    for(auto it{word.begin()}; it != word.end(); ++it)
        if(*it == c) ++count;
    return count;
}
```

〈그림 4.6〉 반복자를 이용한 charFrequency 함수

반복자를 이용한 문제 4.5의 해결책은 그림 4.6과 같다. begin과 end는 보통 수정이 가능한 반복자를 주지만 복합 타입 자체가 const이면 가리키는 데이터를 수정할 수 없는 상수 반복자를 반환하여 준다. std::string_view는 클래스의 특성 때문에 상수 반복자만 제공해 준다. 수정 가능한 복합 타입에 대해 수정이 가능하지 않는 반복자를 사용하고 싶으면 cbegin과 cend를 사용한다. 또 복합 타입이 양방향으로 이동할 수 있으면 처음부터가 아니라 요소를 거꾸로 접근하는 rbegin, rend를 이용할 수 있다.

C++에서는 반복자를 이용하여 복합 타입의 특정 구간을 처리하며, 포인터 개념이기 때문에 word.begin() + k와 같은 형태를 이용하여 다양한 위치에서 반복을 시작할 수 있다. 모든 반복자가 같은 종류의 메소드를 제공하는 것은 아니다. 기본적으로 ++, ==, !=, *(역참조) 연산자를 다중 정의하여 제공하며, 반복자에 따라 +, -, +=, -=, -- 연산자를

추가로 제공한다. 포인터가 아니라 포인터 개념이라고 하는 이유는 반복자 클래스가 포인터 관련 연산을 다중 정의하여 데이터에 접근할 수 있도록 해주지만 실제 반복자 내부 구현에서 포인터를 사용하지 않을 수 있다. 반복자에 대해서는 16장에서 다시 자세히 설명한다.

```cpp
size_t charFrequency(std::string word, char c) {
    auto end = std::remove(word.begin(), word.end(), c);
    return word.end() - end;
}
```

〈그림 4.7〉 std::remove를 이용한 charFrequency 함수

앞서 살펴본 문자 빈도수 계산 문제는 std::remove 함수를 이용하여 그림 4.7과 같이 해결할 수 있다. std::remove를 이용하기 위해서는 매개 변수에 대한 수정이 필요하다. 따라서 기존과 달리 std::string_view를 이용할 수 없다. 또 인자 전달을 효과적으로 하기 위해 참조 전달을 이용할 수도 없다. 참조 전달을 이용하여 동일하게 구현하면 함수 호출 이후 원 문자열도 바뀌게 된다.

여러 가지 방법으로 문자열에서 문자 빈도수를 계산하는 함수를 만들어 보았다. 여기에 제시된 방법들은 시간 복잡도 측면에서 모두 $O(n)$이다. 따라서 어떤 방법이 더 좋다고 말하기 어렵다. 보통 문제를 해결할 때 해당 문제를 해결하는 다양한 방법을 생각해 보고 구현해 보면 프로그래밍 능력을 향상하는 데 도움이 된다.

문제 4.6. 주어진 문자열에 모음의 등장 횟수를 계산하라. 주어진 문자열은 모두 영소문자로 구성되어 있다고 가정한다.

```cpp
size_t vowelFrequency(std::string_view word);
```

이 문제는 문제 4.5의 charFrequency 함수를 5번 호출하여 구현할 수 있다. 또는 charFrequency를 수정하여 그림 4.8과 같이 switch 문을 활용하는 방법도 생각해 볼 수 있다.

```
size_t vowelFrequency(std::string_view word) {
   size_t count{0};
   for(auto ch: word)
      switch(ch) {
      case 'a': case 'e': case 'i': case 'o': case 'u': ++count;
      }
   return count;
}
```

〈그림 4.8〉 switch 문을 이용한 vowelFrequency 함수

```
size_t vowelFrequency(std::string_view word) {
   std::string vowel{"aeiou"};
   size_t count{0};
   for(auto ch: word)
      if(std::find(vowel.begin(), vowel.end(), ch) != vowel.end())
         ++count;
   return count;
}
```

〈그림 4.9〉 std::find를 이용한 vowelFrequency 함수

```
size_t vowelFrequency(std::string_view word) {
   std::string vowel{"aeiou"};
   size_t count{0};
   for(auto ch: vowel)
      count += std::count(word.begin(), word.end(), ch);
   return count;
}
```

〈그림 4.10〉 std::count를 이용한 vowelFrequency 함수

그림 4.9와 4.10에 제시된 함수는 내부적으로 std::string vowel{"aeiou"}라는 변수를

만들어 이를 활용하고 있다. 그림 4.9의 함수는 문자열에 있는 각 문자가 vowel에 있는지 살펴보는 방법으로 구현하고 있고, 그림 4.10의 함수는 vowel에 있는 각 문자가 문자열에 각각 몇 번 등장하는지 계산하는 방법으로 구현하고 있다. 이처럼 알고리즘을 고안할 때 생각하는 시각을 180도 바꾸어 접근하는 방법도 항상 고려할 줄 알아야 한다.

3. 열거형

열거형은 타입에 존재하는 모든 값을 나열하여 정의하는 타입으로 C 언어부터 제공된 타입이다. C 언어에서 열거형은 다음과 같이 정의한다.

```
enum Direction {NORTH, SOUTH, EAST, WEST};
```

Direction 열거형은 나열된 4가지 값만 가질 수 있어, 타입 안전성을 제공한다. C 언어에서 열거형 상수는 int 타입으로 처리하였다. 따라서 첫 번째 상수부터 차례로 0, 1, 2, 3 값이 할당되며, 열거형 상수는 정수 계산에서 이 값을 사용한다. 즉, 필요한 곳에서는 자동으로 정수 타입으로 변환된다.

사용자는 각 열거형 상수에 할당하는 정수 값을 정의할 때 다음과 같이 바꿀 수 있다.

```
enum Month {JAN = 1, FEB, MAR, APR, MAY, JUN,
    JUL, AUG, OCT, SEP, NOV, DEC};
```

C 언어의 열거형은 가장 직관적인 방법인 정수를 이용하여 열거형을 정의함으로써 타입 안전성을 제공하여 주지만, 열거형 상수가 광역 이름 공간에 포함되어 해당 이름을 다른 용도로 사용할 수 없는 문제점이 있다. 이에 C++11부터는 가시영역 제한 열거형을 새롭게 도입하였다. 이 열거형은 정의할 때 class 또는 struct 키워드를 다음과 같이 enum과 열거형 타입 이름 사이에 포함한다.

```
enum class Direction {NORTH, SOUTH, EAST, WEST};
```

가시영역 제한 열거형은 열거형 상수가 열거형 타입 내로 제한되기 때문에 해당 이름을

다른 곳에서 다른 용도로 쉽게 활용할 수 있지만, 기존 열거형과 달리 열거형 상수를 사용할 때 항상 열거형 타입 이름을 함께 사용해야 한다. 이때 다음과 같이 가시영역 해소 연산자인 ::을 사용한다.

```
Direction currentDirection{Direction::SOUTH};
```

가시영역 제한 열거형도 각 열거형 상수에 정수 상수를 할당하지만, 다음과 같이 int가 아닌 다른 정수형 타입도 할당하여 사용할 수 있다.

```
enum class Size: char {SMALL = 's', MEDIUM = 'm', LARGE = 'l'};
```

또 다음과 같이 기존 열거형 상수를 이용하여 상수에 할당하는 정수 값을 지정할 수 있다.

```
enum class HandType {GAWI, BAWI, BO, Scissors = GAWI, Rock, Paper};
```

가시영역 제한 열거형은 기존 열거형과 달리 자동으로 정수 타입으로 변환되지 않는다. 따라서 할당된 상수 값이 직접 필요하면 강제 타입 변환을 해야 한다.

```
Weekday nextDay(Weekday w, int n) {
    int idx{(static_cast<int>(w) + n) % 7};
    return static_cast<Weekday>(idx);
}

std::string toString(Weekday w) {
    switch(w) {
    using enum Weekday;
    case SUN: return "일요일";
    case MON: return "월요일";
    case TUE: return "화요일";
    case WED: return "수요일";
    case THU: return "목요일";
    case FRI: return "금요일";
```

```
        default: return "토요일";
    }
}
```

〈그림 4.11〉 열거형 Weekday를 위한 nextDay와 toString 함수

자바는 열거형을 객체로 처리하기 때문에 열거형을 정의할 때 열거형과 관련된 다양한 메소드를 함께 정의하여 사용할 수 있다. 하지만 C++는 여전히 열거형과 관련된 연산은 독립적으로 정의해야 한다. 다음과 같이 요일을 나타내는 열거형이 있을 때,

```
enum class Weekday {SUN, MON, TUE, WED, THU, FRI, SAT};
```

Weekday 열거형을 위한 각종 함수를 그림 4.11과 같이 정의하여 사용할 수 있다.

앞서 언급하였듯이 가시영역 제한 열거형을 사용하면 항상 상수 이름 앞에 열거형 이름을 붙여야 한다. C++17부터는 그림 4.11에 제시된 toString 함수의 switch 문처럼 using을 이용하여 사용할 열거형을 먼저 제시한 후 열거형 상수 이름 앞에 열거형 이름을 생략하고 사용할 수 있다.

퀴즈

1. 다음과 같이 선언된 배열의 용량은?

```
int a[]{0, 1, 2, 3, 4};
```

① 알 수 없음　　② 5　　③ 10　　④ 6

2. C++ 문자열 타입과 관련된 다음 설명 중 올바른 것은?

① C 스타일 문자열을 사용할 수 없다.
② std::string은 널 문자를 문자 중 하나로 유지할 수 없다.
③ std::string 타입 변수를 사용할 때 개별 문자에 접근하기 위해 배열 접근 연산자를 사용할 수 없다.
④ std::string 타입 변수가 유지하는 문자열의 길이는 size 메소드나 length 메소드로 알 수 있다.

3. C++17부터 새롭게 추가된 std::string_view 타입의 이점이 **아닌** 것은?

① 객체를 생성할 때 동적 할당이나 데이터의 복사가 일어나지 않는다.
② 시작과 끝 정보만 유지하고 있으므로 이를 수정하여 쉽게 바라보는 문자열의 구간을 바꿀 수 있다.
③ 원 데이터를 변경하여도 std::string_view에는 영향을 주지 않는다.
④ 개별 문자를 수정할 수 없다는 것을 제외하고 기존 std::string이 제공하는 대부분의 메소드를 제공하기 때문에 사용할 때는 std::string과 거의 동일하게 사용할 수 있다.

4. 다음과 같은 함수가 있을 때,

```
size_t foo(std::string_view word) {
   size_t count{0};
   for(auto it{word.cbegin()}; it != word.cend(); ++it)
```

```
        if(std::isupper(*it)) ++count;
    return count;
}
```

foo("AppLe")의 반환 값은?

① 5　　② 2　　③ 3　　④ 0

5. 가시영역 제한 열거형과 관련된 다음 설명 중 **잘못된** 것은?

① using을 이용하지 않으면 열거형 상수는 항상 열거형 이름과 가시영역 해소 연산자 :: 을 이용하여 접근해야 한다.
② 열거형 상수는 자동으로 정수 타입으로 변환된다.
③ 열거형 상수는 기본적으로 int 타입이지만 정의할 때 타입을 바꿀 수 있다.
④ 기존 C 스타일 열거형과 달리 정의할 때 enum 키워드 다음에 class 또는 struct 키워드를 사용한다.

연습문제

1. n × n 2차원 int 배열이 주어졌을 때, 이 배열이 X 행렬인지 검사하는 다음 함수를 완성하라.

```
bool checkMatrix(const std::vector<std::vector<int>>& grid, int n);
```

X 행렬이란 대각선은 0이 아니고, 나머지는 모두 0인 n × n 2차원 int 배열을 말한다. 여기서 일반 배열을 사용하지 않고 std::vector의 std::vector를 이용한 이유는 다양한 크기의 정방 행렬을 전달하기 위함이다.

2. cstring 라이브러리에 있는 strstr과 같은 기능을 하는 다음 함수를 직접 구현하라.

```
size_t find(std::string_view heystack, std::string_view needle)
```

예를 들어, find("hello", "ll")를 호출하면 2를 반환하고, find("hello", "aa")를 호출하면 heystack의 크기를 반환한다. 즉, 두 번째 문자열이 첫 문자열에 등장하면 처음으로 등장하는 시작 색인을 반환하고, 없으면 첫 문자열의 크기를 반환한다.

3. 영문 대소문자와 공백으로 이루어진 문자열이 주어진다. 이 문자열은 단어 사이에 하나의 공백 문자로 구분한다. 주어진 문자열이 순환 문장인지 판단하는 다음 함수를 완성하라.

```
bool isCircularSentence(std::string_view sentence);
```

순환 문장이 되기 위해서는 단어의 끝 문자와 시작 문자가 계속 같아야 한다. 예를 들어, "koreatech heaven nice enjoy yes student top pick"은 순환 문장이다. 하지만 "Pandemic corona asap"은 순환 문장이 아니다.

4. 문자열 s, 정수 k, 채우기 문자 c가 주어지면 문자열 s를 k 문자 단위로 분리하라. 이때 마지막 분리의 길이가 k보다 작으면 주어진 c 문자로 채워 길이가 k가 되도록 만들어야 한다. 예를 들어, “abcde”, 4, ‘z’가 주어지면 [“abcd”, “ezzz”]를 반환해 주어야 한다.

```
std::vector<std::string> partitionString(
    std::string_view s, int k, char c);
```

5. 이 장 3절에 제시된 열거형 Weekday와 관련하여 n일 전 요일을 반환하여 주는 다음 함수를 완성하라.

```
Weekday prevDay(Weekday w, int n);
```

제5장

포인터와 참조

제 5 장 포인터와 참조

1. 주소와 포인터

프로그래밍에서 사용하는 데이터 대부분은 프로그램이 실행되는 동안 최소 한 번 이상은 프로그램이 사용하는 메모리 공간에 자리를 차지한다. 예를 들어, 함수의 지역 변수는 해당 함수가 실행될 때 함수의 스택 프레임에 위치한다. 메모리 공간에 있는 데이터는 그것의 이름을 통해 접근하거나 그것의 주소를 이용하여 접근할 수 있다. 주소를 이용하여 접근하기 위해서는 해당 주소를 유지해야 한다. **포인터**는 데이터 대신에 데이터가 위치한 주소를 유지하는 변수를 말한다. 데이터는 기본적으로 그것의 이름을 이용하여 직접 접근하지만, 다음과 같은 경우에는 포인터를 사용하여 간접 접근할 수 있다.

- 경우 1. 주소 전달 방식으로 인자를 전달한 경우
- 경우 2. 동적 할당한 공간에 접근하는 경우
- 경우 3. 할당한 공간의 데이터와 다른 타입으로 접근해야 하는 경우
- 경우 4. 객체지향에서 다형성(polymorphism)을 활용하는 경우
- 경우 5. 복합 타입의 효과적인 처리가 필요한 경우
- 경우 6. 배열 또는 문자열을 조작해야 하는 경우
- 경우 7. 포인터를 활용하는 라이브러리 기능을 사용해야 하는 경우

이 외에 C/C++를 이용하여 하드웨어 수준의 프로그래밍할 때 특정 메모리 위치를 직접 조작할 필요성도 있지만, 일반 응용을 개발할 때는 주로 위에 제시된 경우에만 포인터가 필요하다. 각 경우에 대해 이 장 3절에서 자세히 살펴본다.

하지만 위에 제시된 대부분은 C++에서는 포인터를 사용하지 않고, 다른 방법으로 구현할 수 있다. 특히, 많은 경우 C++는 포인터 변수가 필요할 때, 포인터 변수 대신에 참조 변수를 사용할 수 있다. 참조 변수는 기존 변수의 또 다른 이름이다. 객체지향 프로그래밍

에서는 객체를 함수의 인자로 전달해야 하는 경우가 많아짐에 따라 주소 전달 방식보다 간결한 새 전달 방식이 필요하게 되었고, 이를 위해 등장한 새 종류의 변수가 참조 변수이다. C++11 이후에는 참조 변수를 Lvalue 참조와 Rvalue 참조로 구분하며, 이를 통해 C++ 프로그램의 효율성이 한 단계 더 향상되었다.

2. 포인터

포인터는 주소를 유지하는 변수이며, 변수이기 때문에 공간을 차지하고 주소를 가진다. 하지만 포인터가 유지하는 주소에 있는 데이터는 다양할 수 있으며, 데이터의 종류에 따라 차지하는 공간의 크기가 다르다. 포인터 변수에 주소를 유지하지만, 궁극의 목적은 유지한 주소를 통해 간접적으로 데이터에 접근하는 것이다. 데이터에 올바르게 접근하기 위해서는 변수에 유지한 시작 주소부터 정확한 크기의 값을 가지고 와야 한다. 이 크기는 데이터 타입에 의해 결정되는 것이므로 포인터도 타입이 필요하다. 예외적으로 주소 데이터만 유지하기 위해 void 타입의 포인터를 선언하여 사용할 수 있다. 하지만 가리키는 데이터의 타입 정보가 없으므로 void 포인터는 일반 포인터와 달리 역참조가 가능하지 않다.

다음과 같은 변수가 선언되어 있을 때,

```
int n{0};
double d{0.0};
int* ip{&n};
double* dp{&d};
```

sizeof(ip)와 sizeof(dp)는 같지만 sizeof(*ip)와 sizeof(*dp)는 다르다. 따라서 특정 포인터는 포인터 타입에 해당하는 데이터에 접근할 때만 사용해야 하며, 초기화되지 않은 포인터를 사용하지 않도록 해야 한다. 참고로 포인터를 통해 주소를 사용하지만, 프로그래머가 특정 데이터가 저장된 주소 값을 직접 알 필요는 없다.

2.1. 포인터 변수의 선언

포인터 변수는 이미 예제에서 보았듯이 *를 이용하여 선언한다. *는 타입 정보이기 때문

에 타입과 결합하여 표현하는 것이 적절하다고 생각할 수 있고, 변수가 포인터 변수임을 나타내기 위한 것이기 때문에 변수 이름과 결합하여 표현하는 것이 적절하다고 생각할 수 있다. 두 가지 모두 틀렸다고 말하기 어렵다.

다음과 같이 복합 선언을 하면 q는 포인터로 인식되지 않기 때문에 문법 오류가 된다. 참고로 일반 변수는 주소로 초기화할 수 없다.

```
int n{0};
int* p{&n}, q{&n}; // error (q는 포인터 변수가 아님)
int *pp{&n}, *qq{&n};
```

따라서 변수 이름과 결합하는 것이 더 올바른 해석이라고 생각할 수 있다. 참고로 typedef나 using을 이용하여 다음과 같이 복합 선언을 하면 둘 다 포인터로 인식된다.

```
using IntPointer = int*;
int n{0};
IntPointer p{&n}, q{&n};
```

다음에 설명하는 const 키워드를 사용할 때 이 키워드를 *와 이름 사이에 포함할 수 있으므로 이름과 붙여 사용하는 것이 더 올바르다고 주장하기도 어렵다. 따라서 포인터는 복합 선언을 하지 않고, 한 가지 방법을 정하여 항상 통일성 있게 선언하는 것이 바람직하다.

포인터 변수를 선언할 때 const 키워드를 활용할 수 있다. 이때 포인터를 상수화할 수 있고, 포인터가 가리키는 데이터에 대한 접근을 상수화할 수 있다.

```
int a{0}, b{1};
const int C{3};
int* p{&a};
int* const cp{&a};
const int* pc{&b};
const int* const cpc{&a};
*cp = 1;
```

```
*pc = 0;        // error
*cpc = 2;       // error
p = &C;         // error
cp = &b;        // error
pc = &C;
cpc = &b;       // error
```

const 키워드가 타입 정보 앞에 오면 해당 포인터를 통해서는 그 포인터가 가리키는 값을 수정할 수 없다. 이와 같은 포인터를 **수정불가 포인터**(pointer to constant)라 한다. 수정불가 포인터를 상수 지시 포인터라 하기도 하지만 수정불가 포인터가 실제 가리키는 것이 상수가 아닐 수 있으므로 정확한 표현은 아니다. 상수 데이터의 주소는 수정불가 포인터만 유지할 수 있지만, 수정불가 포인터가 상수 데이터의 주소만 유지하는 것은 아니다. 값의 수정은 필요 없고, 오직 효율성을 위해 주소 전달 방식을 사용하는 함수를 정의할 때 매개 변수 타입으로 보통 수정불가 포인터를 사용한다.

const가 *와 포인터 변수 이름 사이에 오면 포인터 자체가 상수가 된다. 이와 같은 포인터를 **상수 포인터**(constant pointer)라 하며, 선언과 동시에 초기화되어야 한다. 따라서 이 포인터는 초기화된 주소만 유지할 수 있다. C/C++에서 정적 배열 이름은 배열의 시작 주소로 초기화된 상수 포인터이다. const를 타입 정보 앞과 *와 포인터 변수 이름 사이에 모두 붙여 변수를 선언할 수 있으며, 이와 같은 변수를 **수정불가 상수 포인터**라 한다.

const를 타입 정보 앞에 붙이는 대신에 타입 정보와 * 사이에 붙일 수 있으며, 그것의 의미는 같다. 따라서 수정불가 상수 포인터를 다음과 같이 선언할 수 있으며,

```
int const * const cpc{&a};
```

이것의 의미를 영어로 해석하면 변수 이름 앞에 있는 것부터 거꾸로 해석(const pointer to const int)하면 된다. 참고로 변수를 선언할 때 타입을 수식하는 수식어는 항상 타입과 순서를 바꿀 수 있으며, 바꾸더라도 그것의 해석은 바뀌지 않는다. 따라서 다음 두 선언은 동일한 변수 선언이다.

```
const int N{10};
int const N{10};
```

포인터를 선언할 때 auto를 사용할 수 있으며, auto는 초깃값을 바탕으로 포인터 변수로 유추할지를 결정한다.

```
int a{0};
auto p1{a};        // int
auto p2{&a};       // int*
auto* p3{&a};      // int*
```

이 예에서 p1은 포인터 타입이 아니지만 p2와 p3는 모두 포인터 타입이다. 따라서 auto는 *를 사용하지 않아도 주소로 초기화하면 포인터 변수로 유추한다.

auto는 타입을 유추할 때 const 여부는 판단할 수 없다. 따라서 auto를 통해 상수 포인터나 수정불가 포인터를 선언하고 싶으면 const를 함께 사용해야 한다.

```
int a{0};
int b{0};
auto const p1{&a};        // int * const
auto* const p2{&a};       // int * const
const auto p3{&a};        // int * const
const auto * p4{&a};      // const int *
auto const * p5{&a};      // const int *
```

타입을 수식하는 수식어는 항상 타입과 순서를 바꿀 수 있어야 하며, auto는 타입에 해당하는 것이므로 p3은 p1과 동일하게 유추된다.

2.2. nullptr

올바르게 초기화하지 않은 포인터는 엉뚱한 주소를 가지고 있을 수 있으므로 포인터 변수의 초기화는 매우 중요하다. 최초 선언을 할 때 이 포인터가 실제 가리켜야 할 주소로 초기화하기 힘들 경우에는 C++11부터 nullptr 키워드로 초기화할 수 있다. 참고로 C++11 이전에는 포인터가 특별한 주소를 가리키고 있지 않다는 것을 나타내기 위해 표준 라이브러리에 정의된 NULL이라는 식별자를 사용하였다.

포인터를 사용하기 전에 포인터가 유효한 주소를 가리키고 있는지 검사할 때도 다음과 같이 nullptr를 사용할 수 있다.

```
bool search(int* list, size_t size, int key) {
    if(list == nullptr || size <= 0) throw std::invalid_argument();
    //
}
```

하지만 포인터는 자동으로 bool 타입으로 타입 변환이 가능하므로 해당 조건식을 다음과 같이 작성할 수 있다.

```
if(!list || size <= 0) ...
```

위 예제에서는 인자를 검사하여 문제가 있으면 예외를 발생하고 있는데, search 함수의 특성을 고려하면 그 대신에 false를 반환할 수 있다. 예외는 10장에서 자세히 설명한다.

2.3. 역참조와 주소 연산자

프로그래밍 언어에서는 변수를 선언할 때 사용한 기호를 값에 접근할 때도 보통 사용한다. 포인터도 마찬가지이다. 포인터를 선언할 때 *를 사용하며, 포인터가 유지하는 주소에 있는 값을 참조할 때도 * 연산자를 사용한다. 이 연산자를 역참조(dereferencing) 연산자라 한다. 특정 변수(또는 Lvalue)의 주소를 얻어 포인터 변수에 대입할 때는 주소 연산자 &를 사용한다. 주소 연산자를 사용할 경우에는 포인터 타입과 Lvalue의 타입이 일치해야 한다. 다음 예에서 dp는 double 포인터 타입이고 n은 int 타입이므로 문법 오류이다.

```
int n{0};
double* dp{&n};  // error
```

2.4. 포인터 연산

포인터에 정수를 더하고 뺄 수 있다. 이것을 포인터 연산이라 한다. p가 포인터이고, k가 int 변수일 때 p + k는 p의 주소에 sizeof(*p) * k가 더해진다. 따라서 p의 주소가 a이면 p + k는 a + sizeof(*p) * k 주소를 가리키는 포인터가 된다. 이것은 다음과 같이 배열과 포인터를 연관하면 쉽게 이해할 수 있다.

```
1  int list[]{1, 2, 3, 4, 5};
2  int* p{list};
3  p += 2;
4  std::cout << *p << '\n';
5  p -= 1;
6  std::cout << *p << '\n';
```

위 예제에서 p는 배열의 시작 주소(list는 배열 변수이며, 배열의 시작 주소를 유지하는 상수 포인터임)로 초기화하고 있다. p에 2를 더하면 p의 타입인 int 타입 단위로 이동하기 때문에 list[2]의 주소 값이 된다. 예를 들어, list의 시작 주소가 100이고 sizeof(int)가 4이면 p는 100이라는 값을 가지고 있다가 p += 2에 의해 108이라는 값을 가지게 된다. 참고로 컴퓨터 메모리는 바이트 단위의 주소를 사용한다.

배열을 조작할 때 이처럼 포인터 연산을 사용할 수 있지만, 배열 연산자를 사용하는 것이 가독성 측면에서 더 바람직하다. 더욱이 포인터 연산을 잘못 사용하면 배열 연산자를 사용할 때처럼 포인터가 유지하는 주소가 유효한 범위를 벗어날 수 있다. 예를 들어, 위 예에서 3번째 줄에서 2가 아니라 5보다 큰 값을 더하면 배열 범위를 벗어나기 때문에 심각한 문제를 초래할 수 있다.

같은 타입의 포인터는 비교 연산자를 이용하여 서로 비교할 수 있다. 보통 같은 주소를 가리키고 있는지 비교하거나 포인터와 nullptr과 비교하기 위해 == 또는 != 연산자를 사용한다. 또 같은 배열을 가리키는 포인터의 경우에는 >, >=, <, <=를 이용하여 비교할 수 있다.

2.5. 배열과 포인터

정적 배열 변수는 상수 포인터이다. 따라서 다음에서 nums는 상수 포인터이다.

```
int nums[]{1, 2, 3, 4, 5};
int* p{nums};
p[0] = 0;
```

배열의 각 요소가 포인터인 포인터 배열(array of pointers)를 다음과 같이 선언할 수 있다.

```
int a{0}, b{1}, c{2};
int* p[3]{&a, &b, &c};
```

변수를 선언할 때 사용하는 기호는 연산자가 아니지만 그것을 해석할 때는 연산자 우선순위가 그대로 적용된다. 변수 p의 경우 포인터를 나타내는 *와 배열을 나타내는 []를 함께 사용하여 선언하고 있다. 두 기호를 연산자로 고려하면 배열 색인 연산자가 우선순위가 높다. 따라서 배열 색인부터 선언을 해석하면 p는 용량이 3인 배열임을 알 수 있다. 그다음 나머지를 해석하여 어떤 타입을 유지하는 배열인지 해석한다. 따라서 p는 정수 포인터를 유지하는 용량이 3인 배열이다.

배열에 있는 특정 요소를 가리키는 포인터가 아니라 배열 전체를 가리키는 포인터를 만들어 사용할 수 있다. 이와 같은 포인터를 **배열 포인터**(array pointer)라 하며, 보통 배열 포인터는 다차원 배열을 처리할 때 사용한다.

```
int* q{nullptr};
int (*p)[3];
int n1[]{1, 2, 3};
int n2[]{4, 5, 6};
int x[]{1, 2, 3, 4, 5};
q = n1;
// p = &x; // error 용량이 3이 아니기 때문에
p = &n1;
```

```
std::cout << (*p)[1] << '\n';
p = &n2;
std::cout << (*p)[1] << '\n';
int m[3][3]{{1, 2, 3}, {4, 5, 6}, {7, 8, 9}};
p = m;
std::cout << p[1][1] << '\n';
```

위 예에서 앞서 설명한 바와 같이 []가 *보다 우선순위가 높으므로 포인터를 먼저 해석하도록 괄호로 묶어 주고 있다. p는 포인터이고, 그것이 가리키는 것은 용량이 3인 정수 배열이다. 이 때문에 p는 용량이 5인 x 배열의 주소를 유지할 수 없다.

배열 포인터도 기존 일반 포인터와 마찬가지로 주소를 유지하는 변수이며, 변수가 차지하는 공간의 크기는 일반 포인터와 차이가 없다. 하지만 p는 이중 포인터 개념이며, *p는 m[0][0]이 아니고 m[0] 또는 &m[0][0]과 같다. 또 **p는 m[0][0]이며, p[1][1]처럼 이중 색인 연산자를 이용할 수 있다. 하지만 p는 일반 이중 포인터는 아니다. 실제 p와 *p를 콘솔에 출력하면 그 값이 같으며, 배열 포인터이므로 포인터 연산의 결과가 선언할 때 사용한 타입과 배열 용량에 의해 결정된다. 따라서 *(p + 1)은 m[1] 또는 &m[1][0]과 같다.

2.6. 구조체와 포인터

다음과 같은 구조체가 있을 때,

```
struct Point {
    int x;
    int y;
};
```

구조체에 대한 포인터를 이용하여 필드에 접근할 때는 기존 . 연산자 대신에 ->를 다음과 같이 사용한다.

```
Point point;
point.x = 0;
```

```
point.y = 10;
Point* p{&point};
p->x = 10;
(*p).y = 10;
```

-> 연산자 대신에 필드 y에 접근할 때 사용한 것처럼 역참조 연산자와 . 연산자를 결합하여 사용할 수 있다. 이때 주의할 것은 필드 접근 연산자가 역참조 연산자보다 우선순위가 높아 괄호를 사용해야 한다.

구조체 멤버에 대한 포인터를 정의하여 사용할 수 있다. 이것은 아래 예제에서 q 포인터와 다른 것이다. q는 현재 point 변수의 x 멤버의 주소를 유지하고 있다. 구조체 멤버에 대한 포인터는 아래 예제에서 ptr처럼 가시영역 해소 연산자를 이용하여 선언하며, 데이터에 접근할 때는 독립적으로 사용할 수 없고, 구조체 변수와 함께 사용해야 한다.

```
Point point{1,2};
Point* p{&point};
int* q{&point.x};
*q = 3;
int Point::*ptr{&Point::x};
point.*ptr = 5;
p->*ptr = 6;
ptr = &Point::y;
point.*ptr = 3;
p->*ptr = 4;

Point center{0, 0};
center.*ptr = 3;
```

이 때문에 멤버에 대한 포인터는 해당 구조체 시작 주소에서 오프셋 개념으로 생각할 수 있다. 멤버에 대한 포인터 변수의 타입은 다음과 같이 선언하며,

memberType structure_name::*variable_name

모든 포인터가 그러하듯이 최종적으로 데이터 접근이 목적이므로 이 포인터도 당연히 타입이 필요하다. 이 때문에 타입이 일치하지 않는 멤버는 가리킬 수 없다. 이 변수는 다음과 같은 형태의 초깃값을 이용하여 특정 멤버를 참조하도록 할 수 있다.

&structure_name::member_name

즉, 다른 포인터 변수와 마찬가지로 *를 이용하여 선언하며, 초기화할 때는 주소 연산자 &를 사용한다.

멤버에 대한 포인터는 구조체 변수나 구조체에 대한 포인터 변수와 함께 사용한다. 사용 예는 12번째와 13번째 줄과 같다. 한 구조체가 같은 타입의 여러 멤버를 가지고 있으면 포인터의 위치를 바꾸어 여러 멤버에 접근하는 데 사용할 수 있다.

3. 포인터의 필요성

C/C++에서 프로그래밍할 때 종종 포인터를 사용한다. 이 장 1절에서 포인터를 언제 사용하는지 간략하게 소개한 바 있다. 이 절에서는 각 경우에 실제 포인터 사용이 필요한 것인지 보다 더 구체적으로 살펴본다. 특히, C++에서는 참조 타입이 추가되었기 때문에 C와 달리 대부분의 경우 포인터 대신에 참조 타입의 사용이 가능하다. 물론 가능하다고 해당 경우 무조건 참조 타입을 사용하는 것이 바람직한 것은 아니다.

3.1. 주소 전달 방식의 사용

한 함수에서 다른 함수에 데이터를 전달할 때 기본적으로 값 전달 방식을 사용하는 것이 바람직하다. 하지만 값 전달 방식으로 전달하면 너무 무거울 수 있으며, 호출 함수의 데이터를 호출된 함수가 수정해야 하면 값 전달 방식을 사용할 수 없다. 전자의 경우 효율성을 높이는 것만이 목적이라면 const 키워드를 함께 사용해야 하며, 후자의 경우에는 이렇게 하는 것이 꼭 필요한 것인지 검토해야 한다. 후자에 해당하는 대표적인 예가 swap 함수이다. C에서 이 함수는 주소 전달 방식을 이용하여 구현하였지만, C++에서는 참조 전달 방식을 이용한다.

```
size_t valueFrequency(
  const int* list,
  size_t size, int value) {
  size_t count{0};
  for(size_t i{0}; i < size; ++i)
    if(list[i] == value) ++count;
  return count;
}
```

(1) 배열의 전달, 수정 불필요

```
size_t replace(
  int* list, size_t size,
  int oValue, int nValue) {
  size_t count{0};
  for(size_t i{0}; i < size; ++i)
    if(list[i] == oValue) {
      list[i] = nValue;
      ++count;
    }
  return count;
}
```

(2) 배열의 전달, 수정 필요

〈그림 5.1〉 주소 전달 방식 예

전자의 대표적인 예는 배열이나 구조체를 인자로 전달해야 하는 경우이다. 배열은 C에서는 그림 5.1처럼 주소 전달 방식만 이용하여 전달할 수 있다. 배열을 인자로 받는 함수에서도 이 배열을 조작하기 위해 포인터 연산을 사용할 수 있지만, 가독성 측면에서 배열 연산자를 사용하는 것이 바람직하다.

C++에서는 배열을 참조 전달 방식을 이용하여 전달할 수 있다. 다음 함수는 용량이 10인 배열만 참조 전달 방식으로 받을 수 있다.

```
void foo(int (nums&)[10]);
```

배열을 이처럼 참조 전달 방식으로 전달하면 기존 주소 전달 방식과 달리 함수 내에서도 매개 변수를 배열로 인식한다. 하지만 특정 용량의 배열만 전달할 수 있으므로 다양한 용량의 배열을 전달해야 한다면 여전히 포인터를 사용하여 전달해야 한다.

C++에서는 구조체나 객체는 주소 전달 방식 대신에 참조 전달 방식을 이용하여 같은 효과(효율성과 수정 가능성)를 얻을 수 있다. 주소 전달 방식을 사용하면 항상 nullptr의 전달 가능성을 고려해야 하지만 참조 전달 방식은 유효하지 않은 참조를 전달할 수 없으므로 참조 전달 방식이 강건성 측면에서 더 바람직하다. 또 구현하는 측면에서도 번거로운

문법의 사용이 필요 없으므로 보통 더 선호한다. 따라서 앞서 언급한 다양한 용량의 배열을 전달해야 하는 경우가 아니면 C++에서는 주소 전달보다는 참조 전달을 사용하는 것을 보통 더 권장한다.

3.2. 동적 할당

일반적으로 프로그래밍에서 사용하는 데이터는 일반 지역 변수처럼 자동으로 할당되는 공간에 유지한다. 자동으로 할당된다는 것은 컴파일할 때 할당해야 하는 공간의 크기를 알 수 있으며, 언제 이 공간이 필요한지 파악할 수 있다는 것을 의미한다. 예를 들어, int 타입의 지역 변수가 있는 함수를 호출하면 해당 지역 변수는 자동으로 함수의 스택 프레임에 자리를 차지하며, 함수가 종료하면 사용하던 공간은 자동으로 반납된다. 컴파일러는 이처럼 어떤 함수가 실행될 때 필요한 공간의 총 크기를 파악할 수 있으며, 이를 통해 해당 함수가 실행되면 필요한 크기의 스택 프레임을 확보하도록 코드를 만들어 준다. 하지만 모든 경우에 자동 할당하여 프로그래밍하면 효율성이 떨어지거나 좋지 못한 프로그래밍 구조를 사용하게 될 수 있다.

동적 할당은 자동 할당과 달리 컴파일할 때 언제 얼마만큼의 공간이 필요한지 결정하지 않고 실행 시간에 결정하며, 해당 공간은 함수의 스택 프레임이 아니라 힙이라고 하는 별도 공간에 할당된다. 이렇게 확보한 공간은 더 이상 사용하지 않으면 프로그래머가 직접 반납하여야 한다. 즉, 사용하는 메모리 공간을 프로그래머가 직접 관리해야 한다. 따라서 자동 할당을 활용하면 프로그래밍하기 훨씬 편리하다. 이 때문에 꼭 필요한 경우가 아니면 자동 할당 방법을 사용해야 한다.

동적 할당이 꼭 필요한 경우는 다음과 같다.

- 경우 1. 필요한 크기가 가변적이면서 그 차이가 클 경우
- 경우 2. 함수에서 덩치가 큰 것을 반환해야 할 경우
- 경우 3. 동적 자료구조를 구현할 경우

각 경우에 대해 좀 더 자세히 살펴보자.

다음 두 가지 경우 중 어떤 경우에 동적 할당이 필요한지 생각하여 보자.

- 경우 1. 주어진 월의 요일만큼의 정수를 저장할 배열이 필요함

- 경우 2. 분반별 학생 성적을 기록할 배열이 필요함. 이때 분반별 학생의 수는 최소 15명에서 최대 100명까지임

경우 1은 최소 28, 최대 31개의 공간이 필요하므로 최대로 필요한 31개의 공간을 늘 확보하여 사용하더라도 낭비되는 공간이 크지 않다. 따라서 불편하게 동적 할당하여 사용할 필요가 없다. 이와 달리 경우 2는 최소와 최대 수 차이가 크기 때문에 모든 분반마다 100개를 확보하여 사용하면 낭비되는 공간이 비교적 클 수 있다. 이 경우에는 필요한 공간만큼 확보하여 사용하는 것이 더 효과적이다. 하지만 이 경우에도 동적 할당을 직접 하지 않고, 이를 대신 해줄 수 있는 std::vector와 같은 표준 라이브러리에서 제공하는 자료구조를 사용할 수 있으며, 이 방법이 더 권장되는 방법이다.

함수가 종료하면 그 함수의 스택 프레임은 자동 반납되므로 스택 프레임에 생성한 데이터의 주소를 반환할 수 없고, 참조하는 변수를 반환할 수 없다. 따라서 구조체, 배열과 같이 덩치가 큰 데이터를 함수의 결과로 반환해야 하면 동적 할당을 사용할 수밖에 없거나 사용하는 것이 효율적이다. 구조체 변수는 실제 값 복사 방식으로 반환할 수 있지만, 인자 전달에서 값 전달 방식과 마찬가지로 값 복사 방식으로 데이터를 반환하면 효율성이 떨어질 수 있다. 배열은 값 복사 방식에 의한 반환 자체가 가능하지 않다. 물론 이것을 해결하기 위해 정적 지역 변수를 사용하거나 전역 변수를 사용할 수 있지만 좋은 프로그래밍 스타일이 아니기 때문에 동적 할당을 사용하는 것이 더 효과적이다. 그러나 14장에서 설명하지만, C++17 이후부터는 반환 값 최적화(RVO, Return Value Optimization)라는 컴파일 기술이 의무화되었기 때문에 무거운 데이터를 함수에서 반환하기 위해 더는 동적 할당할 필요는 없다.

동적 할당된 덩치 큰 데이터를 주소로 받은 함수는 다 사용한 후에 반납하는 것을 담당해야 한다. 반납은 주소를 이용하기 때문에 동적 할당된 데이터를 함수에서 반환할 때는 보통 주소를 반환한다. 물론 이 경우에 주소 대신에 참조 변수를 반환할 수 있지만 대부분 포인터를 사용하는 것이 일반적이다.

동적 자료구조는 저장할 수 있는 데이터의 개수가 제한되지 않는 자료구조를 말하며, 보통 내부적으로 동적 배열을 사용하거나 데이터를 삽입할 때마다 새 데이터를 유지하는 노드를 동적 생성하고 이들을 연결하는 방식으로 구현한다. 연결구조(linked list)와 이진 검색 트리(binary search tree)가 후자 방식의 동적 자료구조이다. 내부적으로 동적 배열

을 사용하는 자료구조는 현재 사용하고 있는 공간이 부족하면 새로운 곳에 더 큰 공간을 확보한 다음, 기존 데이터를 복사하여 공간을 확장한다. 따라서 이와 같은 자료구조는 초기에 필요한 공간을 모두 확보하여 사용하는 것이 더 효과적이다. 이처럼 동적 자료구조 구현에서 동적 할당의 사용은 불가피하다. 하지만 일반 응용을 개발할 때 기본 자료구조를 직접 구현해야 할 일은 없다. 표준 라이브러리에서 제공하는 것을 사용하면 되므로 자료구조 구현 때문에 포인터를 직접 사용할 일은 거의 없다.

3.2.1. C++에서 동적 할당

C에서는 malloc과 free를 이용하여 동적 할당을 하였다. C++에서는 이들 함수 대신에 new와 delete 연산자를 사용한다. new 연산자는 malloc과 달리 반환하는 주소를 타입 변환할 필요가 없고, 할당하는 크기를 sizeof를 이용하여 계산하여 인자로 전달할 필요도 없다. 다음은 malloc과 new의 사용법을 비교한 예이다.

```
int* p1 = (int *)malloc(sizeof(int));
int* p2 = new int;
int* p3 = new int{0};
free(p1);
delete p2;
delete p3;
```

이 예에서 알 수 있듯이 new를 이용하여 동적 할당하면 초기화까지 가능하다.

단일 공간이 아니라 동적 배열을 할당하는 것을 비교하면 다음과 같다.

```
int* list1 = (int *)malloc(sizeof(int) * 5);
int* list2 = new int[5];
int* list3 = new int[5]{1, 1, 1, 1, 1};
free(list1);
delete [] list2;
delete [] list3;
```

이처럼 동적 배열을 할당할 때도 초깃값 목록을 사용할 수 있다. 하지만 반납하는 방법은 단일 공간을 반납하는 것과 차이가 있다.

```
int* list = new int[5];
int* n = new int;
delete [] n;
delete list;
```

위 예시처럼 동적 배열을 할당하면 delete []을 사용하지 않거나 동적 배열을 할당하지 않은 경우에 delete []을 사용하면 문법 오류는 아니고 경고만 준다. 실제 동작 결과는 내부 구현 방식에 따라 달라질 수 있다. 둘 다 심각한 문제가 될 수 있으므로 new/new[]와 delete/delete[]가 일치하도록 사용해야 한다.

프로그램이 종료하면 프로그램이 사용 중인 모든 메모리 공간을 회수하므로 동적 할당한 것도 반납할 필요가 없다고 생각할 수 있다. 하지만 특정 프로그램을 실행하는 기간은 매우 길 수 있으므로 동적 할당한 것은 더 이상 사용하지 않으면 바로바로 반납해 주는 것이 올바른 프로그래밍 방법이다.

동적 할당을 이용하여 2차원 배열을 확보하고 싶으면 다음과 같은 방법을 사용할 수 있다.

```
int** list = new int*[5];
for(int i{0}; i < 5; ++i) list[i] = new int[10];
//
for(int i{0}; i < 5; ++i) delete [] list[i];
delete [] list;
```

하지만 이렇게 생성한 2차원 배열은 int matrix[5][10]과 물리적 모습이 다르다. 위에서 만든 list는 연속 공간으로 2차원 배열을 확보하는 것이 아니라 각 행의 열을 별도 확보하는 형태이다. 이 때문에 이와 같은 방법을 사용하면 각 행의 열 크기를 다르게 할 수 있다. 실제 응용에서 각 행의 열 크기를 다르게 만드는 경우는 거의 없다.

정적 2차원 배열과 같은 물리적 모습이 필요하면 초기 C++에서는 다음과 같이 하였다. 즉, 필요한 2차원 배열 용량과 같은 용량의 일차원 배열을 확보하고 강제 타입 변환하여 사용하였다.

```
int (*list)[10] = reinterpret_cast<int (*)[10]>(new int[50]{});
//
delete [] list;
```

이 경우 생성하는 문법은 복잡하지만, 반납은 첫 번째 방법보다 간단하다.

C++11에서는 new를 이용하여 다음과 같이 2차원 배열을 동적 할당할 수 있다. 이와 같은 방법을 이용하면 연속 공간으로 공간을 확보한다.

```
int (*list)[10]{new int[5][10]};
//
delete [] list;
```

타입 변환을 하지 않아도 되지만 선언하는 부분이 여전히 복잡하다. 이 문제는 다음과 같이 auto를 사용함으로써 해소할 수 있다.

```
auto list{new int[5][10]};
//
delete [] list;
```

첫 번째 방법을 제외한 나머지 방법은 동적 생성하는 2차원 배열의 열 용량은 변수를 이용하여 지정할 수 없다. 하지만 3 방법 모두 선언 이후에는 배열 선택 연산자를 2개 사용하여 일반 2차원 배열처럼 접근하여 사용할 수 있다.

2차원 동적 배열을 할당하기 위해 사용한 첫 번째 방법은 1차원 포인터 배열을 동적으로 확보하는 것과 생성하는 방법이 같다. 참고로 역참조 연산자가 배열 선택 연산자보다 우선순위가 낮다.

```
int a{1}, b{2};
int** list = new int*[5];
list[0] = &a;
```

```
*(list+1) = &b;
std::cout << *list[0] << '\n';
delete [] list;
```

보통 new를 이용하여 동적 할당하면 힙 공간에 공간을 확보한다. 그런데 다음과 같이 new 다음 괄호에 주소를 제공하면 힙 대신에 해당 위치에 동적 생성한다. 이를 주소 지정(placement) new라 한다.

```
Point points[10];
new (&points[0]) Point{3, 2};
// points[0] = Point{3, 2};
```

여기서 Point는 정수 2개를 유지하는 구조체 변수이다. 주석된 부분을 이용하면 임시 객체가 하나 생성된 다음 대입 연산이 실행되지만, new를 이용하여 해당 위치에 생성하면 임시 객체의 생성이 필요 없어 더 효과적이다. 더욱이 이처럼 동적 생성하면 delete를 이용하여 나중에 반납할 필요도 없다. 데이터를 생성한 공간인 points가 소멸할 때 동적 생성한 것도 함께 소멸한다. 실제 응용에서 이 기능을 사용할 경우는 많지 않지만, 범용 자료구조 구현에서 emplace 메소드를 구현하기 위해 이 기능을 사용한다. 이에 대해서는 15장에서 자세히 설명한다.

시스템 환경에 따라 너무 큰 공간을 요구하면 실패할 수 있다. 보통 실패하면 bad_alloc 예외가 발생한다. 다음과 같이 동적 할당할 때 new 연산자 다음에 (std::nothrow)를 추가하면 예외를 발생하는 대신에 nullptr를 반환한다.

```
int* p{new (std::nothrow) int[100'000'000'000'000L]};
if(p) delete [] p;
else std::cout << "memory allocation failed\n";
```

3.2.2. 동적 할당 관련 주의사항

동적 할당을 이용하여 프로그래밍할 때 가장 흔하게 하는 실수는 다음과 같다.

- 경우 1. 반납할 주소를 반납하지 못하게 프로그래밍한 경우

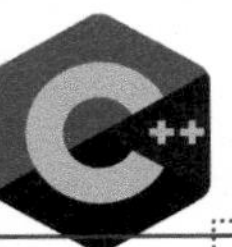

- 경우 2. 반납한 후에 해당 포인터를 사용한 경우
- 경우 3. 여러 번 반납하는 경우

```
int* list{new int[5]{}};
//
list = nullptr;
```

(1) 반납하지 못하게 된 경우

```
int* list{new int[5]{}};
//
delete [] list;
//
list[0] = 0; // error
```

(2) 반납 후 사용한 경우

```
int* list{new int[5]{}};
//
delete [] list;
//
delete [] list; // error
```

(3) 여러 번 반납한 경우

〈그림 5.2〉 동적 할당을 이용한 프로그래밍에서 흔하게 하는 실수

그림 5.2에 각 경우에 대한 간단한 예가 제시되어 있다. 경우 2와 3과 같은 실수를 줄이기 위해 반납한 후에 해당 포인터 변수에 nullptr를 할당하는 것이 좋은 프로그래밍 스타일이라고 주장하는 경우도 많다. 하지만 반납 후 nullptr를 할당하더라도 확보한 주소를 가리키는 포인터가 여러 개 존재할 수 있으므로 여전히 주의가 필요하다. 또 여러 번 반납하는 문제 때문에 반납하기 전에 다음과 같이 조건문으로 포인터가 nullptr인지 아닌지 확인하는 경우가 있다.

```
if(p) delete p; // if(p) delete [] p;
```

하지만 검사 없이 반납하여도 위 코드와 차이가 없다. 반납하는 포인터가 nullptr인 경우에 delete는 아무것도 하지 않는다.

3.3. 다른 타입으로 접근

특정 데이터는 해당 데이터 타입에 맞는 변수를 이용하여 접근하는 것이 일반적이다. 하지만 가끔 원래 타입과 다른 타입으로 해당 데이터를 처리해야 하는 경우가 있다. 예를 들어, 파일에 데이터를 저장하거나 데이터를 원격에 있는 다른 컴퓨터에 통신 메시지로 전달할 때, 해당 데이터를 바이트 단위로 접근해서 사용하는 경우가 종종 있다. 예를 들어, 다음은 정수 변수를 char *를 이용하여 정수를 구성하는 개별 바이트에 접근하고 있다.

```
int n{0x01020304};
char* p{reinterpret_cast<char*>(&n)};
for(int i{0}; i < sizeof(int); ++i) {
    std::cout << static_cast<int>(*p) << '\n';
    ++p;
}
```

이처럼 원래 타입과 다른 타입으로 접근해야 할 때는 주소를 이용하여 접근할 수밖에 없다. 또 이와 같은 타입 변환이 필요할 때 사용하는 것이 reinterpret_cast이다.

3.4. 객체지향에서 다형성 활용

객체지향 프로그래밍 관련 가장 핵심적인 특징 중 하나가 **다형성**이다. 다형성이란 어떤 변수가 실제 가리키고 있는 것이 무엇인지에 따라 그 타입에 맞게 동작한다는 것이다. 따라서 다형성은 일반 변수를 이용하여 제공할 수 없다.

함수가 다형성을 활용하고 싶으면 주소 전달 대신에 참조 전달을 사용할 수 있고, 앞서 설명한 바와 같이 nullptr의 전달이 가능하지 않고, 더 간결하게 프로그래밍할 수 있으므로 참조 전달 방식을 더 선호한다. 하지만 객체가 또 다른 객체를 멤버로 유지해야 하며, 유지해야 하는 객체를 바꿀 필요가 있을 때는 포인터를 이용하여 유지할 수밖에 없다. 다형성에 대해서는 12장에서 자세히 설명한다.

3.5. 기타

일반 원시 타입이 아닌 복합 타입을 여러 개 유지해야 할 때, 자료구조에 복합 타입 자체를 유지할 수 있고, 복합 타입 데이터의 주소만 유지할 수 있다. 복합 타입 자체 대신에 주소를 유지하면 자료에 따라 공간을 절약할 수 있고, 처리할 때 효율성을 높일 수 있다.

다음과 같은 두 개의 배열을 생각하여 보자.

```
char heroes[][64]{
    "Caption America", "Spiderman", "Black Panther",
    "Black Widow", "Hawkeye", "Loki", "Hulk", "Thor"
};

const char* avengers[]{
    "Caption America", "Spiderman", "Black Panther",
    "Black Widow", "Hawkeye", "Loki", "Hulk", "Thor"
};
```

heroes는 요소마다 실제 문자열 크기와 무관하게 일정한 크기를 확보하여 사용하고 있다. 따라서 공간 효율 측면을 생각하면 avengers 배열이 더 효과적이다. 이 두 배열을 정렬해야 한다고 생각해 보자. heroes는 각 문자열을 서로 교환해야 하지만 후자는 주소 정보만 교환하면 된다.

배열이나 C 형태의 문자열을 처리할 때 포인터를 종종 사용한다. 하지만 배열이나 문자열을 처리할 때 포인터를 꼭 사용할 필요는 없다. 가독성 측면에서는 오히려 배열 선택 연산자를 이용하는 것이 더 효과적이다. 더구나 C++에서는 널 문자로 끝나는 문자열 대신에 std::string이나 std::string_view를 사용할 수 있다.

반복자처럼 라이브러리에서 제공하는 기능을 사용할 때 포인터 개념을 사용하거나 포인터를 이용하고 있어 포인터의 사용이 불가피할 때도 있다.

3.6. 포인터의 필요성 결론

이 절에서는 포인터의 필요성을 5가지 정도로 나누어 살펴보았다. 이를 조금 더 세분화하여 나열하면 다음과 같다.

- 이유 1. 인자 전달의 비용을 줄이기 위해 주소 전달 방식으로 전달함
- 이유 2. 다른 함수의 데이터를 수정하기 위해 주소 전달 방식으로 전달함
- 이유 3. 동적 할당된 데이터에 접근하기 위해 사용함
- 이유 4. 원래 타입과 전혀 다른 타입으로 데이터에 대한 접근이 필요함
- 이유 5. 객체지향에서 다형성을 활용한 함수를 정의하기 위해 사용함

- 이유 6. 객체지향에서 다형성 지원 객체를 멤버로 유지하기 위해 사용함
- 이유 7. 복합 타입 데이터를 여러 개 유지해야 할 때 효율성을 높이기 위해 데이터 자체 대신에 주소를 유지함
- 이유 8. 배열 또는 문자열을 조작할 때 사용함
- 이유 9. 포인터를 이용하는 라이브러리의 사용(예: 반복자)이 필요함

이유 1, 이유 2, 이유 5는 C++에서는 포인터 대신 참조 변수를 사용할 수 있다. 이유 3은 직접 할당하지 않고 동일 기능을 해주는 라이브러리 기능을 사용할 수 있다. 또 무거운 데이터를 함수에서 반환해야 할 때, C++17부터는 컴파일러 최적화 기술 때문에 동적 할당을 사용할 이유가 없다. 이유 8은 포인터를 꼭 사용할 필요가 없다. 따라서 이유 4, 6, 7, 9만이 특별한 대안 없이 포인터를 사용할 수밖에 없는 경우이다. 하지만 이유 4가 필요한 응용은 제한적이므로 C++에서는 그동안 C에서 괴롭힘을 주었던 포인터를 많은 경우 사용하지 않고 프로그래밍할 수 있다.

이유 1과 관련하여 배열은 주로 C부터 주소 전달 방식을 사용하여 전달하지만, C++에서는 배열을 참조로 전달할 수 있다. 하지만 다양한 용량의 배열을 한 함수에 참조 방식으로 전달할 수 없으므로 C++에서도 여전히 주소 방식을 선호하는 것이 현실이다. 하지만 실제 현장에서 더 선호하는 방식은 배열이 필요할 때 배열 대신에 std::vector나 std::array를 사용하는 것이다. 이들을 사용하면 참조 전달 방식으로 함수에 전달할 수 있다. 특히, std::vector는 이유 3의 해결책으로 널리 사용하고 있다. 즉, 편차가 큰 가변 크기의 배열이 필요할 때 직접 동적 할당을 사용하지 않고 std::vector를 사용하는 것이 더 보편적이다.

이 절에서 나열된 9개 이유 외에 클래스의 메소드를 정의할 때, 숨겨진 매개 변수 this를 사용해야 할 때가 있다. this는 포인터 타입이므로 this를 사용할 때는 포인터를 다룰 수밖에 없다. this에 대해서는 9장에서 자세히 설명한다.

4. 참조

참조 변수는 변수의 또 다른 이름이다. 참조 변수 자체는 실존하는 것이 아니다. 실존하지 않는다는 것은 별도 주소를 가지고 있지 않다는 것을 말한다. 주소 연산자의 피연산자로 참조 변수를 사용하면 참조하는 변수의 주소를 준다. 참조 변수는 선언과 동시에 초기화되어야 하며, 참조한 것을 바꿀 수 없다. 이것이 참조 변수의 핵심 특징 중 하나이다. 선언된 이후 참조 변수를 이용한 조작이나 원래 변수를 이용한 조작이나 차이가 없다. 최초 C++는 Lvalue만 참조할 수 있었다. 이 때문에 변수의 또 다른 이름이라는 정의가 어색하지 않다. 하지만 C++11부터는 Lvalue 참조와 Rvalue 참조를 구분하기 때문에 참조 변수는 더 이상 기존 변수만 참조할 수 있는 것은 아니다.

C++11 이전에도 const 키워드로 수식한 참조 변수는 Rvalue를 참조할 수 있었지만, Rvalue를 참조하여 Rvalue를 수정할 수는 없었다. const 키워드로 수식한 참조 변수를 영어로는 상수 참조(const reference)라 하지만, 포인터에서 사용한 용어와 일관성을 갖기 위해 상수 참조 대신에 **수정불가 참조 변수**라 한다. 수정불가 참조 변수는 수정불가 포인터처럼 참조하는 것을 수정할 수 없다.

C++11부터는 Rvalue 참조를 도입하여 Rvalue도 수정할 수 있게 되었다. Rvalue를 왜 수정해야 하는지 의아해할 수 있을 것이다. 이것에 대한 이해는 간단한 것이 아니기 때문에 이에 대한 자세한 설명은 13장과 14장으로 미룬다.

C++에 참조 변수를 도입한 이유를 간단하게 설명하면 다음과 같다. C++는 객체지향을 지원하도록 C 언어를 확장한 언어이기 때문에 C++에서는 주로 객체를 사용하여 프로그래밍한다. 그러므로 객체를 다른 함수에 전달해야 하는 경우가 많다. 객체는 복합 타입이기 때문에 값 전달로 다른 함수에 전달하면 효율적이지 못하다. 객체를 효과적으로 전달하기 위해 주소 전달을 사용할 수 있지만, C++ 개발자는 주소 전달 대신에 사용할 수 있는 더 간결한 방식을 제공하면 더 편리하게 프로그래밍할 수 있다고 생각한 것 같다. 이 과정에서 도입한 것이 참조 변수이다. 특히, 13장에서 설명하는 연산자 다중 정의를 효과적으로 하기 위해서는 참조 변수의 역할[9]이 매우 중요하다. 그런데 C++를 오랫동안 사용하다

9) a, b, c가 객체 타입일 때, + 연산자를 다중 정의하면 c = a + b와 같은 표현식을 작성할 수 있다. 이 표현식은 실제 c = a.operator+(b)나 c = operator+(a, b) 형태로 바뀌어 번역된다. 이때 참조 전달이 없으면 효율성을 위해 a.operator+(&b), operator+(&a, &b) 형태로 바꾸어야 한다.

보니 초기에 도입한 참조 변수만으로는 해결이 안 된다는 것을 알게 되었다. 이 때문에 도입한 것이 Rvalue 참조이다.

4.1. Lvalue 참조

Lvalue 참조 변수는 & 기호를 하나 사용하여 선언한다.

```
1  int n{0};
2  int& r{n};
3  n = 10;
4  std::cout << n << ", " << r << '\n';
5  r = 5;
6  std::cout << n << ", " << r << '\n';
7  std::cout << std::boolalpha << (&n == &r) << '\n';
```

위 코드를 실행하면 4번째, 6번째에서 출력되는 n의 값이나 r의 값은 같다. r은 실존하지 않기 때문에 r에 주소 연산자를 적용하면 참조하는 변수의 주소를 얻는다. 따라서 마지막 문장은 true를 출력한다. 또 위 예제에서 알 수 있듯이 참조 변수는 포인터 변수와 달리 사용할 때 특별한 연산자를 사용하지 않는다.

참조 변수의 선언도 포인터 변수와 마찬가지로 복합 선언을 할 때는 각 변수 이름 앞에 & 기호가 있어야 한다.

```
int a{0}, b{0};
int& r1{a}, r2{b};
int &ra{a}, &rb{b};
```

위 예에서 r1, r2, ra, rb 중 r2만 참조 변수가 아니다. 포인터 변수를 복합 선언할 때, *를 모두 사용하지 않으면 문법 오류가 보통 발생하지만, 참조 변수를 복합 선언할 때, &를 모두 사용하지 않으면 문법 오류가 아니라 일반 변수로 해석된다.

참조 변수를 선언할 때 auto 키워드를 활용할 수 있지만 auto 키워드는 절대 참조로 해석하지 않기 때문에 다음에서 r2만 참조 변수이다.

```
int a{0}, b{0};
auto r1{a};
auto& r2{b};
auto r3 = std::ref(a);
r3 = std::ref(b);
```

r3는 참조 변수는 아니지만 객체를 참조 변수처럼 사용할 수 있도록 해준다. r3의 실제 타입은 std::reference_wrapper이다. 일반 참조 변수는 참조한 것을 바꿀 수 없지만 std::reference_wrapper는 참조한 것을 바꿀 수 있다. std::ref는 std::reference_wrapper의 변수를 생성할 때 사용하는 함수이며, 수정불가 참조 변수와 같은 std::reference_wrapper 변수를 생성하고자 하면 std::cref를 대신 사용하면 된다.

참조 변수는 위 예처럼 지역 변수로 선언하여 사용할 이유는 거의 없다. 기존 변수를 그대로 사용할 수 있으므로 기존 변수의 또 다른 이름을 만들 이유는 없다. 하지만 복잡하게 표현해야 하는 데이터는 그 표현 대신 사용하기 위해 참조 변수를 선언하여 사용하는 경우는 있다. 예를 들어, 다음 함수는 인자로 전달된 2차원 배열의 데이터 중 주로 전달한 r, c 색인 위치에 있는 데이터를 처리한다. 이 경우 이 위치를 참조하는 변수를 사용하면 2차원 배열 색인 연산자를 사용하지 않고 프로그래밍할 수 있다.

```
void foo(int memo[][100], int r, int c) {
    int& R{memo[r][c]);
    //
}
```

보통 참조 변수는 주로 참조 전달 방식을 구현하기 위해 사용한다. 참조 전달 방식은 주소 전달 방식과 동일한 효과가 있지만, 매개 변수를 선언을 제외하고는 값 전달 방식과 사용하는 형태에 있어서는 차이가 없다. 이것이 장점인 동시에 단점이다. 즉, 간결하게 프로그래밍할 수 있지만 함수 호출이나 함수 몸체만 관찰하면 어떤 방식의 인자 전달 방법을 사용하는지 알 수 없는 문제점도 있다.

4.2. Lvalue 참조의 반환

함수의 결과로 어떤 값에 대한 참조를 반환할 수 있다. 하지만 다음과 같이 일반적인 변수를 참조로 반환할 수 없거나 반환할 이유가 별로 없다.

- 경우 1. 자동 지역 변수: 참조로 반환할 수 없다.
- 경우 2. 정적 지역 변수: 논리적으로 반환할 이유가 없다.
- 경우 3. 전역 변수: 논리적으로 반환할 이유가 없다.
- 경우 4. 동적 할당한 변수: 참조로 반환할 수 있지만 보통 포인터로 반환한다.

하지만 9장에서 다시 설명하겠지만 클래스의 멤버 변수 또는 객체 자체는 참조로 반환하는 경우가 종종 있다. 그러나 이 경우에도 받은 참조를 통해 객체의 내부 상태를 변경할 수 있으므로 일반 참조가 아니라 수정불가 참조로 반환하는 등 조심스럽게 사용해야 한다.

4.3. Rvalue 참조

C++11부터는 Lvalue 참조 외에 Rvalue 참조가 도입되었다. Lvalue 참조 변수는 선언할 때 &를 하나 사용하여 선언하는 반면에 Rvalue 참조 변수는 다음과 같이 선언할 때 &를 두 개를 사용한다.

```
int&& r{1};    // 실제 이렇게 사용할 이유는 없음
```

Rvalue 참조는 Lvalue가 참조할 수 없는 것을 참조할 수 있도록 해준다. 심지어 기존에 수정할 수 없던 PRvalue를 수정할 수 있도록 해준다. 그러나 실제 PRvalue를 Rvalue 참조를 사용하여 수정할 일은 없다. 하지만 C++ 프로그램의 효율성을 높이는데 Rvalue 참조가 매우 중요한 역할을 한다. 이에 대해서는 13장과 14장에서 자세히 설명한다. 이 장에서는 C++11부터는 Lvalue 참조만 있는 것이 아니라 Rvalue 참조가 추가되었다는 점과 변수를 선언할 때도 사용할 수 있지만, 이 둘은 대부분 인자 전달 과정에서 가장 핵심적으로 사용한다는 것을 기억하였으면 한다.

다음에서 오류가 발생하는 문장은 어느 것인가?

```
int a{0};
const int N{10};
const int& r1{a}:
int& r2{N};    // error: const Lvalue는 const Lvalue 참조를 이용해야 함
const int& r3{N};
int& r4{10};   // error: const Lvalue 참조만 Rvalue를 참조할 수 있음
r3 = 2;        // error: const Lvalue 참조를 이용하여 참조하는 것을 수정할 수 없음
```

또 다음에서 오류가 발생하는 문장은 어느 것인가?

```
int a{0};
const int N{10};
int&& r1{a}:              // error: Rvalue 참조는 Lvalue를 참조할 수 없음
int&& r2{N};              // error: Rvalue 참조는 Lvalue를 참조할 수 없음
const int&& r3{N};        // error: Rvalue 참조는 Lvalue를 참조할 수 없음
int&& r4{10};
const int&& r5{10};
r4 = 3;
r5 = 2; // error: const Rvalue 참조를 이용하여 참조하는 것을 수정할 수 없음
```

4.4. 포인터 참조와 이중 포인터

다음과 같은 구조체가 있을 때,

```
struct Location {
   int r;
   int c;
};
```

이 구조체 데이터의 주소를 인자로 전달하면 그것을 받은 함수에서 구조체의 멤버 변수 값을 수정할 수 있으며, 이 수정은 함수가 종료하여도 계속 유지된다. 예를 들어, 다음과 같은 함수가 있을 때,

```cpp
1 void foo(Location* p) {
2     p->r = 3;
3     p = new Location{5, 5};
4 }
```

다음을 실행하면 pLoc이 가리키는 Location 데이터의 r 값은 3으로 변경된다.

```cpp
Location* pLoc{new Location{0, 0}};
foo(pLoc);
```

하지만 3번째 줄은 pLoc에 아무런 영향을 주지 않는다.

foo 함수가 실행된 후에 pLoc이 다른 Location 데이터를 가리키도록 하고 싶으면 다음과 같이 이중 포인터를 사용할 수 있다.

```cpp
void foo(Location** p) {
    *p = new Location{5, 5};
}
```

이 경우 foo(&pLoc)과 같이 포인터의 주소를 인자로 전달해야 한다. 복잡한 이중 포인터 대신에 다음과 같이 포인터에 대한 참조를 이용할 수도 있다.

```cpp
void foo(Location*& p) {
    p = new Location{5, 5};
}
```

이 경우 foo(pLoc)과 같이 호출하며, 함수가 실행된 후에 pLoc은 foo에서 새롭게 생성한 구조체 데이터를 가리키게 된다. 매개 변수에 있는 *&은 p에 가까운 &부터 해석하므로 p는 Location*를 참조하는 변수가 된다. 이처럼 참조 변수는 값 타입 변수만 참조할 수 있는 것이 아니라 모든 종류의 변수를 참조하는 변수를 정의하여 사용할 수 있으며, 이와 같은 사용을 통해 더 간결하게 프로그래밍할 수 있다.

4.5. 참조 vs. 포인터

포인터는 다른 변수의 주소를 유지하며, 일반 포인터는 한 변수의 주소를 유지하다가 다른 변수의 주소를 유지할 수 있다. 반면에 참조 변수는 선언과 동시에 초기화되어야 하며, 참조하는 것을 바꿀 수 없다. 이 때문에 포인터는 nullptr를 통해 포인터가 현재 의미 있는 곳을 가리키고 있지 않다는 것을 나타내지만 참조 변수는 이와 같은 것이 필요 없다. 포인터는 그 자체가 별도 주소를 가지며, 이 때문에 이중 포인터가 가능하다. 참조 변수는 내부적으로는 그 자체도 공간을 차지고 있을 수 있지만 개념적으로는 별도 존재하는 것이 아니다. 이 때문에 주소 연산자의 피연산자로 사용할 수 있지만 그 결과는 자신의 주소가 아닌 참조하고 있는 것의 주소가 된다. 포인터는 const 키워드를 통해 상수 포인터, 수정불가 포인터, 수정불가 상수 포인터를 선언할 수 있지만 참조 변수는 수정불가 참조만 선언할 수 있다. 그 이유는 참조 변수 자체는 한 번 참조한 것을 바꿀 수 없기 때문이다.

참조 전달 방식은 주소 전달 방식과 동일한 효과를 얻을 수 있지만 주소 전달 방식과 비교하여 아주 중요한 한 가지 차이점이 있다. C++에서 참조는 절대 유효하지 않은 것을 가리킬 수 없다. 반면에 포인터는 nullptr일 수 있다. 그뿐만 아니라 문법이 단순하므로 더 간결하게 프로그래밍할 수 있다.

퀴즈

1. 다음 중 2차원 동적 배열을 생성하는 방법이 아닌 것은?

①
```
int** list{new int*[5]};
for(int i{0}; i < 5; ++i) list[i] = new int[5];
```
② `int (*list)[5]{new int[5][5]};`

③ `int list[][5]{new int[5][5]};`

④ `int (*list)[5]{reinterpret_cast<int(*)[5]>(new int[25]{})};`

2. 다음 중 포인터 대신에 참조 변수를 사용할 수 없는 경우는?

① 무거운 구조체를 효율적으로 함수에 전달해야 할 때
② 다른 함수의 지역 변수를 수정해야 할 때
③ 저장 위치를 종종 바꾸어야 하는 무거운 데이터의 복합 타입이 필요할 때
④ 다형성을 활용하는 함수를 정의해야 할 때

3. 다음 설명 중 틀린 것은?

① 배열은 주소 전달 방식으로만 전달할 수 있다.
② 참조 변수는 반드시 초기화해야 한다.
③ 참조 변수는 참조하는 것을 바꿀 수 없다.
④ 수정불가 Lvalue 참조는 Rvalue를 참조할 수 있다.

4. 다음과 같은 변수 선언이 있을 때,

```
int a{0}, b{0};
const int N{10};
```

다음 중 문법 오류가 아닌 것은?

① `int* p{&a}, q{&b};`
② `int* p{&N};`
③ `const int* p{&N};`
④ `int* const p{&N};`

5. 다음과 같은 두 개의 함수가 있다.

```
void foo(int* p) {
    std::cout << "포인터\n";
}

void foo(int n) {
    std::cout << "정수\n";
}
```

다음 중 문법 오류가 있는 것은?

①
```
int n{0};
foo(&n);
```

②
```
foo(nullptr);
```

③
```
foo(NULL);
```

④
```
int n{0};
int* p{&n};
foo(p);
```

연습문제

1. 다음과 같이 정의된 구조체 Point를 2개 받아 두 구조체가 같은지 검사하는 함수를 정의하고자 한다.

```
struct Point {
    int x{0};
    int y{0};
};
```

다음 각각에 대해 답하라.

① 이 함수를 주소 전달 방식을 이용하는 형태로 정의하라.
② 이 함수를 참조 전달 방식을 이용하는 형태로 정의하라.
③ ①과 ②에서 작성한 두 함수를 비교하라. 특히, 간결성, 강건성 측면에서 비교하라.

2. 다음과 같이 함수를 정의하였다. 이 함수에서 하는 일이 무엇인지 설명하라.

```
using INTMATRIX10x10 = int[10][10];
void mystery(INTMATRIX10x10& nums, int a, int b) {
    size_t C{sizeof(nums[0])};
    size_t R{sizeof(nums) / C};
    C = C / sizeof(int);
    for(int r{0}; r < R; ++r) {
        for(int c{0}; c < C; ++c) {
            int& X{nums[r][c]};
            if(X == a) X = b;
        }
    }
}
```

3. C++에서는 문자열을 보통 std::string을 이용하여 처리한다. C에서는 문자열을 char*나 char[]로 처리하며, C에서 문자열 끝에는 항상 널 문자가 있다. C 언어를 생각하면서 C 스타일 문자열을 받아 그것을 뒤집는 다음 함수를 완성하라. 예를 들어, char s[]{"abcde"}를 전달하면 함수가 종료된 후 s 문자열은 "edcba"가 되어야 한다. 이 함수를 구현할 때 포인터 연산만 이용하여 구현해야 한다.

```
void reverseString(char* s);
```

4. std::vector<std::string>과 std::string_view를 받아 두 번째 인자로 주어진 문자열을 찾는 함수를 만들고자 한다. 이 함수를 다음 4가지 중 어떻게 만드는 것이 효과적인지 선택하고, 그 이유를 설명하라. 선택하지 않은 버전의 경우에는 그것의 문제점을 제시하여야 한다.

①
```
size_t find(const std::vector<std::string>& heystack,
    std::string_view needle);
```

②
```
std::string find(const std::vector<std::string>& heystack,
    std::string_view needle);
```

③
```
const std::string* find(const std::vector<std::string>& heystack,
    std::string_view needle);
```

④
```
const std::string& find(const std::vector<std::string>& heystack,
    std::string_view needle);
```

제6장

조건문과 반복문

제 6 장 조건문과 반복문

1. 개요

프로그래밍 코드는 기본적으로 순차적으로 실행된다. 하지만 순차적 실행만 가능하면 프로그래밍하기가 매우 불편하고 번거로울 것이다. 따라서 대부분의 프로그래밍 언어는 순차적으로 실행하지 않고, 다음에 실행할 문장을 바꿀 수 있도록 해준다. 이를 **제어의 이동**(transfer of control)이라 한다. 하지만 초창기 프로그래밍 언어들은 goto로 대표되는 무계획적인 제어의 이동 때문에 디버깅의 어려움 등 많은 문제점이 발생하였다. Bohm과 Jacopini는 goto 문을 사용하지 않고, 순차적 실행, 조건문, 반복문만을 이용하여 동일한 프로그램을 작성할 수 있다는 것을 증명하였으며, 구조화 프로그래밍이 프로그래밍 패러다임으로 자리 잡으면서 그 이후부터 goto 문을 프로그래밍할 때 사용하는 경우는 거의 없다. 특히, 자바와 같은 최신 언어들은 goto 문 자체를 제공하지 않고 있다.

C++는 다음과 같이 4종류의 제어 이동 방법을 제공하고 있다.

- 종류 1. 조건문: **if**, **switch**
- 종류 2. 반복문: **while**, **do while**, **for**
- 종류 3. 분기문: **break**, **continue**, **goto**
- 종류 4. 함수호출

이 장에서는 조건문, 반복문, 그리고 해당 문들에서 사용하는 분기문에 대해 설명한다.

2. 조건문

2.1. if 문

조건문은 조건에 따라 실행하는 문장을 다르게 할 수 있게 해주는 문으로 C++의 조건문은 C와 형태적 차이는 없다. 하지만 C++는 bool 타입의 추가로 조건식 평가 결과의 최종 타입이 bool로 바뀌었다. 따라서 C와의 호환성을 유지하기 위해 C++는 bool 타입이 아닌 다른 타입은 자동으로 bool 타입으로 변환한다. 이때 사용하는 변환 규칙은 다음과 같다.

- 정수 또는 부동 소수 타입 표현식: 평가 결과가 0이면 false, 0이 아니면 true로 변환한다.
- 포인터: 값이 nullptr이면 false로 변환하고, 그밖에 값은 true로 변환한다.

C에서 조건식은 정수로 평가하며, 평가 결과가 0이면 false로 그 이외의 값은 true로 인식하기 때문에 이 변화가 큰 의미적 차이가 있는 것은 아니다.

C++에서 제공하는 두 개의 조건문 if와 switch 중 if 문이 기본 조건문이다. 실제 우리는 if 문만 사용하여 필요한 모든 조건문을 작성할 수 있다. if 문은 if 키워드 다음에 괄호 안에 조건식이 오고, 이 조건식이 true일 때 실행할 문장 또는 블록을 다음과 같이 작성한다.

```
if(amount > 0 && amount <= balance) balance -= amount;
```

if 문을 작성할 때 조건식이 true일 때 실행해야 하는 문 또는 블록과 거짓일 때 실행해야 하는 문 또는 블록이 다르면 else 절을 이용하며, 세부 조건에 따라 실행해야 하는 문장 또는 블록이 여러 종류일 경우에는 else if를 이용하여 다음과 같은 다중 선택 if 문을 작성할 수 있다.

```
if(score >= 90) return "A";
else if(score >= 80) return "B";
else if(score >= 70) return "C";
else return "F";
```

항상 프로그래밍할 때는 가독성을 위해 적절한 들여쓰기를 해야 한다. if 문을 작성할 때는 이것이 더욱 중요하다. 또 중괄호가 필요 없더라도 사용하는 것이 향후 문장을 추가하기 위해 또는 가독성을 위해 좋을 수 있다. 예를 들어, 다음과 같이 중첩 if 문을 작성하면 else가 어떤 if와 연관된 것인지 시각적으로 보이지 않는다.

```
if(x <= 0) if(x == 0) sign = 0; else sign = -1;
```

이를 dangling-else 문제라 한다. 모든 컴파일러는 else를 항상 가장 가까운 if와 연결한다. 따라서 위 예는 다음과 동일한 코드이다.

```
if(x <= 0) {
   if(x == 0) sign = 0;
   else sign = -1;
}
```

위 예제에서 x가 0 또는 음수일 때 실행하는 내부 if 문은 전형적으로 다음과 같이 삼항 선택 연산자를 이용하여 작성할 수 있는 형태이다.

```
sign = x? -1: 0;
```

선택 연산자는 논리 연산자와 더불어 지연 평가를 제공하는 연산자이다. 선택 연산자에서 사용하는 조건식에 따라 둘 중 하나의 표현식만 평가가 이루어진다.

앞서 살펴본 예처럼 if 문의 조건에 따라 동일 변수에 대입하는 값이 다르면 if 문 대신에 선택 연산자를 사용할 수 있다. 하지만 다음과 같은 if 문도 선택 연산자를 이용할 수 있다는 것을 생각 못 하는 경우가 종종 있다.

```
if(grade >= 60) std::cout << "passed";
else std::cout << "failed";
```

위 문장은 다음과 같이 선택 연산자를 이용하여 작성할 수 있다.

```
std::cout << (grade >= 60? "passed": "failed");
```

선택 연산자는 우선순위가 대입 연산자와 같다. 따라서 대입 연산자 오른쪽에 선택 연산자를 사용하면 평가 순서에 의해 선택 연산자가 먼저 평가되지만 위 예의 경우에는 << 연산자가 선택 연산자보다 우선순위가 높으므로 괄호를 사용하지 않으면 올바르게 동작하지 않는다.

많은 경우 다중 선택 if 문은 일련의 if 문을 사용하여 구현할 수 있다. 하지만 효율성은 차이가 있다. 다중 선택 if 문은 조건에 따라 조건식 평가 횟수가 달라질 수 있지만 일련의 if 문은 조건과 상관없이 항상 해당 if 문의 수만큼 비교가 이루어진다. 하지만 아래와 같이 조건에 따라 실행하는 것이 return 문이면 다중 선택 if와 일련의 if가 차이가 없다.

또 우리가 처리해야 하는 데이터의 특성을 알고 있으면 다중 선택문을 작성할 때 순서를 바꾸어 효율을 높일 수 있다. 예를 들어, F 학점을 받은 학생들이 더 많은 경우에는 다음과 같이 작성할 수 있다.

```
if(score < 70) return "F";
else if(score < 80) return "C";
else if(score < 90) return "B";
else return "A";
```

하지만 보통 데이터의 특성을 사전에 알기 어렵기 때문에 가독성이 더 좋은 순서로 다중 선택 if 문을 작성하는 것이 바람직하다.

2.2. switch 문

다음과 같이 하나의 변수를 여러 개 정수 상수와 비교하는 경우 다중 선택 if 문보다는 다음과 같이 switch 문을 사용하면 더 간결하게 작성할 수 있다. switch 문은 이처럼 일련의 case 절과 선택적 default 절로 구성된다. 아래 예는 default 절을 사용하고 있지 않다.

```
switch(operator) {
case '+':
    result = operand1 + operand2; break;
case '-':
    result = operand1  -  operand2; break;
case '*':
    result = operand1 * operand2; break;
case '/':
    result = operand1 / operand2;
}
```

case 절에는 switch 문에 주어진 표현식의 평가 값과 비교할 상수가 주어진다. 실제 이 위치에 올 수 있는 것은 정수 타입으로 평가되는 상수식이다. 보통은 식보다는 문자 상수, 정수 상수, 열거형 상수를 많이 사용한다. 당연하지만 중복된 case 절은 사용할 수 없다.

switch 문에 주어진 변수와 특정 case 절의 상수 값이 일치하면 해당 case 절을 구성하는 문장들이 실행된다. 특이한 점은 case 절이 여러 개의 문장으로 구성되더라도 블록을 나타내는 중괄호를 사용하지 않는다. 이 때문에 case 절에 변수를 선언할 수 없다. 물론 일부러 중괄호를 이용하여 case 절을 작성하면 변수를 선언할 수 있다.

주어진 변수와 일치하는 case 절이 없을 때 default 절이 정의되어 있으면 해당 절이 실행된다. 이 때문에 default 절은 선택 사항이지만 항상 포함하여 작성하는 것이 바람직하다. default 절을 사용하지 않으면 switch 문의 어떤 절도 실행되지 않을 수 있다.

특정 case 절이 실행된 후에 case 절 끝에 break이나 return 문이 없으면 다음 case 절이 실행된다. 이 현상을 **"fall through"**라 한다. "fall through" 현상을 적극적으로 활용하면 다음과 같이 조건문을 더욱 간결하게 작성할 수 있다.

```
switch(month) {
case 4: case 6: case 9: case 11: return 30;
case 2: return 28;
default: return 31;
}
```

하지만 필요하였는데 실수로 break을 생략하면 기대했던 결과와 다른 결과를 초래할 수 있으므로 주의해야 한다.

switch 문은 코드의 간결성뿐만 아니라 동일한 기능을 if 문을 구현하였을 때보다 보통 더 효율적이다. 이것은 컴파일러가 case 절의 상수가 모두 같은 타입이라는 정보를 이용하여 더 최적화된 코드를 만들 수 있기 때문이다.

C++17과 C++20에서는 switch 문에서 사용할 수 있는 몇 가지 속성을 추가하였다. case 절에 문장이 있지만 break이나 return 문이 없으면 컴파일러는 보통 경고를 준다. C++17에서는 의도적으로 "fall through" 특성을 이용하기 위한 것이면 다음과 같이 [[fallthrough]] 속성을 추가하여 경고를 주지 않도록 할 수 있다. 이처럼 속성은 두 개의 대괄호 내에 표현한다.

```
switch(month) {
case 3: case 4: case 5:
    std::cout << "spring\n"; break;
case 6: case 7: case 8:
    std::cout << "summer\n"; break;
case 9: case 10: case 11:
    std::cout << "autumn\n"; break;
case 12:
    std::cout << "Christmas\n";
    [[fallthrough]];
default: std::cout << "winter\n";
}
```

C++20에서 case 절을 [[likely]]나 [[unlikely]]로 수식하여 빈도가 높은 또는 낮은 case 절을 컴파일러에게 알려주어 코드를 최적화하는 데 활용하도록 할 수 있다. 앞서 살펴본 [[fallthrough]] 속성은 break가 있어야 할 자리에 위치하며, 끝에 문장을 끝내는 ;이 있어야 하지만 [[likely]]와 [[unlikely]]은 case 절 앞에 위치하며, 끝에 ;을 사용하지 않는다. switch 문을 다중 선택 if 문으로 바꾸어 번역한다고 생각하면 이 속성이 어떤 역할을 할 수 있는지 이해할 수 있을 것이다.

```
switch (n) {
case 1:
    //
    break;
[[likely]] case 2:
    //
    break;
}
```

2.3. 조건문 작성 팁

if 문을 작성할 때는 가능한 모든 경우를 충분히 분석한 다음에 작성하는 것이 바람직하다. 다음과 같이 코딩해야 할 때,

```
if(condition) {
    //
}
```

해당 조건식이 false인 경우는 어떤 경우이며, else 절이 실제 필요 없는 것이 맞는 것인지 검토하여야 한다.

if 문의 조건식이 복잡하면 충분한 분석이 더욱 중요해진다. 다음과 같이 코딩해야 할 때,

```
if(c1 && c2) {
    //
}
```

c1과 c2 중 하나가 false인 경우와 둘 다 false인 나머지 3가지 경우에 어떤 처리가 필요한 것인지 면밀하게 검토하여야 한다.

코드 중복은 제거할 수 있으면 제거하는 것이 좋다. 따라서 if 절과 else 절에 같은 코드가 포함되어 있으면 if 문 이전이나 이후로 옮기는 등의 방법으로 중복된 코드를 제거하

는 것이 바람직하다. 처음부터 제거하기보다는 각 절을 작성하여 올바르게 동작한다는 것을 확인한 다음 리펙토링을 통해 제거하는 것이 바람직하다.

복잡한 조건식을 작성할 때 보통 논리곱, 논리합 연산자를 사용하며, 이들 연산자는 지연 평가를 제공한다. 논리곱, 논리합 대신에 비트 논리곱, 비트 논리합 연산자를 사용할 수 있지만 이들은 지연 평가를 제공하지 않기 때문에 보통 사용하지 않는다. 하지만 비트 XOR 연산자는 만들고자 하는 조건식에 따라 더 간결하게 작성하기 위해 사용할 수 있다. 예를 들어, int 변수 a와 b의 부호가 서로 다른지 확인해야 한다면 다음과 같은 조건식을 사용할 수 있다.

```
if(a * b < 0) //
```

하지만 이 조건식은 한 가지 문제점이 있다. a와 b의 값에 따라 오버플로가 발생할 수 있다. 이 조건식을 직관적으로 작성하면 다음과 같다.

```
if((a > 0 && b < 0) || (a < 0 && b > 0)) //
```

이보다는 다음과 같이 작성하는 것이 더 간결하다.

```
if(a > 0 ^ b > 0) //
```

이 조건식의 한 가지 문제점은 둘 중 하나가 0이고 다른 하나가 양수이면 true가 된다. 이 때문에 다음의 추가가 필요하다.

```
if(a * b != 0 && (a > 0 ^ b > 0)) //
```

다음은 무엇을 확인하는 조건식일까?

```
if(a % 2 == 0 ^ b % 2 == 0) // (a % 2 != b % 2)
```

물론 위와 같이 작성하는 것보다 주석에 있는 식이 더 간결하지만, 두 변수가 서로 다른 특성이 있는지 확인할 때 비트 XOR 연산을 유용하게 사용할 수 있다.

보통 조건문을 작성할 때 가장 흔하게 하는 실수는 조건식을 작성할 때 비교 연산자를 잘못 선택하는 것이다. 특히, >와 >=, <와 <= 중 하나를 선택해야 할 때 잘못 선택하는 경우가 가장 많다.

예를 들어, 프랑스 국기를 그리는 프로그램을 생각하여 보자. 프랑스 국기는 직사각형을 삼등분하여 파란, 하얀, 빨간색으로 채우기를 해야 한다. 직사각형의 폭 width가 주어졌을 때 프랑스 국기를 그리기 위한 다중 선택 if 문의 조건식을 작성하면 다음과 같다.

```
if(x < width / 3) { /* 생략 */ }
else if(x < width / 3 * 2) { /* 생략 */ }
else { /* 생략 */ }
```

여기서 비교 연산자의 선택이 올바르게 선택했는지 확인하는 방법은 직관적으로 검사할 수 있는 예를 생각하여 보는 것이다. 예를 들어, width가 30이면 0부터 9는 파란, 10부터 19는 하얀, 20부터 29는 빨간색으로 색칠해야 한다. 따라서 첫 조건은 x < 10이고, 두 번째 조건은 x < 20이므로 비교 연산자를 올바르게 선택하였다는 것을 알 수 있다. 물론 이처럼 식을 세우면 width가 3의 배수가 아닐 때 원하는 것과 다르게 동작할 수 있다.

조건식을 작성할 때 다음과 같이 논리곱과 논리합 연산자는 지연 평가 또는 단축회로 평가를 한다는 것을 종종 활용한다.

```
if(n && x % n == 0) //
```

위 조건식의 경우 n이 0이 아닌 경우에만 x가 n의 배수인지 검사하게 된다.

논리합과 논리곱은 다음과 같이 분배 법칙이 성립하며,

A && (B || C) == (A && B) || (A && C)
A || (B && C) == (A || B) && (B || C)

복잡한 조건식을 작성하다 보면 수학 시간에 배운 드모르간의 법칙을 유용하게 사용할 때가 있다. 특히, 작성된 조건식을 더 간결하게 표현하기 위해 이들 법칙을 사용할 수 있다.

예를 들어, 다음과 같은 조건식은

```
!(n >= 0 && n <= 10)
!(x < 0 || x > 10)
```

드모르간 법칙을 이용하여 다음과 같이 바꿀 수 있다.

```
n < 0 || n > 10
x >= 0 && x <= 10
```

윤년의 조건을 검사하는 조건식을 만들어 보자. 윤년의 조건은 다음과 같다.

- 조건 1. 연도가 4로 나누어떨어지는 해
- 조건 2. 연도가 100으로 나누어떨어지는 해는 평년이지만, 연도가 400으로 나누어떨어지는 해는 윤년

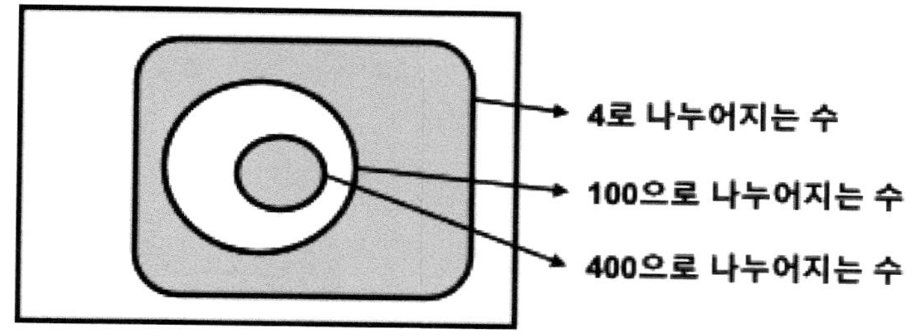

〈그림 6.1〉 윤년의 조건을 나타내는 밴 다이어그램

이 조건을 벤 다이어그램으로 나타내면 그림 6.1과 같다. 회색 부분이 윤년에 해당한다. 큰 회색 부분은 4로 나누어지지만 100으로 나누어지지 않는 수 집합이고, 작은 원 모양의 회색 부분은 400으로 나누어지는 수의 집합이다. 이것을 각각 식으로 표현하면 다음과 같다.

- 조건 1. `year % 4 == 0 && year % 100 != 0`
- 조건 2. `year % 400 == 0`

두 세부 조건이 동시에 만족해야 하므로 조건 1은 논리곱을 사용하고 있다. 조건 1과 조건 2중에 하나만 만족하면 되므로 논리합으로 결합하면 된다. 그런데 두 번째 조건은

year % 4 == 0 && year % 400 == 0과 같다. 따라서 분배 법칙을 이용하여 다음과 같이 표현할 수 있다.

```
(year % 4 == 0 && year % 100 != 0) || (year % 4 == 0 && year % 400 == 0)
year % 4 == 0 && (year % 100 != 0 || year % 400 == 0)
```

위에 제시된 식과 최초에 제시된 두 개의 조건을 논리합한 다음과 비교하여 보자.

```
(year % 4 == 0 && year % 100 != 0) || year % 400 == 0
```

둘 중 어느 것이 더 직관적인지는 개인마다 다를 수 있다. 하지만 작성해야 하는 조건이 복잡하더라도 그것을 표현할 수 있어야 하며, 표현하는 과정에서 분배 법칙과 드모르간의 법칙을 활용하면 더 간결한 식을 얻을 수 있다.

부동 소수 타입은 반올림 오차 때문에 되도록 비교하지 않는 것이 바람직하다. 아래 코드의 경우 false가 출력된다.

```cpp
double r{std::sqrt(2)};
double d{r * r - 2};
std::cout << (d == 0);
```

이와 같은 문제는 매우 작은 수를 정의하여 두 수의 차가 이 수보다 작으면 같은 것으로 처리하는 다음과 같은 방법도 있다.

```cpp
const double E{1E-14};
double r{std::sqrt(2)};
double d{r * r - 2};
std::cout << (abs(d) <= E);
```

2.4. 변수 초기화 기능의 추가

C++17부터 if 문과 switch 문에 for 문의 제어줄에 있는 초기화 구문과 유사하게 해당 문에서 사용할 변수를 초기화할 수 있다. 각 조건문에 조건식을 서술하는 괄호에 다음과 같이 변수를 초기화하는 문장을 추가할 수 있다.

```
if(init; condition) //
switch(init; condition) //
```

예를 들어, 기존에 다음과 같이 작성한 조건문을

```
auto score{getFinalScore(name)};
if(score >= 90) return "A";
else if //
```

아래와 같이 작성할 수 있다.

```
if(auto score{getFinalScore(name)}; score >= 90) return "A";
else if //
```

두 방식의 차이는 후자에서 score 변수의 가시영역은 if 문으로 제한된다. 이 가시영역은 if 문 전체를 의미한다. 즉, 이 if와 연결된 else if나 else를 모두 포함한다.

유사하게 switch 문도 다음과 같이 작성할 수 있다.

```
switch(auto p{getCurrentPokemon()}; p.getType()) {
case PokemonType::DARK: case PokemonType::GHOST: //
default: //
}
```

3. 반복문

반복문이란 일련의 문장을 반복적으로 실행할 수 있도록 해주는 프로그래밍 구조를 말한다. 반복문의 반복은 보통 특정 조건을 만족할 때 종료하도록 프로그래밍한다. 하지만 잘못 프로그래밍하면 의도하지 않게 반복문이 종료하지 않고, 계속 해당 문장들만 실행할 수 있다. 이와 같은 현상을 무한 루프라 하며, 반복문을 작성할 때는 의도하지 않은 무한

루프가 발생하지 않도록 프로그래밍해야 한다.

반복문은 크게 제어줄(control line)과 몸체로 구성된다. 제어줄은 반복을 종료하는 조건을 제어한다. 하지만 반드시 제어줄을 통해 반복문을 종료해야 하는 것은 아니다. 몸체 내에서 break 문을 이용하여 반복문을 끝낼 수 있다. C++는 C와 마찬가지로 while, do while, for 3종류의 반복문을 제공한다. 물론 C++11부터는 기존 C에는 없던 새로운 형태의 for 문이 추가되었다. 이 중 while이 기본 반복문이며, while 문만으로 필요한 모든 반복문을 작성할 수 있다.

3.1. while 문

while 문의 구조는 다음과 같다.

```
while(condition) {
    body
}
```

while 문은 제어줄에 있는 조건을 먼저 검사한 후에 조건이 true이면 while 문의 몸체를 실행한다. 이 과정은 조건이 false가 될 때까지 반복한다. 따라서 while 문의 몸체는 한 번도 실행되지 않을 수 있다.

C++에서 while 문의 조건식은 조건문의 식과 동일하게 bool로 평가한다. 따라서 무한 루프를 작성하고 싶으면 기존 C와 달리 while(1) 대신에 다음과 같이 작성하는 것이 바람직하다.

```
while(true) {
    body
}
```

문제 6.1. int 타입의 정수와 숫자 하나가 주어졌을 때, 숫자가 정수에 몇 번 등장하는지 찾아라.

```
int countDigitFrequency(int number, int digit) {
    int count = 0;
    while(number > 0) {
        if(number % 10 == digit) ++count;
        number /= 10;
    }
    return count;
}
```

〈그림 6.2〉 주어진 정수에서 특정 수의 등장 횟수를 계산하는 countDigitFrequency 함수

이 문제를 해결하는 함수를 구현하면 그림 6.2와 같다. 어떤 수에서 마지막 자리의 숫자는 나머지 연산을 이용하여 얻을 수 있다. 그다음 자리의 숫자는 먼저 해당 수를 10으로 나누어 해당 숫자가 마지막 자리에 오도록 하면 이전과 같은 방법으로 얻을 수 있다. 그림 6.2에 제시된 함수는 예외 처리를 하나도 하지 않고 있다. 예를 들어, digit은 0부터 9 사이의 수이어야 하므로 이를 반복문 전에 검사할 수 있다. 또 주어진 코드는 number가 음수이면 동작하지 않는다. 음수인 경우에도 동작하기 위해서는 INT_MIN이 인자로 전달될 가능성 때문에 단순히 음수를 양수로 바꾸어 처리할 수 없다.

3.2. do while 문

do while 문의 구조는 다음과 같다.

```
do {
    body
} while(condition);
```

do while 문이 실행되는 순서는 먼저 몸체가 실행된 다음 조건을 검사하며, 조건이 true이면 몸체가 다시 실행된다. 따라서 while 문과 달리 몸체가 반드시 한 번 이상 실행된다.

3.3. for 문

C++11부터는 두 종류의 for 문이 제공된다. 전통적인 for 문의 구조는 다음과 같다.

```
for(init; condition; step) {
    body
}
```

for 문은 init 부분이 가장 먼저 실행되며, 이 부분은 한 번만 실행된다. 그다음 조건을 검사하게 되는데, 조건이 true이면 몸체가 실행된다. 몸체가 실행된 후에는 step 부분이 실행되며, 그 후에 다시 조건 검사부터 반복한다. 따라서 for 문은 while 문과 동일하게 몸체가 한 번도 실행되지 않을 수 있다.

모든 for 문은 다음과 같이 while 문으로 바꿀 수 있다.

```
init;
while(condition) {
    body
    step;
}
```

문제 6.2. 주어진 양의 정수 배열의 합계를 계산하라. 이때, 교차로 양수를 음수로 바꾸어 합계를 계산해야 한다. 예를 들어, [5, 3, 4, 6, 1]이 주어지면 5 - 3 + 4 - 6 + 1 = 1을 결과로 주어야 한다.

```
int alternatingSum(int nums[], size_t size) {
    int sum{0};
    for(size_t i{0}; i < size; ++i)
        sum += (i & 1) == 0? nums[i]: -nums[i];
    return sum;
}
```

〈그림 6.3〉 양의 정수 배열의 교차 합계를 계산하는 alternatingSum 함수

이 문제는 그림 6.3에 제시된 함수를 이용하여 해결할 수 있다. 이 함수에서 사용한 for

문은 전형적인 for 문으로 반복문의 반복 횟수를 제어하는 i라는 루프 제어 변수를 사용하고 있다. for 문을 작성할 때 루프 제어 변수 이름은 i, j, k 순으로 가장 많이 사용한다. 특히, 배열과 함께 사용할 때는 이 변수를 색인 변수라 한다. 이 for 문의 예처럼 반복해야 하는 범위를 잘 분석하여 제어 변수의 타입을 결정해야 한다.

C++에서 루프 제어 변수는 보통 for 문의 init 부분에서 선언한다. 이렇게 선언된 변수의 가시영역은 for 문 내로 제한된다. 따라서 한 함수에 여러 개의 for 문을 작성하면서 같은 이름의 루프 제어 변수를 사용할 수 있다.

그림 6.3의 함수는 사용하는 색인 위치를 검사하여 덧셈할지 뺄셈할지 결정하고 있다. 이 비교식을 제거하고 싶으면 다음과 같이 계산할 수 있다.

```
int factor{1};
for(size_t i{0}; i < size; ++i) {
    sum += factor * nums[i];
    factor *= -1;
}
```

이처럼 for 문의 init 부분에는 하나의 선언문이 오거나 쉼표를 이용하여 여러 개의 표현식을 포함할 수 있고, step 부분도 쉼표를 이용하여 여러 개의 표현식을 작성할 수 있다.

```
for(int i{0}, j{10}; i < 10; ++i, --j) {}
```

위 예에서 init 부분의 쉼표는 쉼표 연산자는 아니고 복합 선언의 구분자일 뿐이지만 step 부분의 쉼표는 쉼표 연산자이다.

init 부분에 표현식 대신에 변수 선언문을 사용하면 하나의 선언문만 올 수 있다. 따라서 복합 선언문을 통해 같은 타입의 여러 개 변수를 선언할 수 있지만 서로 다른 타입의 변수를 init 부분에서 선언할 수 없다. 쉼표를 이용하여 for 문을 복잡하게 작성하는 것은 가독성을 저해할 수 있으므로 for 문의 제어줄은 루프 반복과 관련된 루프 제어 변수만 선언하는 것이 바람직하다.

3.4. foreach for 문

```
int sum(const int* nums, size_t size) {
    int sum{0};
    for(size_t i{0}; i < size; ++i) sum += nums[i];
    return sum;
}
```

〈그림 6.4〉 전통 for 문을 이용한 sum 함수

배열과 같은 복합 타입에 저장된 모든 요소를 차례로 방문하고자 할 때는 기존 색인 변수를 이용한 그림 6.4와 같은 전통 for 문 대신에 foreach for 문(또는 range-for)을 사용하여 작성할 수 있다. 하지만 이처럼 주소 전달 방식을 이용하여 배열을 전달하면 sum 함수는 첫 번째 인자를 배열로 인식할 수 없으므로 그림 6.4의 함수를 foreach for 문을 이용하여 작성할 수 없다.

```
int sum(const int (&nums)[10]) {
    int sum{0};
    for(auto n: nums) sum += n;
    return sum;
}
```

〈그림 6.5〉 foreach for 문을 이용한 sum 함수

```
int sum(const std::vector<int>& nums) {
    int sum{0};
    for(auto n: nums) sum += n;
    return sum;
}
```

〈그림 6.6〉 std::vector를 인자로 받는 sum 함수

반면에 그림 6.5와 같이 참조 전달 방식으로 배열을 전달하면 foreach for 문을 이용할 수 있다. 참고로 배열을 참조 전달 방식으로 전달하면 특정 용량의 배열만 전달할 수

있다. 또 배열의 일부분만 처리할 수 없고 용량만큼 반복하므로 용량과 크기가 다르면 foreach for 문을 사용할 수 없다. 이 때문에 배열이 필요할 때 배열 대신에 std::vector를 그림 6.6처럼 사용하면 다양한 크기의 std::vector를 받아 처리할 수 있으며, 별도 크기를 전달할 필요도 없고, foreach for 문도 문제 없이 사용할 수 있다.

그림 6.5에 제시한 foreach for 문의 동작은 다음과 동일하다.

```
for(auto it{std::begin(nums)}; it != std::end(nums); ++it) {
    auto n{*it};
    sum += n;
}
```

즉, foreach for 문은 반복자를 이용한 반복문을 간결하게 작성(syntatic sugar)할 수 있게 해주는 문법적 요소이다. 실제 참조 변수, +=, auto 등 실제 많은 문법적 요소를 syntatic sugar로 생각할 수 있다. 따라서 새 문법이 도입되었을 때, 컴파일러가 작성된 것을 기존 문법으로 어떻게 바꾸어 처리할 수 있는지 생각해 보면 문법을 이해하는 데 도움이 될 수 있다.

그림 6.5처럼 foreach for 문을 배열에 대해 사용하면 배열의 용량만큼 반복한다. 따라서 배열의 용량과 크기가 다르면 전통 for 문을 사용해야 한다. 이 밖에도 색인 변수가 필요하면 전통 for 문을 사용해야 한다. 전통 for 문이 필요한 경우를 요약하면 다음과 같다.

- 경우 1. 배열의 용량만큼 반복하지 않는 경우
- 경우 2. 차례대로 반복하지 않는 경우. 예) 거꾸로 접근해야 하는 경우, 홀수 번째 색인에 있는 요소만 방문해야 하는 경우
- 경우 3. 색인 변수가 필요한 경우. 예) 배열에 있는 특정 요소의 위치를 알아야 하는 경우
- 경우 4. 하나의 배열이 아니라 여러 개를 함께 반복해야 하는 경우. 예) 두 개의 배열을 비교해야 하는 경우

경우 4는 경우 3에 한 부분으로 생각할 수 있다. 위에 제시된 내용은 다른 종류의 복합 타입에 foreach for 문을 사용할 때도 적용된다.

C++20에서는 제어줄에 별도 변수를 초기화할 수 있어, foreach for 문을 사용하면서 색인 변수를 다음과 같이 함께 사용할 수 있다.

```
for(size_t i{0}; int n: A) {
   if(n != B[i++]) return false;
}
return true;
```

이 예는 두 개의 정수 배열을 비교하고 있다. 이렇게 작성하는 것과 전통 for 문을 이용하는 것의 차이점이 명확하지는 않지만, C++20은 foreach for 문을 사용하면서 추가적인 변수를 선언하여 사용할 수 있다. 하지만 오히려 이 예는 전통 for 문을 사용하는 것이 더 바람직할 수 있다.

Foreach for 문의 제어줄에 선언된 변수는 색인 변수도 제어 변수도 아니다. 보통 이 변수를 루프 변수 또는 반복 변수라 한다. Foreach for 문은 반복할 때마다 정해진 규칙에 따라 복합 타입의 한 요소를 반복 변수에 복사한다. 반복자를 이용하여 표현한 것처럼 n = list[i]가 생략된 형태이다. 따라서 n을 수정하더라도 배열에는 영향을 주지 않는다.

하지만 자바와 같은 언어와 달리 C++는 참조 타입 변수를 사용할 수 있으므로 다음과 같이 참조 타입을 사용하면 실제 배열의 요소를 변경할 수 있다.

```
int list[20]{};
for(auto& n: list) n = v;
```

3.5. break과 continue 문

반복문을 작성할 때 break 문을 통해 반복문을 종료할 수 있고, continue 문을 사용하여 현재 루프를 끝낼 수 있다. break 문은 반복문 외에 switch 문에서도 사용하며, break 문은 항상 자신이 포함된 문을 종료한다. 중첩된 반복문의 내부 반복문에서 break을 사용하면 해당 반복문만 종료한다. 이 때문에 중첩 반복문 전체를 종료하고 싶으면 다음과 같이 goto 문을 사용하는 경우가 종종 있다.

```
for(int r{0}; r < R; ++r)
    for(int c{0}; c < C; ++c)
     if(maze[r][c] == 1) {
        startR = r; startC = c; goto Found:
     }
Found:
```

이 경우 goto 문의 사용은 문제가 있는 사용은 아니다.

```
std::pair<size_t, size_t> findLoc(
    const std::vector<std::vector<int>>& maze) {
    for(size_t r{0}; r < maze.size(); ++r)
        for(size_t c{0}; c < maze[0].size(); ++c)
            if(maze[r][c] == 1) return std::make_pair(r, c);
    return std::make_pair(INF, INF);
}
```

〈그림 6.7〉 2차원 지도에서 출발 위치를 찾는 findLoc 함수

하지만 이 경우에도 그림 6.7처럼 해당 중첩 반복문을 함수로 분리하여 정의하고, goto 문 대신에 return 문을 사용할 수 있다. 여기서 INF는 지도의 최대 크기보다 큰 수로 오류를 나타내기 위해 정의한 상수이다. 이 예처럼 std::vector의 std::vector를 이용하여 2차원 배열을 나타낼 수 있다. 또 함수에서 두 개의 값을 반환해야 할 때 직접 새 구조체를 정의하여 사용할 수 있지만 이 예처럼 라이브러리에서 제공하는 범용 구조체인 std::pair를 사용할 수 있다. std::pair는 15장에서 자세히 설명한다.

continue 문이 실행되면 루프의 시작으로 이동하는 것으로 알고 있을 수가 있지만, 이것은 틀린 것이다. continue 문은 루프의 시작이 아니라 루프의 끝으로 이동한다. 따라서 do while에서는 조건을 검사하고, for 문에서는 step 부분으로 이동한다.

모든 반복문은 break과 continue 문 없이 작성할 수 있다. 이 때문에 한때는 break과 continue 문 없이 작성하는 것이 올바른 반복문 작성 방법이라고 주장된 적이 있다. 하지만 이들을 이용하면 더 간결하게 작성할 수 있고, 가독성도 높일 수 있다. 그러나 과도하

게 사용하거나 가독성을 오히려 악화시키는 경우는 피해야 한다.

3.6. 반복문 작성 팁과 주의사항

반복문을 작성할 때는 작성하는 반복문의 루프 불변 조건(loop invariant)이 무엇인지 살펴볼 필요가 있다. 다음은 간단한 합계를 계산하는 반복문이다.

```
int sum{0};
for(int i{1}, i <= n; ++i) {
    sum += i;
}
```

이 반복문은 루프의 i번째 반복에서 몸체를 실행한 후에 sum 변수의 값은 항상 1부터 i까지의 합이다. 이것이 이 반복문의 루프 불변 조건이다. 루프 불변 조건은 반복문을 디버깅할 때 오류를 찾는 중요한 기준이 된다.

반복문의 종료 조건을 검사할 때는 !=를 사용하지 않는 것이 바람직하다. 예를 들어, 다음과 같은 for 문의 경우에 n이 홀수이면 무한 루프가 된다. 따라서 같은 효과를 얻을 수 있으면 크거나 작음을 비교하는 연산자를 사용하는 것이 무한 루프를 방지할 수 있는 좋은 방법이다.

```
for(int i{0}, i != n; i += 2) {}
```

for 문의 경우 반목문의 반복 횟수를 제어하는 제어 변수를 for 문 몸체에서 수정하지 않는 것이 중요하다. 제어 변수를 몸체에서 수정하면 제어줄을 통해 인식된 루프의 반복 횟수와 다르게 동작하여 프로그램 가독성에 나쁜 영향을 준다. 이 경우에는 while 문을 이용하는 것이 더 바람직할 수 있다.

반복문 내에 변하지 않는 계산식은 반복문 이전에 미리 계산한 다음 결괏값만 반복문 내에서 활용하는 것이 바람직하다. 이를 위해 추가적인 변수의 선언은 불가피하다. 하지만 반복하는 횟수가 많으면 효율성을 위해 꼭 필요하다.

반복문 내에 조건문이 필요하면 이 조건문 없이 작성할 수 있는지 살펴볼 필요가 있다.

조건문을 사용하지 않고 같은 결과를 얻을 수 있으면 프로그램의 효율성을 높일 수 있다. 예를 들어, 다음과 같은 반복문은 색인 변수가 홀수일 때와 짝수일 때 하는 일이 다르다.

```
for(int i{0}; i < n; ++i) {
    if(i % 2 == 0) statementA;
    else statementB;
}
```

이 경우 두 개의 반복문을 이용하여 다음과 같이 작성하는 것이 더 효과적이다.

```
for(int i{0}; i < n; i += 2) statementA;
for(int i{1}; i < n; i += 2) statementB;
```

항상 이렇게 기계적으로 나눌 수 있는 것은 아니다. 하지만 이처럼 작성할 수 있는지 항상 살펴볼 필요가 있다.

특히, 전체 반복 중 극히 일부 반복에서만 필요한 조건문은 조건문 성능에 매우 나쁜 영향을 줄 수 있다. 예를 들어, 다음과 같은 반복문의 조건문은 첫 반복에서만 필요하므로 나머지 n - 1번 반복에서는 낭비적 요소이다. 이와 같은 조건문은 꼭 제거하는 것이 필요하다.

```
for(int i{0}; i < n; ++i) {
    if(i == 0) statementA;
    statementB;
}
```

반복을 일찍 끝낼 수 있어 반복문을 조기에 중단하기 위한 조건문을 포함하는 것이 성능을 개선하는 것이 아니라 오히려 성능에 나쁜 영향을 줄 수 있다. 예를 들어, 주어진 std::vector에 중복된 요소가 있는지 판단해 주는 함수를 집합 자료구조를 이용하여 그림 6.8과 같이 작성할 수 있다. 집합 자료구조는 중복을 허용하지 않는다. 따라서 vec에 있는 값을 차례로 집합 자료구조에 삽입하면서 삽입하기 전에 이미 해당 값이 집합에 있는지 검사할 수 있다. 하지만 vec에 중복이 없는 경우 또는 거의 끝에 중복 요소가 있으면 이 검사가 낭비적인 측면이 있다. 따라서 그림 6.9와 같이 구현하는 것이 더 효과적일 수 있다. 실제 그림 6.10과 같이 반복문을 사용하지 않고 생성할 때 vec를 전달하여 생성할 수 있다.

```cpp
bool containsDuplicate(const std::vector<int>& vec) {
    std::unordered_set<int> set(static_cast<size_t>(1.3 * vec.size()));
    for(auto n: vec) {
        if(set.find(n) != set.end()) return true;
        set.insert(n);
    }
    return false;
}
```

〈그림 6.8〉 반복문 내부에 조건문이 있는 집합 자료구조를 이용한 containsDuplicate 함수

```cpp
bool containsDuplicate(const std::vector<int>& vec) {
    std::unordered_set<int> set(static_cast<size_t>(1.3 * vec.size()));
    for(auto n: vec) set.insert(n);
    return vec.size() != set.size();
}
```

〈그림 6.9〉 반복문 내부에 조건문이 없는 집합 자료구조를 이용한 containsDuplicate 함수

```cpp
bool containsDuplicate(const std::vector<int>& vec) {
    std::unordered_set<int> set(vec.begin(), vec.end(),
        static_cast<size_t>(1.3 * vec.size()));
    return vec.size() != set.size();
}
```

〈그림 6.10〉 반복문을 사용하지 않는 집합 자료구조를 이용한 containsDuplicate 함수

앞서 언급한 바와 같이 반복문을 작성할 때 제어 변수 타입으로 size_t를 많이 사용한다. 특히, 문자열의 길이나 std::vector와 같은 자료구조의 크기를 알려주는 함수의 반환값 타입이 size_t이기 때문에 이들의 크기만큼 반복해야 하면 size_t를 사용해야 한다. size_t를 사용하지 않고 int를 사용하면 반복해야 하는 횟수가 int의 범위를 벗어날 수 있고, signed와 unsigned를 비교하는 조건식 때문에 컴파일러는 경고를 준다. 그런데 size_t를 사용할 때 한 가지 주의할 점이 있다. size_t는 unsigned 타입이므로 다음과 같이 프로그래밍하면 무한 루프가 된다.

```
for(size_t i{s.length() - 1}; i >= 0; --i) {
    //
}
```

따라서 foreach for 문으로 구현할 수 있으면 전통 for 문 대신에 사용하는 것이 더 효과적일 수 있으며, 위와 같이 거꾸로 반복해야 하면 반복을 제어하는 변수와 색인 변수를 다음과 같이 분리할 수 있다.

```
for(size_t j{0}, i{s.length() - 1}; j < s.length(); ++j, --i)  {
    //
}
```

두 개 변수를 사용하는 대신에 다음과 같이 거꾸로 반복하는 반복자를 사용할 수도 있다.

```
for(auto it{s.rbegin()}; it != s.rend(); ++it) {
    //
}
```

거꾸로 반복자를 사용하더라도 반복자의 이동은 --가 아니라 ++를 사용해야 하며, 반복해야 하는 것이 일반 배열이면 다음을 이용할 수 있다.

```
for(auto it{std::rbegin(arr)}; it != std::rend(arr); ++it) {
    //
}
```

일반적으로 반복문을 작성하다 보면 생각하였던 결과를 얻지 못하는 경우가 종종 있다. 이때 가장 흔하게 하는 실수는 초깃값을 잘못 설정하거나 조건식의 비교 연산자를 잘못 사용하는 것이다. 이 때문에 원하는 횟수보다 많게 반복하거나 적게 반복하게 되는데, 많은 경우 매우 큰 격차를 보이지 않고 원래 의도보다 한 번 더 반복하거나 한 번 적게 반복한다. 이와 같은 오류를 **하나 차이 오류**(off-by-one error) 또는 **펜스 기둥 오류**(fence-post error)라 한다.

예를 들어, 년 이자율이 주어졌을 때 투자가 두 배가 되는 햇수를 계산하는 반복문을 작성하여 보자. 이때 계산하고자 하는 햇수의 초깃값이 0이 되어야 하는지 1이 되어야 하는지 고민될 수 있고, 조건식 작성의 경우에도 <와 <= 연산자 중 어느 것을 사용할지 고민이 될 수 있다. 고민한 결과 다음과 같이 작성하였다고 하자.

```
int years{0};
while(balance < targetBalance) {
    ++years;
    double interest{balance * rate / 100};
    balance = balance + interest;
}
```

이 코드가 정확한 것인지는 테스트 프로그램을 작성하여 확인할 수 있지만 더 간편한 방법은 실제 데이터와 거리가 있지만 쉽게 손으로 검사할 수 있는 데이터를 이용하여 테스트하는 것이다. 예를 들어, 다음과 같이 이자율이 50%라 하고 잔액이 100원이라 가정한 다음 지금의 코드를 검사해 보는 것이다.

- 초깃값> year: 0, balance: 100
- 루프 1> year: 1, balance: 150
- 루프 2> year: 2, balance: 225

이를 통해 작성된 코드에서 초깃값이 올바르게 작성된 것임을 확인할 수 있다. 하지만 이를 통해서는 조건식이 올바른 것인지는 확인되지 않는다. 해당 조건식이 올바른 것인지는 확인하기 위해서는 balance와 targetBalance가 같아지는 테스트 케이스가 필요하다. 이자율을 100%로 가정하면 같아지는 테스트 케이스를 다음과 같이 만들 수 있다.

- 초깃값> year: 0, balance: 100
- 루프 1> year: 1, balance: 200

< 대신에 <= 사용하면 루프가 한 번 더 실행하게 되며, 앞서 언급한 하나 차이 오류가 발생한다. 물론 이 경우 논리적으로 생각하면 같아질 때도 종료해야 하므로 원래 제시된 조건식이 맞는다는 것을 쉽게 파악할 수 있다. 이처럼 반복문뿐만 아니라 어떤 종류의 프로그래밍을 하던지 해당 코드를 검증할 테스트 케이스를 잘 선택하는 것도 프로그래머가 갖추어야 하는 중요한 역량이다.

우리가 직관적으로 생각하는 반복의 구조에서 반복의 종료 조건을 검사하는 위치가 반복의 중간에 위치할 수 있다. 이를 루프 하나 반(loop-and-a-half) 문제라 한다. break를 사용하는 것이 바람직하지 않다고 주장되는 시기에는 우리가 생각하는 반복의 구조를 바꾸어야 했다. 하지만 가독성이나 간결성 측면에서 우리의 직관과 동일하게 구현하는 것이 바람직하다. 예를 들어, -1이 입력될 때까지 정수를 입력받아 그것의 평균을 구하는 반복문은 다음과 같이 무한 루프와 break를 사용하여 구현할 수 있다.

```
int sum{0};
int count{0};
while(true) {
    int n{0};
    std::cin >> n;
    if(n == -1) break;
    ++count;
    sum += n;
}
double average = (count > 0)? static_cast<double>(sum) / count: 0.0;
```

break 문을 사용하지 않고 이것을 프로그래밍하기 위해서는 그림 6.11과 같이 종료 조건을 검사하기 전에 해야 하는 일을 루프 밖과 루프 내에 중복하는 방법이 있고, 종료 조건을 유지하는 별도 변수를 사용하는 방법이 있다. 코드를 중복하는 경우와 비교하여 무한 루프와 break를 이용하는 방법은 변수 n의 가시영역을 반복문 내로 제한할 수 있다는 이점도 있다.

```
int sum{0};
int n{0};
std::cin >> n;
while(n != -1) {
    ++count;
    sum += n;
    std::cin >> n;
}
```

```
int sum{0};
bool done{false};
while(!done) {
    int n{0};
    std::cin >> n;
    if(n == -1) done = true;
    else {
        ++count;
```

	`sum += n;`
	`}`
	`}`
(1) 코드 중복을 통한 해결 방법	(2) 별도 변수를 사용하는 방법

〈그림 6.11〉 -1이 입력될 때까지의 합을 계산하는 반복문

프로그래머가 자유롭게 3개의 반복문(while, do while, for) 중 하나를 선택하여 필요한 반복문을 구현할 수 있다. 하지만 관례로 특정 횟수만큼 반복하는 경우 또는 배열을 처리하는 경우는 for 문을 사용하고, 반대로 반복하는 횟수가 가변적인 경우(알 수 없는 경우)는 while 문을 사용하여 구현한다. 또 while 문을 사용하여 구현할 때 최소 한번은 몸체가 수행된다는 것을 강조하고 싶으면 do while 문을 이용하여 구현한다. for 문은 제어 변수 등의 가시영역을 반복문 내로 제한하는데 다른 반복문보다 효과적이다.

람다 표현식의 도입으로 함수형 프로그래밍 형태의 라이브러리 함수가 확대되면서 직접 반복문을 작성하는 대신 C++에서도 내부 반복을 이용하여 프로그래밍하는 형태가 늘어나고 있다. 다음은 〈algorithm〉에 있는 for_each 함수를 이용하여 std::vector〈int〉 타입의 vec에 저장된 정수의 합을 계산하는 코드이다.

```
int sum{0};
std::for_each(vec.begin(), vec.end(), [&sum](auto x){sum += x;});
```

이처럼 C++에서 내부 반복은 반복자와 람다 표현식을 이용하여 주로 작성하며, 이에 대해서는 7장과 17장에서 자세히 설명한다.

퀴즈

1. 조건문과 관련된 다음 설명 중 올바른 것은?

① default 절이 없으면 switch 문의 어떤 절도 실행이 안 될 수 있다.
② case 절에 여러 문장이 오면 중괄호로 반드시 묶어 주어야 한다.
③ 다중 선택문을 사용할 때는 항상 맨 마지막은 else 절로 끝나야 한다.
④ case 절의 모든 문장을 실행하면 switch 문은 종료한다.

2. !(x > 0 && x < 10)과 같은 조건식은 다음 중 어느 것인가?

① x <= 0 && x >= 10
② x > 0 || x < 10
③ x <= 0 || x >= 10
④ x <= 0 && x < 10

3. for 문의 제어 변수 타입으로 종종 size_t 타입을 사용한다. 이와 관련된 설명 중 **틀린** 것은?

① 표준 라이브러리에서 제공하는 자료구조의 크기는 보통 size_t 타입이기 때문에 size_t를 사용하지 않고 다른 타입을 사용하면 필요한 반복 횟수가 사용한 타입의 범위를 초과할 수 있다.
② 반복해야 하는 크기를 나타내는 값이 size_t처럼 unsigned 타입일 때, signed 타입의 제어 변수를 사용하면 두 타입의 signed 여부가 달라 컴파일러가 경고를 준다.
③ size_t는 unsigned 타입이므로 제어 변수를 감소하는 방식으로 반복 횟수를 제어하는 경우 문제가 발생할 수 있다. 예를 들어, for(size_t i(N); i >= 0; --i)와 같은 형태로 사용하면 i는 절대 음수가 될 수 없어 무한 루프가 된다.
④ 무조건 for 문 제어 변수의 타입은 size_t를 사용해야 한다.

4. 전통 for 문으로 작성해야 하는 경우가 **아닌** 것은?

① 여러 개의 배열을 동시에 반복해야 하는 경우
② 배열의 내부 내용을 수정해야 하는 경우
③ 배열의 크기가 용량보다 작은 경우
④ 거꾸로 맨 뒤부터 반복해야 하는 경우

연습문제

1. 3.1절에 제시된 countDigitFrequency에서 매개 변수 number가 음수이어도 동작하도록 수정하라. 이때 필요한 모든 예외를 처리해야 한다.

2. 11월부터 2월까지는 “겨울”, 3월부터 5월은 “봄”, 6월부터 9월은 “여름”, 10월은 “가을”을 반환하여 주는 다음 메소드를 switch 문을 이용하여 작성하라.

```
std::string determineSeason(int month);
```

3. 택배 상자 크기(가로, 세로, 높이)와 무게가 주어진다. 가로, 세로, 높이 중 하나가 35cm 이상이거나 부피가 3,500 이상이면 “대형” 박스로 분류하며, 무게가 10kg 이상이면 “과중량”으로 분류한다. 택배 상자 정보(가로, 세로, 높이, 무게)가 주어졌을 때, 대형인 동시에 과중량이면 “특”, 대형이지만 과중량이 아니면 “대형”, 대형은 아니지만 과중량이면 “과중량”, 대형도 과중량도 아니면 "일반"을 반환하는 다음 함수를 완성하라.

```
std::string determineSeason(int length, int width, int height, int weight);
```

4. 주어진 정수가 못생긴 숫자(ugly number)인지 검사하는 다음 함수를 구현하라. 못생긴 숫자란 양의 정수로 소인수가 2, 3, 5로만 구성된 수를 말한다. 예를 들어, 6과 8은 못생긴 숫자이지만 14는 7을 소인수로 가지기 때문에 못생긴 숫자가 아니다.

```
bool isUgly(int n);
```

5. 주어진 정수가 완벽수(perfect number)인지 검사하는 다음 함수를 구현하라. 완벽수란 양의 정수로 자신을 제외한 자신의 모든 약수의 합이 자신이 되는 수이다. 예를 들어, 28의 약수는 1, 2, 4, 7, 14, 28이며, 28을 제외한 나머지 수를 합하면 28이 되기 때문에 완벽수이다.

```
bool isPerfectNumber(int n);
```

6. 숫자를 회전하자. 양의 정수가 주어졌을 때 정수의 각 자릿수를 180도 회전하자. 0, 1, 8은 180도 회전하면 같은 수가 되고, 2는 5, 5는 2, 6은 9, 9는 6이 되며, 3, 4, 7은 180도 회전하면 유효하지 않은 수가 된다. 어떤 양의 정수의 각 자릿수를 180도 회전할 때 유효한 수가 되면 좋은 수라 하자. 125는 회전하면 152가 되기 때문에 좋은 수이다. 양의 정수 n이 주어졌을 때 1부터 N까지 좋은 수의 개수를 구하는 다음 함수를 완성하라.

```
int numberOfGoodNumbers(int N);
```

7. 길동이는 마법에 걸려 수시로 걸린 마법에 영향을 받는다. 이 마법이 발휘되면 길동은 d분 동안 움직일 수 없다. 마법이 발휘되는 일련의 시간이 주어지면 길동이가 총 몇 분 동안 움직이지 못하였는지 계산하는 다음 함수를 완성하라.

```
int findTotalMinutes(int startTime[], int size, int d);
```

예를 들어, [1, 5]가 주어지고 d = 3이면 1, 2, 3분 때 움직일 수 없고, 5, 6, 7분 때 움직일 수 없으므로 총 6분 동안 움직일 수 없다. [1, 3]이 주어지고 d = 3이면, 1, 2, 3분 때 움직일 수 없고, 3, 4, 5분 때 움직일 수 없으므로 총 5분 동안 움직일 수 없다. 주어진 배열은 순 증가 배열이다. 즉, A[i] 〈 A[i + 1]이다. 이 문제를 앞에서부터 반복하는 반복문을 이용하여 해결하고, 반대로 뒤에서부터 앞으로 반복하는 반복문을 이용하여 해결해야 한다.

8. n명이 수건돌리기 게임을 진행하고 있다. 각 참여자는 일렬로 서 있으며, 첫 번째 참여자부터 번호를 차례로 할당받는다. 따라서 첫 줄 참여자는 1번을, 줄 끝에 있는 참여자는 n번을 할당받는다. 게임은 1번 참여자가 수건을 가지고 있는 상태에서 시작한다. 게임이 시작하면 숫자 t(≥ 1)가 주어지며, 숫자만큼 수건을 돌린다. 수건을 돌리는 방법은 그다음 번호 참여자에게 수건을 건네는 것이다. n번 번호 참여자가 받으면 수건을 거꾸로 돌린다. 즉, n번 참여자는 n - 1번 참여자에게 수건을 건네며, 이것이 반복되어 1번 참여자까지 전달될 수 있다. n과 t가 주어졌을 때, 수건을 받는 참여자의 번호를 출력하는 다음 함수

를 완성하라. 예를 들어, n = 5, m = 6이면 답은 3이다.

```
int passTheTowel(int n, int m);
```

이 함수를 구현할 때 반복문을 사용하여 실제 수건을 돌리는 것을 재현하여 답을 구하지 않아야 한다.

제 7 장

모듈화와 함수

제 7 장 모듈화와 함수

1. 개요

프로그램의 최소 실행 단위는 함수이다. C 언어에서 프로그램은 함수의 집합으로 정의되며, 한 프로그램의 함수 구성이 프로그램 구조에 매우 중요한 요소이었다. 이 때문에 C 언어를 이용한 프로그래밍을 **구조화 프로그래밍**이라 하였으며, 프로그램을 여러 함수로 나누는 것을 모듈화라 한다.

객체지향 프로그래밍에서도 프로그램의 최소 실행 단위는 여전히 함수이다. 하지만 C 언어와 달리 함수가 아니라 객체가 중심이 된다. 필요한 객체를 생성하고 객체가 제공하는 메소드를 실행하여 원하는 기능을 수행한다. 물론 객체지향 프로그래밍에서도 프로그램의 모든 요소를 객체지향 기반으로 모델링하지 않는다.

함수는 입력을 전달받아 그것을 이용하여 어떤 계산을 하고 필요하면 결괏값을 반환한다. 이에 함수의 정의는 반환 타입, 함수 이름, 매개 변수 목록, 함수 몸체로 구성된다. C 언어는 함수의 선언과 정의를 분리할 수 있다. 함수의 선언이란 함수의 형태를 컴파일러가 미리 알 수 있도록 하여 함수 호출에 대한 문법 검사를 가능하게 해주고, 소스 파일 단위로 컴파일러가 번역할 수 있도록 해주는 요소이다. 함수 선언을 다른 말로 함수 프로토타입(prototype)이라 한다. 함수를 선언하지 않고 함수를 정의만 하여도 정의하는 위치에 따라 컴파일러가 소스 코드를 번역할 수 있다.

2. 함수

2.1. 함수를 사용하는 이유

문제를 해결하는 전략 중 가장 직관적으로 많이 사용하는 기법이 분할 정복(divide and conquer)이다. 이 기법은 큰 문제를 작은 문제로 나누어 각 작은 문제를 해결하고 해결 결과를 결합하여 큰 문제를 해결하는 기법을 말한다. 프로그램의 작성도 마찬가지이다. 프로그램 전체가 해야 할 일을 적절한 크기로 나누지 않고 프로그래밍하기는 쉽지 않다. 함수는 프로그램이 해야 하는 일을 적절한 크기로 나누어 각 부분을 독립적으로 구현할 수 있도록 해준다. 이를 포함하여 함수를 사용하는 이유는 다음과 같다.

- 이유 1. 복잡성을 줄여 문제 해결을 쉽게 해줌
- 이유 2. 코드 중복을 줄여줌
- 이유 3. 특정 작업을 추상화하여 줌
- 이유 4. 코드를 재사용할 수 있도록 해줌

보통 같은 작업을 여러 위치에서 수행해야 하면 코드 중복을 줄이기 위해 해당 작업을 함수로 정의하여 사용할 수 있다. 이것은 코드 중복을 없애는 효과뿐만 아니라 해당 작업을 추상화해 주는 효과가 있다. 함수의 서명을 유지하면 그것을 호출하는 코드를 수정하지 않고 필요하면 언제든지 함수의 몸체를 수정 보완할 수 있다. 또 적절한 함수 이름을 사용하면 코드의 가독성을 높여주는 효과도 얻을 수 있다. 정의한 함수는 꼭 한 프로그램에서만 사용해야 하는 것은 아니다. 다른 프로그램에서 필요할 경우 다시 구현하지 않고 재사용할 수 있으며, 우리가 사용하는 많은 라이브러리 함수가 이 역할을 하고 있다.

2.2. 함수 선언과 정의

보통 정의된 함수는 그 파일에서만 사용할 수 있는 것이 아니라 다른 파일에서도 사용할 수 있다. 이 때문에 함수의 선언은 헤더 파일에 하며, 이 헤더 파일을 여러 파일에 포함하여 각 파일에 있는 코드를 컴파일러가 독립적으로 번역할 수 있도록 해준다. C 언어에서 함수를 선언할 때 매개 변수 목록이 비어 있으면 매개 변수 목록을 생략한 형태로 인식한다. 따라서 C 언어에서 함수가 매개 변수가 없다는 것을 명백하게 나타내고 싶으면 매개 변수 목록에 void 키워드를 하나만 나열한다. C++에서는 빈 목록과 void 키워드 하나만 있는 함수 선언은 둘 다 같은 의미로 함수가 매개 변수가 없다는 것을 나타낸다. 함

수를 선언할 때는 매개 변수 이름은 생략할 수 있다. 하지만 가독성 측면에서 생략하지 않는 것이 바람직하다.

C++에서는 함수를 정의할 때도 매개 변수의 이름을 생략할 수 있다. 매개 변수 이름을 생략하면 해당 매개 변수를 사용하지 않는다는 것을 의미한다. 이것은 다음 버전에서는 생략된 매개 변수가 필요하지만, 현재 버전에서는 필요 없는 경우에 이와 같은 방법으로 프로그래밍할 수 있다. 하지만 생략하더라도 호출하는 측에서는 인자를 전달해야 하므로 자주 사용하는 기능은 아니다. 참고로 전위와 후위 증감 연산자를 다중 정의할 때, 이 두 가지 버전을 구분하기 위해 매개 변수 이름이 없는 int 타입의 매개 변수를 사용한다. 이에 대해서는 13장에서 설명한다.

특정 함수를 호출하기 위해서는 함수 호출 전에 함수의 선언 또는 함수의 정의가 있어야 한다. 이 때문에 함수마다 함수 선언을 항상 사용하면 함수 정의 순서를 신경 쓰지 않고 프로그래밍할 수 있다는 이점도 있다.

함수 선언과 함수 정의가 공존하면 함수 선언과 그것에 대응하는 함수 정의는 반환 타입, 매개 변수 목록의 개수와 각 매개 변수의 타입이 일치해야 한다. 매개 변수의 이름은 일치 여부를 검사할 때 사용하지 않는다. 또 값 전달 방식의 매개 변수에서 타입의 수식어로 사용된 const는 함수 선언과 함수 정의를 일치시킬 때 고려하지 않는다. 따라서 다음에서 함수 선언과 함수 정의들은 서로 일치하기 때문에 나중에 빌드 과정에서 오류가 발생하지 않는다.

```
void foo(int n);
void bar(const int n);

void foo(const int n) {}
void bar(int n) {}
```

하지만 foo 함수 정의 몸체에서는 n를 수정할 수 없지만 bar는 가능하다. 당연하지만 둘 다 값 전달 방식이기 때문에 함수를 호출하여 사용하는 측에서는 차이가 없다. 값 전달이 아니면 const의 의미가 함수를 호출하는 측에도 영향을 주기 때문에 이 경우에는 선언과 정의가 반드시 일치하여야 한다.

2.2.1. auto의 사용

원래 auto는 지역 변수의 타입을 선언할 때만 사용할 수 있었는데, C++14부터는 함수의 반환 타입으로 사용할 수 있으며, C++20부터는 매개 변수 타입에도 사용할 수 있다. 반환 타입으로 auto를 사용하면 함수의 return 문을 이용하여 반환 타입을 유추한다. 이 때문에 반환 타입으로 auto를 사용하는 함수의 모든 return 문은 같은 타입을 반환해야 한다. 매개 변수 중 하나 이상의 타입으로 auto를 사용하면 이것은 일반 함수의 정의가 아니라 범용 함수의 정의가 된다.

2.3. 기본 인자

```
void f(int = 1);

int main() {
    f();
    return 0;
}

void f(int x) {
    //
}
```

(1) 올바른 예

```
void f(int = 1, int); // error

int main() {
    f(2);
    return 0;
}

void f(int x, int y) {
    //
}
```

(2) 기본 인자 위치 오류

```
void f(int = 1, int = 1);

int main() {
    f();
    return 0;
}

void f(int x, int y) {
    //
}
```

(3) 올바른 예

```
void f(int = 1);

int main() {
    f();
    return 0;
}

void f(int x = 1) { // error
    //
}
```

(4) 선언과 정의에 동시 사용 오류

〈그림 7.1〉 기본 인자 사용법

C++는 매개 변수 목록에 기본 인자 값을 표시할 수 있다. 이 경우 함수를 호출할 때 해당 인자를 전달하지 않으면 표시된 기본 인자 값을 사용한다. 따라서 어떤 인자를 생략한 것인지 명확하게 알 수 있도록 기본 인자는 매개 변수 목록 중 맨 뒤쪽에 있는 것들만 가능하다. 예를 들어, n개의 인자를 받는 함수를 선언할 때 n개의 매개 변수에 모두 기본 인자 값을 표시하였다고 하자. 이 함수를 호출할 때 $k(< n)$개의 인자를 전달하면 앞 k개의 매개 변수는 전달된 값을 인자 값으로 사용하고, 나머지 $n - k$는 표시된 기본 인자 값을 사용한다.

기본 인자는 함수 선언에 표시하는 것이 원칙이며, 함수 선언이 없고 함수 정의만 있으면 함수 정의에 표시할 수 있다. 함수 선언에 기본 인자를 사용하면 그림 7.1의 (4)처럼 함수 정의에 사용할 수 없다. C++는 기본 인자가 있으므로 다중 정의할 때 주의해야 한다.

2.4. 함수의 종료

함수는 더 이상 실행할 것이 없거나 return 문이 실행되면 정상 종료한다. 반면에 예외가 발생하거나 throw 문을 실행하면 비정상 종료한다. 반환 값이 있는 함수의 정상 종료는 반드시 return 문을 이용하여야 한다. 이때 함수 반환 타입과 일치하지 않는 타입의 값을 반환하면 자동 타입 변환을 시도하며, 이것이 가능하지 않으면 문법 오류이다. 예를 들어, int 값은 자동으로 std::string으로 변환할 수 없으므로 다음 중 g 함수는 문법 오류이다.

```
double f() { return 1; }          // int 1이 double 1.0으로 자동으로 변환됨
std::string g() { return 1; }  // error
std::string h() { return std::to_string(1); } // ok
```

함수가 실행될 때 스택 프레임에 생성된 값은 함수가 종료되면 자동으로 없어지기 때문에 함수의 반환 값으로 이들의 주소나 참조를 반환하는 것은 심각한 문제를 초래한다. 하지만 이들은 문법 오류가 아니기 때문에 다음과 같은 경우 컴파일 과정에서 경고만 제시된다.

```
int* f() { int n{1}; return &n; }    // warning
int& g() { int n{1}; return n; }     // warning
```

2.5. 함수 호출 과정의 이해

```
int f(int);

int main() {
   int a{10};
   a = f(a);
   return 0;
}

int f(int b) {
   return b * b;
}
```

〈그림 7.2〉 함수 호출 과정의 이해를 위한 프로그램

함수가 실행되면 함수의 각종 데이터를 유지하기 위한 공간이 함수 스택에 만들어진다. 이 공간을 스택 프레임이라 한다. 스택 자료구조는 동전 쌓기처럼 맨 위에만 추가할 수 있고, 제거도 맨 위에서만 할 수 있는 자료구조를 말한다. 즉, LIFO(Last-In-First-Out) 방식의 삽입, 추출을 제공하는 자료구조이다. 함수를 위해 할당되는 공간은 스택처럼 쌓이기 때문에 프로그램이 실행될 때 사용하는 공간 중 함수들이 사용하는 공간을 함수 스택 또는 호출 스택이라 한다.

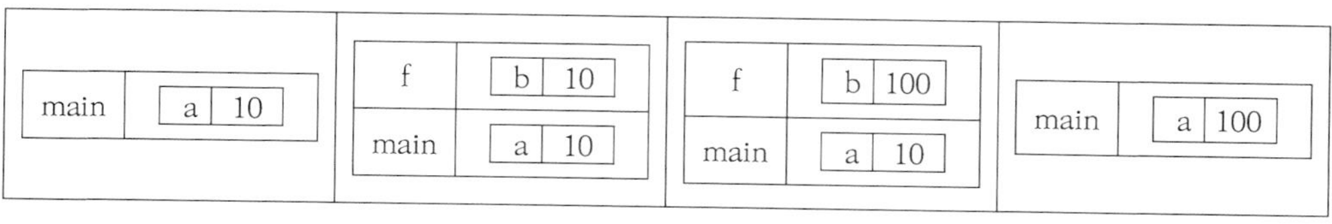

〈그림 7.3〉 그림 7.2의 프로그램을 실행하였을 때 함수 스택의 모습

그림 7.2에 제시된 프로그램을 실행하였을 때 함수 스택의 모습을 그려보자. 가장 먼저 실행되는 것은 main 함수이므로 main 함수의 스택 프레임이 함수 스택에 할당된다. main이 종료되기 전에 main에서 f 함수를 호출하고 있다. 이 경우 그림 7.2에 제시된 것처럼 main 함수에 할당된 공간은 그대로 있는 상태에서 스택처럼 그 위에 f 함수의 스택 프레임이 할당된다.

각 함수에 할당되는 스택 프레임의 크기는 컴파일러가 문법 검사를 하는 과정에서 얼마가 필요한지 계산할 수 있다. 임시 계산을 위한 공간은 필요 없고, 복귀 주소는 고려하지 않으면 main은 지역 변수 a를 유지하기 위한 크기의 공간을 확보하며, f는 매개 변수 b를 유지할 수 있는 크기의 공간을 확보한다. 즉, 함수의 매개 변수와 지역 변수는 함수의 스택 프레임에 함수가 실행되면 자동으로 만들어지며, 함수가 종료되면 자동으로 사라진다. 이 때문에 C 언어에서 지역 변수를 자동 변수라 하며, auto 키워드가 생략된 형태이다. 자동 변수의 반대는 정적 변수이며 static 키워드로 수식하면 정적 변수가 된다. 정적 변수는 함수 스택에 만들어지지 않으며 그것의 수명은 프로그램의 수명과 같다.

f 함수가 호출되는 과정을 좀 더 자세히 살펴보자. main에서 f 함수가 호출되면 다음과 같은 일련의 과정이 함수가 종료될 때까지 일어난다.

- 단계 1. 함수의 스택 프레임 공간 확보 및 복귀 주소 저장
- 단계 2. 인자 전달 처리
- 단계 3. 함수 몸체 실행
- 단계 4. 함수 종료
- 단계 5. 반환 값이 있는 경우 반환 값 처리
- 단계 6. 함수의 스택 프레임 반납

함수가 사용하는 인자 전달 방식과 함수 반환 타입에 따라 단계 2와 5는 세부적으로 다르게 동작할 수 있으며, 컴파일러 최적화 기술에 의해 실제 코드와 다르게 동작할 수 있다.

3. 모듈화

프로그래밍할 때 모듈화는 매우 중요하다. 이전 구조화 프로그래밍뿐만 아니라 객체지향 프로그래밍에서도 여전히 모듈화는 중요하다. 모듈화는 관리할 수 있는 작은 단위의 모듈로 프로그램을 나누는 것을 말한다. 이전 구조화 프로그래밍에서 모듈에 해당하는 것이 함수다. 다음 문제를 통해 함수와 관련된 모듈화의 이점을 살펴보자.

문제 7.2. 패스워드가 다음 조건을 만족하면 안전한 패스워드이다.

- 조건 1. 8자 이상이어야 한다.
- 조건 2. 영소문자가 하나 이상 있어야 한다.
- 조건 3. 영대문자가 하나 이상 있어야 한다.
- 조건 4. 숫자가 하나 이상 있어야 한다.
- 조건 5. 특수문자가 하나 이상 있어야 한다(특수문자는 영대소문자, 숫자가 아닌 문자를 말한다).

주어진 문자열이 안전한 패스워드인지 검사하는 다음 함수를 완성하라.

```
bool isSecurePasswd(std::string_view pwd);
```

```
bool isSecurePasswd(std::string_view pwd) {
    if(pwd.size() < 8) return false;
    bool hasLower{false}, hasUpper{false};
    bool hasDigit{false}, hasSpecial{false};
    for(auto c: pwd) {
        if(c >= 'a' && c <= 'z') hasLower = true;
        else if(c >= 'A' && c <= 'Z') hasUpper = true;
        else if(c >= '0' && c <= '9') hasDigit = true;
        else hasSpecial = true;
    }
    return hasLower && hasUpper && hasDigit && hasSpecial;
}
```

〈그림 7.4〉 하나의 반복문으로 구성된 isStrongPasswd 함수

```
bool isSecurePasswd(std::string_view pwd) {
   if(pwd.size() < 8) return false;
   bool hasLower{false}, hasUpper{false};
   bool hasDigit{false}, hasSpecial{false};
   for(auto c: pwd) if(std::islower(c)) { hasLower = true; break; }
   for(auto c: pwd) if(std::isupper(c)) { hasUpper = true; break; }
   for(auto c: pwd) if(std::isdigit(c)) { hasDigit = true; break; }
```

```
    for(auto c: pwd) if(!std::isalnum(c)) { hasSpecial = true; break; }
    return hasLower && hasUpper && hasDigit && hasSpecial;
}
```

〈그림 7.5〉 여러 개의 반복문으로 구성된 isStrongPasswd 함수

```
bool hasLower(std::string_view pwd) {
    for(auto c: pwd) if(std::islower(c)) return true;
    return false;
}

//

bool isSecurePasswd(std::string_view pwd) {
    return pwd.size() >= 8 && hasLower(pwd) && hasUpper(pwd) &&
        hasDigit(pwd) && hasSpecial(pwd);
}
```

〈그림 7.6〉 조건 검사를 모듈화한 isStrongPasswd 함수

이 문제를 해결하는 함수를 그림 7.4와 같이 작성할 수 있다. 그림 7.4에 제시된 반복문은 문자열 길이만큼 무조건 반복하며, 더 이상 검사할 필요가 없어진 조건도 계속 검사하는 형태이다. 비교 횟수를 줄이기 위해 하나의 반복문에서 모든 검사를 하는 것이 아니라 각 조건을 검사하는 별도 반복문을 그림 7.5처럼 만들 수 있다. 필요한 검사를 하는 조건식을 직접 작성하는 것보다 해당 검사를 해주는 라이브러리 함수가 있으면 그것을 이용하는 것이 항상 가독성, 강건성 측면에서 효과적이다.

이제는 필요 없는 검사를 계속 진행하는 형태는 아니지만 그림 7.4에 비해 크게 성능 측면에서 또는 코드의 구조 측면에서 개선되었다고 보기 어렵다. 더욱이 그림 7.4의 경우, 각 반복문이 끝난 후에 변수가 true로 바뀌지 않았으면 그 위치에서 함수를 종료할 수 있지만 그것에 대해 검사는 하지 않고 있다. 이 기능을 추가하기보다는 그림 7.6처럼 각 조건 검사를 별도 함수로 만드는 것이 효과적이다. 자연스럽게 조건을 만족하는 문자를 만나면 반복을 종료할 수 있으며, 논리곱의 지연 평가 기능 때문에 만족하지 않는 조건을 만나면 그 이후 조건 검사를 위한 함수 호출은 진행하지 않는다. 더욱이 함수를 이렇게 작은 함수로 잘 모듈화하면 각 함수의 응집성이 높아지며, 다양한 컴파일러 최적화 기술을 적용하기도 쉬워지는 이점도 있다.

4. 재귀 호출

한 함수 내에서 다시 해당 함수를 호출할 수 있다. 이를 **재귀 호출**(recursive call)이라 한다. 반복문은 종료 조건을 절대 만족할 수 없으면 무한 루프가 되며, 무한 루프가 존재하면 프로그램은 종료하지 않는다. 재귀 호출도 마찬가지로 종료 조건을 절대 만족할 수 없으면 무한 재귀가 된다. 하지만 무한 루프와 달리 함수 호출마다 스택 프레임이 만들어지므로 궁극에는 스택 공간이 부족하게 되어 프로그램은 비정상적으로 종료한다. 시스템마다 차이가 있을 수 있는데, 리눅스 계열이나 MAC의 경우 콘솔에서 "ulimit -s" 명령을 실행하면 한 프로그램이 사용할 수 있는 최대 함수 스택 크기를 알 수 있다.

한 문제가 같은 종류의 작은 문제로 표현할 수 있으면 재귀 호출을 이용하여 매우 직관적이고 간결하게 프로그래밍할 수 있다. 함수 호출은 저렴한 연산이 아니기 때문에 같은 결과를 얻을 수 있다면 성능 측면에서는 비재귀적으로 구현하는 것이 더 좋을 수 있다. 하지만 문제 중 재귀적으로 구현하는 것보다 비재귀적으로 구현하기가 더 어려울 수도 있다. 재귀 호출을 이용한 함수의 성능은 최악의 경우 일어나는 전체 재귀 호출 수와 최대 재귀 호출의 깊이를 분석해야 하며, 중복된 재귀 호출이 일어나는지 살펴보아야 한다.

```
int factorial(int n) {
  int prod{1};
  for(int i{2}; i <= n; ++i)
     prod *= i;
  return prod;
}
```

(1) 비재귀적 n 계승

```
int factorial(int n) {
  if(n <= 1) return 1;
  else return n * factorial(n - 1);
}
```

(2) 재귀적 n 계승

〈그림 7.7〉 비재귀 호출과 재귀 호출의 비교: n 계승 factorial 함수

그림 7.7에 n 계승을 구하는 함수와 그림 7.8에 정렬된 배열에서 이진검색으로 값을 검색하는 함수에 대한 비재귀적인 구현과 재귀적 구현 방법이 제시되어 있다. 재귀 함수는 보

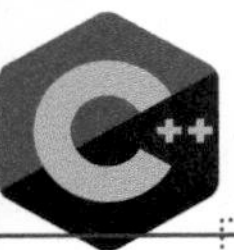

통 인자 중 하나가 재귀 호출되면서 바뀌며, 이 값이 종료 조건에 도달하면 재귀 과정이 종료한다. 이진검색은 두 개의 값이 바뀌며, 이 두 개의 값이 어떤 조건을 만족하면 재귀 과정이 종료한다. 그림 7.7과 그림 7.8에 제시된 반복문을 이용하는 함수나 재귀 호출을 이용하는 함수나 시간 복잡도는 차이가 없다. 시간 복잡도는 입력 크기에 따라 함수 실행 속도의 증가 비율을 말한다. 계승을 구하는 반복문을 이용한 함수는 입력값 n에 따라 n번 반복하고, 재귀 호출을 이용하는 함수는 n번 재귀 호출이 일어난다. 시간 복잡도는 같지만 함수 호출 비용 때문에 실제 성능은 반복문을 이용하는 함수가 더 우수하다.

```cpp
bool search(int* list, int size, int key) {
    int low{0}, high{size - 1};
    while(low <= high) {
        int mid{low + (high - low) / 2};
        if(list[mid] == key) return true;
        else if(list[mid] > key) high = mid - 1;
        else low = mid + 1;
    }
    return false;
}
```

(1) 비재귀적 이진검색

```cpp
bool search(int* list, int size, int key) {
    return bsearch(list, 0, size - 1, key);
}

bool bsearch(int* list, int low, int high, int key) {
    if(low > high) return false;
    int mid{low + (high - low) / 2};
    if(list[mid] == key) return true;
    else if(list[mid] > key) return bsearch(list, low, mid - 1, key);
    else return bsearch(list, mid + 1, high, key);
}
```

(2) 재귀적 이진검색

〈그림 7.8〉 비재귀 호출과 재귀 호출의 비교: 이진검색

그림 7.8에 제시된 이진검색의 경우 오버플로 문제를 극복하기 위해 mid를 (low + high) / 2로 계산하지 않고 있다. 보통 배열의 크기나 색인은 배열의 가능한 용량 범위 때문에 int 타입이 아니라 size_t를 사용해야 한다. size_t는 부호가 없는 정수형이므로 주어진 예시를 size_t를 사용하도록 바꾸면 high를 초기화할 때 사용한 size - 1, 이진 검색 과정에서 high를 갱신할 때 사용한 mid - 1 때문에 오버플로 문제가 발생할 수 있다.

재귀적 이진검색은 그림 7.7의 계승 함수와 달리 2개 함수로 구성되어 있다. 보통 함수를 호출하는 측에서는 함수를 일반 함수처럼 호출할 수 있어야 편리하다. 이 때문에 많은 경우 그림 7.8처럼 재귀 함수를 정의하고, 비재귀 함수에서 재귀의 초깃값을 이용하여 재귀 함수를 호출하도록 프로그램을 구성한다.

재귀 호출은 크게 다음과 같은 세 가지 문제점을 가질 수 있다.

- 문제점 1. 중복된 재귀 호출이 많이 일어날 수 있다.
- 문제점 2. 재귀 호출하는 수가 너무 많을 수 있다. 재귀 함수의 시간 복잡도는 재귀 호출 수에 비례한다.
- 문제점 3. 재귀 호출 깊이가 너무 깊을 수 있다. 연속적으로 재귀 호출이 일어나면 스택 프레임이 계속 쌓이게 된다. 한 프로그램이 사용할 수 있는 함수 스택 공간은 제한되기 때문에 재귀 호출 깊이가 너무 깊으면 함수 스택 공간 부족으로 프로그램이 비정상적으로 종료할 수 있다.

```
int fib(int n) { // 사전조건: n > 0
    if(n <= 2) return 1;
    else return fib(n - 1) + fib(n - 2);
}
```

〈그림 7.9〉 n번째 피보나치 수를 구하는 재귀적 fib 함수

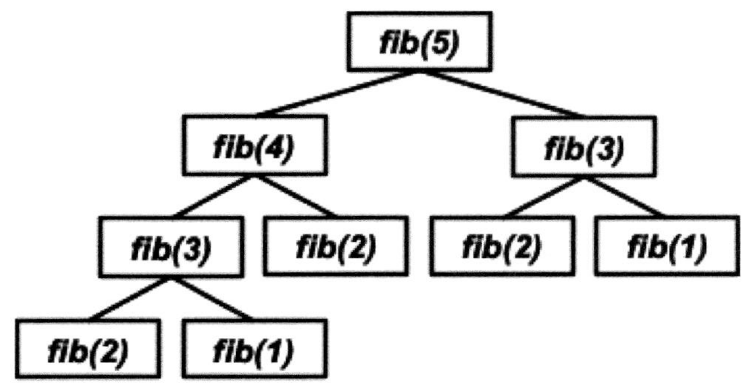

〈그림 7.10〉 그림 7.9의 fib 함수의 재귀 호출 트리

예를 들어, 피보나치 수를 구하는 함수를 재귀적으로 그림 7.9와 같이 작성하였다고 하자. n에 따라 이 함수에서 재귀 호출의 횟수를 구하여 보자. 그림 7.10과 같은 **재귀 호출 트리**를 그려보면 이진 트리 형태로 확장된다는 것을 쉽게 알 수 있으며, 한 번 구한 값을 반복적으로 구하는 것을 알 수 있다. 재귀 함수의 재귀 호출 트리를 그려보면 재귀 함수의 성능과 문제점을 파악하는 데 도움이 된다. 재귀 함수를 구현한 다음에 이 함수를 분석하기 위해 재귀 호출 트리를 그려보는 것이 아니라 재귀 함수를 구현해야 할 때 기대하는 재귀 호출 트리를 그린 후에 이를 바탕으로 재귀 함수를 구현할 수 있으며, 재귀 함수 구현이 어려울 때는 이 방법을 시도해 보는 것을 추천한다.

높이가 h인 완벽 이진 트리의 노드 개수는 $2^{h+1}-1$개 존재한다. 그림 7.10에 제시된 재귀 호출 트리를 분석해 보면 완벽 이진 트리는 아니지만, 호출의 깊이는 $n-1$이므로 대략적으로는 총 $2^{n-1}-1$개 호출이 일어난다고 볼 수 있다. 따라서 대략 n이 증가함에 따라 지수(exponential, 2^n에 비례) 비용으로 증가한다는 것을 알 수 있다. 반면에 그림 7.7의 (2) 경우는 필요한 호출의 수가 선형 비용으로 증가한다. 그런데 그림 7.9와 달리 재귀 호출의 수와 호출의 깊이가 같다. 따라서 n이 일정 이상의 크기가 되면 스택 공간 부족으로 실행 시간에 프로그램이 비정상적으로 종료한다.

이처럼 재귀 호출은 문제에 따라 재귀 호출로 구현하면 매우 간결하고 쉽게 구현할 수 있지만 매우 비효율적일 수 있다. 재귀 호출에서 나타날 수 있는 문제 중 중복 문제는 **메모이제이션**(memoization)이라는 고급 알고리즘 기술을 사용하여 해결할 수 있고, 스택 공간 부족 문제는 **꼬리 재귀**(tail recursion)만 있도록 구현하여 해결할 수 있다. 이 책에서는 후자에 대해서만 간단히 설명한다.

```
int fib(int n) { // 사전조건: n > 0
    return tailFib(n, 0, 1);
}

int tailFib(int n, int a, int b) {
    if(n == 1) return b;
    return tailFib(n - 1, b, a + b);
}
```

〈그림 7.11〉 꼬리 재귀를 이용한 fib 함수

꼬리 재귀란 함수에서 마지막으로 수행하는 것이 재귀 호출인 경우를 말한다. 예를 들어, 피보나치 수를 구하는 함수는 그림 7.11과 같이 꼬리 재귀로 구현할 수 있다. 꼬리 재귀로 함수를 구현하면 함수가 호출이 끝나고 되돌아와서 할 일이 없으므로 해당 함수의 스택 프레임을 유지할 필요가 없다. 따라서 일반적으로 컴파일러는 이 원리를 이용하여 꼬리 재귀를 최적화하기 때문에 스택 공간 부족 문제가 발생하지 않는다. 하지만 사용하는 환경에 따라 꼬리 재귀를 최적화하지 않을 수 있으므로 성능을 꼬리 재귀에 의존하는 것은 바람직하지 않다.

꼬리 재귀로 바꾼 버전을 보면 기존과 달리 재귀 호출의 수가 하나로 줄어들었다. 이 때문에 기존과 달리 중복 문제도 발생하지 않으며, n이 아무리 크더라도 스택 공간 부족 문제도 발생하지 않는다. 당연히 return 문에 재귀 호출이 2개 이상 나타나면 이것은 꼬리 재귀가 될 수 없다. 참고로 그림 7.7의 (2)는 함수 호출이 종료된 후 곱셈을 하여야 하므로 꼬리 재귀가 아니다.

```
int fib(int n, int a = 0, int b = 1) { // 사전조건: n > 0
    if(n == 1) return b;
    return fib(n - 1, b, a + b);
}
```

〈그림 7.12〉 기본 인자를 이용한 꼬리 재귀 fib 함수

꼬리 재귀 버전의 피보나치도 이진검색처럼 2개의 함수로 구성되어 있다. 하지만 피보

나치의 경우에는 초기에 전달해야 하는 인자가 고정되어 있고, 상수이므로 2개의 함수로 구성하지 않고 그림 7.12와 같이 기본 인자를 이용할 수 있다.

> **문제 7.2.** 주어진 정수 x의 각 숫자의 합을 계산하는 재귀 함수를 구현하라. x나 $-x$를 전달하나 그 결과는 같아야 한다.

5. 함수 구현 팁

5.1. 사전과 사후 조건

함수의 **사전 조건**(precondition)이란 함수가 올바르게 동작하기 위해 함수 호출 전에 충족해야 하는 조건을 말한다. **사후 조건**(postcondition)은 사전 조건을 만족한 상태에서 함수가 호출되어 정상 종료하면 충족해야 하는 조건을 말한다. 사전과 사후에 같은 조건을 충족해야 하면 이 조건을 함수의 불변 조건(invariant)이라 한다. 함수를 강건하고 정확하게 구현하기 위해서는 함수를 구현하기 전에 함수의 사전 조건과 사후 조건을 분석하고, 그것을 바탕으로 구현해야 한다.

사전 조건은 보통 함수의 인자와 관련된 조건이며, 사후 조건은 보통 함수의 반환 값과 관련된 조건이다. 인자가 입력뿐만 아니라 출력 역할을 하면 출력 역할 부분은 사후 조건에 포함해야 한다. 사후 조건에는 부작용(side-effect)의 존재 여부도 포함된다. 객체지향 프로그래밍에서 객체 메소드는 함수의 인자와 반환 값 외에 객체의 상태와 관련된 조건도 사전, 사후 조건에 포함한다. 이들 조건은 함수 몸체 구현에 따라 변할 수 있는 것은 아니다.

예를 들어, 다음과 같은 간단한 두 개의 정수를 덧셈하여 그 결과를 반환하여 주는 함수가 있을 때, 이 함수의 사전, 사후 조건을 살펴보자.

```
int sum(int a, int b);
```

앞서 설명한 바와 같이 함수의 사전 조건과 사후 조건은 함수를 구현하기 전에 분석하고, 그것을 바탕으로 구현해야 한다. 사전과 사후 조건은 응용에서 필요한 함수의 입력 범위와 반환 값의 범위에 의해 결정되며, 그 결정을 충족하도록 매개 변수의 타입과 반환 타입을 결정해야 한다. 함수의 요구사항을 분석하여 위처럼 매개 변수와 반환 타입을 모두 int 타입으로 결정하였다면, 인자 a와 b가 INT_MIN <= a + b <= INT_MAX를 만족해야 하는 것이 이 함수의 사전 조건이 된다. 이 조건을 만족해야 이 함수의 사후 조건(반환 값이 a + b이어야 함)을 만족할 수 있다. 이처럼 응용에서 필요한 함수의 사전 조건과 사후 조건을 분석한 후에는 사용하는 프로그래밍 언어 때문에 추가로 고려해야 하는 사전 조건이 있는지 검토해야 한다. 분석된 사전 조건은 함수의 예외 처리에 보통 반영한다.

또 다른 예로 정수 배열에서 특정 값이 제일 먼저 등장하는 색인을 반환하는 다음 함수의 사전 조건과 사후 조건을 살펴보자. 이 함수는 찾고자 하는 값이 배열에 없으면 -1을 반환하도록 구현한다고 가정하고 조건들을 살펴보자.

```
int findNeedle(const int haystack[], int size, int needle);
```

여러 개의 인자가 있는 함수이면 인자마다 어떤 사전 조건을 충족해야 하는지 검토하여야 한다. haystack 배열의 경우에는 주소 전달 인자이므로 nullptr이 아니어야 한다. 또 size보다 용량이 같거나 커야 하며, size까지 유효한 값이 있어야 한다. size는 0보다는 커야 한다. needle에 대해서는 특별한 조건이 없을 수 있다. 하지만 해결하고자 하는 문제에 따라 needle의 유효 범위가 있을 수 있다. 반환 값과 관련된 사후 조건은 반환 값은 -1부터 size - 1 사이의 값이어야 한다. 이 값을 r이라고 할 때, 이 값이 -1이 아니면 haystack[r]은 needle과 같아야 하고, 0부터 r - 1까지 배열에 유지된 값은 needle과 같지 않아야 한다. r이 -1이면 0부터 size - 1까지 배열에 유지된 값은 needle과 같지 않아야 한다. 이 함수는 이전의 이진검색과 마찬가지로 size의 매개 변수 타입으로 보통 size_t를 사용하며, 반환 타입도 size_t를 사용할 수 있다. 이 경우 사전 조건과 사후 조건은 이 타입에 맞게 바뀌어야 한다.

사전 조건의 충족은 함수를 구현하는 개발자의 책임이 아니라 호출자의 책임이다. 개발자는 사전 조건이 충족된 상태에서 함수가 호출되었을 때 사후 조건을 충족하는 책임만 가진다. 그렇지만 개발자는 함수를 구현할 때 최대한 사전 조건을 검사하여야 한다. 이때 사전 조건이 충족되지 않은 것이 확인되면 예외를 발생하거나 함수가 아무 일도 하지 않

도록 구현할 수 있다. 반환 값이 있는 함수는 정상 종료하면 사후 조건을 충족해야 하므로 예외를 발생하는 것이 유일한 방법인 경우가 많다. 유일한 방법이 아니더라도 개발 과정에서는 예외를 발생하여 개발자가 인자에 문제가 있다는 것을 빨리 알 수 있도록 하는 것이 필요하다.

5.2. 부작용

프로그래밍에서 함수가 값을 반환하는 것 외에 외부와 의미 있는 상호작용을 하면 이 함수는 부작용이 있다고 말한다. 보통 인자가 입력과 출력 역할을 동시에 하거나 출력 역할만 하면 이 함수는 부작용이 있는 함수이다. 부작용이 있는 대표적인 함수가 swap이다.

이 측면에서 주소 전달이나 참조 전달 방식의 매개 변수는 함수의 입력뿐만 아니라 출력 역할까지 할 수 있으므로 전달의 효율성 때문에 그와 같은 인자 전달 방식을 사용하였으면 반드시 const로 수식해 주어야 한다. 효율성뿐만 아니라 출력 역할까지 하면 그것이 꼭 필요한 것인지 검토하여야 하고, 출력 역할까지 하는 것이면 이 함수를 사용하는 측에서 알 수 있도록 문서화해야 한다.

특정 컴퓨팅 환경에 종속되지 않는 함수가 특정 환경에서만 동작하는 요소를 가져도 부작용이 있는 함수이다. 예를 들어, 콘솔 응용에 종속된 함수가 아닌데 이 함수 내부에 콘솔 입출력을 포함하면 이 함수는 부작용이 있는 함수가 된다. 이와 관련 우리는 항상 개발할 때 외부와 상호작용하는 부분과 프로그램 내부 로직과 관련된 부분을 분리하여 개발하여야 한다. 이것을 관심의 분리(separation of concern)라 하며, 소프트웨어 개발의 기본이다.

6. 함수의 다중 정의

C 언어에서는 같은 이름의 함수를 여러 개 정의할 수 없었다. 이 때문에 C 언어로 프로그래밍할 때는 식별자를 명명하는 것이 불편하다. 같은 이름의 함수를 여러 개 정의하기 위해서는 해당 함수를 호출할 때 어떤 함수를 호출한 것인지 정확하게 구분할 수 있어야 한다. 특히, 이 구분을 컴파일러가 할 수 있어야 한다. 이름이 같으므로 구분할 때는 매개 변수 목록을 이용한다. 물론 반환 타입을 이용할 수 있지만, 반환 타입으로는 특정 호출과

그것의 함수를 정확하게 매핑하는 것이 어렵기 때문[10]에 매개 변수 목록만 사용하여 구분한다. 함수 호출문과 이 호출이 실제 호출하는 함수를 연결하는 것을 **바인딩**(binding)이라 한다.

직관적으로 생각하면 매개 변수의 개수가 다르면 명확하게 구분할 수 있다. 매개 변수의 개수가 같더라도 매개 변수 중 그것의 타입이 호환되지 않으면 이것을 이용하여 충분히 올바르게 구분할 수 있다. 실제 구분은 다음 3가지를 이용한다.

- 전달 방식. 예) **void** foo(Student& s); **void** foo(Student&& s);
  - 값 전달과 참조 전달은 다중 정의할 수 없음
- 매개 변수 타입. 예) **void** foo(Dog& dog); **void** foo(Cat& cat);
- 주소/참조 전달 방식에서 const 수식 여부.
  예) **void** foo(Student& s); **void** foo(**const** Student& s);

하지만 호환되는 타입이면 함수 구분이 모호할 수 있으며, C++에서는 기본 인자를 사용할 수 있으므로 함수를 다중 정의할 때 주의하여야 한다. 원칙적으로 전달 방식이 다르면 구분할 수 있지만 값 전달과 참조 전달처럼 허용이 안 될 수도 있다.

예를 들어, 다음과 같이 함수의 다중 선언이 있다고 하자.

```
void func(int);
int func(int);              // error
void func(short);           // ???
void func(long);
void func(int, int);
void func(int, double)
void func(int, std::string)
```

첫 4개와 나머지 3개는 함수의 매개 변수 개수가 다르므로 서로 구분이 가능하다. 따라서 첫 번째 함수 선언과 두 번째부터 네 번째까지 우선 구분이 가능한지부터 검토하여 보자. 두 번째의 경우에는 함수 반환 타입만 다르므로 문법 오류이다. 첫 번째, 세 번째, 네

10) 반환 타입이 있는 함수를 호출할 때 반환 값을 무시하는 형태로 프로그래밍할 수 있으며, 서로 호환되는 반환 타입이 있는 두 함수는 그것을 구분하기 어렵다.

번째는 타입이 다르므로 다중 정의 자체는 가능하다. 하지만 세 번째의 경우에는 상수를 사용하여 호출할 방법이 없으므로 문법적으로 문제가 없더라도 이처럼 다중 정의하여 사용하지는 않는다. 2개의 매개 변수를 사용하는 함수들은 두 번째 매개 변수 타입이 모두 다르므로 역시 문법적으로 문제가 되지 않는다. 하지만 다섯 번째와 여섯 번째는 두 번째 매개 변수가 서로 호환되기 때문에 사용할 때 주의할 점이 있다.

이전에 제시된 7개의 함수 선언 중 문법 오류인 두 번째 선언이 주석 처리되었다고 가정하고, 다음과 같이 호출되었을 때 바인딩되는 함수 선언을 주석에 제시하고 있다.

```
func(10);           // func(int)
func(10L);          // func(long)
func(10, 5);        // func(int, int)
func(10, 2.5);      // func(int, double)
```

다중 정의된 함수를 선택하는 규칙은 다음과 같다.

- 규칙 1. (exact match) 매개 변수의 수와 타입이 정확하게 일치하는 함수가 있으면 이 함수를 선택함
- 규칙 2. 정확하게 일치하는 함수가 없지만 자동 타입 변환으로 일치할 수 있으면 이 함수를 선택함

위 규칙을 적용할 때 같은 조건의 두 함수가 존재하면 이것은 문법 오류가 된다. 예를 들어, 다음과 같은 함수 선언이 있다고 하자.

```
void func(double, int);
void func(int, double)
```

두 함수 선언은 매개 변수의 개수는 같지만, 타입이 다르므로 문법적으로 다중 정의가 가능하다. 예를 들어, func(1.0, 5) 또는 func(1, 2.5)와 같이 호출하면 각각 규칙 1에 의해 호출하는 함수가 결정된다. 하지만 func(2, 3)과 같은 함수 호출이 있다면 위 규칙을 이용하여 하나를 선택할 수 없으므로 문법 오류가 된다. 즉, 다중 정의가 문법 오류가 아니라 함수 호출이 문법 오류가 된다. 보통 함수 다중 정의에서 문법 오류는 정의 자체의 문제보다는 함수 호출문 때문에 발생한다. 참고로 void func(int, int)가 추가로 선언되어 있다

면 func(2, 3) 호출은 문법 오류가 발생하지 않는다.

C부터 printf와 같은 가변 인자를 받는 함수를 정의할 때, ,,,(ellipsis)을 이용한다. 함수를 정의할 때, 매개 변수 목록에 ...만 사용할 수 있다. 이렇게 정의된 함수는 다중 정의할 때 유용하게 사용할 수 있다. 예를 들어, 다음과 같이 func 함수가 다중 정의되어 있을 때,

```
void func(int);
void func(double);      // ???
void func(...);
```

func(int), func(double)과 바인딩할 수 없는 함수 호출은 func(...)으로 바인딩된다. 하지만 모든 종류의 인자를 ...이 받을 수 있는 것은 아니다[11]. 또 func(...)이 호출되었을 때, 함수가 받는 인자는 다른 함수처럼 처리할 수 없다. ...은 이 장 10절에서 설명하는 가변 인자 범용 함수를 정의할 때 사용하며, 10장에서 설명하는 예외 처리에서 catch 절을 정의할 때도 사용한다.

다중 정의하였을 때 함수 몸체의 알고리즘이 같으면 이 역시 코드 중복에 해당할 수 있다. 이때에는 다중 정의를 이용하지 않고 범용 함수를 정의하여 사용한다.

7. 인자 전달 방식

함수가 실행되면 함수의 매개 변수와 지역 변수를 위한 공간이 메모리에 할당되며, 앞서 언급한 바와 같이 이 공간을 함수의 스택 공간이라 한다. 함수의 스택 공간에 유지되는 데이터는 기본적으로 해당 함수에서만 수정할 수 있다. 또 해당 데이터는 오직 해당 함수에서만 수정하도록 프로그래밍하는 것이 바람직하며, 이 때문에 전역 변수를 되도록 사용하지 않는 것이다.

11) non-trivial type(예: 사용자 정의 생성자가 있는 클래스)은 전달할 수 없다.

```cpp
int f(int m) {
    m = 1;
}

int g() {
    int n{0};
    f(n);
    std::cout << n
        << '\n';
}
```

(1) 값 전달 방식

```cpp
int f(int* m) {
    *m = 1;
}

int g() {
    int n{0};
    f(&n);
    std::cout << n
        << '\n';
}
```

(2) 주소 전달 방식

```cpp
int f(int& m) {
    m = 1;
}

int g() {
    int n{0};
    f(n);
    std::cout << n
        << '\n';
}
```

(3) 참조 전달 방식

〈그림 7.13〉 인자 전달 방식의 비교

다른 함수에서 어떤 함수가 유지하는 데이터가 필요하면 해당 함수를 호출할 때 그 데이터를 전달해 줄 수 있다. C 언어는 **값 전달**(call-by-value) 방식과 **주소 전달**(call-by-pointer, call-by-address) 방식, 두 가지 인자 전달 방식을 지원한다. 값 전달 방식은 한 함수가 유지하는 데이터를 다른 함수에 복사하여 주는 것이다. 이 방식만 사용하면 앞서 말한 것처럼 함수의 데이터는 해당 함수에서만 수정하도록 제한할 수 있다. 그림 7.13의 (1)에서 g 함수의 n 지역 변수의 값이 함수 호출 과정에서 f 함수의 m 매개 변수로 복사되며, f 함수에서 m의 사용은 g 함수에서 어떤 영향도 주지 않는다.

반면에 그림 7.13의 (2)는 주소 전달 방식으로 g 함수의 n 지역 변수의 주소가 f 함수의 m 포인터 매개 변수로 복사되며, 다른 함수의 지역 변수의 주소를 가지고 있으면 자신의 데이터가 아니더라도 수정할 수 있다. 따라서 f 함수의 m 포인터를 역참조하여 주소 위치에 있는 값을 수정하면 그것은 실제 n에 영향을 준다. 두 방식은 인자를 전달할 때와 매개 변수를 선언하는 방식에 있어 명확한 차이가 있으며, 전달받은 함수 내에서 사용할 때 차이가 있다.

C++는 값 전달 방식, 주소 전달 방식 외에 그림 7.13의 (3)에 제시된 것과 같이 **참조 전달**(call-by-reference) 방식도 지원한다. 참조 전달 방식의 효과는 주소 전달 방식과 같다. 참조 변수란 기존 변수의 또 다른 이름이며, 참조 변수를 이용하여 조작하는 것은 원래 변수 이름을 이용하여 조작하는 것과 같은 효과가 나타난다. 따라서 그림 7.13의 (3)

에 제시된 f 함수에서 m 참조 변수를 이용하여 참조된 값을 변경하면 원래 값도 변경된다. 즉, f 함수에서 m의 조작은 g 함수의 n에 영향을 준다. 하지만 참조 전달 방식은 주소 전달 방식과 달리 함수 몸체와 함수 호출만 보면 값 전달과 구분되지 않는다. 이것이 장점인 동시에 단점이다. 이 부분은 다음 절에서 좀 더 자세히 살펴본다.

주소 전달 방식과 참조 전달 방식은 인자를 받은 함수에서 다른 함수의 데이터를 수정할 수 있으므로 해당 인자가 함수의 입력뿐만 아니라 출력 역할을 할 수 있다. 함수는 하나의 값만 반환할 수 있으므로 여러 개 값을 함수의 결과로 되돌려 주기 위해서는 다음 두 가지 방법 중 하나를 사용해야 한다.

- 방법 1. 함수에서 되돌려 줄 값들을 저장할 수 있는 구조체 타입을 정의하여 사용한다.
- 방법 2. 필요한 값들을 되돌려 받기 위해 함수 인자를 주소나 참조 방식으로 전달하여 출력으로 활용한다.

```
void findMinMax(
    const int* list, int size,
    int& min, int& max) {
    //
}
```

(1) 참조 전달 방식를 이용한 방법

```
struct MinMax {
    int min;
    int max;
};

MinMax findMinMax(
    const int[] list, int size) {
    MinMax ret;
    //
    return ret;
}
```

(2) 필요한 구조체를 정의하는 방법

〈그림 7.14〉 여러 값을 함수의 결과로 반환하는 방법

방법 1은 덩치가 큰 것을 함수가 종료할 때 복사해야 하는 문제가 있고, 방법 2는 기본적으로 입력으로 사용해야 하는 것을 출력으로 활용하기 때문에 가독성에 문제가 될 수 있다. 두 가지 방법의 예로 정수 배열에서 최대와 최솟값을 동시에 찾아주는 함수를 그림 7.14와 같이 정의하여 사용할 수 있다. 참고로 이 경우 최솟값과 최댓값을 각각 구하는

별도의 함수를 정의하여 사용할 수 있으며, 이 방법이 더 바람직한 방법일 수 있다.

무거운 것을 복사하는 문제를 극복하기 위해 반환해야 하는 데이터를 동적으로 할당한 후에 주소로 반환할 수 있다. 하지만 이 방법은 사용이 끝난 후에 반납해야 하는 문제점이 있다. C++17부터는 14장에서 자세히 설명하는 의무화된 컴파일러 최적화 기술 때문에 무거운 것을 반환하는 것이 문제가 되지 않으며, 9장에서 설명하는 구조체 바인딩을 이용하면 매우 효과적으로 프로그래밍할 수 있다. 또 이 용도로 구조체를 새롭게 정의하지 않고, 16장에서 설명하는 라이브러리에서 제공하는 범용 구조체인 std::pair, std::tuple을 사용할 수 있다.

앞서 언급한 바와 같이 일반적으로 프로그래밍할 때 값 전달 방식과 반환 값을 사용하여 함수 간의 데이터를 교환하는 것이 가장 바람직하다. 하지만 다음과 같은 경우에는 주소 또는 참조 전달 방식을 사용할 수밖에 없다.

- 경우 1. 값 전달 방식을 사용하면 비용이 비효율적인 경우
- 경우 2. 한 함수의 데이터를 다른 함수에서 수정해야 하는 경우

각 경우에 대해 좀 더 자세히 살펴보자. C 언어에서 배열은 값 전달 방식으로 전달하고 싶어도 전달할 수 없다. 용량이 큰 배열을 값 전달 방식으로 전달하면 값을 복사하는 과정에 드는 시간과 공간 비용이 너무 크기 때문에 주소 전달 방식을 사용하도록 제한하였다. 배열 외에 구조체도 필드가 많을 때 값 전달 방식으로 전달하면 효율성이 떨어진다. 실제 다음과 같이 매우 덩치가 큰 구조체도 값 전달 방식으로 전달할 수 있다.

```
struct List {
    int numbers[1000]{};
    int size{0};
};
```

```
void f(List list) {
    list.numbers[0] = 1;
    list.numbers[100] = 1;
}
```

```
void g() {
    List list;
    f(list);
}
```

위 코드에서 g 함수는 list 변수를 값 전달 방식으로 f에 전달하고 있으며, 이 과정에서 용량이 1,000인 배열까지 복사된다. 따라서 무거운 데이터는 이처럼 값 전달 방식으로 전달할 수 있더라도 주소 전달이나 참조 전달 방식으로 전달해야 하며, 받은 함수에서 이들에 대한 수정이 필요하지 않으면 const 수식어를 활용해야 한다.

```cpp
void swap(int* a, int* b) {
    int tmp{*a};
    *a = *b;
    *b = tmp;
}
```

(1) 주소 전달 방식을 이용한 swap 함수

```cpp
void swap(int& a, int& b) {
    int tmp{a};
    a = b;
    b = tmp;
}
```

(2) 참조 전달 방식을 이용한 swap 함수

〈그림 7.15〉 두 정수 변수의 값을 서로 바꾸는 swap 함수

경우 2는 경우 1과 성격이 확연하게 다르다. 특정 함수가 소유한 데이터를 다른 함수가 수정하도록 하는 것은 바람직하지 않다. 하지만 같은 행위가 여러 곳에서 반복적으로 필요하면 코드를 중복하는 것보다는 해당 과정을 함수로 구현하여 추상화하는 것이 바람직하다. 예를 들어, 두 정수 변수의 값을 서로 바꾸는 것은 함수로 구현하지 않고 해당 위치에서 3개의 문장으로 언제든지 구현할 수 있다. 하지만 두 변수의 값을 서로 바꾸는 행위가 여러 곳에서 필요하면 그림 7.15와 같은 함수를 만들어 사용하는 것이 더 효과적이다. C++는 제시된 것처럼 C와 달리 이와 같은 함수를 참조 전달 방식을 이용하여 구현한다.

7.1. 참조 전달 방식

3종류의 인자 전달 방식을 보면 주소 전달 방식과 참조 전달 방식은 그 기능에 있어 큰 차이는 없다. 그러면 무슨 이유에서 C++는 참조 전달 방식을 도입하였을지 생각해 볼 필요가 있다. 물론 C++는 C와 호환되어야 하므로 참조 전달 방식을 C++에 도입하면서 주소 전달 방식을 사용할 수 없도록 제거할 수는 없었다.

C++에서 참조 전달 방식을 도입한 이유는 C++는 객체지향 프로그래밍을 지원하는 언어이며, 객체지향에서는 함수의 인자로 객체를 전달해야 하는 경우가 많다. 객체는 복합 타입이므로 값 전달 방식으로 인자를 전달하는 것은 효율적이지 못하다. 따라서 값 전달과

주소 전달 두 가지 방식만 있으면 객체는 주로 주소 전달 방식과 const 수식어를 활용하여 전달해야 한다. 하지만 주소 전달 방식을 사용하면 함수 몸체와 함수 호출을 작성할 때 번거로운 측면이 있다. 이 때문에 더 간결하게 프로그래밍을 작성할 수 있도록 참조 전달 방식을 도입한 것으로 보인다.

하지만 참조 전달 방식은 매개 변수 타입을 보지 않고 함수 몸체만 보면 값 전달 방식인지 참조 전달 방식인지 구분할 수 없다. 이것이 장점이자 단점이다. 또 참조 방식으로 전달하면 주소 전달 방식과 마찬가지로 호출받은 함수에서 다른 함수의 데이터를 수정할 수 있으므로 인자 전달의 효율성을 높이기 위해 참조 전달 방식을 사용하면 const 수식어를 활용해야 한다.

참조 변수는 선언과 동시에 초기화되어야 하며, 참조하는 것을 바꿀 수 없다. 이 때문에 참조 전달이 주소 전달과 비교하여 강건성이 높은 방법이다. 주소 전달은 해당 인자가 nullptr이 아닌지 검사해야 하지만 참조 전달에서는 변수의 유효성을 검사할 필요는 없다.

7.2. Rvalue 참조 전달 방식

C++11부터 참조 전달 방식이 Lvalue 참조 전달과 Rvalue 참조 전달로 구분된다. Rvalue 참조 전달 방식은 매개 변수를 정의할 때 &을 하나 사용하는 것이 아니라 두 개를 사용한다. C++11부터 Lvalue를 전달할 때 호출하는 함수와 Rvalue를 전달할 때 호출하는 함수를 다중 정의할 수 있다. Rvalue 참조 전달 방식을 완전히 이해하기 위해서는 3장과 5장에서 언급한 Lvalue, Xvalue, PRvalue 개념을 이해하여야 하며, 복사와 이동 개념을 알아야 한다.

C++는 C와 마찬가지로 구조체 변수나 객체 변수를 값 전달 방식으로 전달할 수 있으며, 서로 대입할 수 있다. 하지만 이들 타입이 유지하는 값의 종류와 개수에 따라 값 전달 방식으로 전달하거나 대입하면 비용이 많이 소요될 수 있다. 또 프로그래밍하다 보면 다음과 같이 무거운 데이터를 Rvalue로 전달해야 하는 경우가 종종 있다.

```
foo(Student{"홍길동", "2023136001", 1});
```

위의 함수 호출은 인자로 구조체를 하나 생성하여 전달하고 있다. 생성된 것을 별도 변수에 유지하지 않으므로 임시 데이터가 되며, 이와 같은 임시 데이터는 Rvalue에 해당한다. Rvalue 참조 전달을 도입하기 전에 Rvalue 인자는 값 전달 아니면 수정불가 참조 전달만 가능하였다. 이 두 가지 방식 중에 값 전달은 효율적이지 못하므로 C++11 이전에는 보통 수정불가 참조 전달을 이용하였다. 하지만 수정불가 참조 전달은 전달받은 데이터를 수정할 수 없다. 그런데 임시 데이터를 수정할 수 있으면 생각하지 못한 여러 최적화가 가능하다. 이를 위해 도입한 것이 Rvalue 참조이다. 이것에 대해서는 다음 절과 13장, 14장에서 더 자세히 설명한다. 참고로 범용 함수에서 &을 2개 사용하여 매개 변수 타입을 정의하면 Rvalue 참조가 아니라 **포워딩 참조**(forwarding reference) 또는 **보편 참조**(universal reference)라 하며, 그것의 의미는 일반 Rvalue 참조와 다르다. 이것은 15장에서 자세히 설명한다.

8. 참조 전달과 다중 정의

앞서 설명하였듯이 C++11부터 Lvalue를 전달할 때 호출하는 함수와 Rvalue를 전달할 때 호출하는 함수를 다중 정의할 수 있다. 예를 들어, Point라는 구조체가 있을 때 다음과 같은 4개의 함수를 다중 정의할 수 있다.

```
void foo(Point& p);
void foo(const Point& p);
void foo(Point&& p);
void foo(const Point&& p);
```

이때 다음에서 세 번째부터 다섯 번째 문장에 있는 함수 호출은 주석에 제시된 함수로 바인딩된다.

```
1  Point point;
2  const Point* p{&point};
3  foo(point);        // foo(Point& p)
4  foo(*p);           // foo(const Point& p)
5  foo(Point{});      // foo(Point&& p)
```

여기서 다섯 번째 문장에서 Point{}는 Point 구조체를 생성과 동시에 전달하는 형태이다. 이처럼 생성하면 생성된 구조체는 Rvalue이므로 매개 변수가 Rvalue 참조인 함수가 호출된다. 수정불가 Lvalue 참조도 Rvalue를 인자로 받을 수 있지만 Rvalue 참조를 받는 함수가 다중 정의되어 있으면 매개 변수가 Rvalue 참조인 것이 우선된다. 이것은 함수를 선택하는 규칙 1의 적용이라고 생각할 수 있다. 실제 Rvalue 참조의 도입은 void foo(Point&& p)와 같은 함수를 정의하기 위함이다.

Lvalue, Rvalue에 대한 자세한 설명은 14장으로 미루었기 때문에 이 내용을 완벽하게 이해하지 못하더라도 다음은 기억해야 한다.

- 첫째, const 수식 여부는 다중 정의할 때 함수를 구분하는 요소이다.
- 둘째, Lvalue 참조와 Rvalue 참조는 다중 정의할 때 함수를 구분하는 요소이다.
- 셋째, 수정불가 Lvalue 참조와 Rvalue 참조 매개 변수는 Rvalue 인자를 받을 수 있다.
- 넷째, Rvalue 인자를 이용한 함수 호출은 매개 변수 타입이 Rvalue 참조인 것을 우선한다.

9. 일반 함수 수식어

함수를 정의할 때 여러 가지 수식어를 사용하여 해당 함수의 특성이나 사용 방법을 지정할 수 있다. 함수 수식어는 반환 타입 앞에 위치하는 것이 있고, 매개 변수 목록과 함수 몸체 사이에 위치하는 것이 있다. 또 매개 변수 목록과 함수 몸체 사이에 위치하는 수식어의 경우에는 함께 사용하면 서술하는 순서가 정해져 있다. 일반 함수는 inline, noexcept, static, constexpr, consteval 다섯 가지 수식어를 가질 수 있다.

inline 수식어는 반환 타입 앞에 위치하며, 이 함수를 호출할 경우 호출 대신에 해당 위치에 코드를 삽입하여 준다. 따라서 프로그램의 실행 속도를 향상할 수 있으나, 실행 파일의 크기가 커지는 단점도 있다. inline 수식어를 사용한다고 모든 함수를 함수 호출 위치에 삽입하지는 않는다. 컴파일러가 최적화 과정에서 삽입 여부를 결정하게 되며, 보통 간단한 함수들만 호출 대신에 해당 위치에 삽입하여 준다. inline 함수는 컴파일러가 호출 위치에 코드를 삽입하여야 하며, 컴파일러는 소스 파일 단위로 번역 작업을 진행하기 때문에 일반 함수 정의와 달리 여러 파일에 중복해서 정의하여도 된다. 따라서 inline 함수는 일반 함수와 달리 헤더 파일에 정의하여도 ODR 규칙에 어긋나지 않는다.

noexcept 수식어는 매개 변수 목록과 함수 몸체 사이에 위치하며, 해당 함수에서 예외를 발생하지 않는다는 것을 컴파일러가 알 수 있도록 해준다. 예외가 발생할 수 있는 함수는 그것에 대비하기 위해 컴파일러가 여러 가지 조치를 하게 되는데, 이 수식어가 있는 함수는 이와 같은 조치가 필요 없어 이와 관련된 다양한 최적화를 할 수 있다. 예외 처리에 대해서는 10장에서 자세히 설명한다.

일반 함수는 기본적으로 다른 파일에서 사용할 수 있다. 이것을 제한하고 싶으면 함수를 static 키워드로 수식할 수 있다. static 수식어는 반환 타입 앞에 위치하며, 이 키워드로 수식된 함수는 해당 파일 내에서만 사용할 수 있다.

constexpr이 수식된 함수는 함수 호출이 상수 인자로 구성되면 실행 시간에 함수 호출을 하는 것이 아니라 컴파일 시간에 해당 함수를 주어진 상수 인자로 평가하여 결괏값으로 함수 호출을 대체하는 최적화를 해준다. C++20부터 consteval 함수 수식어가 추가되었다. constexpr 함수는 전달된 인자에 따라 실행하는 시점이 컴파일 시간에 할 수 있는 함수이고, consteval 함수는 컴파일 시간에만 사용하는 함수이다. constexpr과 consteval 함수는 기본적으로 inline 함수이다.

static, inline 수식어는 원칙적으로 함수 선언에 하는 것이지만 함수 선언이 없고 정의만 있으면 정의에도 할 수 있다. constexpr, consteval, noexcept는 함수 선언과 함수 정의에 모두 사용해야 하며, 함수 선언과 정의 중 한 곳에만 있으면 문법 오류이다.

구조체나 클래스 내에 정의/선언되는 함수의 경우에는 이들 외에도 virtual, override, final, const, explicit 등 사용 가능한 추가적인 수식어들이 있다. 이들에 대해서는 11장에서 자세히 설명한다.

10. 람다 표현식

함수형 프로그래밍(functional programming)이란 함수를 정수처럼 데이터로 처리할 수 있는 프로그래밍을 말한다. 함수형 프로그래밍에서는 함수를 다른 함수의 인자로 전달할 수 있고, 함수의 결과로 함수를 반환할 수 있다. C 언어는 함수 포인터를 이용하여 함수를 다른 함수의 인자로 전달할 수 있었다. 하지만 함수를 함수 호출문에서 간결하게 정의하여 전달하는 방법은 없었다. **람다 표현식**(lambda expression)이란 함수를 간결하게 정의할 수 있도록 해주는 이름이 없는 함수를 정의하는 방법이다. C++의 람다 표현식은 다음과 같은 형식으로 작성한다.

[capture](parameter)->return_type{ body }

```
#include <functional>
using intPredicate = std::function<bool(int)>;

size_t count_if(int nums[], size_t size, const intPredicate& test) {
    size_t count{0};
    for(size_t i{0}; i < size; ++i)
        if(test(nums[i])) ++count;
    return count;
}

intPredicate greaterThan(int n) {
    return [=](int x)->bool{ return x > n; };
}

int main() {
    intPredicate isNegative{[](int n){ return n < 0; }};
    int nums[]{4, 7, 1, -3, 11, 20, -5, -12, 5, 8};
    std::cout << count_if(nums, 10, [](int n){ return n%2 == 0; }) << '\n';
    std::cout << count_if(nums, 10, [](int n){ return (n&1) == 1; }) << '\n';
    std::cout << count_if(nums, 10, isNegative) << '\n';
    std::cout << count_if(nums, 10, greaterThan(10)) << '\n';
    return 0;
}
```

〈그림 7.16〉 람다 표현식을 이용한 함수에 함수 전달 방법 예제

C++11에서 람다 표현식을 도입하면서 함수의 인자로 함수를 받는 매개 변수의 타입을 선언할 때 함수 포인터 대신에 std::function 범용 클래스를 이용하여 더 간결하게 함수 타입을 정의할 수 있도록 개선하였다. 그림 7.16에 using을 이용하여 정의한 intPredicate 타입은 int 타입 인자를 하나 받아 bool을 반환하는 함수 타입이다.

그림 7.16에 제시된 count_if는 함수를 인자로 받는 **고차 함수**(high order function)[12]이며, greaterThan은 함수를 반환하여 주는 고차 함수이다. main 함수에서 isNegative 변수는 람다 표현식을 유지하고 있다. 람다 표현식을 유지하는 변수는 변수 이름을 함수 이름처럼 사용할 수 있다. greaterThan 몸체에 있는 람다 표현식은 반환 타입을 제시하고 있지만 main 함수에 있는 람다 표현식은 반환 타입을 생략하고 있다. 람다 표현식은 함수를 간결하게 작성하는 것이 목적이므로 보통 반환 타입을 생략한다. 이 예제에 대한 설명은 이 정도까지만 하고, 람다 표현식에 대한 더 자세한 설명은 17장으로 미룬다.

11. 범용 함수

다중 함수 정의는 보통 유사한 연산이지만 타입에 따라 다른 프로그램 논리를 가질 때 사용한다. 반면에 타입은 다르지만 프로그램 논리(알고리즘)가 같으면 template을 사용하여 여러 타입에 대해 하나의 함수만 정의하여 사용할 수 있으며, 이를 **범용 함수**라 한다.

```
template <typename T>
T max(T value1, T value2, T value3) {
    T maxVal{value1};
    if(value2 > maxVal) maxVal = value2;
    if(value3 > maxVal) maxVal = value3;
    return maxVal;
}

int main() {
```

12) 고차 함수는 다른 함수를 인자로 받거나 결과로 함수를 반환하는 함수를 말한다.

```
    std::cout << max(3.5, 2.6, 7.4) << '\n';
    std::cout << max(2, 6, 3) << std::endl;
    return 0;
}
```

〈그림 7.17〉 범용 함수 예제

예를 들어, 3개의 값을 받아 최댓값을 구하는 범용 함수는 그림 7.17과 같이 정의할 수 있다. 범용 함수를 정의하기 위해서는 함수 앞에 template 키워드를 사용한 다음에 〈〉 내에 typename을 이용하여 타입 변수를 정의한다. 그림 7.17에 제시된 max 함수는 하나의 타입 변수 T만 사용하고 있지만 필요하면 여러 개의 타입 변수를 사용할 수 있다. 초기 C++에서는 타입 변수를 정의할 때 typename 대신에 class라는 키워드를 사용하였다. 하지만 C++는 타입 인자로 원시 타입뿐만 아니라 객체, 구조체 타입도 사용할 수 있으므로 class라는 키워드가 적절하지 않다고 판단되어 C++11부터는 typename을 사용할 수 있도록 하였다.

앞서 언급한 바와 같이 C++는 원시 타입뿐만 아니라 구조체 등 복합 타입을 타입 인자로 사용할 수 있다. 따라서 무거운 복합 타입을 그림 7.17에 정의된 범용 함수 max의 인자로 사용하면 값 전달 방식으로 인자가 전달되어 효율적이지 못할 수 있다. 따라서 정의된 범용 함수가 복합 타입까지 수용할 함수이면 아래와 같이 참조 전달을 이용하여 정의하는 것이 보통이다.

```
template <typename T>
T max(const T& value1, const T& value2, const T& value3);
```

또 구조체와 같은 복합 타입을 max 함수에 사용하기 위해서는 해당 타입이 〉 연산자를 사용할 수 있어야 한다. C++는 이와 같은 연산자를 사용할 수 있도록 구조체나 클래스에 연산자를 다중 정의할 수 있다. 하지만 필요한 연산자가 다중 정의되어 있지 않은 인자를 범용 함수에 전달하면 실행 시간에 문제가 발생하는 것이 아니라 컴파일러가 문법을 검사하는 과정에서 발견한다.

```
template <typename T>
const T& min(const T& a) {
    return a;
} // helper function

template <typename T, typename... U>
const T& min(const T& x, const U&... args) {
    const T& y{min(args...)};
    return x < y? x: y;
}
```

〈그림 7.18〉 가변 인자를 이용한 범용 min 함수

참고로 max와 같은 함수는 가변 인자를 활용하기 좋은 예이다. C++11부터는 가변 인자를 받는 범용 함수를 정의할 수 있고, 이를 이용하여 min 함수를 구현하면 그림 7.18과 같다. 가변 타입 매개 변수와 가변 매개 변수를 정의할 때, 가변 인자 전체를 사용할 때, 모두 ...을 사용한다. C++는 가변 인자의 개수를 미리 알 수 없으므로 보통 이와 같은 함수는 재귀적으로 구현한다. 재귀적으로 구현하기 위해서는 함수를 2개 정의하여야 한다. C++17에서는 위 예를 하나의 함수만 사용하여 정의할 수 있도록 **접기 표현식**(fold expression)이 추가되었다. 이에 대해서는 15장에서 설명한다.

C++에서는 그림 7.17과 같이 범용 함수를 정의한 후에 해당 프로그램에서 두 개의 다른 타입을 이용하여 해당 함수를 호출하면 두 개의 버전의 함수를 내부적으로 만들어 사용한다. 따라서 범용 함수를 정의하고 서로 다른 여러 개의 인자 타입을 이용하여 해당 함수를 호출하면 실행 파일이 커지는 단점을 가지고 있다. 그림 7.17에서 범용 함수를 호출할 때 타입 인자를 지정하지 않고 생략하였지만, 다음과 같이 지정하여 호출할 수 있다.

```
max<std::string>("apple", "grape", "banana")
```

문제 7.3. 임의 타입의 배열에서 최댓값을 찾아주는 범용 함수를 정의하라.

```
template <typename T> T findMax(const T* list, size_t size) {
    if(!list || size == 0) throw std::invalid_argument();
    T max{list[0]};
    for(size_t i{1}; i < size; ++i)
        if(list[i] > max) max = list[i];
    return max;
}
```

〈그림 7.19〉 임의 배열에서 최댓값을 구하여 주는 범용 findMax 함수

문제 7.3에서 요구한 범용 함수는 그림 7.19와 같이 구현할 수 있다. 〉 연산자가 다중정의된 복합 타입과 원시 타입만 이 함수의 타입 인자로 전달할 수 있다.

C++20부터는 template 키워드를 이용하지 않고, 매개 변수 중 하나 이상을 auto를 이용하여 선언하면 범용 함수가 된다. 즉, C++20부터는 auto를 이용하여 기존보다 더 간결하게 범용 함수를 정의할 수 있다. auto를 이용하여 정의한 범용 함수는 컴파일러가 내부적으로 template을 이용한 범용 함수로 바꾼 후 이를 바탕으로 사용된 타입 인자에 따라 실제 함수를 정의해 준다고 생각하면 된다. 이때 한 가지 주의할 점은 auto를 이용한 범용 함수의 정의는 auto를 사용한 매개 변수의 수만큼 타입 매개 변수를 가지게 된다. 예를 들어, 다음과 같은 두 개의 함수는 같은 범용 함수의 정의가 아니다.

```
template <typename T>
const T& smaller(const T& x, const T& y) {
    return x > y? y: x;
}

const auto& smaller(const auto& x, const auto& y) {
    return x > y? y: x;
}
```

template을 이용한 smaller 함수는 타입 매개 변수가 하나이지만 auto를 이용한 smaller 함수는 타입 매개 변수가 두 개인 범용 함수이다. 따라서 두 번째 함수의 x와 y에는 서로 다른 타입을 인자로 전달할 수 있다.

퀴즈

1. 주소 또는 참조 전달을 사용해야 하는 이유로 적절하지 **않은** 것은?

   ① 무거운 데이터(공간을 많이 차지하는)를 인자로 전달해야 할 때
   ② 한 함수의 데이터(변수)를 다른 함수에서 수정해야 할 때
   ③ 여러 개의 출력 값이 필요하여 반환 값 대신에 인자를 출력으로 활용하기 위해
   ④ 인자의 개수가 많을 때

2. 주소 전달과 참조 전달을 비교한 다음 설명 중에 **틀린** 것은?

   ① 둘 다 함수의 출력 역할을 할 수 있다.
   ② 둘 다 무거운 것을 전달할 때 그 비용을 줄이기 위해 사용할 수 있다.
   ③ 주소 전달은 유효하지 않은 주소를 전달할 수 있지만, 참조는 유효하지 않은 참조를 전달할 수 없다.
   ④ 참조 전달에서 참조 매개 변수는 인자로 전달된 것을 참조하는 대신에 다른 것을 참조하도록 바꿀 수 있다.

3. 다음과 같은 다중 정의가 있을 때, 다음 호출 중 문법 오류가 있는 것은?

```
void bar(int, double);
void bar(double, int);
void bar(int, int = 1);
```

① bar(1, 1.5);　　② bar(1.5, 1);　　③ bar(2);　　④ bar(1.5, 1.5);

4. 다음과 같이 다중 정의된 함수 선언이 있을 때,

```
void foo(short); // 1
void foo(int);   // 2
void foo(long);  // 3
```

다음과 같이 호출하였을 경우, 호출과 호출 함수를 올바르게 바인딩한 것은?

```
short a = 5;
foo(1);    // ㄱ
foo(a);    // ㄴ
foo(1L);   // ㄷ
```

① (ㄱ, 2), (ㄴ, 1), (ㄷ, 3)
② (ㄱ, 2), (ㄴ, 2), (ㄷ, 3)
③ (ㄱ, 2), (ㄴ, 2), (ㄷ, 2)
④ (ㄱ, 1), (ㄴ, 1), (ㄷ, 3)

연습문제

1. 문제 7.1를 꼬리 재귀를 이용하도록 바꾸어 보아라.

2. 그림 7.8에 제시된 비재귀적과 재귀적 이진검색의 size 매개 변수의 타입을 int에서 size_t로 수정하여 구현하라.

3. 주어진 9×9 2차원 배열이 유효한 스도쿠인지 검증하여 주는 다음 함수를 완성하라.

```
bool isValidSudoku(int board[9][9]);
```

이 배열은 부분적으로만 채워져 있을 수 있으며, 빈칸의 값은 0이다.

4. 주어진 배열에 다수를 차지하는 수를 반환하는 다음 함수를 완성하라. 배열의 크기의 반(size / 2)보다 많이 등장하는 수가 항상 존재하는 배열만 입력으로 전달된다고 가정하고 완성하라.

```
int majorityElement(int nums[], size_t size);
```

5. 정수 배열, 배열의 크기, 람다 표현식이 주어지면 람다 표현식을 배열에 각 요소에 적용하여 배열의 각 요소를 갱신하는 다음 함수를 완성하고, 이 함수에 모든 요소의 부호를 바꾸는 람다 표현식을 전달하는 호출문을 제시하라.

```
void updateElements(int nums[], size_t size,
    const std::function<int(int)>& apply);
```

제**8**장

객체와 클래스 1부

제 8 장 객체와 클래스 1부

1. 구조화 프로그래밍의 문제점

기존 C 언어에서 사용한 함수 위주의 하향식(top-down) 접근 개발 방법인 구조화 프로그래밍은 현재의 복잡한 소프트웨어를 개발하는데 다음과 같은 문제점이 있다.

- 문제점 1. 프로그래머는 자신의 사고를 컴퓨터적인 사고로 전환하여야 한다.
- 문제점 2. 캡슐화가 부족하다.
- 문제점 3. 코딩 자체의 여러 가지 번거로운 측면이 있다.

문제점 2에서 캡슐화가 부족하다는 것은 데이터와 그것을 처리하는 함수가 분리되어 있다는 것을 말한다. 데이터와 그것을 처리하는 함수가 분리되어 있으면 함수에 항상 처리해야 하는 데이터를 전달해야 한다. 이 때문에 코드 재사용이 어렵고 코드 중복이 많다. 문제점 3과 관련하여 변수 선언 위치, 다중 정의 등은 구조화 프로그래밍 자체의 문제라기보다는 C와 같은 언어가 현대적 프로그래밍 요소를 갖추지 못하고 있으므로 나타난 문제일 수 있다.

2. 객체지향 프로그래밍

객체지향 프로그래밍 개념은 생각보다 아주 오래전에 등장한 개념이다. 실제 이 개념은 C 언어가 개발되기 이전인 1950년대 후반에 처음 등장하였으며, 1960년대에는 오늘날과 유사한 개념의 객체지향 프로그래밍을 지원한 Simula라는 프로그래밍 언어도 있었다. 그 이후 1970년대 초에 Smalltalk라는 프로그래밍 언어를 통해 객체지향 개념이 확산하였지만, 실제 일반 응용 개발에 널리 활용되지 못하였다.

1980년대 중반 Apple사에서 지금도 개발 언어로 사용하고 있는 Objective-C와 객체지향 프로그래밍을 지원하도록 C를 확장한 C++가 개발되면서 객체지향 프로그래밍이 현장에서도 널리 활용하는 언어로 자리를 잡게 되었다. 특히, 90년대 초부터 PC 시장이 GUI 기반으로 바뀜에 따라 GUI 기반 응용 개발에 대한 수요가 급격하게 증가하였다. GUI 기반 프로그래밍에 대한 객체지향 프로그래밍 패러다임의 적합도 때문에 빠르게 객체지향 언어가 개발 시장에서 지배적인 위치를 차지하게 되었다. 지금의 모바일 응용, 웹 응용 시장에서도 객체지향 프로그래밍 패러다임은 여전히 지배적인 위치를 차지하고 있다.

객체지향 프로그래밍에서는 상태를 유지하고, 이 상태에 따라 행위의 결과가 바뀔 수 있는 **객체**(object)를 이용하여 소프트웨어가 제공해야 하는 기능을 구현한다. 프로그램에서 필요한 객체를 찾고, 이들을 구현하고 결합하여 프로그램을 개발하기 때문에 구조화 프로그래밍과 달리 **상향식**(bottom-up) 접근 개발 방법이라 한다. 객체지향 언어에서는 데이터와 해당 데이터를 처리하는 함수가 분리되어 있지 않고, 하나로 결합하여 사용하며, 함수가 중심이 아니라 **데이터가 중심**이 된다. 이 때문에 우리가 일상 개체를 보는 시각을 그대로 프로그래밍 언어로 표현할 수 있다는 장점이 있다.

예를 들어, 문을 생각하여 보자. 어떤 문을 우리가 바라볼 때, 문의 위치, 문의 크기, 문의 색, 문이 현재 잠겨 있는지 아니면 열려 있는지 등에 대한 정보를 파악할 수 있다. 또 문과 어떤 방법으로 상호작용할 수 있는지 알고 있다. 예를 들어, 우리는 문을 열 수 있고, 닫을 수 있다. 전자와 같이 우리가 어떤 사물을 생각하거나 보았을 때 파악하게 되는 정보가 해당 사물의 상태이며, 그 사물과 우리가 상호작용하는 형태가 그 사물이 할 수 있는 행위이다. 이와 같은 행위는 해당 사물의 상태에 영향을 받게 된다. 이처럼 객체지향은 현실 세계의 사물을 그대로 프로그래밍 세계에 모델링해야 할 때 매우 직관적으로 모델링할 수 있다.

2.1. 캡슐화

객체지향 프로그래밍에서는 개발하고자 하는 소프트웨어에서 필요한 기능보다 해당 소프트웨어에서 처리해야 하는 데이터에 초점을 둔다. 객체지향 언어에서는 데이터와 그것을 처리하는 함수를 **클래스**(class)라는 하나의 틀 내에 함께 정의하며, 이렇게 이들을 하나로 묶는 것을 **캡슐화**(encapsulation)라 한다. 클래스라는 틀을 통해 생성하는 것이 객체이다. 어떤 객체가 어떤 상태를 가지고 있고, 어떤 행위를 할 수 있는지 클래스를 이용하여 정의한다.

캡슐화 과정을 통해 상태 표현과 행위 구현을 클래스의 사용자로부터 숨길 수 있다. 예를 들어, 학생 성적을 반환하여 주는 getGrade는 "A+", "A"와 같은 문자열로 반환하여 주지만 내부적으로 이 문자열을 유지하고 있는지 100점 만점의 점수로부터 자동 계산하는지 학생 객체를 사용하는 측에서는 몰라도 된다. 또 학생 이름이 내부적으로 성과 이름으로 나누어 유지하는지 하나의 문자열로 유지하는지 학생 객체를 사용하는 측은 몰라도 된다.

객체지향에서는 이처럼 데이터와 그것을 처리하는 함수를 하나의 틀로 묶을 뿐만 아니라 기존 구조화 프로그래밍에 없던 **접근 제어**라는 기능을 추가하여 프로그래밍의 강건성을 높여주고 있다. C++는 public, protected, private 3종류의 접근 제어를 제공한다. public 멤버는 누구나 직접 접근할 수 있는 멤버이며, private 멤버는 외부에서 접근할 수 없는 멤버이다. protected 멤버는 상속받은 클래스를 제외하고 private 멤버와 마찬가지로 외부에서 직접 접근할 수 없는 멤버이다. 상속에는 상속 관련 접근 제어가 있으므로 protected에 대해서는 11장에서 다시 자세히 설명한다.

2.2. 객체

객체지향 프로그래밍에서 객체는 **상태**, **행위**, **식별자**, 3가지 요소를 가진다. 같은 종류의 객체는 같은 종류의 상태를 유지하지만, 객체마다 현재 상태는 다를 수 있다. 예를 들어, 어떤 강아지는 배가 고플 수 있고, 또 다른 강아지는 배가 고프지 않을 수 있다. 각 객체의 행위는 현재 상태에 영향을 받기 때문에 행위 결과는 현재 상태에 따라 달라질 수 있다. 예를 들어, 강아지는 배고픈 상태에 따라 먹이를 주었을 때 먹는 양이 다를 수 있다. 같은 종류의 객체는 같은 종류의 행위를 할 수 있으며, 객체의 행위는 객체의 상태를 활용해야 한다. 객체의 상태를 활용하지 않는 것은 객체의 행위가 아니다. 객체의 식별자는 같은 종류의 객체를 구분하기 위한 요소이다. 프로그래밍에서는 한 객체를 여러 번 사용할 수 있고, 같은 종류의 객체를 여러 개 생성하여 사용할 수 있다. 따라서 이들을 구분할 수 있는 메커니즘이 필요하다. 프로그래밍에서 객체의 식별자는 변수이다. 즉, 프로그래밍에서는 변수 이름을 통해 객체를 구분한다.

2.3. 클래스

객체가 어떤 상태를 가지고 있고, 어떤 행위를 할 수 있는지 프로그래밍 언어로 정의하는 틀이 클래스이다. 보통 객체의 상태는 데이터 값으로 나타내며, 행위는 함수로 구현한다. 클래스에 객체 상태를 나타내기 위해 정의하는 변수를 멤버 변수라 하며, 행위를 정의하는 함수를 멤버 함수 또는 **메소드**(method)라 한다. 객체 상태를 데이터 값으로 별도 유지하지 않고, 그것을 메소드를 통해 제공할 수도 있다. 예를 들어, 사각형 클래스의 경우 폭과 높이만 유지하고, 면적 정보는 메소드를 통해 필요할 때 매번 계산하는 방식으로 클래스를 정의할 수 있다.

특정 클래스의 객체를 다른 말로 해당 클래스의 인스턴스(instance)라 한다. C++에서는 class라는 키워드를 사용하여 클래스를 정의한다. 클래스의 정의는 이전 C 언어에서 구조체를 정의하는 것과 유사하다. 다만, 이전 C 언어에서 구조체와 달리 클래스 내부에 함수를 포함할 수 있다. 참고로 C++에서는 구조체도 함수를 포함할 수 있다.

클래스만 정의하면 그 자체로는 프로그램 실행에 어떤 영향을 주지 못한다. 클래스를 정의한 후에 그것의 객체를 생성하여 사용해야만 어떤 기능이 실행된다. 따라서 객체지향 프로그래밍은 소프트웨어를 구현하는 데 필요한 클래스를 정의하고, 이들 클래스의 객체를 적절한 시점에 생성하여 사용함으로써 해당 소프트웨어의 기능이 동작한다. 하지만 소프트웨어에서 필요한 모든 요소를 객체지향적으로 구현해야 하는 것은 아니며, 어떤 요소는 객체지향적으로 구현하는 것 자체가 적절하지 않을 수 있다.

2.4. 클래스 간, 객체 간 관계

보통 하나의 소프트웨어를 개발할 때 여러 개의 클래스를 정의하여 사용하며, 이들 클래스는 독립적으로 존재하지 않고, 다른 클래스와 어떤 관계를 형성하거나 이들 클래스의 객체 간의 어떤 관계가 형성된다.

프로그래밍 측면에서 클래스가 얼마나 다른 클래스와 상호작용하는지 나타내는 **의존 관계**(dependency relationship)라는 개념이 있다. 클래스 간에 의존 관계가 있어야 클래스 간의 또는 객체 간의 관계가 형성될 수 있다. 따라서 의존 관계는 다른 모든 관계를 아우르는 개념이다. 어떤 클래스 A를 정의할 때 다른 클래스 B를 사용하면 A는 B에 의존한다고 말한다. 의존하는 클래스가 수정되면 해당 클래스도 수정해야 할 수 있으므로 기본적으로 한 클래스가 의존하는 클래스의 수는 적을수록 좋다. 또 의존하더라도 구체적인 클래스가 아니라 추상 타입에 의존해야 한다. 여기서 추상 타입이란 상속 관계에서 자식 클래스

를 가지며, 객체를 생성하지 않는 클래스를 말하고, 구체적인 클래스는 객체를 생성하는 클래스를 말한다.

클래스 간 관계는 소스를 수정하지 않는 이상 고정되기 때문에 **정적 관계**라 한다. 클래스 간 관계에는 클래스 간의 논리적 계층구조 관계를 만들기 위해 사용하는 **상속**(inheritance) 관계가 있다.

객체 간 관계는 프로그램이 실행되는 동안 바뀔 수 있으므로 **동적 관계**라 한다. 예를 들어, 게임 캐릭터가 무기로 칼을 사용하다가 총이라는 새로운 무기를 획득하여 무기를 바꿀 수 있다. 객체 간 관계는 크게 **사용**(use-a) 관계와 **포함**(has-a) 관계로 분류된다. 이들 관계에 대해서는 11장에서 더 자세히 설명한다.

2.5. 클래스 찾기

구조화 프로그래밍에서는 해당 소프트웨어에서 필요한 기능을 찾고 이들을 함수로 잘 모듈화하여야 한다. 반면에 객체지향 프로그래밍에서는 해당 소프트웨어에서 다루는 데이터를 중심으로 객체로 모델링할 것을 찾아 해당 객체를 정의하는 클래스를 구현하여 모듈화한다. 데이터뿐만 아니라 소프트웨어에서 필요한 기능 자체를 객체로 모델링할 수도 있다.

보통 소프트웨어를 설계하기 전에 이 소프트웨어의 요구사항을 분석하고, 그 결과를 문서화한다. 이 문서에 등장하는 단어를 분석하여 소프트웨어 구현에 필요한 클래스를 찾을 수 있다. 이를 **명사 동사 분석**이라 한다. 명사 동사 분석에서 명사는 보통 클래스나 클래스의 멤버 변수로 모델링하며, 동사는 클래스의 메소드로 모델링한다. 명사와 동사뿐만 아니라 형용사(예: 노란 공에서 노란은 공의 상태로 모델링해야 하는 요소임)도 활용할 수 있으며, 동사(예: "병은 총을 이용하여 전투를 수행한다"에서 이용은 병과 총 간의 관계를 나타낸다)가 행위가 아니라 클래스 간 관계 또는 객체 간 관계를 나타낼 수도 있다. 하지만 객체지향 프로그래밍을 하더라도 필요한 모든 것을 객체지향으로 모델링하지는 않는다.

2.5.1. 어떤 것을 객체로 모델링하나?

프로그램에서 필요한 데이터와 기능을 모두 객체로 모델링할 수 있다. 일반적으로 데이터는 모두 객체(또는 객체의 멤버 변수)로 모델링할 수 있다, 반면에 기능은 객체로 모델링하였을 때 효과적인 것만 객체로 모델링하는 것이 바람직하다.

상태를 기억해야 하고, 이 상태가 변할 수 있으며, 상태에 따라 행위의 결과가 달라질 수 있는 것을 객체로 모델링하면 가장 효과적이다. 일반적으로 실세계에 등장하는 어떤 사물을 그대로 소프트웨어 내에 모델링해야 할 경우에 객체로 모델링하면 매우 직관적으로 모델링할 수 있다. 예를 들어, 학생, 강아지, 컴퓨터 등은 모두 객체로 쉽게 모델링할 수 있다.

객체의 상태가 꼭 변해야 하는 것은 아니다. 일반 데이터처럼 객체도 유지하는 상태가 초기화된 이후 변하지 않을 수 있다. 일부 객체만 상태가 고정된다면 이들에 대해서는 상수 객체를 생성하여 모델링할 수 있고, 대부분의 클래스 객체가 이처럼 동작한다면 클래스 자체를 **불변**(immutable) **클래스**로 모델링할 수 있다. 예를 들어, 자바에서 문자열은 초기화된 이후 변하지 않는 불변 객체로 모델링하여 사용하고 있다. 실제 자바는 C++와 달리 const를 이용하여 상수 객체를 생성할 수 없으므로 불변 클래스 개념을 많이 사용한다.

어떤 기능이 주어진 인자만 가지고 구현할 수 있는 기능이면 객체지향으로 모델링하지 않고 일반 함수로 모델링할 수 있다. 하지만 이 경우에도 인자 중 하나를 중심으로 기능을 호출하는 형태로 모델링할 수 있다. 예를 들어, std::string에 정의되어 있는 find 메소드를 생각하여 보자. 이 메소드는 주어진 문자가 문자열에 있으면 그것의 위치를 반환하여 준다. 이 메소드가 제공하는 기능은 과거에 대한 기억이 필요 없고, 인자만 이용하여 구현할 수 있으므로 다음과 같이 문자열과 문자를 받아 처리하여 주는 일반 함수로 모델링할 수 있다.

```
index = find("apple", 'p');
```

실제 〈algorithm〉에는 반복자를 활용하는 형태의 find 함수가 정의되어 있다.

보통 인자 중 클래스와 같은 복합 타입이 있으면 우선적으로 이 타입의 메소드로 기능을 모델링할 수 있는지 검토한다. 그런데 복합 타입이 없으면 메소드로 기능을 모델링할 수 없다고 생각할 수 있다. 하지만 복합 타입이 없을 때, 여러 인자를 어떤 개념으로 묶을 수 있으면 이들을 묶어 새 클래스를 정의한 다음, 기능을 이 클래스의 메소드로 추가할 수 있다. 심지어 원시 타입 인자 중 객체로 모델링할 수 있는 것이 있으면 하나의 원시 타입만 유지하는 클래스를 정의한 후에 이 기능을 이 클래스의 메소드로 추가할 수 있다. 실제 객체지향을 많이 경험하면 생각하지 못한 것을 클래스로 모델링하여 효과적으로 프로그래밍하는 것을 종종 접할 수 있다.

이처럼 일반 함수로 정의할 수도 있고, 인자 중 하나를 중심으로 메소드로 제공할 수 있는 기능은 어떻게 제공하는 것이 가장 효과적일까? 이것에 대한 정답은 없지만 다음을 고려하여 개발자가 결정하면 된다.

- 코드 중복 측면을 고려할 필요가 있다. 알고리즘이 같은 기능을 여러 클래스에 중복하여 메소드로 만드는 것보다 일반 범용 함수를 하나 만들어 사용하는 것이 효과적일 수 있다. 예를 들어, 정렬 기능은 모든 복합 타입에 중복하여 정의하는 것보다 일반 범용 함수를 하나만 정의하여 사용하는 것이 더 효과적이다.
- 기능의 사용 빈도를 고려할 필요가 있다. 보통 메소드로 제공하면 객체 중심으로 사용하기 편하다. 앞서 살펴본 find 메소드는 중복되더라도 편리성 때문에 그것을 자주 사용하는 클래스에 중복하여 만드는 것이 클래스의 완전성 등을 고려하였을 때 나쁘지 않은 접근일 수 있다.

실제 자주 사용하지 않는 기능을 메소드로 추가하면 클래스 코드가 커지는 단점이 있고, 이것은 실행 파일 크기에도 영향을 줄 수 있다. 라이브러리를 개발할 때는 위에 제시된 기준이 맞을 수 있지만 일반 응용을 개발할 때는 그 응용 내에서는 보통 코드가 중복되지 않으므로 메소드로 구현하여 사용한다.

기능이 과거에 대한 기억이 필요하면 이 기능은 객체로 모델링하는 것이 꼭 필요하다. 예를 들어, C++는 C에서 함수로 제공한 표준 입출력을 객체로 모델링하여 제공하고 있다. 표준 입출력을 객체로 모델링한 여러 이유 중 하나는 버퍼 기반 입출력은 버퍼 위치에 대한 기억이 필요하기 때문이다. 상태를 통해 필요한 것을 기억하고 유지하며, 그 상태에 따라 동작할 수 있다는 것이 객체의 장점이므로 객체지향 프로그래밍에서 이것을 적극 활용해야 한다.

짝 처리가 필요한 기능을 객체로 모델링하면 매우 편리하고 강건하게 사용할 수 있다. 여기서 짝 처리란 무엇을 하였을 때 반드시 어떤 것을 꼭 해야 하는 경우를 말한다. 보통 기능을 마무리할 때 해야 하는 것이 있는 경우이다. 예를 들어, 파일 처리는 파일을 개방한 후에 사용이 끝나면 반드시 닫아 주어야 하므로 짝 처리가 필요한 기능이다. 객체는 객체가 소멸할 때 자동으로 호출되는 메소드가 있다. 따라서 객체를 생성할 때 파일을 개방하고, 그것을 닫는 기능을 소멸할 때 자동 호출되는 메소드에 구현하면, 파일을 처리하기 위해 생성한 객체는 자동으로 그것이 소멸할 때 개방한 파일을 닫아 준다. 따라서 파일 처리를 객체로 모델링하면 파일을 닫는 것을 신경 쓰지 않고 편리하게 사용을 할 수 있다.

문자열을 객체로 처리하는 것을 보고 정수, 문자와 같은 원시 타입도 불변 객체로 모델링하면 여러 가지 이점이 있지 않을까 생각할 수 있다. 하지만 원시 타입은 언어 자체에 정의되어 있고, 필요한 대부분의 연산이 언어 자체에서 제공하고 있으므로 이들을 객체로 바꾸어 얻을 수 있는 이점이 없고, 오히려 불편하고 효율성만 떨어진다. 참고로 문자열은 언어 자체에 포함된 타입이지만 문자열을 처리하기 위한 어떤 연산도 언어 자체에 제공하지 않는다.

보통 클래스는 여러 개의 멤버 변수를 유지하지만, 멤버 변수를 하나만 유지하는 클래스도 충분히 정의하여 사용할 수 있다. 심지어 원시 타입 멤버 변수를 하나만 유지하는 클래스도 필요하면 정의하여 사용할 수 있다. 보통 가독성이나 강건성을 위해 이와 같은 클래스를 정의하여 사용할 수 있다.

2.5.2. 좋은 클래스의 특성

특정 객체는 하나의 책임만 수행하는 것이 바람직하며, 한 클래스와 상호작용하는 클래스의 수는 적을수록 좋다. 이를 소프트웨어공학 개념을 이용하여 설명하면 클래스는 **높은 응집성**을 가져야 하고, **낮은 결합성**을 가져야 한다. 이것은 C에서 함수가 높은 응집성과 낮은 결합성을 가져야 하는 원리와 같다. 객체지향 개발 원리 중에 **단일 책임 원리**(SRP, Single Responsibility Principle)가 있다. 이 원리에 의하면 클래스는 하나의 책임만 가져야 하며, 해당 클래스를 수정해야 할 이유는 해당 책임과 관련되어 있어야 한다.

클래스의 응집성을 기계적으로 측정하기 어렵지만 보통 클래스의 멤버 변수의 수와 클래스의 이름을 통해 평가할 수 있다. 클래스의 멤버 변수의 수가 너무 많거나 클래스의 이름이 단일 책임을 잘 나타내지 못하면 여러 책임을 담당하고 있을 수 있다. 따라서 클래스의 이름을 명명할 때 명명하기가 어려우면 그 클래스의 응집성을 살펴볼 필요가 있다. 클래스의 크기 자체도 응집성을 측정할 때 활용할 수 있다. 클래스의 크기는 제공하는 메소드의 수와 각 메소드를 구성하는 코드에 의해 결정된다. 긴 함수는 응집성이 떨어지기 때문에 여러 개의 작은 함수로 나누어 모듈화하는 것처럼 덩치가 큰 클래스도 여러 개의 관리 가능한 크기의 작은 클래스로 나누는 것이 바람직하다.

덩치가 큰 클래스를 모듈화하는 방법은 크게 다음 세 가지 방법이 있다.

- 첫째, 클래스를 구성하는 멤버 변수 중 일부가 모여 별도 개념을 나타낼 수 있으면 이들을 분리하여 새 클래스를 정의하여 모듈화할 수 있다. 이때 이들 멤버 변수와 관련된 메소드도 함께 새 클래스로 옮긴다. 기존 클래스는 새 클래스로 옮겨진 멤버 변수와 메소드를 제외하고 새 클래스의 객체를 멤버 변수로 유지하는 형태로 바뀐다. 모든 메소드가 제외되는 것은 아니고 새롭게 멤버 변수로 유지하는 객체에게 위임하는 형태로 메소드의 몸체가 바뀔 수 있다.
- 둘째, 클래스의 핵심 기능이 아닌 기능을 분리하여 새 클래스를 정의하는 형태로 모듈화할 수 있다. 이 경우에는 해당 기능에서만 사용하는 멤버 변수는 새 클래스로 옮겨질 수 있다.
- 셋째, 메소드를 기존 다른 클래스로 옮겨 클래스의 크기를 줄일 수 있다. 이 경우는 메소드의 위치가 애초에 잘못된 경우에 해당하며, 더 적합한 곳으로 옮기는 형태이다. 메소드 전체가 아니라 메소드 일부분을 추출하여 옮기는 형태일 수도 있다.

결합성은 실제 해당 클래스를 구현할 때 해당 클래스가 사용하는 다른 클래스의 수를 보면 얼마나 많은 다른 클래스와 상호작용하는지 알 수 있다. 상호작용하는 클래스가 많으면 이 복잡성을 줄이는 방향으로 재설계가 필요할 수 있다. 또 구체적인 클래스 대신에 상위 타입의 클래스에 의존하도록 하는 것이 바람직하다. 구체적인 클래스에 의존하면 코드 수정 없이는 의존 관계를 바꾸기가 어렵다. 예를 들어, 어떤 게임에 등장하는 인물이 여러 종류의 무기를 사용할 수 있는 경우, 개별 무기와 직접 상호작용하기보다는 무기라는 추상 타입과 상호작용하도록 설계해야 한다. 이렇게 하면 나중에 새로운 종류의 무기를 추가하더라도 인물 클래스를 수정하지 않고 사용할 수 있다.

3. C 구조체 vs. C++ 구조체

C에서 여러 개의 값을 모아 하나의 정보 단위를 표현해야 하면 그것을 나타내는 구조체를 정의하여 사용하였다. 예를 들어, 두 개의 정수로 구성된 좌표를 나타내는 Point라는 구조체를 다음과 같이 정의할 수 있다.

```
struct Point {
    int x;
    int y;
};
```

객체지향에서는 이 경우 구조체를 정의하지 않고 클래스를 정의하며, 이 정보를 처리하는 함수를 함께 클래스 내에 정의한다.

C++의 구조체는 클래스와 비교하여 기본 접근만 다를 뿐 차이가 없다. 또 구조체 내에 클래스처럼 구조체 데이터를 처리하는 함수를 정의하여 사용할 수 있다. C 때와 달리 구조체를 정의할 때 typedef를 사용할 필요도 없다. C++에서 struct 키워드 다음에 나오는 이름은 태그가 아니라 새 타입의 이름이 된다. 기본 접근의 구체적 차이점은 클래스의 멤버는 기본적으로 private 접근 권한을 가지지만 구조체는 기본적으로 public 접근 권한을 가진다.

C++에서는 클래스를 이용할 수 있으므로 구조체를 사용해야 할 경우는 거의 없다. 보통 일반 응용을 개발할 때는 함수를 정의할 필요가 없는 매우 단순한 복합 타입을 정의할 때만 구조체를 사용한다. 예를 들어, 단순히 여러 개 값을 함수에서 반환해야 할 때, 이 과정에서만 필요한 단순 반환 타입을 구조체로 정의하여 사용할 수 있다. 이 경우에도 직접 정의하지 않고, 보통 라이브러리에서 제공하는 범용 구조체인 std::pair, std::tuple을 사용한다. 이들의 사용법은 16장에서 자세히 설명한다.

4. Dog 클래스 정의하기

보통 C++에서 클래스는 헤더 파일에 정의한다. 이때 클래스를 구성하는 멤버 변수와 메소드 중에서 메소드는 클래스 내에 선언만 하고, 그것의 정의는 별도 소스 파일에 정의한다. 이렇게 하는 것이 1장에서 언급한 바와 같이 컴파일 시간을 줄일 수 있고, 구현 내용을 숨길 수 있는 등 여러 이점이 있다. 하지만 이 책에서는 편의상 별도 소스 파일을 사용하지 않고(또는 분리하지 않고) 클래스 정의에 모든 메소드의 정의를 포함한다.

```
class Dog {
private:
    std::string mName;
public:
    void setName(std::string_view name) {
        mName = name;
    }
    std::string bark() const {
        return mName + "멍멍";
    }
};
```

〈그림 8.1〉 Dog 클래스

애완동물 기르기 게임을 구현하기 위해 강아지를 모델링하고자 한다. 이 게임에서 강아지는 실세계의 강아지와 유사하게 동작해야 한다. 강아지는 강아지 이름, 강아지 종, 나이 등 다양한 상태를 유지할 수 있으며, 짖기, 먹기, 뛰기, 자기, 꼬리 흔들기 등 다양한 행위를 할 수 있다. 처음 예제이기 때문에 가장 단순하게 상태는 이름만 유지하고 행위는 콘솔에 출력할 문자열을 반환하여 주는 짖기 메소드만 정의하면 그림 8.1과 같다. 이와 같은 클래스의 정의가 있으면 다음과 같이 해당 클래스의 객체를 생성하여 사용할 수 있다.

```
Dog dog;
dog.setName("미미");
std::cout << dog.bark() << '\n';
```

그림 8.1에서 알 수 있듯이 C++에서 접근 제어는 블록 단위로 지정한다. 블록 단위로 지정한다고 하여 중괄호를 사용하는 것은 아니고, switch 문의 case 절과 유사하다. 즉, 접근 제어를 나타내는 키워드 이후, 다음 접근 제어를 나타내는 키워드 전에 선언 또는 정의한 모든 멤버는 해당 접근 권한으로 설정된다. 그림 8.1에서 mName은 private 접근 권한을 가지며, setName과 bark는 public 접근 권한을 가진다. 한 클래스를 정의할 때 접근 제어 키워드를 여러 번 반복적으로 사용할 수 있다. 접근 제어는 값을 숨기고자 하는 것은 아니다. 접근을 통제하여 강건성을 높이고자 하는 것이다.

클래스에서 기본 접근 권한은 private이다. 따라서 접근 제어 키워드를 이용하여 권한이 지정되지 않은 멤버의 접근 권한은 private이다. 이 때문에 그림 8.1에서 2번째 줄에 있는 접근 권한 지정자를 삭제하여도 mName은 private 접근 권한을 가진다. 하지만 접근 권한을 생략하는 것보다는 그림 8.1처럼 private 키워드를 사용하는 것이 가독성에 더 바람직한 방법이다. 항상 프로그래밍에서는 명백하게 의도가 나타나도록 프로그래밍하는 것이 가독성 향상에 도움이 된다.

mName은 강아지의 이름을 나타내는 멤버 변수이다. 여기서 m 접두사는 멤버 변수를 식별하기 위한 접두사이다. 이처럼 식별자 앞에 접두사를 붙여 의미를 부여하는 명명 기법을 헝가리안 표기법[13]이라 한다. 이 책에서는 this 키워드를 설명하기 전까지는 m 접두사를 사용하여 모든 멤버 변수를 정의하여 지역 변수나 매개 변수와 구분한다. 식별자의 명명은 일관되도록 널리 사용하는 관례를 따라 명명하는 것이 바람직하다. 여러 관례가 있으므로 관례를 찾아보고 각자 자신이 가장 선호하는 관례를 정하여 명명하는 것이 필요하다.

클래스 멤버 변수의 가시영역은 선언 위치와 상관없이 클래스 전체이다. 이 때문에 클래스 멤버 변수를 클래스 맨 끝에 선언하는 프로그래머도 종종 있다. 하지만 코드는 책을 읽듯이 위에서부터 아래로 읽으면 내용을 이해할 수 있어야 좋다. 이 측면에서 멤버 변수를 클래스 처음에 선언하고, 생성자, 소멸자, 일반 메소드 순으로 정의하는 것이 바람직하다. 멤버 변수의 수명은 객체와 같다. 객체를 생성하면 그 객체를 위한 공간을 메모리에 확보하며, 여기에 그 객체의 멤버 변수가 유지된다. 이 공간은 객체가 소멸하면 없어진다.

보통 클래스가 어떤 멤버 변수를 가지고 있으면 해당 멤버 변수의 값을 수정하는 메소드와 해당 멤버 변수의 값을 얻을 수 있는 메소드를 정의하여 사용한다. 전자를 setter라 하고, 후자를 getter라 한다. 그림 8.1에는 mName 멤버 변수에 대해 setName이라는 setter 메소드만 정의하고 있다. 멤버 변수마다 항상 setter와 getter를 만들어야 하는 것은 아니다.

13) 헝가리안 표기법은 원래 접두사를 통해 타입을 알 수 있도록 해주는 표기법을 말한다. 예를 들어, szName이면 널로 끝나는 문자열(zero terminated string)을 의미한다.

```
class Dog {
private:
    std::string mName;
    std::string mBreed;
public:
    void setName(std::string_view name) {
        mName = name;
    }
    void setBreed(std::string_view breed) {
        mBreed = breed;
    }
    std::string bark() const {
        return mName + ": " + ((mBreed == "시추")? "왈왈": "멍멍");
    }
};
```

〈그림 8.2〉 종에 따라 짖는 소리가 다른 Dog 클래스

그림 8.1에 정의된 Dog 클래스를 수정하여 강아지의 종에 따라 짖기 행위가 "멍멍" 또는 "왈왈"을 반환하도록 하고 싶다. 기존 C 언어에서 사용하던 접근 방법을 사용하면 그림 8.2처럼 짖기 메소드 내에 조건문을 추가하여 이 기능을 구현할 것이다. 하지만 객체지향의 **다형성** 기능을 활용하면 조건문 없이 그림 8.3과 같이 상속을 활용하여 구현할 수 있다. 상속에 대해서는 11장, 12장에서 더 자세히 설명한다.

```
class Dog {
private:
    std::string mName;
public:
    virtual ~Dog() = default;
    void setName(std::string_view name) {
        mName = name;
    }
```

```
    virtual std::string bark() const {
        return mName + ": ";
    }
};

class SiberianHusky: public Dog {
public:
    virtual ~SiberianHusky() = default;
    std::string bark() const override {
        return Dog::bark() + "왈왈";
    }
};
```

〈그림 8.3〉 상속을 이용한 Dog과 SiberianHusky 클래스

```
class A {
private:
    int mVal;
public:
    void set(int n) {
        mVal = n;
    }
    int get() const {
        return mVal;
    }
};
```

(1) const 메소드가 있는 클래스

```
A a1;
const A a2;
const A& r{a1};
const A* p{&a1};
a1.set(10);
a2.set(7);      // error
r.set(5);       // error
p->set(3);      // error
```

(2) const 메소드의 사용 예

〈그림 8.4〉 const 메소드

지금까지 살펴본 Dog 클래스 정의를 보면 bark 메소드는 const 키워드로 수식하고 있다. 어떤 메소드를 const 키워드로 수식하면 해당 메소드 내에서는 객체의 멤버 변수를 수정할 수 없으며, 수정불가 포인터나 참조를 이용하여 객체를 조작하면 const 키워드로 수식된 메소드만 호출할 수 있다. 예를 들어, 그림 8.4의 (1)과 같은 클래스가 있다고 하

자. 이 클래스의 get 메소드는 const 메소드이기 때문에 해당 메소드 내에서는 mVal = 00;과 같이 멤버 변수의 값을 수정하는 문장을 사용할 수 없다. 수정불가 포인터나 참조 변수를 이용하면 const 메소드가 아닌 메소드는 호출할 수 없으므로 그림 8.4의 (2)에서 5번째와 6번째 줄은 문법 오류이다.

그림 8.3에 제시된 두 개의 클래스에는 메소드 이름 앞에 ~ 기호가 붙어있고, 메소드 이름이 클래스 이름과 같은 메소드가 있다. 이 메소드는 **소멸자**(destructor)로서, 객체가 소멸할 때 자동으로 호출되는 메소드이다. 소멸자는 보통 객체가 사용한 자원을 반납하기 위해 사용한다. 그림 8.3에 제시된 2개의 소멸자는 모두 virtual 키워드로 수식하고 있으며, 몸체를 제시하지 않고 = default로 대체하였다.

virtual 키워드로 수식된 메소드는 가상 함수라 하며, 늦은 바인딩을 할 수 있도록 해준다. 이에 대해서는 12장에서 자세히 설명한다. 다만, 상속할 때는 올바른 소멸자가 올바른 순서로 호출되도록 소멸자를 가상 함수로 만들어 주어야 한다. 사용자가 소멸자를 정의하지 않으면 시스템에서 기본 소멸자를 제공해 준다. 여기서는 = default를 사용함으로써 기본 소멸자를 사용하겠다는 것을 컴파일러에게 알려주는 역할을 한다. 기본 소멸자를 사용할 것이면 굳이 그림 8.3과 같이 정의할 필요가 없다고 생각할 수 있다. 하지만 시스템에서 제공하여 주는 소멸자는 가상 소멸자가 아니기 때문에 다른 클래스가 상속할 클래스이고 소멸자에서 특별히 해야 하는 것이 없으면 이와 같은 방법으로 소멸자를 정의하는 것이 가장 간결하고 필요한 방법이다.

그림 8.3에 제시된 두 개의 클래스의 bark 메소드는 가상 함수이며, 그중 하나는 override 키워드를 사용하고 있다. override 키워드는 부모에 정의된 메소드를 재정의하는 메소드임을 컴파일러에 알려주어 더 엄격하게 문법 검사를 할 수 있도록 해주는 요소이다. bark 메소드를 가상 함수로 만든 이유는 12장에서 자세히 설명한다.

```
std::string Dog::bark() const {
    std::stringstream ss;
    ss << mName << ": " << ((mBreed == "시추")? "왈왈": "멍멍");
    return ss.str();
}
```

〈그림 8.5〉 std::stringstream을 이용한 bark 메소드

그림 8.2의 bark 메소드는 + 연산자를 이용하여 문자열을 결합하고 있다. 이와 같은 결합은 임시 std::string 객체가 여러 개 생성될 수 있으므로 효율적이지 못하다. 하지만 C++는 여러 문자열을 효과적으로 결합하는 방법을 아직은 제공하지 못하고 있다. 여러 문자열을 결합할 때, std::stringstream을 이용할 수 있다. 특히, 이 방법은 문자열뿐만 아니라 다양한 타입의 데이터를 결합하여 하나의 문자열을 만들 때 효과적으로 사용할 수 있다. 그림 8.2의 bark 메소드를 std::stringstream를 이용하여 구현하면 그림 8.3과 같다.

여러 문자열을 결합할 때, std::string의 append 메소드를 이용하는 방법, +나 += 연산자를 이용하는 방법, std::stringstream을 이용하는 방법 등이 있다. 다양한 타입을 결합하여 하나의 문자열을 만들어야 하면 std::stringstream이 가장 간결하게 프로그래밍하는 방법이지만, 성능은 보통 append를 이용하는 것이 가장 효과적이다.

5. Person 클래스 정의하기

```
class Person {
private:
    std::string mName;
    int mAge;
public:
    int getAge() const {
        return mAge;
    }
    void setAge(int age ) {
        if(age > 0 && age < 200) mAge = age;
    }
    std::string getName() const {
        return mName;
    }
```

```
    void setName(std::string_view name) {
        mName = name;
    }
};
```

〈그림 8.6〉 Person 클래스

클래스를 정의만 하면 아무 의미가 없다. 클래스가 프로그램에서 어떤 기능을 하기 위해서는 그 클래스의 객체를 생성하여 사용해야 한다. 객체는 일반 변수와 같은 방법으로 선언함으로써 생성할 수 있다. 그림 8.6에 정의된 클래스의 객체는 다음과 같이 생성하여 사용할 수 있다.

```
Person person1;
Person person2{};
Person* person3{new Person{}};
```

위 예에서 person3은 동적 생성된 객체를 가리키는 포인터 타입의 변수이다.

객체를 자동 생성하거나 동적 생성하거나 일반 변수처럼 초깃값을 줄 수 있으며, 이들 초깃값을 이용하여 객체의 멤버 변수를 초기화해 주는 메소드를 **생성자**(constructor)라 한다. 참고로 그림 8.6에는 생성자가 하나도 정의되어 있지 않다. 이 경우에는 시스템에서 **기본 생성자**(default constructor)를 사용할 수 있도록 해준다. 기본 생성자는 인자를 하나도 받지 않는 생성자를 말한다. C++에서는 기본 인자를 사용할 수 있으므로 모든 매개변수가 기본 인자값을 가지고 있으면 이 생성자가 기본 생성자를 겸한다. 위 예에서 생성한 모든 객체는 기본 생성자를 이용하여 생성된다. C++11 이전에는 기본 생성자를 이용하여 객체를 생성하고 싶으면 person1처럼 선언해야 했지만, C++11 이후에는 person2처럼 선언해도 기본 생성자를 사용한다.

객체를 생성하면 객체의 멤버 변수를 유지하기 위한 공간이 만들어진다. 실제 할당된 공간의 크기는 공간 사용을 최적화하기 위해 멤버 변수들의 공간 합보다 클 수 있다. 즉, 다음이 성립한다.

```
sizeof(person1) >= sizeof(person1.mName) + sizeof(person1.mAge)
```

여러 개의 객체를 생성하면 각 객체는 자신만의 공간에 그들의 멤버 변수를 유지한다. 객체를 생성하면 해당 객체의 public 멤버는 접근하여 사용할 수 있다. 이때 일반 객체 변수는 구조체와 마찬가지로 . 연산자를 사용하고, 포인터 변수는 -> 연산자를 사용한다.

보통 원시 타입이 아닌 데이터를 인자로 전달할 때 값 전달 방식을 사용하면 효율성이 떨어질 수 있다. 이 때문에 C++에서는 이와 같은 데이터는 값 전달 방식 대신에 참조 전달 방식을 사용하며, 해당 함수가 받은 인자를 수정할 필요가 없으면 const 키워드로 수식하여 준다. 효율성을 위해 주소 전달 방식을 사용할 수 있지만 주소 전달 방식은 엉뚱한 주소나 nullptr이 전달될 수 있어 C++에서는 참조 전달을 더 선호한다.

그림 8.6의 setName 메소드는 문자열을 인자로 받아 mName 멤버 변수를 변경하고 있다. C++17 이전에는 이 메소드는 다음과 같이 선언하였을 것이다.

```
void setName(const std::string& name);
```

하지만 C++17 이후에는 그림 8.6처럼 std::string_view를 값 전달로 받는 형태로 정의하는 것이 더 효율적이다. std::string_view는 인자 타입이 std::string 타입인지 const char* 타입인지 무관하게 새 공간을 확보하지 않으며, 기존 데이터의 복사도 필요 없다.

그림 8.6의 getName 메소드는 값으로 반환하고 있다. 객체 타입을 값으로 반환하면 반환하는 과정에서 임시 객체가 생성되는데, 문자열처럼 객체의 생성과 소멸이 매우 비싼 객체들도 있다. 무거운 것은 값 전달 대신에 참조 전달을 이용하듯이 무거운 멤버 변수를 반환할 때는 다음과 같이 참조 방식으로 반환할 수 있다.

```
const std::string& getName() const {
    return name;
}
```

일반 함수에서 지역 변수는 절대 참조로 반환할 수 없지만 객체가 존재해야 메소드를 호출할 수 있으므로 멤버 변수는 참조로 반환할 수 있다. 이때 수정불가 참조로 반환하지 않으면 반환받은 것을 이용하여 객체의 상태를 수정할 수 있으므로 주의해야 한다. 또 객체 수명이 끝난 객체의 멤버 변수를 참조로 사용하는 것은 심각한 논리 오류이므로 참조로 반환한 것을 참조 변수에 유지할 때는 일시적으로만 사용해야 한다.

위와 같이 참조로 반환하였을 때, 다음 두 문장의 차이를 생각하여 보자.

```
const std::string& n1{p.getName()};
std::string n2{p.getName()};
```

첫 번째 문장은 참조 변수로 참조로 반환된 값을 받기 때문에 std::string의 생성자가 호출되지 않는다. 두 번째 문장은 일반 변수이기 때문에 생성자가 호출되어야 한다. 따라서 함수가 반환하는 값의 형태에 따라 그것을 처리하는 방법도 달라져야 한다.

getName 메소드는 다음과 같이 정의할 수도 있다.

```
std::string_view getName() const {
    return name;
}
```

이 경우에도 반환 과정에서 무거운 객체의 생성은 일어나지 않는다. 또 참조로 반환하면 참조로 받아야 효과적인데, 위 메소드는 그와 같은 고민 없이 std::string_view로 받아서 사용하면 된다. 따라서 C++17 이후에는 std::string 타입의 멤버 변수에 대한 getter는 std::string_view를 반환 타입으로 사용하는 것이 더 효과적인 방법이다.

그림 8.6에서 mName의 접근 권한을 private으로 설정하고, public getter와 setter를 제공하고 있다. 하지만 setter에서 인자에 대해 어떤 검사도 하고 있지 않다. 우리가 멤버 변수를 private 접근 권한으로 설정하는 이유는 잘못된 값을 가지지 못하게 하여 프로그램의 강건성을 높이기 위함이다. mAge의 경우에는 이 목적으로 setter에서 인자의 범위를 검사하고 있다. 따라서 mName처럼 setter에서 인자에 대해 어떤 검사도 하지 않으면 굳이 private으로 설정할 필요가 없다. 차라리 public으로 설정하고 getter와 setter를 제공하지 않는 것이 더 간결하고 좋은 방법이 될 수 있다. 실제 mName의 경우 검사할 것이 전혀 없는 것이 아니다. 길이가 1 이상인지 등 응용에서 사용하는 이름의 특성에 따라 다양한 검사할 수 있다.

6. OCP

객체지향 설계 원리 중 가장 중요한 다음 다섯 가지 원리를 모아 **SOLID**라 한다.

- 단일 책임 원리(SRP)
- 개방 폐쇄 원리(OCP, Open-Closed Principle)
- 리스코프 치환 원리(LSP, Liskov Substitution Principle)
- 인터페이스 분리 원리(ISP, Interface Segregation Principle)
- 의존 관계 역전 원리(DIP, Dependency Inversion Principle)

이 책에서 이 다섯 가지 원리를 깊게 설명하는 것은 범위를 벗어난다. 하지만 매우 중요한 원리이기 때문에 SRP는 2.5.2절에서 간단히 설명하고 있으며, LSP, ISP, DIP는 12장에서 간단히 설명한다. 객체지향의 중요 장점에 해당하는 OCP는 이 절에서 간략하게 설명한다.

OCP에 의하면 클래스는 수정에 대해 닫혀 있지만 확장에 대해서는 열려 있어야 한다. 직관적으로 생각하면 말이 안 된다고 생각할 수 있다. 하지만 충분히 향후 확장을 고려하여 클래스를 설계 및 구현하였다면 기존 클래스를 수정하지 않고 필요한 확장을 할 수 있다. 객체지향에서 한 클래스를 수정하지 않고 확장하는 가장 기초적인 방법은 상속과 포함 관계를 이용하는 것이다.

예를 들어, 모든 애완동물을 아우르는 Pet 클래스가 있으면 Pet 클래스를 수정하지 않고 Pet 클래스를 상속하여 햄스터, 토끼 등 다양한 애완동물을 정의할 수 있다. 오목 게임에서 컴퓨터 플레이어에 해당하는 클래스가 있을 때, 이 클래스가 다음 돌의 위치를 결정하는 전략을 다른 클래스에 위임하고 있다고 하자. 즉, 컴퓨터 플레이어 객체는 다음 돌의 위치를 결정하는 객체를 포함 관계로 유지하고 있다. 이 경우 모든 전략을 아우르는 상위 타입에 전략 객체를 유지하고 있다면 컴퓨터 플레이어를 수정하지 않고 유지하는 전략 객체를 바꾸어 돌의 위치를 결정하는 전략을 바꿀 수 있다.

상속과 포함 관계 외에 OCP를 가능하게 해주는 쉽게 생각하기 어려운 방법들이 있다. 특히, 많은 객체지향 **설계 패턴**(design pattern)이 OCP를 할 수 있도록 해준다. 따라서 전문적인 객체지향 프로그래밍을 하기 위해서는 객체지향 설계 패턴에 대한 학습이 꼭 필

요하다. 더욱이 설계 패턴에 대한 학습은 객체지향 소스를 이해하고, 다른 개발자와 의사소통을 위해서도 필요하다.

퀴즈

1. 객체지향 프로그래밍 기본 개념과 관련된 다음 설명 중 **틀린** 것은?

   ① 기능은 객체로 모델링하지 않는다.
   ② 데이터와 그것을 처리하는 함수를 하나의 틀로 정의하여 사용하는 것을 캡슐화라 한다.
   ③ 접근 제어는 프로그램의 강건성을 높이기 위한 요소이다.
   ④ 객체 메소드는 객체의 상태를 활용해야 한다.

2. 멤버 변수의 수명은 객체의 수명과 같으므로 지역 변수의 주소나 참조 반환과 달리 객체 메소드에서 멤버 변수를 참조로 반환할 수 있다. 다음과 같은 클래스가 있을 때,

```
class A {
private:
    B b;
    //
public:
    //
};
```

이 클래스에 멤버 변수 b에 대한 단순 getter를 정의하고자 한다. 가장 효율적으로 정의하는 방법(문법적 오류도 없어야 함)과 가장 효과적인 사용법은 다음 중 어느 것인가? 여기서 a는 A 타입의 일반 객체 변수이다.

	정의	사용법
①	`B get() const { return b; }`	`B o{a.get()};`
②	`B& get() const { return b; }`	`B& o{a.get()};`
③	`const B& get() const { return b; }`	`const B& o{a.get()};`
④	`const B& get() const { return b; }`	`B o{a.get()};`

3. 다음과 같은 클래스와

```
class A {
private:
    void foo() const;
    void bar();
public:
    void baz() const;
    void ham();
};
```

다음과 같은 함수 정의가 있을 때,

```
void func(const A& a) {}
```

A의 메소드 중 매개 변수 a를 이용하여 호출할 수 있는 메소드는 다음 중 어느 것인가?

① foo ② bar ③ baz ④ ham

연습문제

1. 다음과 같은 함수 선언이 있을 때,

```
void foo(A& a);
void foo(const A& a);
void foo(A&& a);
```

다음 코드에서 3개의 함수 호출이 어느 함수를 호출하는지 제시하고, 그 이유를 설명하라.

```
A o1;
const A o2;
foo(o1);
foo(o2);
foo(A{});
```

2. 즐겨 사용하는 웹 서비스, 모바일 서비스, 게임, 응용 중 하나를 선택한 후, 그것을 직접 개발한다고 가정해 보고, 해당 서비스, 게임, 응용을 구현하는 데 필요한 클래스가 유지해야 하는 상태와 행위를 제시하라. 이때 제시한 클래스를 이해할 수 있도록 선택한 서비스, 게임, 응용에 대한 설명도 포함해야 한다. C++ 코드를 제시해야 하는 것은 아니며, 행위는 단순 getter와 setter가 아닌 클래스의 객체가 제공해야 하는 주요 기능을 나열하고 설명해야 한다.

3. 이름(std::string), 학년(unsigned int), 성별(bool) 정보를 멤버 변수로 유지하는 Student 클래스를 정의하라. 클래스에 각 멤버 변수를 정의할 때, 각 멤버 변수의 특성에 따라 그것의 접근 권한을 public 또는 private로 적절히 설정해야 한다. 또 private로 설정한 멤버 변수에 대해서는 getter와 setter를 클래스 내에 정의해야 한다. 이때 정의하는 메소드는 객체의 상태를 수정하는지에 따라 const로 적절히 수식해야 한다.

4. 다음과 같이 게임에 등장하는 인물을 나타내는 클래스가 있다.

```
class Hero {
private:
    Weapon* weapon;
    //
};
```

이 클래스는 제시된 것처럼 무기를 나타내는 Weapon 클래스의 객체를 포인터 타입으로 유지한다. 무기를 얻기 위한 getter를 다음과 같이 정의할 때 차이점을 설명하고, 4가지 중 어떤 것이 가장 적절한지 제시하라.

①

```
const Weapon* getWeapon() const {
    return weapon;
}
```

②

```
Weapon getWeapon() const {
    return *weapon;
}
```

③

```
Weapon& getWeapon() {
    return *weapon;
}
```

④

```
const Weapon& getWeapon() const {
    return weapon;
}
```

참고로 11장, 12장에서 설명하는 다형성 때문에 포인터 타입으로 유지하고 있다.

제9장

객체와 클래스 2부

제 9 장 객체와 클래스 2부

1. BankAccount 클래스 정의하기

```
#ifndef BANKACCOUNT_H_
#define BANKACCOUNT_H_

class BankAccount {
private:
    unsigned int mBalance{0};
public:
    unsigned int getBalance() const {
        return mBalance;
    }
    void deposit(int amount) {
        if(amount > 0) mBalance += amount;
    }
    void withdraw(int amount) {
        if(amount > 0 && amount <= mBalance) mBalance -= amount;
    }
};

#endif
```

〈그림 9.1〉 BankAccount 클래스

객체지향 프로그래밍에서 클래스를 소개할 때 가장 많이 사용하는 예가 은행 계좌 예이다. 이 절에서는 잔액만 상태로 유지하고, 잔액조회, 입금, 출금 3가지 메소드를 제공하는 은행 계좌를 구현하여 본다. 구현한 결과는 그림 9.1과 같다. 지금까지 제시한 클래스와 달리 헤더 파일에 정의할 때 사용하는 전처리 문장도 함께 제시하였다. 앞서 언급한 바와 같이 C++에서 클래스는 헤더 파일에 정의한다. 이때 보통 클래스의 메소드는 해당 헤더 파일에 선언만 하고, 그것의 정의는 별도 소스 파일에 정의한다.

은행 계좌에서 잔액은 항상 0보다 크다고 가정하여 unsigned int 타입으로 선언하였다. 입금액과 출금액도 항상 0보다 커야 하지만 입금과 출금 메소드의 매개 변수 타입은 signed 타입으로 정의하고 있다. 이렇게 한 이유는 매개 변수가 unsigned일 때 음수를 전달하면 해당 매개 변수는 이 값을 양수로 해석한다. 따라서 unsigned 타입의 매개 변수를 사용하면 인자의 오류를 검사할 수 없는 문제점이 있다. 물론 signed 타입을 사용하면 멤버 변수의 범위와 인자의 범위가 서로 달라지는 전혀 다른 문제점이 나타난다. 따라서 이와 같은 문제점들을 이해하고 응용에서 필요한 실제 범위를 고려하여 멤버 변수의 타입과 인자 타입을 결정할 필요가 있다.

1.1. 숨겨진 매개 변수

그림 9.1의 deposit 메소드에서 mBalance는 어느 객체의 mBalance인가? 클래스 정의만 보면 메소드 내에 사용한 멤버 변수의 소유자를 알 수 없다. 해당 메소드가 호출되는 시점에서 살펴보아야 메소드 내의 멤버 변수가 누구의 멤버 변수인지 단정할 수 있다. 예를 들어, 다음과 같은 코드에서,

```
BankAccount aliceAccount;
aliceAccount.deposit(10'000);
```

두 번째 줄의 deposit 메소드가 호출되면 해당 메소드 내에서 접근하는 mBalance 멤버는 aliceAccount 객체의 소유이다. 하지만 우리와 달리 컴파일러는 이것을 쉽게 인식하기 어렵다. 이 때문에 C++에서는 이 용도를 위해 항상 메소드에 매개 변수를 하나 더 추가하여 사용하며, 메소드를 호출할 때 호출문에 없는 인자를 추가한다. 이 인자를 **숨겨진 인자**(implicit argument)라 한다.

그림 9.1의 deposit 메소드는 컴파일러에 의해 다음과 같이 변경된다.

```
void deposit(BankAccount* const this, int amount) {
    if(amount > 0) this->mBalance += amount;
}
```

컴파일러에 의해 추가되는 매개 변수의 이름은 this이며, 이 매개 변수의 타입은 해당 클래스에 대한 상수 포인터이다. 또 기존 aliceAccount를 이용한 deposit 메소드 호출은 다음과 같이 변경된 후 번역한다.

```
deposit(&aliceAccount, 10'000);
```

const 메소드의 숨겨진 매개 변수는 수정불가 상수 포인터이다. 예를 들어, getBalance의 숨겨진 매개 변수는 다음과 같다.

```
unsigned int getBalance(const BankAccount* const this) const {
```

this는 컴파일러를 위해 도입한 요소이지만 프로그래머가 필요하면 프로그래밍할 때 사용할 수 있다. 지금까지 클래스를 정의할 때 멤버 변수와 다른 변수를 구분하기 위해 접두사 m를 이용하였지만, 이제는 접두사를 사용하지 않고 다음과 같이 this를 이용하여 프로그래밍할 수 있다.

```
void setName(std::string_view name) {
    this->name = name;
}
```

하지만 this가 포인터 타입이기 때문에 위와 같이 프로그래밍하는 것이 오히려 번거로울 수 있다. 따라서 멤버 변수를 이용하여 프로그래밍할 때마다 this를 무조건 사용하는 것은 좋은 프로그래밍 스타일이 아니다. 위 예처럼 매개 변수 이름과 멤버 변수 이름을 구분하기 위한 용도로만 사용하는 것이 바람직하다. 이 때문에 접두사 m를 이용하는 것과 같이 멤버 변수 명명 방법을 통해 식별하는 것이 더 효과적인 방법이라 주장하기도 한다.

this를 실제 사용해야 하는 경우는 메소드에서 객체 자체를 반환해야 할 때이다. 복사 대입 연산자를 다중 정의할 때처럼 메소드에서 객체 자체를 반환해야 하는 경우가 종종 있다. 또 메소드를 연쇄적으로 호출할 수 있도록 만들 때도 메소드에서 객체 자체를 반환해야 한다. 메소드의 **연쇄 호출**이란 a.foo().bar()처럼 프로그래밍하는 것을 말한다. 메소드의 연쇄 호출이 좋은 프로그래밍 스타일은 아니다. 특히, a.foo().bar()에서 a.foo()가 반환하는 타입이 a와 다르면 의존하는 클래스의 수가 늘어날 수 있으며, 의존하는 클래스가 명확하게 나타나지 않는 문제점도 있다. this를 반환할 때는 항상 참조로 반환해야 불필요한 임시 객체의 생성을 방지할 수 있다.

2. 멤버 변수

객체가 유지해야 하는 상태를 나타내기 위해 멤버 변수를 정의한다. 객체가 유지하는 멤버 변수가 너무 많으면 클래스가 처리해야 하는 기능이 너무 많다는 것을 의미할 수 있다. 또 여러 개의 정보를 결합하여 하나의 정보를 나타낼 수 있으면 이들을 각각 멤버 변수로 정의하는 것보다는 결합한 정보를 나타내는 또 다른 클래스를 정의한 후에 이 클래스의 객체를 멤버 변수로 유지하는 것이 바람직하다. 예를 들어, 사람의 주소 정보를 유지하기 위해 도시, 도로, 우편번호 등을 사람 클래스에 각각 유지하는 것보다는 주소라는 클래스를 정의하고 사람 클래스에는 주소 타입의 객체를 멤버 변수로 유지하는 것이 추상화 측면에서 더 효과적이며, 두 클래스의 응집성 측면에서도 바람직하다.

비슷한 논리로 클래스가 처리해야 하는 기능 중 일부를 논리적으로 묶을 수 있으면 그들을 원래 클래스에서 분리하여 새로운 클래스를 정의한 후에 원래 클래스는 새 클래스의 객체를 유지할 수 있다. 이를 통해 큰 클래스를 모듈화할 수도 있다.

객체의 멤버 변수는 그것이 유지하는 데이터의 특성에 따라 다음과 같이 분류할 수 있으며, 각 종류에 따라 초기화하는 방법이 다르다.

- 객체 상수: 객체마다 다른 값으로 초기화할 수 있지만 한 번 초기화된 이후 변하지 않는 값
- 시작값 고정 변수: 모든 객체가 같은 값으로 초기화해야 하는 변수
- 시작값 유동 변수: 객체마다 다른 값으로 초기화할 수 있는 변수

이들을 실제 초기화하는 방법에 대해서는 3.2절에서 설명한다.

멤버 변수를 선언하는 순서에 의해 초기화 순서가 결정된다. 따라서 한 멤버 변수의 초깃값이 다른 멤버 변수에 영향을 주면 변수의 선언 위치가 매우 중요하다. 더욱이 3.3.2절에 사용하는 초기화 목록은 그것의 작성 순서가 아니라 선언 순서에 의해 실행 순서가 결정되므로 이를 고려하여 멤버 변수의 선언 순서를 결정해야 한다.

보통 멤버 변수는 직접 접근하여 수정할 수 있으면 객체가 잘못된 상태로 진입할 수 있으므로 private 접근 권한을 가지도록 한다. 하지만 상수는 변할 수 없으므로 객체 상수는 public 접근 권한을 가지도록 하여도 문제가 없다. 또 객체가 유지하는 특성 중에 모든 객체가 공유할 수 있는 데이터도 있을 수 있다. 이 경우에는 중복하여 유지하면 일관성 문제, 공간 낭비 문제 등이 발생하므로 static 변수로 정의할 수 있다. 특히, 모든 객체가 공통으로 사용하는 상수는 static const으로 수식하며, 클래스 상수라 한다.

3. 메소드

3.1. 메소드의 종류

클래스에 정의하는 메소드는 크게 다음과 같이 4가지 종류로 구분할 수 있다.

- 생성자: 객체를 생성할 때 사용하는 메소드
- 소멸자: 객체의 수명이 끝났을 때 자동으로 호출되는 메소드
- 접근자 메소드: 객체의 상태를 변경하지 않는 메소드
- 수정자 메소드: 객체의 상태를 수정하는 메소드

생성자는 메소드의 이름이 클래스 이름과 같으며, 소멸자 메소드와 함께 메소드를 정의할 때 반환 타입을 기술하지 않는다. 클래스를 정의할 때 생성자 메소드를 하나도 정의하지 않으면 시스템에서 몇 가지 생성자를 기본적으로 제공하여 준다. 이 중 인자가 하나도 없는 기본 생성자도 포함된다.

소멸자는 생성자와 마찬가지로 메소드의 이름이 클래스 이름과 같다. 이 때문에 생성자 메소드와 구분하기 위해 메소드 이름 앞에 ~ 기호가 추가된다. 클래스를 정의할 때 소멸

자를 정의하지 않으면 기본 소멸자가 제공된다. 생성자는 여러 종류를 정의할 수 있지만 소멸자는 하나만 정의할 수 있다. 다른 클래스가 상속해야 하는 클래스이면 해야 할 일이 없더라도 기본 소멸자를 가상 소멸자로 정의해 주어야 한다. 이에 대해서는 12장에서 자세히 설명한다.

은행 계좌 예에서 잔액조회 메소드가 대표적인 접근자 메소드이다. 접근자 메소드는 객체의 특정 상태를 알기 위해 사용하는 것이므로 해당 상태를 나타내는 값을 반환하는 형태로 보통 구현한다. 따라서 보통 반환 타입을 가지고 있다. 접근자 메소드는 객체의 상태를 수정하지 않기 때문에 항상 const 키워드로 수식하여 준다. 또 상태가 원시 타입이 아니면 효율성을 위해 참조로 반환할 수 있다. 이때 캡슐화를 위해 보통 수정불가 참조로 반환한다.

수정자 메소드는 객체의 상태를 변경하기 때문에 상태를 변경할 때 사용할 값을 보통 인자로 받으며, 접근자 메소드와 구분하기 위해 보통 반환 타입이 없다. 수정자 메소드는 잘못된 변경이 이루어질 수 없도록 보장해 주어야 하며, 인자를 사용하기 전에 인자가 유효한지 반드시 검사해야 한다. 상태 변경이 성공적인지를 알기 위해 반환 타입으로 bool이나 int를 사용할 수 있지만 더 올바른 구현 방법은 성공적으로 변경하지 못하였을 때 이를 인지할 수 있도록 예외 처리를 하는 것이다. 예외 처리는 10장에서 자세히 설명한다. 따라서 보통 반환 타입 유무에 따라 접근자와 수정자를 구분할 수도 있다. 물론 C++에서는 const 키워드의 수식 여부로 명확하게 구분된다.

3.2. 멤버 변수의 초기화

객체를 생성할 때 객체를 적절하게 초기화해야 한다. 객체를 초기화한다는 것은 객체의 멤버 변수를 초기화하는 것을 말한다. 멤버 변수는 크게 다음과 같은 방법으로 초기화할 수 있다.

- 방법 1. 명백한 초기화 (C++11 이후 도입)
- 방법 2. 생성자의 초기화 목록
- 방법 3. 생성자 몸체

초기화 목록은 생성자 매개 변수 목록과 몸체 사이에 위치하며, 그것의 자세한 문법은 다음 절에서 설명한다. 초기화 목록에서 명백하게 초기화한 것을 다시 바꿀 수 있으며, 최종적으로 생성자 몸체에서 다시 변경할 수 있다. 하지만 이와 같은 중복 초기화는 낭비이기 때문에 바람직하지 않다.

객체의 멤버 변수는 그것의 특성에 따라 앞서 설명한 바와 같이 객체 상수, 시작값 고정 변수, 시작값 유동 변수로 분류할 수 있으며, 각 종류에 따라 초기화하는 방법은 보통 다음과 같다.

- 객체 상수: 초기화 목록
- 시작값 고정 변수: 명백한 초기화
- 시작값 유동 변수: 초기화 목록

따라서 C++는 보통 생성자 몸체에서 멤버 변수를 초기화하는 경우는 매우 드물다.

객체 상수와 시작값 유동 변수는 객체마다 다른 값으로 초기화할 수 있으므로 개발자가 어떤 값으로 초기화할지 알 수 없다. 따라서 이들은 생성자에서 초깃값을 받아 이를 이용하여 초기화할 수밖에 없다. 이때 인자의 유효성 검사가 복잡하면 초기화 목록에 필요한 코드를 포함하는 것이 어렵거나 가독성에 좋지 않을 수 있다. 이 경우에는 인자의 유효성 검사를 해주는 별도 메소드를 만들어 활용하는 것이 바람직하다. 이 메소드는 해당 멤버 변수의 setter를 구현할 때도 활용한다. 예를 들어, 다음과 같은 private 메소드를 만들고,

```
int checkEntranceYear(int year) {
    if(year < 1992)
        throw std::invalid_argument("입학 연도는 1992년 이상이어야 함");
    return year;
}
```

그림 9.2의 생성자를 다음과 같이 수정할 수 있다.

```
explicit Student(int entraceYear, int year = 1):
    ENTRANCE_YEAR{checkEntranceYear(entranceYear)},
    year{checkYear(year)} {}
```

객체 상수와 시작값 유동 변수의 경우 위에 제시된 year처럼 주로 많이 사용하는 값이 있

으면 기본 인자를 이용하여 생성자를 정의할 수 있다. 이 경우 객체 상수와 시작값 유동 변수가 있어도 기본 생성자의 정의가 가능하다.

클래스 변수나 상수도 초기화해야 하며, 클래스 상수는 모든 객체가 공유하는 상수이고, 초깃값이 정해져 있으므로 명백한 초기화를 해야 한다. 하지만 유일 정의 규칙 때문에 C++17 이전까지는 상수가 아닌 static 멤버 변수는 클래스 밖에서 헤더 파일이 아닌 소스 파일에서 별도 초기화할 수밖에 없었다. C++17에서는 이와 같은 static 멤버 변수도 inline 키워드를 이용하여 클래스 내에 명백한 초기화를 할 수 있다.

객체 상수는 생성자에서 초깃값을 인자로 받아 초기화해 주어야 하므로 constexpr로 수식할 수 없다. 하지만 클래스 상수는 컴파일 시간에 초기화할 수 있으므로 const 대신에 constexpr로 초기화할 수 있다.

예를 들어, 대학생을 객체로 모델링하였다고 하자. 관련 응용에서 대학생과 관련하여 입학연도, 학년, 이수학점, 졸업최소이수학점을 유지할 필요가 있었다. 이 경우 이들 데이터의 특성을 고려하여 각 데이터가 객체 멤버 변수인지, 클래스 멤버 변수인지 구분해야 하며, 그다음에는 세부적으로 상수 데이터인지, 변수이면 시작값이 고정인지 유동인지 분석해야 한다.

```
class Student {
private:
    static inline constexpr int TOTAL_MIN_CREDIT{150}; // 졸업최소이수학점
    const int ENTRANCE_YEAR;    // 입학 연도
private:
    int year;                   // 학년
    int currentCredit{0};       // 이수학점
public:
    explicit Student(int entraceYear, int year = 1):
        ENTRANCE_YEAR{entraceYear}, year{(year == 3)? 3: 1} {}
    //
};
```

〈그림 9.2〉 Student 클래스

응용의 요구에 따라 바뀔 수 있지만 일반적으로 분석해 보면 다음과 같다. 입학 연도는 학생마다 다를 수 있지만 바뀌는 값이 아니므로 객체 상수에 해당한다. 항상 학생 객체는 입학할 때 생성한다고 가정하면 학년은 신입생과 편입생에 따라 1 또는 3이 될 수 있으므로 시작값 유동 변수이다. 같은 가정에 따라 학생의 이수학점은 0으로 시작해야 하므로 시작값 고정 변수이다. 반면에 졸업최소이수학점은 클래스 상수에 해당한다. 이와 같은 분석을 토대로 클래스를 정의하면 그림 9.2와 같다. C++20에서는 TOTAL_MIN_CREDIT에 대해 constexpr 대신에 constinit을 사용할 수 있다. 또 static 변수이므로 inline을 사용하지 않으면 클래스 내부에서 초기화할 수 없어 문법 오류이다.

모델링 결과는 각 응용의 필요에 따라 달라질 수 있으며, 객체 상수 같은 경우에는 한 번 설정된 값을 바꿀 수 없으므로 사용자 입력 실수로 잘못 설정하면 그것을 바로잡기(예: 생성한 객체 삭제 후 다시 생성)가 번거로울 수 있다. 이 경우 객체 상수도 변수로 모델링하고, 수정자를 제공할 수 있다.

상수는 초기화된 이후 변하지 않기 때문에 private 대신에 접근 권한을 public으로 설정할 수 있다. 참고로 상수나 참조 타입의 변수는 몸체에서 초기화할 수 없으므로 반드시 명백한 초기화를 이용하거나 초기화 목록을 이용해야 한다.

3.3. 생성자

```
class BankAccount {
private:
   unsigned int balance{0};
public:
   explicit BankAccount() = default;
   explicit BankAccount(int amount) {
      deposit(amount);
   }
   //
};
```

〈그림 9.3〉 BankAccount 클래스의 생성자

생성자는 객체를 생성할 때 사용하는 메소드이다. 생성자는 메소드를 정의할 때 반환 타입을 기술하지 않으며, 메소드 이름이 클래스 이름과 같다. 클래스의 객체를 편리하게 생성할 수 있도록 보통 여러 개의 생성자를 제공한다. 기본 인자를 활용하면 다중 정의해야 하는 생성자의 수를 줄일 수 있다. 그림 9.3에는 기존 그림 9.1에 제시한 BankAccount 클래스에 필요한 생성자를 2개 정의하고 있다. BankAccount에서 정수를 하나 받는 생성자는 인자를 이용하여 balance를 직접 초기화하지 않고, 생성자 몸체에서 deposit 메소드를 호출하고 있다. 보통 코드 중복을 제거하기 위해 생성자에서 setter를 호출하는 경우가 종종 있지만, 은행 계좌는 모든 종류의 입금을 deposit 메소드를 통해 이루어져야 하므로 이와 같은 형태로 구현하고 있다.

생성자 형태에 따라 해당 생성자를 호칭하는 특별한 용어가 있으며, 특별한 호칭을 가진 생성자는 특별한 용도로 사용한다. 특별한 호칭을 가진 생성자는 크게 다음과 같다.

- 기본 생성자: 인자를 하나도 받지 않는 생성자
- 복사 생성자(copy constructor): 동일 타입의 객체를 Lvalue 참조 타입으로 받는 생성자
- 이동 생성자(move constructor): 동일 타입의 객체를 Rvalue 참조 타입으로 받는 생성자
- 변환 생성자(converting constructor): 다른 타입의 인자를 하나만 받는 생성자

복사 생성자는 주어진 객체와 동일한 상태를 가진 객체를 생성할 때 사용한다. C++11부터는 임시 객체의 복제 비용을 최적화하기 위해 이동 생성자가 추가되었다. 이동 생성자에 대해서는 13장과 14장에서 자세히 설명한다. C++11까지는 다른 타입의 인자를 하나만 받는 생성자를 변환 생성자라 하였지만 그 이후에는 인자의 개수와 상관없이 모든 생성자를 변환 생성자로 사용할 수 있다. 변환 생성자는 컴파일러가 다른 타입을 이 클래스의 객체로 변환할 때 사용하는 생성자이다. 보통 이와 같은 자동 변환은 프로그래머의 의도와 무관하며, 오히려 예기치 않은 결과를 초래할 수 있으므로 생성자 앞에 explicit 키워드를 사용하여 자동으로 호출하는 것을 방지할 수 있다. 이 키워드의 사용에 대해서는 다음 절에서 자세히 설명한다.

기본 생성자, 복사 생성자, 이동 생성자는 프로그래머가 직접 정의하지 않으면 시스템에서 자동으로 제공해 줄 수 있다. 기본 생성자는 그림 9.1에 제시한 클래스처럼 생성자가 하나도 없는 경우에 제공해 준다. 하지만 어떤 생성자를 하나만 정의하더라도 기본 생성자

를 제공해 주지 않는다. 복사 생성자는 직접 정의하지 않으면 특별한 경우를 제외하고 항상 제공해 준다. 그 이유는 복사 생성자는 대입 연산자와 함께 클래스의 올바른 동작을 위해 꼭 필요하기 때문이다. 복사 생성자에 대해서는 3.3.3절에서 자세히 설명한다. 이동 생성자가 언제 제공되는지에 대한 설명은 13장으로 미룬다.

기본 생성자는 지금 설명한 것처럼 다른 생성자를 정의하면 자동으로 제공해 주지 않는다. 클래스가 객체 상수 또는 시작값 유동 변수를 가지고 있고, 이들이 널리 사용하는 초깃값이 없으면 기본 생성자를 정의하기 어려울 수 있다. 하지만 클래스는 대부분 기본 생성자를 제공한다. 이때 기본 생성자 몸체에서 특별히 할 일이 없으면 빈 메소드로 정의하기보다는 그림 9.3과 같이 default 키워드를 사용하여 정의할 수 있다. 복사 생성자와 이동 생성자도 시스템에서 자동으로 제공해 주는 것을 그대로 사용하고 싶으면 default 키워드를 사용하여 정의할 수 있다. 하지만 복사 생성자는 정의하지 않으면 보통 제공되므로 복사 생성자를 default 키워드를 이용하여 정의할 이유는 거의 없다.

클래스에 어떤 종류의 생성자를 정의할지 결정하기 전에 해당 클래스 멤버 변수의 특성을 먼저 분석하여야 한다. 이를 토대로 기본 인자를 고려하여 이 클래스의 객체를 생성할 때 자주 사용할 생성자를 정의해야 한다. 예를 들어, 시, 분, 초를 유지하는 Time 클래스가 있으면 시, 시와 분, 시, 분, 초를 모두 제공하는 3종류의 생성자를 보통 정의할 것이다. 앞서 설명한 바와 같이 객체마다 다른 값으로 초기화되어야 하는 객체 상수나 시작값 유동 변수는 생성자에서 인자를 받아 초기화해 주어야 한다. 복사 생성자, 이동 생성자는 시스템에서 제공하는 생성자를 사용하는 것이 적절하지 않으면 직접 정의해야 한다. 이에 대해서는 3.3.3절에서 자세히 설명한다.

생성자는 객체를 생성할 때만 사용하며, 다음과 같이 C++11부터는 중괄호를 사용할 수 있다.

```
BankAccount aliceAccount;
BankAccount bobAccount{};
BankAccount charlieAccount{10'000};
BankAccount *account{new BankAccount{5'000}};
Student student{2024, "홍길동"};
```

생성자는 보통 public 접근 권한을 가지지만 protected, private 접근 권한을 가지게 할 수 있다. 생성자가 모두 private이면 외부에서 객체를 생성할 수 없을 뿐만 아니라 11장에서 다시 자세히 설명하지만, 해당 클래스를 상속할 수 없다.

3.3.1. explicit 수식어

C++11 이전에는 인자를 하나 받는 생성자만 해당 인자 타입을 객체 타입으로 바꿀 때 사용하였으며, 이와 같은 생성자를 변환 생성자라 하였다. 지금은 복사와 이동 생성자를 제외하고 다른 모든 생성자를 변환 생성자로 활용할 수 있다. 예를 들어, 그림 9.3에서 int를 하나 받는 생성자는 int를 BankAccount로 바꿀 때 사용할 수 있다. 예를 들어, 다음과 같은 함수가 있다고 하자.

```
void foo(BankAccount a) {
    //
}
```

그림 9.3에서 int를 하나 받는 생성자를 explicit 키워드로 수식하지 않았다면 foo(1'000)은 오류가 아니다. 해당 생성자를 이용하여 BankAccount 객체를 생성한 후 이 객체를 인자로 전달한다. 이처럼 컴파일러가 스스로 판단하여 생성자를 활용하는 것을 못하게 하고 싶으면 explicit 키워드로 생성자를 수식하면 된다.

C++11부터는 여러 개의 인자를 받는 생성자도 변환 생성자로 활용할 수 있다. 예를 들어, 다음과 같은 클래스가 있을 때,

```
class A {
    //
public:
    A(){}
    A(int n) {}
    A(int a, int b) {}
    //
};
```

다음과 같은 함수가 있으면

```
void foo(A a) {
    //
}
```

다음이 모두 가능하다.

```
foo({});
foo(100);
foo({10, 20});
```

따라서 C++11 이후부터는 모든 생성자 앞에 explicit 키워드를 사용할 필요가 있다.

explicit 키워드를 사용하더라도 필요하면 다음과 같이 강제 타입 변환을 이용하여 생성자를 타입 변환할 때 사용할 수 있다.

```
foo(static_cast<A>({}));
foo(static_cast<A>(100));
foo(static_cast<A>({10, 20}));
```

explicit 키워드는 복사 생성자, 이동 생성자를 수식할 수 있고, 13장에서 타입 변환 연산자 다중 정의할 때도 사용할 수 있다. 복사 생성자와 이동 생성자 앞에 explicit 키워드로 수식하면 컴파일러가 이들 생성자를 필요할 때 자동으로 사용할 수 없고, 해당 생성자를 코드에서 직접 호출할 때만 사용할 수 있다.

3.3.2. 초기화 목록

그림 9.2에 정의된 생성자에서는 인자 값을 몸체에서 대입문을 이용하여 멤버 변수에 할당하지 않고, 생성자 초기화 목록을 사용하였다. 생성자 초기화 목록을 작성할 때 멤버 변수와 매개 변수의 구분이 명료하다. : 다음에 member-variable{expression} 형태로 쉼표로 구분하여 작성하므로 표현식 내에 멤버 변수를 사용하지 않는 이상 매개 변수 이름이 멤버 변수 이름과 같더라도 위치에 의해 구분할 수 있다. 즉, 표현식에 있는 이름은 가시영역 중첩 조건에 의해 매개 변수를 우선한다.

생성자를 작성할 때 결과가 같으면 몸체보다는 초기화 목록을 이용하는 것이 더 효과적이다. 특히, 객체 타입의 멤버 변수는 생성자 몸체를 실행하기 전에 생성되므로 명백한 초기화나 초기화 목록에서 필요한 생성자를 호출하여 초기화해야 한다. 그림 9.3의 예제에서는 인자를 이용하여 다른 메소드를 호출해야 하므로 생성자 초기화 목록을 활용할 수 없다.

멤버 변수의 초기화 순서는 멤버 변수가 선언된 순서대로 이루어지기 때문에 초기화 목록의 작성 순서는 초기화 순서에 영향을 주지 못한다. 따라서 보통 초기화 목록도 멤버 변수가 선언된 순서대로 작성하여 오해를 줄이는 것이 좋다. 이 때문에 이 점을 고려하여 멤버 변수를 선언하는 순서도 신중하게 결정할 필요가 있다.

보통 인자를 이용하여 멤버 변수를 초기화하기 전에 인자의 유효성, 적절성을 검사해야 한다. 따라서 복잡한 검사가 필요하면 초기화 목록에 작성하기 어려울 수 있다. 이 경우 앞서 설명한 것처럼 필요한 검사와 예외 처리를 하는 별도 메소드를 정의한 후에 해당 메소드를 이용하는 것이 가독성 측면에서 더 효과적이다. 보통 이와 같은 메소드는 해당 멤버 변수의 setter를 정의할 때 활용할 수 있으므로 초기화 목록에서만 사용하는 메소드는 아니다.

C++11 이전에는 명백한 초기화가 가능하지 않았으므로 객체 상수, 참조 타입의 멤버 변수, 기본 생성자가 없는 객체 타입의 멤버 변수는 초기화 목록에서만 초기화할 수 있었다. 객체 타입의 경우 생성자 몸체에서 대입문을 이용하여 객체를 초기화하면 실제 이 객체는 기본 생성자를 이용하여 먼저 생성된 다음에 몸체에서 대입 연산자를 이용하여 다시 초기화되는 형태이다. 하지만 초기화 목록을 이용하면 이때 한번 적절한 생성자가 호출되어 초기화되는 형태이므로 더 효과적이다.

생성자를 다중 정의하면 코드가 중복될 수 있다. 이 문제를 해결하기 위해 다른 생성자를 호출하는 형태로 생성자를 정의할 수 있다. 한 생성자에서 다른 생성자의 호출은 초기화 목록에서 할 수 있다. 하지만 이 경우 초기화 목록에는 다른 생성자 호출만 있어야 한다.

한 생성자에서 다른 생성자를 호출하더라도 해당 생성자만 실행되고 끝나는 것이 아니라 최종적으로는 처음 호출된 생성자의 몸체가 실행된다. 따라서 다음과 같은 A 클래스가 있

을 때, 인자 하나를 받는 생성자를 호출하여 객체를 생성하면 A(int, int)가 먼저 출력된 다음에 A(int)가 출력된다.

```
class A {
   //
public:
   A(): A{0, 0} { std::cout << "A()\n"; }
   A(int a): A{a, 0} { std::cout << "A(int)\n"; }
   A(int a, int b): a{a}, b{b} { std::cout << "A(int, int)\n";}
   //
};
```

C++는 기본 인자를 사용할 수 있으므로 위처럼 다른 생성자를 호출하는 형태로 다중 정의하지 않고 더 간결하게 생성자를 정의할 수 있다.

```
class A {
   //
public:
   A(int a = 0, int b = 0): a{a}, b{b} {}
   //
};
```

3.3.3. 복사 생성자

C++에서 복사 생성자를 직접 정의하지 않으면 특별한 경우를 제외하고 시스템에서 자동으로 제공해 주며, 직접 호출하지 않아도 필요할 때 자동으로 호출된다. 자동으로 복사 생성자가 호출되는 두 가지 경우는 다음과 같다.

- 값 전달로 객체를 전달한 경우
- 함수에서 값 방식으로 객체를 반환한 경우

객체 반환은 반환하는 형태에 따라 컴파일 최적화 때문에 실제 복사 생성자가 호출되지 않을 수 있다. 이 부분은 14장에서 자세히 설명한다.

그런데 시스템에서 제공해 주는 복사 생성자는 **멤버 기반 복사**(memberwise copy)를 해준다. 멤버 기반 복사란 각 멤버 변수를 선언된 순서에 따라 개별적으로 그 타입에 맞게 복사해 주는 방식을 말한다. 구체적으로는 멤버 변수 타입이 값 타입의 객체 타입이면 해당 클래스의 복사 생성자를 호출하여 해당 멤버 변수를 초기화하고, 원시 타입, 포인터 타입, 참조 타입이면 직접 복사하여 초기화한다. 배열 타입도 **비트 기반 복사**(bitwise copy) 하듯이 직접 복사하여 준다. 참고로 비트 기반 복사는 객체가 차지하는 공간을 다른 객체가 차지하는 공간에 직접 복사하여 복제하는 것을 말하며, C++에서 자동으로 제공해 주는 복사 생성자가 비트 기반 복사를 하는 것으로 오해하면 안 된다. 비트 기반 복사는 보통 다른 말로 **얕은 복사**(shallow copy)라 한다.

이와 같은 방식으로 복제가 이루어지기 때문에 멤버 변수 중 포인터 타입 또는 참조 타입이 있으면 복제 이후 두 객체가 동일한 주소를 유지하거나 동일한 것을 참조하는 문제가 발생할 수 있다. 즉, 멤버 기반 복사는 **깊은 복사**(deep copy)가 아니다. 하지만 포인터 타입 또는 참조 타입의 멤버 변수가 있다고 무조건 복사 생성자를 직접 정의해야 하는 것은 아니다. 복제된 이후 두 객체가 동일한 주소를 유지하거나 동일한 것을 참조하여도 문제가 되지 않을 수 있고, 문제가 되지 않도록 복제하는 것 자체가 가능하지 않을 수 있다. 보통 동적 할당한 데이터의 주소를 유지하는 포인터 타입의 멤버 변수가 있으면 깊은 복사를 하도록 직접 복사 생성자를 정의해 주어야 한다.

깊은 복사를 하는 복사 생성자를 정의할 때 인자는 항상 const 참조 전달 방식으로 정의해야 한다. 참조 전달로 정의하지 않고 값 전달로 정의하면 인자 전달 과정에서 복사 생성자를 호출해야 하는 모순적인 상황이 발생한다. 깊은 복사를 하는 복사 생성자는 깊은 복사가 필요한 멤버 변수를 제외하고 초기화 목록을 이용하여 직접 멤버 기반 복사를 해주어야 한다. 동적 할당된 데이터를 유지하는 포인터 타입의 멤버 변수는 원 객체와 동일한 크기의 공간을 새롭게 확보한 다음, 이 공간에 기존 데이터를 복사해 주어야 한다.

```
class IntegerArrayList {
private:
    int capacity;     // 보통은 size_t 타입으로 선언함
    int size{0};      // 보통은 size_t 타입으로 선언함
    int* list{nullptr};
```

```
public:
    IntegerArrayList(int capacity = 10):
        capacity{capacity}, list{new int[capacity]} {}
    virtual ~IntegerArrayList() {
        delete [] list;
    }
    //
};
```

〈그림 9.4〉 IntegerArrayList 클래스

예를 들어, 동적 배열을 멤버 변수로 유지하는 리스트 자료구조를 구현하기 위해 그림 9.4와 같은 멤버 변수를 가지는 클래스를 정의하였다고 하자. 복사 생성자를 정의하지 않으면 시스템에서 제공하여 주는 멤버 기반 복사를 하는 복사 생성자를 사용한다. 이 때문에 아래의 경우 복제된 지역 객체에 대한 여러 연산이 전역 객체에도 영향을 주며, 지역 객체가 소멸하면 전역 객체가 유지한 동적 배열을 반납하는 심각한 문제가 발생한다.

```
IntegerArrayList globalList;

void foo() {
    IntegerArrayList localList{globalList};
    localList.add(5);
    //
}
```

```
IntegerArrayList(const IntegerArrayList& other):
    capacity{other.capacity}, size{other.size}, list{new int[capacity]} {
    std::copy(other.list, other.list + size, list);
}
```

〈그림 9.5〉 IntegerArrayList의 복사 생성자

그림 9.4에 제시된 클래스를 위한 올바른 복사 생성자는 그림 9.5와 같다. 이 예처럼 멤버 기반 복사로 충분한 멤버 변수는 초기화 목록을 통해 멤버 기반 복사를 직접 구현하

고, 깊은 복사가 필요한 멤버 변수에 대해서는 멤버 기반 복사 대신에 필요한 새 공간을 확보하고, 기존 데이터를 새 공간으로 복사해 주어야 한다.

그림 9.4와 달리 많은 경우 동적 배열이 아니라 다형성을 위해 동적 생성한 객체를 멤버 변수로 유지할 수 있다. 예를 들어, 다음과 같이 A 클래스가 동적 생성한 B 클래스 객체를 포인터 타입으로 유지하는 경우,

```
class A {
private:
    int n;
    B* b;
    C c;
    //
};
```

그것의 복사 생성자는 다음과 같이 정의한다.

```
A(const A& other): n{other.n}, b{new B{other.b}}, c{other.c} {}
```

이처럼 동적 생성한 객체의 복제는 new와 해당 객체의 복사 생성자를 이용할 수 있으며, 배열처럼 데이터를 추가로 직접 복사할 필요는 없다. 하지만 실제 상속에서 다형성 관련하여 복사 생성자를 만들 때 주의할 점이 있다. 보통 다형성을 활용하기 위해 멤버 변수로 객체를 유지하면 상위 포인터 타입 변수에 유지하며, 이 변수에 다양한 후손 객체를 유지할 수 있다. 이 경우 실제 어떤 객체를 유지하고 있는지 파악하는 것이 어렵기 때문에 이와 같은 간단한 형태로 복사 생성자를 정의할 수 없다. 이에 대해서는 12장에서 자세히 설명한다.

깊은 복사 문제는 객체 간 대입에서도 발생한다. 따라서 복사 생성자를 깊은 복사를 하도록 프로그래머가 직접 정의해야 하면 같은 타입의 객체를 인자로 받는 복사 대입 연산자도 깊은 복사를 하도록 다중 정의하여야 한다. 이에 대해서는 13장과 14장에서 자세히 설명한다.

참고로 객체를 전달할 때는 보통 값 전달 방식을 사용하지 않고 참조 전달 방식을 사용

한다. 따라서 인자 전달하는 과정에서 복사 생성자의 자동 호출 문제는 실제 대부분 무시할 수 있으며, 객체를 값 복사 방식으로 반환하는 것은 컴파일러 최적화 과정 때문에 복사 생성자를 실제 호출하지 않을 수 있다. 특히, C++17 이후부터 이 최적화가 의무화되어 지역 변수 객체를 값 복사 방식으로 반환하더라도 복사 생성자를 호출하지 않는다. 이 부분도 14장에서 다시 자세히 설명한다.

3.3.4. 객체 생성 제한

```
class A {
private:
    A() = default;
public:
    A(const A&) = delete;
    A operator=(const A&) = delete;
    static A& getInstance() {
        static A unique;
        return unique;
    }
};
```

〈그림 9.6〉 싱글톤을 정의하는 방법

보통 생성자는 외부에서 객체를 생성할 수 있도록 public 접근 권한을 사용한다. 반대로 객체의 생성을 제한하고 싶으면 생성자의 접근 권한을 private로 설정할 수 있다. 모든 생성자가 private이면 외부에서는 객체를 생성할 수 없고, 클래스 내에서만 생성[14]할 수 있다. 예를 들어, 어떤 클래스의 객체를 하나만 생성하도록 제한하고 싶을 수 있다. 이렇게 제한하는 이유는 논리적으로 하나만 필요하기 때문일 수 있고, 효율성 때문일 수 있다. 객체지향 설계 패턴 중 객체를 하나만 생성하도록 제한하는 패턴이 싱글톤 패턴(singleton pattern)이다. C++에서 싱글톤 패턴은 그림 9.6과 같이 생성자를 private로 설정하고, 이 클래스의 유일 객체를 반환하여 주는 getInstance static 메소드를 정의한다. 이 메소드는 유일 객체를 static 지역 변수로 생성한다. 싱글톤 클래스를 정의할 때, delete를 이용하여 복사 생성자와 복사 대입 연산자를 사용할 수 없도록 해야 싱글톤이

14) 13장에서 설명하는 친구 클래스나 친구 함수이면 모든 생성자가 private이어도 해당 클래스나 함수에서 객체를 생성할 수 있다.

보장된다. 이처럼 delete를 이용하여 시스템에서 자동 제공해 주는 메소드(복사 생성자, 대입 연산자 등)를 사용할 수 없도록 만들 수 있다. 복사 대입 연산자의 다중 정의는 13장에서 자세히 설명한다.

클래스의 객체를 하나로 제한하지 않고, 일정한 개수만 생성하여 사용할 수 있다. 또 특정 상태를 유지하고 있는 상수 객체는 중복하여 생성하지 않도록 자료구조에 유지하고, 필요할 때 생성하여 사용하는 것이 아니라 요청하여 사용하는 형태로 프로그래밍할 수 있다. 이와 같은 방식을 객체 풀이라 한다.

3.4. 소멸자

소멸자는 객체가 소멸할 때 자동으로 호출되는 메소드이다. 예를 들어, 지역 변수로 자동 생성된 객체는 해당 함수가 종료되면 자동으로 소멸자가 호출되며, 동적 생성된 객체는 delete를 이용하여 반납하면 자동으로 소멸자가 호출된다. 소멸자는 동적 할당한 공간을 반납하는 것처럼 객체가 소멸하기 전에 반드시 처리해야 부분을 구현하기 위해 사용한다. 따라서 복사 생성자를 직접 정의하면 소멸자도 반드시 직접 정의해야 한다. 거꾸로 소멸자에서 delete를 해야 하는 것이 있으면 깊은 복사를 하는 복사 생성자를 반드시 정의해야 한다.

보통 소멸자의 접근 권한은 public이지만 private으로 지정할 수 있다. 이 경우 해당 객체를 스택에 생성할 수 없으며, 동적 생성은 가능하지만, delete를 직접 호출할 수 없다. 따라서 별도 동적 생성한 객체를 반납하기 위한 메소드를 정의해서 사용해야 한다.

3.5. 접근자, 수정자

보통 간단한 접근자와 수정자는 get, set을 멤버 변수 이름과 결합하여 명명한다. 예를 들어, 학생 클래스에서 학생 이름을 나타내는 name 멤버 변수에 대한 간단한 접근자와 수정자는 getName, setName으로 보통 명명한다. 멤버 변수마다 접근자와 수정자를 반드시 정의해야 하는 것은 아니다. 꼭 필요한 것만 정의하는 것이 바람직하다. 심지어 public 수정자 메소드를 하나도 정의하지 않는 경우가 종종 있다. 이처럼 수정자 메소드가 하나도 없는 클래스의 객체를 불변 객체라 한다.

보통 특정 멤버 변수에 대한 접근자 메소드는 해당 멤버 변수의 타입을 반환하는 메소

드로 구현하지만, 멤버 변수 타입이 아니라 다른 타입으로 변환하여 반환할 때도 종종 있다. 또 여러 멤버 변수를 이용하여 새로 값을 계산하여 반환할 때도 많다.

수정자 메소드가 인자에 대한 검사를 전혀 하지 않으면 불필요한 수정자가 된다. 하지만 이 같은 경우는 흔한 경우는 아니다. 그런데 실제 그와 같은 수정자를 만들 경우에는 수정자와 접근자를 제공하지 않고, 멤버 변수의 접근 권한을 public으로 만들어 사용하는 것도 고려해 볼 필요가 있다.

3.5.1. 불변 객체

객체가 생성되어 초기화된 이후 상태를 변경할 필요가 없는 경우가 종종 있다. 이것은 우리가 데이터를 모델링할 때, 데이터의 특성에 따라 상수 또는 변수로 모델링하는 것과 같다. 객체가 생성된 이후 상태 변경이 필요 없으면 const 키워드를 이용하여 해당 객체를 상수 객체로 만들 수 있다.

```
const Student student{2024, "홍길동"};
```

생성해야 하는 모든 객체가 항상 상수 객체로 처리할 수 있다면 public 수정자 메소드를 하나도 만들지 않을 수 있다. 이와 같은 클래스의 객체를 앞서 언급한 바와 같이 불변 객체라 한다. 불변 객체는 상태를 수정할 수 없어 사용하기 불편한 측면도 있지만 강건성 측면에서 매우 효과적이다. 참고로 자바는 C++와 달리 객체를 상수로 만드는 방법이 없어 강건성을 위해 클래스를 불변 클래스로 모델링하는 경우가 많다.

```
class Date {
public:
    const int year;
    const int month;
    const int day;
    constexpr Date(int year, int month = 1, int day = 1):
        year{check(year, 1900, 2100)},
        month{check(month, 1, 12)},
        day{check(day, 1, 31)} {}
    Date operator=(const Date&) = delete;
```

```
private:
    constexpr int check(int v, int start, int end) {
        if(v < start || v > end) throw std::invalid_argument("");
        return v;
    }
};
```

〈그림 9.7〉 Date 클래스

불변 객체로 모델링한 클래스는 constexpr를 활용하면 컴파일 시간에 많은 것을 계산할 수 있도록 만들 수 있다. 예를 들어, 년, 월, 일 날짜 정보를 유지하는 Date 클래스를 그림 9.7과 같이 정의할 수 있다. 이처럼 정의한 후에 다음과 같이 사용하면 christmas 객체는 컴파일 시간에 초기화되며, christmas.day는 컴파일 시간에 25로 바뀌어 처리된다.

```
constexpr Date christmas{2024, 12, 25};
std::cout << christmas.day << std::endl;
```

생성자를 constexpr로 수식할 경우, 해당 생성자 호출의 인자들이 모두 상수 또는 상수식이면 해당 객체의 생성과 초기화를 컴파일 시간에 수행하여 준다.

그림 9.7에 제시된 클래스는 시스템에서 제공하는 대입 연산자를 사용할 수 없도록 delete 키워드로 수식하고 있다. 불변 클래스는 내부 상태를 초기화한 이후 바꿀 수 없으므로 객체를 대입 연산자 왼쪽에 사용할 수 없어야 한다. 이 예에서는 실제 delete를 하지 않더라도 모든 멤버 변수가 const이기 때문에 자동으로 대입 연산자를 사용할 수 없게 된다.

3.5.2. 접근자 메소드

접근자는 상태를 수정하지 않는 메소드이며, C++에서는 const로 수식함으로써 수정자 메소드와 확연하게 구분된다. 접근자 메소드는 현재 상태를 알기 위해 사용하는 경우가 대부분이기 때문에 알고 싶은 것을 반환하여 주는 형태로 구현한다. 하지만 객체의 상태는 객체가 유지하기 때문에 무거운 것을 복사하는 방식으로 반환하는 대신에 참조로 반환하도록 구현할 수 있다.

```
Weapon getWeapon() const {
    return *weapon;
}
```

(1) 값 반환 (비효율적 방법)

```
Weapon& getWeapon() const {
    return *weapon;
}
```

(2) 참조 반환 (문법 오류)

```
Weapon& getWeapon() const {
    return *weapon;
}
```

(3) 참조 반환 (캡슐화 위배)

```
const Weapon& getWeapon() const {
    return *weapon;
}
```

(4) 참조 반환

〈그림 9.8〉 객체 타입의 접근자를 정의하는 방법: 방법 (4)가 가장 효과적인 방법

다음과 같은 Unit 클래스가 있을 때,

```
class Unit {
private:
    Weapon* weapon;
//
};
```

멤버 변수 weapon에 대한 getter는 그림 9.8처럼 다양하게 정의할 수 있다. 포인터로 유지하고 있으므로 포인터로 반환하는 것도 방법이지만 다형성을 위해 포인터 타입으로 유지하더라도 사용의 편리성을 위해 이 절에서 제시한 것처럼 참조로 반환하는 것이 일반적이다. 하지만 그림 9.8의 (3)처럼 정의하면 반환받은 참조를 이용하여 무기의 상태를 수정할 수 있으므로 캡슐화에 어긋난다. 따라서 수정이 가능한 객체 타입을 멤버 변수로 유지하면 그림 9.8의 (4)처럼 정의하는 것이 가장 효과적인 방법이다. 또 이와 같은 getter를 이용하면 다음과 같이 참조로 반환받아야 참조 반환하는 효과를 얻을 수 있다.

```
Unit unit;
//
const Weapon& weapon{unit.getWeapon()};
```

하지만 참조를 받은 것을 일시적으로 사용하는 것이 아니면 소멸된 것을 계속 참조하고 있을 수 있으므로 주의가 필요하다. 또 객체 타입의 멤버 변수를 참조로 반환하는 것은 효율성 측면에서 좋으나 내부에 유지하는 타입 정보가 노출되는 측면이 있다. 이것은 향후 변경에 걸림돌이 될 수 있다.

3.5.3. 메소드의 다중 정의

일반 함수를 다중 정의할 수 있듯이 메소드도 다중 정의할 수 있다. 이때 일반 함수와의 한 가지 차이점은 메소드는 그것의 서명은 같지만, const로 수식된 것과 수식되지 않은 것을 다중 정의할 수 있다. 둘 중 어떤 것이 호출되는지는 객체의 const 여부에 의해 결정된다. 예를 들어, 수정불가 참조 변수를 이용하여 객체를 처리하고 있으면 const 버전의 메소드가 호출된다.

3.6. static 멤버

클래스와 관련된 데이터이지만 개별 객체가 별도 유지할 필요가 없는 데이터가 있을 수 있다. 또 객체에게 필요한 상수이지만 모든 객체가 동일한 상수가 필요할 때, 이 상수를 개별 객체가 별도 유지하면 공간이 낭비된다. 이와 같은 데이터를 static 멤버 변수로 선언하면 생성한 객체의 수와 상관없이 별도 공간에 하나만 만들어 공유하여 사용할 수 있다. static 멤버 변수 대신에 전역 변수를 사용할 수 있지만 static 멤버 변수로 정의하면 두 가지 이점이 있다. 하나는 다른 멤버 변수와 마찬가지로 접근 제어를 이용하여 접근을 통제할 수 있다. 또 하나는 이들 데이터의 소속이 명확해진다. 이 데이터가 특정 클래스와 관련되어 있다는 것이 명확하게 코드를 통해 나타난다.

그림 9.1에 제시한 은행 계좌 클래스에 계좌번호를 추가하여 보자. 계좌번호는 생성한 순서대로 1부터 차례차례 할당하고 싶다. 객체를 생성할 때 항상 생성자가 실행되므로 생성자의 실행 횟수를 알면 특정 클래스의 객체가 몇 개 생성되었는지 알 수 있다. 이 정보를 유지하기 위해 일반 멤버 변수를 사용하면 객체마다 별도로 유지하기 때문에 공간 낭비가 심할 뿐만 아니라 모든 객체의 멤버 변수를 수정해야 하므로 사용할 수 있는 방법이 아니다. 이처럼 특정 객체에 개별적으로 유지할 필요는 없지만, 특정 클래스와 연관된 정보를 유지하고 싶으면 static 멤버 변수를 사용할 수 있다. static 멤버 변수는 특정 객체의 소유가 아니며, 해당 클래스의 객체를 여러 개 생성하더라도 해당 멤버 변수는 하나만 생성된다. 이 때문에 모든 객체가 같은 상수가 필요하면 그림 9.2의 TOTAL_MIN_CREDIT처럼 static const 변수를 활용한다.

static 멤버 변수는 특정 객체의 소유가 아니며, 동일 타입의 모든 객체가 공유하는 데이터가 된다. 이 데이터는 객체를 하나도 생성하지 않아도 클래스 이름을 이용하여 접근할 수 있다. 물론 static 멤버도 접근 제어를 적용할 수 있으므로 접근이 허용되지 않으면 클래스 이름을 이용하여 접근할 수 없다.

```
class BankAccount {
private:
   unsigned int balance{0};
   unsigned int number;    // 계좌번호
   static unsigned int lastAssignedNumber;
public:
   explicit BankAccount() {
      number = ++lastAssignedNumber;
   }
   explicit BankAccount(int amount): BankAccount() {
      deposit(amount);
   }
   //
};

int BankAccount::lastAssignNumber{0};
```

〈그림 9.9〉 BankAccount 클래스 계좌번호

그림 9.9에 제시된 은행 계좌 클래스는 static 멤버 변수를 이용하여 계좌번호를 객체가 생성된 순서에 따라 1부터 차례로 할당해 주고 있다. C++17 이전에 const가 아닌 static 멤버 변수는 클래스 밖에서 초기화해 주어야 한다. 이것은 C++ 초기에는 명백한 초기화를 지원하지 않았고, static 멤버 변수는 개별 객체의 소유가 아니므로 특정 객체를 초기화할 때 사용하는 생성자에 구현할 수 없기 때문이다.

static 멤버 변수의 초기화를 헤더 파일에서 하면 유일 정의 규칙에 위배될 수 있으므로 밖에서 초기화하면 메소드와 마찬가지로 별도 소스 파일에서 초기화하는 것이 필요하다. C++17부터 static 멤버 변수도 그림 9.10처럼 inline 키워드를 사용하여 클래스 내에 명

백한 초기화를 할 수 있다.

그림 9.9처럼 생성자의 초기화 목록에서 클래스 이름을 이용하여 한 생성자에서 다른 생성자를 호출할 수 있다. 이를 통해 여러 생성자를 정의할 때 코드 중복을 최소화할 수 있다.

```
class Employee {
private:
    std::string name;
    int number{assignID()};                       // 사원 번호
    static inline int lastAssignedNumber{0};      // C++17
    static int assignID() {
        return ++lastAssignedNumber;
    }
public:
    explicit Employee(std::string_view name = "이름없음"): name{name} {}
    //
};
```

〈그림 9.10〉 Employee 클래스 사번

계좌번호와 유사하게 직원의 사원 번호도 객체를 생성한 순서대로 할당하고 싶으면 그림 9.10과 같이 할 수 있다. 이 예에서는 생성자에서 할당하지 않고 명백한 초기화 과정에서 함수를 호출하여 할당하고 있다. 이 방법은 생성자와 무관하게 동작하므로 생성자 수에 영향을 받지 않으며, 코드 중복 문제도 없다. 보통 static 멤버 변수를 처리하는 메소드는 그림 9.10과 같이 static 메소드로 정의하며, public static 메소드는 외부에서 클래스 이름을 이용하여 호출할 수 있다.

지금 제시된 방법은 둘 다 복사 생성자에 대한 고려가 없으며, 복사 생성자는 사용자가 직접 객체를 복제할 때뿐만 아니라 객체를 값 전달하거나 반환하면 자동 호출될 수 있다. 또 시스템에서 제공해 주는 복사 생성자는 멤버 기반 복사를 하며, 이 과정에서 명백한 초기화는 진행하지 않는다. 따라서 임시 변수나 매개 변수 객체가 생성될 때도 구현 방법에 따라 객체 생성 수가 증가할 수 있다. 이 때문에 C++에서 생성된 객체 수를 파악하는 것

은 실제로 간단한 문제가 아니다. 또 생성된 수가 아니라 현재 존재하는 객체 수를 파악하기 위해서는 소멸자에서 현재 객체 수를 감소시켜 주어야 한다.

std::string_view를 인자로 받는 생성자에서 std::string 타입의 멤버 변수를 초기화하는 방법은 그림 9.9에 제시된 방법 외에 다음과 같은 방법을 이용할 수 있지만, 그림 9.9에 제시된 방법이 가장 간결하고 효과적인 방법이다.

```
Employee(std::string_view name): name{name.data()} {}
Employee(std::string_view name): name{name.data(), name.size()} {}
Employee(std::string_view name): name{name.begin(), name.end()} {}
```

특히, 이 중에 첫 번째 방법은 내부적으로 C 스타일 문자열의 크기를 파악해야 하므로 비효율적인 방법이다.

3.7. 구조화 바인딩

C++17는 구조체 변수의 개별 멤버를 새 이름으로 한 번에 연결할 수 있는 새 기능을 도입하였고, 이를 **구조화 바인딩**(structured binding)이라 한다. 예를 들어, 다음과 같은 Person 구조체가 있을 때,

```
struct Person {
    std::string name;
    int age;
};
```

다음 코드에서 n과 a는 p 구조체 변수의 name과 age와 같은 타입이 되며, 같은 값으로 초기화된다.

```
Person p{"Michael", 20};
auto[n, a]{p};
```

구조화 바인딩에서는 항상 auto를 사용해야 하며, 대괄호 내에 구조체의 멤버만큼의 변수가 나열되어야 한다. 이때 auto&를 사용할 수 있다.

위 예에서 구조화 바인딩을 통해 만들어진 변수 n과 a는 다른 일반 변수와 동일하게 동작한다. 즉, 어떤 블록 내에서 구조화 바인딩이 이루어진 변수는 해당 블록 가시영역을 가지게 된다.

클래스도 구조화 바인딩을 할 수 있지만 클래스의 멤버는 접근 권한 때문에 구조체와 달리 template를 이용하여 get 함수를 포함하여 여러 가지를 복잡하게 정의하여야 사용할 수 있다. 이 책에서는 이 부분에 대한 코드 제시나 설명은 생략한다.

구조화 바인딩은 함수에서 여러 개의 값을 반환해야 할 때, 다음과 같이 유용하게 사용할 수 있다.

```
auto[max, min]{getMaxMin(array, size)};
```

여기서 array는 배열이고, size는 배열의 크기이다. 최댓값과 최솟값을 동시에 찾아주는 getMaxMin은 반환 타입을 위해 새 구조체를 정의할 수 있고, 표준 라이브러리에 있는 std::pair를 활용할 수 있다. 실제 std::pair와 std::tuple를 반환하는 함수를 이용할 때, 구조화 바인딩을 많이 사용한다.

3.8. 지정 초기화

C++20부터는 초기값 목록을 나열하여 구조체 변수를 초기화할 때 초기화하는 멤버 변수를 지정하여 초기화할 수 있다. 이때 지정 순서는 선언 순서와 일치해야 한다.

```
struct A {
    int x;
    int y;
    int z;
};

A a{.x = 1, .z = 2};
```

위 예에서 a의 y 멤버 변수는 기본값인 0으로 초기화된다. 초기화할 때 내부적으로 . 연산자를 사용한다.

퀴즈

1. explicit 수식어와 관련된 다음 설명 중 **틀린** 것은?

① 모든 생성자를 explicit 수식어로 수식할 수 있다.
② 복사와 이동 생성자를 제외하고 explicit 수식어로 수식하지 않은 생성자는 컴파일러가 필요하면 자동 타입 변환할 때 사용할 수 있다.
③ explicit 수식어로 수식한 생성자는 타입 변환할 때 절대 사용할 수 없다.
④ explicit 수식어는 타입 변환 연산자를 다중 정의할 때도 사용할 수 있다.

2. 클래스에 정의하는 각종 메소드 종류와 관련된 다음 설명 중 **틀린** 것은?

① 생성자는 보통 다중 정의한다.
② 소멸자를 다중 정의할 수 있다.
③ setter에서 인자를 전혀 검사하지 않으면 이와 같은 setter는 불필요하며, 이 경우 멤버 변수를 public 접근 권한을 주어 직접 접근하는 것이 더 바람직할 수 있다.
④ 직접 정의하지 않았을 때 어떤 조건을 충족하면 특정 종류의 생성자, 소멸자는 자동으로 시스템에서 제공해 준다.

3. 객체의 멤버 변수 초기화와 관련된 다음 설명 중 **틀린** 것은?

① 멤버 변수가 초기화되는 순서는 명백한 초기화, 초기화 목록, 생성자 몸체이다.
② 초기화 목록은 초기화 목록을 작성한 순서대로 진행된다.
③ 멤버 변수의 초기화는 명백한 초기화, 초기화 목록, 생성자 몸체 등 여러 위치에서 이루어질 수 있으므로 한 멤버 변수가 여러 차례 초기화될 수 있다.
④ 상수나 참조 변수는 생성자 몸체에서 초기화할 수 없다.

4. A 클래스의 const가 아닌 일반 메소드의 숨겨진 매개 변수의 타입은 다음 중 어느 것인가?

① `A * this`
② `A * const this`
③ `const A * this`
④ `const A * const this`

5. 멤버 변수의 특성과 초기화하는 위치가 **잘못** 연결된 것은?

① 객체 상수: 명백한 초기화
② 시작값 고정변수: 명백한 초기화
③ 시작값 유동변수: 초기화 목록
④ 클래스 상수: 명백한 초기화

연습문제

1. 어떤 게임에 등장하는 게임 유닛을 모델링하기 위해 Unit 클래스를 정의하고자 한다. 이 클래스에 모두 int 타입인 stamina, level, speed, space, 4가지 멤버 변수를 정의하고자 한다. 각 멤버 변수가 유지하는 데이터의 특성은 다음과 같다.

   - stamina: 유닛의 종류와 상관없이 항상 100으로 초기화되어야 하며, 게임 도중에 변화하여 0이 되면 해당 유닛은 죽는다.
   - level: 유닛을 생성할 때 이 값은 1부터 5중 하나의 값을 가질 수 있으며, 게임이 진행되면 레벨이 올라갈 수 있다.
   - speed: 유닛의 이동 속도를 나타내며, 유닛의 종류와 상관없이 항상 1이며, 게임 도중에 변하지 않는다.
   - space: 유닛이 차지하는 공간이며, 유닛의 종류마다 다를 수 있지만 변하지는 않는다.

   이와 같은 특성을 토대로 Unit 클래스를 정의하라. 이때 앞서 설명한 멤버 변수 4개를 정의하여야 하며, 이들을 적절히 초기화하여 생성할 수 있도록 필요한 생성자(생성할 때 꼭 받아야 하는 인자들을 모두 받는 생성자 1개만 정의하고, 인자의 오류 여부는 검사할 필요가 없음)를 정의하라.

2. 매일 걸은 거리를 기록하여 각종 통계를 보여주는 프로그램을 만들고 싶다. 이를 위해 특정 월 단위 기록을 유지하는 다음과 같은 클래스를 정의하였다고 하자.

```
class MonthlyWalkLog {
private:
    double dailyDistance[31];
public:
    const int year;
    const int month;
public:
    MonthlyWalkLog(int year, int month):
        year{checkYear(year)}, month{checkMonth(month)} {}
```

```
    void recordDistance(int day, double distance) {
    }
private:
    int checkYear(int year) const {}
    int checkMonth(int month) const {}
};
```

① 위 클래스의 멤버 변수 중 dailyDistance의 용량을 31로 설정한 이유를 설명하라.

② 위 클래스의 멤버 변수 중 year, month를 const 변수로 선언한 이유와 접근 권한을 public으로 설정한 이유를 설명하라.

③ 위 클래스 중 recordDistance() 메소드는 정상적인 경우에는 해당 요일에 주어진 거리를 기록하면 된다. 그러면 이 메소드를 구현할 때 발생할 수는 있는 예외적 상황을 모두 제시하라.

④ checkYear와 checkMonth 메소드를 완성하라. 이때 주어진 연도는 1970년도 이상이어야 한다. 유효하지 않은 연도와 월 정보가 인자로 전달되면 어떻게 할 수 있는지 코드로 제시하거나 말로 설명하라.

3. 지갑을 모델링하는 Wallet 클래스를 정의하고자 한다. 지갑 객체는 동전과 지폐를 유지한다. 유지하는 동전은 100원, 500원, 지폐는 1,000원, 5,000원, 10,000원, 50,000원 총 6종류이다. 이를 위해 용량이 6인 정수 배열을 사용하여 각 동전과 지폐를 얼마나 유지하고 있는지 나타낸다. 지갑 객체에 돈을 추가할 수 있고, 지갑에 있는 돈을 사용할 수 있다. Wallet 클래스의 골격은 다음과 같다.

```
class Wallet {
private:
    int M[6]{};
public:
    Wallet() = default;
    virtual ~Wallet() = default;
    void add(int denomination, int amount) {}
    void spend(int amount) {}
```

```
    void clear() {}
    int getCurrentAmount() const {}
};
```

이 클래스를 완성하라. 기능 구현에 필요하면 멤버 변수나 메소드를 추가할 수 있다. 하지만 추가하는 메소드의 접근 권한은 private이어야 한다. 또 배열 대신에 M을 다음과 같이 std::vector를 이용하여 정의할 수 있다.

```
std::vector<int> M(6, 0);
```

이 응용에서 사용하는 동전과 지폐의 액면가 금액을 나타내고, 동전과 액면가 금액에 해당하는 M의 색인을 알기 위한 효과적인 방법을 찾아 클래스 정의에 포함하고 사용해야 한다.

4. 그림 9.9와 9.10에서 static 멤버 변수를 이용하여 생성한 객체 수를 파악하고 있다. 이 방법은 객체를 값 전달하거나 임시 객체를 생성할 때도 객체 생성 수가 증가하는 문제점이 있다. 이 문제점을 해결하는 방법을 제시하라.

제10장

예외 처리

제10장 예외 처리

1. 함수의 예외 처리

1.1. 예외

예외(exception)란 정상적일 때는 일어나지 않지만, 발생할 수 있는 문제를 말한다. 예를 들어, 0 나누기, 열고자 하는 파일이 없는 경우, 저장 공간 부족 등이 예외에 해당한다. 개발 과정에서 사용하는 예외의 처리와 개발 완료 후 배포 버전에서 포함하는 예외의 처리 목적이 다르다. 개발 과정에서는 예외 처리를 통해 프로그램의 오류를 발견하고 수정하여 프로그램의 강건성을 높이는 것이 목적이며, 배포 버전에서 예외 처리는 예외가 발생하더라도 프로그램이 계속 수행될 수 있도록 하는 것이 목적이다. 참고로 예측되고 그것에 대한 적절한 조치를 한 예외만 처리할 수 있다. 예측을 못 한 예외는 그대로 실행 과정에 나타나 심각한 문제를 일으키게 된다.

특히, 배포 버전에서는 예외가 발생하더라도 최소한 다음을 보장해 주어야 한다.

- 사용자에게 필요한 사실을 알려 할 수 있는 조처를 할 수 있도록 해야 한다.
- 현재 진행 중인 작업을 저장해 주어야 한다.
- 우아하게 종료할 수 있어야 한다.

여기서 우아하게 종료한다는 것은 응용의 예외 발생이 시스템이나 다른 프로그램에 영향을 주지 않아야 한다는 것을 말한다. 이 부분은 개발자가 보장하기 힘든 요소일 수 있으며, 운영체제나 다른 시스템 소프트웨어의 역할이 더 클 수 있다.

1.2. 예외의 종류

프로그래밍할 때 예외적 상황으로 고려해야 하는 문제는 크게 다음과 같이 2종류로 구분할 수 있다.

- 종류 1. 프로그래밍 오류 때문에 발생하는 문제. 예) a[-1]
- 종류 2. 프로그래밍 오류가 아닌 다른 요인(보통 외부적 요인) 때문에 발생하는 문제. 예) 사용자 입력 오류

종류 1은 소스를 수정하여 극복해야 하는 문제이고, 종류 2는 예측하여 극복할 수 있는 문제와 극복하기 어려운 문제로 다시 나눌 수 있다.

외부 요인에 의해 발생하지만, 극복이 가능한 오류에는 사용자 입력/조작 오류, 장치 오류, 물리적 제한 등이 있다. 사용자 입력/조작 오류는 먼저 사용자 인터페이스를 잘 만들어 입력 오류를 줄이는 것이 선행되어야 하며, 그래도 발생하면 그 사실을 알려 다시 올바르게 입력 또는 조작하도록 해야 한다. 장치 오류와 물리적 제한의 경우에는 사용자에게 알려 필요한 조처를 한 후에 다시 시도하도록 유도해야 한다. 프린터 용지 부족, 네트워크 연결 오류, 하드디스크 공간 부족 등이 여기에 해당한다. 외부 요인에 의한 오류 중 운영체제 자체에 문제가 있어 발생하는 시스템 오류는 개발하고 있는 소프트웨어와 무관한 오류이며, 극복할 수 있는 문제는 아니다. 더욱이 이와 같은 문제는 예측하기 어렵다.

1.3. 예외 상황 인식

보통 함수를 구현할 때, 그 함수의 사전 조건과 사후 조건을 자세히 분석한 다음 구현해야 한다. 사전 조건이 충족되었을 때 해야 하는 일이 매우 직관적이며 단순한 함수도 많다. 하지만 사전 조건 충족 여부에 대한 검사와 처리까지 포함해야 온전하게 이 함수를 구현한 것이 된다. 예를 들어, 다음과 같은 은행 계좌의 인출 메소드를 생각하여 보자.

```
class BankAccount {
private:
    unsigned int balance{0};
public:
    void withdraw(int amount) {
```

```
        //
        }
        //
    };
```

이 메소드에서 정상적일 때 처리해야 하는 코드는 balance = balance - amount이다. 보통 함수의 예외적인 상황은 전달된 인자 때문에 발생한다. 이 메소드의 매개 변수 타입이 int이므로 전달될 수 있는 인자 값의 범위는 int의 범위와 같다. 이 값이 0 또는 음수일 경우에는 논리적으로 문제가 있는 경우이다. 또한 마이너스 통장을 고려하지 않는다면 현재 잔액보다 큰 금액을 인출할 수 없으므로 이 부분도 문제가 있는 경우이다. 이처럼 인자 때문에 발생하는 예외적 상황은 함수의 사전 조건과 밀접한 관련이 있다.

앞서 살펴본 예제처럼 발생할 수 있는 예외는 크게 응용이 모델링하는 현실 세계에서 발생할 수 있는 예외와 그렇지 않은 예외로 구분할 수 있다. 은행 계좌 인출 예에서 0 또는 음수 인출은 코드 오류 때문에 발생하는 것이며, 현실 세계에서 고객이 이와 같은 것을 요구하는 경우는 없다. 반면에 잔액 부족은 자신의 잔액을 착각하여 현재 잔액보다 큰 금액을 요청할 수 있다. 프로그래머는 두 가지 형태의 예외를 모두 고려해야 하며, 발생할 수 있는 예외를 생각해 낼 수 있는 것도 프로그래머가 갖춰야 할 중요 역량 중 하나이다. 예외적인 상황을 인식하더라도 모든 상황을 코드로 처리할 수 있는 것은 아니다. 하지만 처리할 수 있는 것은 처리해야 개발하는 프로그램의 강건성을 높일 수 있다.

예외 상황의 인식과 테스트 데이터는 서로 맞물려 있다. 모든 예외적 상황을 알고 있다면 이들을 고려한 테스트 데이터를 만들 수 있고, 가능한 모든 경우를 고려하여 테스트 데이터를 만들어 코드를 검사하면 생각하지 못한 오류를 발견할 수 있고, 이를 수정하여 프로그램의 강건성을 높일 수 있다.

1.4. 예외 상황 처리

함수를 구현할 때 어떤 예외적 상황의 발생이 가능하다는 것을 발견했을 때, 이를 함수 구현에 어떻게 반영해야 하는지 생각하여 보자. 예외적 상황의 반영은 해당 예외적 상황이 발생하더라도 프로그램 비정상적으로 중단되지 않고 계속 동작하게 만드는 것이 목표이다. 하지만 개발 버전과 배포 버전에서 예외 처리에 대한 목표가 조금 다르다. 개발 버전에서는 프로그램 수행을 지속하는 것보다 예외적 상황을 발견하는 것이 더 중요한 목표이다. 이를 통해 이와 같은 상황이 다시는 발생하지 않도록 프로그램을 수정하여 프로그램의 강건성을 높이는 것이 더 중요하다. 이 측면에서 개발 과정에서는 충분한 검사가 이루어져야 한다. 특히, 다양한 상황이나 테스트 데이터를 이용하여 프로그램이 모든 경우에 문제없이 동작한다는 것을 확인해야 한다. 배포 버전에서는 예외 상황 자체가 발생하지 않아야 하며, 발생하더라도 프로그램의 수행이 지속되는 것이 가장 중요한 목표가 된다.

함수를 구현할 때는 발생할 수 있는 예외적 상황마다 그 상황이 발생하면 그 사실을 개발자가 알 수 있도록 프로그래밍해야 한다. 이를 통해 해당 예외적 상황의 발생 원인을 분석하고, 그것이 프로그래밍 오류 때문에 발생한 것이면 이 부분을 수정하여 다시는 같은 예외가 발생하지 않도록 해야 한다. 하지만 어떤 예외는 코드를 어떻게 구성하든지 발생할 수밖에 없는 예외일 수 있다. 예를 들어, 파일에 데이터를 저장할 때 발생할 수 있는 저장 공간 부족이 이와 같은 종류의 예외이다. 이 경우에는 사용자에게 그 사실을 알리고, 조처를 한 후에 다시 프로그램을 사용할 수 있도록 유도해야 한다.

배포 버전의 함수에서 실행 도중에 예외가 발생하여 해당 함수를 정상적으로 종료하기 힘든 경우에는 다음과 같은 조치를 통해 프로그램이 계속 수행될 수 있도록 해야 한다.

- 조치 1. 사용 중인 자원에 대한 필요 조치
- 조치 2. 변경한 데이터에 대한 필요 조치

개방한 파일을 닫거나 동적 할당된 공간을 반납하는 것들이 조치 1에 해당한다. 함수가 중간에 중단되면 중단 이전에 수정된 데이터가 그대로 유지 가능한지 아니면 함수 실행 이전으로 복구해야 하는지 판단한 후에 그것에 알맞은 조치가 이루어져야 한다. 이때 불변 조건(invariant)이 있으면 이 조건을 계속 만족하는지 검사할 필요가 있다.

함수가 중간에 예외 때문에 비정상 종료하더라도 함수 호출 이전으로 모든 상태를 복구할 수 있으면 예외에 대해 강한 안전성(strong exception safety)을 제공하는 함수라 한다. 그러나 강한 안전성을 쉽게 제공할 수 있는 것은 아니다. 강한 안전성을 제공하지 못하더라도 약한 안전성은 제공하도록 프로그래밍할 필요가 있다. 함수가 중단되기 이전에 변경된 상태가 모두 유효한 상태임을 보장할 수 있으면 예외에 대해 약한 안전성을 제공하는 함수라 한다. 특히, 모든 불변 조건은 계속 만족해야 한다.

프로그래밍할 때 고려하는 불변 조건에는 클래스 불변 조건, 함수 불변 조건, 루프 불변 조건 등이 있다. 클래스 불변 조건이란 해당 클래스 객체가 항상 만족해야 하는 조건이다. 예를 들어, 은행 계좌 클래스에서 잔액은 항상 0 이상이어야 하면, 이 조건은 은행 계좌 클래스의 불변 조건이 된다. 함수 불변 조건은 특정 함수가 실행되기 전과 후에 모두 만족이 되어야 하는 조건이다. 클래스의 모든 메소드가 만족해야 하는 함수 불변 조건이 있으면 이 조건은 해당 클래스의 불변 조건이 된다. 루프 불변 조건은 특정 반복문에서 반복할 때마다 항상 만족하는 조건을 말한다. 이들 조건은 디버깅 과정에서 오류를 발견할 때 검사하는 기준으로 많이 활용한다.

2. 예외 처리 프로그래밍 개요

2.1. 기존 예외 처리 기법

기존 C 언어와 같은 구조화 프로그래밍에서 널리 사용한 오류 처리 기법은 함수의 반환 값을 활용하는 것이다. 필요한 작업을 수행하고 이 과정에서 문제가 발생하면 그 문제를 바로 처리하는 방식이다. 이 방식을 코드로 표현하면 다음과 같다.

```
status = func();
if(status != SUCCESS) {
   error(status);
   return;
}
```

기존 C에서 함수가 정상적으로 반환해야 하는 값이 있고, 특정 값으로 오류를 나타내기 힘든 경우에는 반환 값 대신에 전역 변수를 이용하여 오류 값을 처리할 때도 많았다.

이와 같은 프로그래밍은 기본적으로 오류 처리 코드로 인하여 소스 코드의 가독성이 떨어지게 되는 문제점이 있다. 실제 f(), g(), h() 3개의 함수를 연속으로 호출하는 소스 코드에 오류 처리를 추가하면 다음과 같이 복잡하게 되어 정상적인 경우 실행되는 코드를 읽기가 어려워진다.

```
status = f();
if(status != SUCCESS) {
    error(status);
    return;
}
status = g();
if(status != SUCCESS) {
    error(status);
    return;
}
status = h();
if(status != SUCCESS) {
    error(status);
    return;
}
```

소스의 가독성 저하를 포함하여 기존 예외 처리 기법은 다음과 같은 문제점을 지니고 있다.

- 문제점 1. 오류 처리를 작성하는 것 자체가 번거롭다.
- 문제점 2. 적절한 오류 코드를 반환하기가 어려울 수 있다.
- 문제점 3. 오류를 처리하는 위치에 대한 유연성이 없다.
- 문제점 4. 호출하는 측에서 검사하지 않을 수 있다.
- 문제점 5. 프로그램의 가독성이 저하되며, 유지보수 및 디버깅이 어렵다.
- 문제점 6. 정상적인 경우에도 성능에 영향을 준다.

객체지향 프로그래밍에서 사용하는 예외 처리 기법은 위 여섯 가지 문제를 모두 극복하지 못한다. 하지만 새 기법은 문제점 2와 3을 슬기롭게 극복할 수 있다. 기존의 경우에는 함수가 종료된 후에 바로 검사해야 하며, 반환 값을 사용하지 않으면 전역 변수를 활용할 수밖에 없었다. 문제점 5도 새 기법이 기존 기법보다 상대적이지만 더 효과적으로 작성할 수 있다.

2.2. try-catch 방식의 예외 처리 기법

새 예외 처리 기법의 기본적인 생각은 예외가 발생하면 그것을 처리할 수 있는 곳으로 이동하는 것이다. 이때 추가로 예외가 발생하면 함께 실행되지 않아야 하는 코드를 묶을 수 있도록 해준다. 객체지향 방식을 이용하는 기법이므로 예외가 발생하였을 때 예외 관련된 정보를 가지고 있는 객체를 생성하며, 이 객체를 처리 위치로 전달한다. 따라서 기존 오류 코드에 비해 많은 정보를 처리하는 곳으로 전달할 수 있고, 반환 값으로 오류 발생 여부를 나타내지 않기 때문에 적절한 반환 값을 찾거나 전역 변수와 같은 것을 사용할 필요가 없다. 여기서 전달하는 정보란 오류 원인을 알 수 있게 하여 쉽게 오류를 수정할 수 있도록 하는 정보이거나 계속 프로그램을 정상 진행하기 위해 복구나 조치에 필요한 정보를 말한다. 하지만 이와 같은 장점에도 불구하고 문제점도 여전히 있어, 기존 방법과 새 방법이 상황에 맞게 함께 활용되고 있다.

더욱이 처리하는 위치란 예외가 발생한 위치와 독립적인 위치는 아니고, 함수 호출 순서에 포함된 곳에서만 처리할 수 있다. 예를 들어, f 메소드에서 g 메소드, g 메소드에서 h 메소드를 호출하였다고 가정하고, h에서 예외가 발생하면 g 또는 f에서만 이 예외를 처리할 수 있다. 하지만 특정 함수에서 모든 예외를 다 처리해야 하는 것은 아니다. 함수 호출 순서에 있는 함수들이 예외 처리와 관련하여 역할 분담을 할 수 있다. 실제 함수 호출 순서에 포함된 곳에서만 처리할 수 있다는 것이 단점이라 보기는 힘들다. 예외 발생 이후 조처를 하고 프로그램을 재개해야 할 때, 재개할 수 있는 위치가 그곳 중 한 곳이 되어야 하기 때문이다.

2.3. 예외 처리 기법 주의 사항

예외 처리는 프로그램 문장을 수행할 때 발생할 수 있는 동기성 오류를 처리하기 위한 수단이다. 즉, 언제, 어디서 일어날지 모르는 예외는 처리할 수 없다. 예외 처리 기법은 프로그램 개발 과정에서 오류를 발견하는 데 매우 효과적이다. 적절한 예외를 발생하도록 예외 처리가 완벽하게 되어 있는 어떤 함수를 호출하면 발생한 예외를 통해 프로그래머는 그 즉시 어떤 문제가 발생하였는지 알 수 있다.

3. C++ 예외 처리 기법

3.1. throw

```
void withdraw(int amount) {
    if(amount <= 0) throw std::invalid_argument{"음수 또는 0 금액 입금 시도"};
    else if(amount > balance) throw Insufficient_fund{"잔액 부족"};
    else balance -= amount;
}
```

〈그림 10.1〉 예외 처리가 포함된 BankAccount의 withdraw 메소드

예외가 발생할 수 있는 곳을 예측하여 해당 위치에서 특정 문제가 발생하였을 때 throw 문을 이용하여 프로그래머가 직접 예외를 발생할 수 있다. 예를 들어, BankAccount 클래스의 인출 메소드인 withdraw는 그림 10.1과 같이 예외를 발생하도록 구현할 수 있다.

이 예에서 std::invalid_argument는 표준 라이브러리에서 제공하는 예외이고, Insufficient_fund는 사용자가 정의한 예외 클래스이다. throw는 예외 객체를 인자로 받아 해당 예외 객체를 예외를 처리하는 곳으로 던져주는 역할을 한다. 위 예와 같이 throw는 예외 관련 객체를 해당 위치에서 생성하여 전달하는 형태로 프로그래밍을 많이 한다. 하지만 미리 생성된 객체를 전달하도록 프로그래밍할 수 있으며, 일반 객체를 다음과 같이 던질 수도 있다. 실제 C++는 throw를 이용하여 던질 수 있는 것의 제한이 없다.

```
int divide(int x, int y) {
    if(y == 0) throw std::string{"divide-by-zero"};
    return x / y;
}
```

throw 문을 통해 예외가 발생하면 실행 중인 함수는 중단되고, 그림 10.2처럼 throw에 의해 던져진 예외 객체가 해당 함수를 호출한 함수로 전달된다. 전달된 예외 객체는 그것을 잡아 처리할 때까지 계속 반복적으로 상위 함수로 전달될 수 있다. 하지만 그것을 잡을 수 있는 요소가 상위에 없으면 프로그램은 그 즉시 비정상적으로 종료한다. 이와 같은 동작은 자바와 다르다. 자바에서는 무조건 계속 상위로 전달되며, main에서 처리하지 못

하면 그때 종료한다.

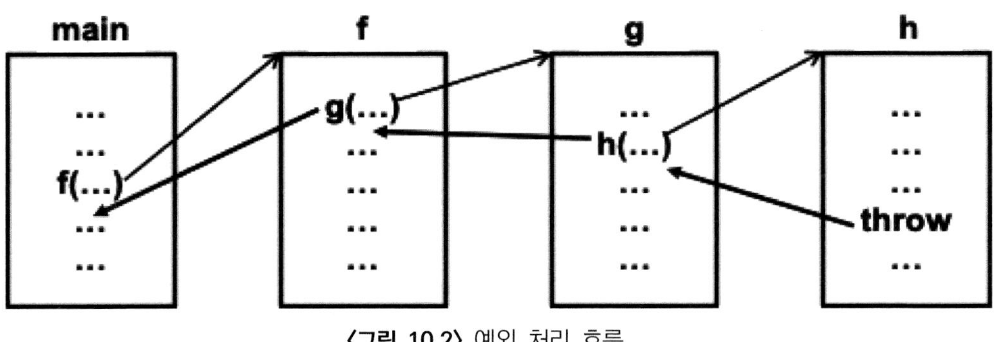

〈그림 10.2〉 예외 처리 흐름

throw 문이 실행되면 함수는 종료하며, 일반적인 함수가 종료될 때와 마찬가지로 자동으로 정리되어야 하는 것들은 정리된다. 예를 들어, 다음과 같은 함수가 실행되어 throw 문에 의해 함수가 종료되면 함수의 스택 프레임도 정리되며, 이 과정에서 a 객체와 b 객체의 소멸자는 모두 호출된다.

```
void foo(A a) {
    A b{3};
    throw std::runtime_error{""};
}
```

하지만 자동 처리되지 않는 것이 있으면 throw 전에 아래와 같이 직접 처리해야 한다.

```
void foo() {
    int* list{new int[10]};
    //
    if(...) {
        delete [] list;
        throw std::runtime_error{""};
    }
}
```

물론 상위에서 해당 예외를 처리해 주는 코드가 있는 경우에만 함수의 스택 프레임이 정리된다. 앞서 언급한 바와 같이 발생한 예외를 처리하는 코드가 상위에 없으면 그 즉시 프로그램은 종료된다. 따라서 상위에 예외를 처리하는 try 문이 없으면 함수의 스택 프레임을 포함하여 정상적인 종료 과정에서 자동으로 이루어지는 정리는 진행되지 않는다. 실제 프로그램의 오류를 발견하기 위한 예외는 예외 발생 후 프로그램을 계속 실행할 필요가 없으므로 자동으로 이루어지는 정리를 진행할 필요는 없다.

자동 처리되지 않는 것을 직접 처리를 해야 하면 번거로울 수 있으므로 **RAII**(Resource Acquisition is Initialization) 기법을 사용하는 것이 바람직하다. 이 기법은 동적 할당처럼 확보와 반납을 짝으로 처리해야 하는 것은 직접 하지 않고, 객체 생성을 통해 자원을 확보하고, 그 객체의 소멸자에서 반납하는 형태로 프로그래밍하는 기법을 말한다. 이와 같은 기법을 사용하면 객체의 소멸에서 필요한 처리가 모두 이루어지기 때문에 예외 발생 전에 직접 별도 짝 처리를 할 필요가 없다. 필요한 기능을 객체로 모델링할 때 얻을 수 있는 또 다른 이점이 RAII의 적용이다.

예외 객체는 기존 다른 객체와 다르게 동작한다. throw 문을 보면 예외 객체를 동적으로 생성하지 않는다. 따라서 스택 프레임에 생성한다고 생각할 수 있다. 실제 스택 프레임에 생성하면 스택 프레임에 생성하는 다른 객체처럼 함수가 종료될 때 소멸자가 호출되고 정리될 것이다. 하지만 예외 객체는 그것을 처리할 때까지 존재해야 한다. 따라서 예외 객체는 생성하는 형태는 임시 객체이지만 다른 임시 객체와 달리 Lvalue로 인식된다. 이 예외 객체는 이 객체를 잡은 catch 절이 종료할 때까지 계속 존속한다. 또 잡은 예외를 상위로 재차 전달하면 계속 존속해야 하므로 이를 해주는 방법으로 재차 전달해야 한다.

3.2. try-catch

발생한 예외를 잡아 처리하고 싶으면 try-catch 문을 이용해야 한다. try-catch 문은 try 절과 한 개 이상의 catch 절로 구성된다. catch 절은 단일 매개 변수를 가진 함수처럼 동작한다. try 절을 차례차례 수행하다 예외가 발생하면 그 아래에 있는 catch 절로 예외가 전달되며, catch 절의 매개 변수가 받을 수 있는 예외이면 해당 catch 절이 실행된다. 이 측면에서는 switch 문의 case 절과 유사하다.

```
static void transfer(BankAccount& from, BankAccount& to, int amount) {
    try {
        from.withdraw(amount);
        to.deposit(amount);
    }
    catch(const Insufficient_fund& e) {
        std::cout << e.what() << '\n';
    }
    catch(const std::invalid_argument& e) {
        std::cout << e.what() << '\n';
    }
}
```

〈그림 10.3〉 BankAccount의 transfer 메소드

예를 들어, BankAccount 클래스의 계좌이체 함수인 transfer는 그림 10.3과 같이 예외를 처리하도록 구현할 수 있다. 실제 이 메소드를 이렇게 작성해야 한다는 것은 아니다. 두 계좌가 모두 수정이 필요한 메소드이므로 특정 계좌가 중심이 되면 부작용이 있는 메소드가 되므로 static 메소드로 정의하고 있다. 이 예에서 std::invalid_argument 예외는 프로그래밍 오류에 의한 예외이므로 잡을 필요가 있는 예외가 아니다. 또 Insufficient_fund 예외를 잡는 catch 절은 계좌이체 과정에서 잔액이 부족할 때는 그것을 처리하기 위한 적합한 코드도 아니다. 더욱이 예외를 잡아 그 내용을 콘솔에 출력하고 계속 프로그래밍을 수행하는 것은 적절한 예외 처리 방법은 아니다. 따라서 이 예제는 try-catch 문의 문법을 이해하기 위한 예로만 이해할 필요가 있다.

이 예에서 from.withdraw(amount)에서 예외가 발생하면 to.deposit(amount)는 실행되지 않는다. 참고로 from.withdraw(amount)에서 예외가 발생하지 않으면 to.deposit(amount)는 예외가 발생할 수 없다고 가정하고 구현된 예이다. 여기서 to.deposit(amount)를 try-catch 문 다음으로 옮겨도 결과는 같지만, 예외가 발생하면 함께 실행하지 않을 것을 함께 try 절에 프로그래밍하는 try 절의 특성을 이용하지 못하는 형태가 된다. 참고로 std::exception의 모든 후손 클래스는 오류 메시지를 반환하여 주는 가상 함수인 what 메소드를 가지고 있다. 이 메소드는 예외를 생성할 때 전달한 문자열을 반환하여 준다.

try-catch 문은 try 절 내에 있는 문장을 차례로 실행하며, 실행하는 도중에 예외가 발생하면 try 절 내의 남은 문장은 실행하지 않고, 첫 catch 절부터 해당 예외를 잡을 수 있는지 검사한다. 여러 개의 catch 절이 있을 때, 이 검사는 첫 번째 catch 절부터 순차적으로 차례차례 해당 예외를 잡을 수 있는지 검사한다. 따라서 catch 절을 작성하는 순서가 매우 중요하다.

특정 catch 절이 해당 예외를 잡으면 catch 절 내에 문장을 실행한다. 반대로 해당 예외를 잡을 수 있는 catch 절이 없다면 해당 예외는 자동으로 상위 함수로 전달되고, 현재 함수는 종료한다. 예외가 상위로 전달되는 것을 막기 위해 마지막 catch 절을 catch(...) 형태로 작성할 수 있으며, 이 경우 이전 catch 절 중 하나에서 예외를 잡지 못하면 이 절에서 예외를 무조건 잡는다. 이와 같은 측면에서 switch 문에서 default 절과 유사하다.

하나의 catch 절은 한 종류의 예외 매개 변수만 가질 수 있다. 하지만 상위 타입을 통해 여러 종류의 예외를 하나의 catch 절에서 잡을 수 있다. 더욱이 효율성을 위해 예외를 잡을 때 참조 타입을 사용해야 하며, 참조 타입을 사용하기 때문에 다형성이 올바르게 동작한다. 가상 함수, 다형성에 대해서는 13장에서 자세히 설명한다.

앞서 설명한 바와 같이 순차적으로 catch 절이 예외를 잡을 수 있는지 검사하기 때문에 catch 절을 정의하는 순서가 매우 중요하다. 예를 들어, 다음과 같은 형태로 작성하면 std::exception이 std::invalid_argument의 조상 클래스이기 때문에 std::invalid_argument를 잡는 catch 절은 절대 실행될 수 없다. 하지만 이처럼 작성하여도 문법 오류는 아니기 때문에 주의가 필요하다. 참고로 자바는 이 경우 문법 오류로 처리해 준다.

```
try {
    //
}
catch(const std::exception& e) {
    std::cout << e.what() << '\n';
}
catch(const std::invalid_argument& e) {
    std::cout << e.what() << '\n';
}
```

예외를 처리하는 역할을 나누기 위해 사로잡은 예외를 종종 다시 상위 함수로 전달할 때도 있으며, 이 경우에는 전달하는 예외 객체를 지정하지 않고, 다음과 같이 throw 키워드만 사용할 수 있다.

```
try {
    //
}
catch(const std::exception& e) {
    std::cout << e.what() << '\n';
    throw;
}
```

하지만 보통 이와 같은 형태보다는 상위에 잡은 것과 다른 예외를 전달하기 위해 catch 절 내에서 직접 예외를 발생하는 경우가 더 많다. 재차 전달하기 위해 위 대신에 throw e를 사용할 수 있는데, 이 경우에는 기존 객체를 상위로 전달하는 것이 아니라 새로 복제한 객체를 던지는 형태가 되므로 효율적이지 못하다.

보통 예외는 값(주소를 던지는 것이 아님) 형태로 던지고 참조로 받는다. 그 이유는 예외 클래스를 상속 관계로 모델링하고 있으며, 상속의 다형성을 활용하기 위해서다. 보통 예외 객체의 상태를 변경할 필요가 없으므로 수정불가 참조로 받는다. 앞서 설명한 것처럼 예외 객체는 함수에서 정적으로 생성하는 다른 객체와 다르게 동작한다.

3.3. 표준 예외

C++ 표준 라이브러리에는 다양한 예외가 정의되어 있으며, 모든 예외의 최상위 조상 클래스는 <exception>에 정의되어 있는 std::exception이다. std::exception의 후손 중 우리가 널리 사용하는 예외는 크게 std::logic_error와 std::runtime_error로 나누어지며, 각각의 후손에는 다음과 같은 예외들이 정의되어 있으며, 이들을 사용하기 위해서는 <stdexcept>를 포함해야 한다.

- std::logic_error의 후손: std::invalid_argument, std::domain_error, std::length_error, std::out_of_range 등
- std::runtime_error의 후손: std::range_error, std::overflow_error 등

std::logic_error은 컴파일 시간에 검사하여 발견할 수 있는 예외를 말하며, std::runtime_error는 실행 시간에만 발견할 수 있는 예외를 말한다.

3.4. 새 예외 정의하기

새 예외는 std::exception이나 그것의 하위 클래스를 상속받아 정의한다. 이때 상속 받는 표준 예외 클래스는 새로 정의하는 예외의 특성에 따라 결정한다. 컴파일 시간에 검사하여 발견할 수 있는 예외이면 std::logic_error나 그것의 하위 클래스를 상속받아 정의하고, 실행 시간에만 발견할 수 있는 예외는 std::runtime_error나 그것의 하위 클래스를 상속받아 정의한다. 반드시 이렇게 해야 하는 것은 아니지만 표준 예외를 상속하여 정의하면 상위 클래스 타입으로 예외를 잡을 수 있으며, what 등 이들 클래스에 있는 기능을 활용할 수 있는 이점이 있다.

```
class Insufficient_fund: public std::logic_error {
public:
    explicit Insufficient_fund(std::string_view msg = "잔액부족") noexcept:
        std::logic_error{msg.data()} {}
    virtual ~Insufficient_fund() noexcept = default;
};
```

〈그림 10.4〉 Insufficient_fund 예외 클래스

예를 들어, BankAccount 클래스의 인출 메소드에서 발생할 수 있는 잔액 부족 예외는 컴파일 시간에 인출 메소드를 호출하기 전에 잔액 조회를 통해 검사할 수 있으므로 std::logic_error를 상속하여 그림 10.4와 같이 정의할 수 있다. std::exception은 기본 생성자만 있고, std::logic_error와 std::runtime_error는 기본 생성자가 없다. 이 두 클래스는 const std::string&을 받는 생성자와 const char*를 받는 생성자를 가지고 있어, std::string_view 타입의 msg를 그대로 인자로 전달할 수 없다. 이 때문에 msg.data()를 전달하고 있다.

새 예외 클래스를 정의하면 더 가독성이 있는 이름의 예외를 사용할 수 있으며, 필요한 기능을 추가할 수 있다는 이점이 있다. 따라서 시스템에서 제공하는 예외 중 적합한 이름

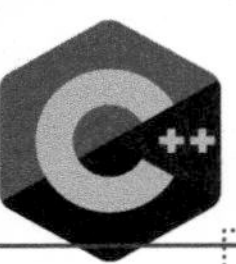

이 없거나 시스템에서 제공하는 예외가 가지고 있는 기능 외에 추가 기능이 필요하면 새 예외를 정의하여 사용한다. 새 예외를 정의하지 않고 시스템에서 제공하는 예외를 사용하면 해당 예외는 프로그래머가 직접 발생하지 않아도 발생할 수 있다는 점을 유념해야 한다. 반대로 새 예외를 정의하여 사용하면 해당 예외는 프로그래머가 직접 발생한 위치 외에는 절대 발생할 수 없다. 보통 프로그램 오류를 발견하기 위한 예외이면 굳이 새 예외를 정의할 이유가 없다.

이처럼 생성자만 정의한 클래스가 예외 처리에 특별한 역할을 하지 못한다고 생각할 수 있다. 실제 제시된 Insufficient_fund 예외는 가독성을 높여주는 효과밖에 없다. 따라서 잔액 부족이 발생하였을 때 프로그램을 재개하는 방법에 따라 필요한 기능을 이 클래스에 추가할 필요성이 있다. 이와 달리 프로그램 개발 과정에서 오류를 발견하는 것이 주목적이면 굳이 새 예외를 정의하지 않고, 라이브러리에서 제공하는 예외를 사용하는 것이 바람직하다. 또 오류를 발견하는 것이 목적이면 try-catch하지 않고 프로그램을 비정상 종료하도록 하는 것이 올바른 프로그래밍 방법이다. 이렇게 비정상 종료하면 예외 객체를 생성할 때 전달한 오류 메시지를 출력하여 주므로 오류 원인을 파악할 수 있는 정보를 문자열로 예외 객체를 생성할 때 전달해야 한다. 하지만 try-catch하여 프로그램을 계속 수행하는 것이 목적이면 예외 객체를 생성할 때 전달한 문자열은 활용하지 않는 경우가 더 많다. 한 가지 아쉬운 점은 예외에 의해 비정상 종료되면 자바와 달리 C++는 예외가 발생한 위치와 프로그램 진행 흐름에 대한 충분한 정보를 주지 못한다.

3.5. noexcept

함수를 구현할 때 해당 함수에서 예외가 발생할 수 없다면 C++11부터는 해당 함수를 noexcept로 수식할 수 있으며, 컴파일러는 이와 같은 키워드로 수식된 함수에 대해서는 예외 처리와 관련된 요소를 추가하지 않아도 되기 때문에 더 최적화된 코드를 생성할 수 있다. 클래스의 생성자와 소멸자를 포함하여 모든 종류의 함수를 정의할 때 noexcept로 수식할 수 있다. 메소드를 noexcept로 수식할 때는 메소드의 선언과 정의에 모두 수식해 주어야 한다.

함수가 함수 내에서 직접 예외를 발생하지 않고 noexcept인 함수들만 호출하면 noexcept로 수식할 수 있다. 예를 들어, 다음과 같은 2개의 메소드가 있을 때,

```cpp
void foo() {
    throw std::runtime_error{""};
}

void bar() noexcept {
}
```

이들을 호출하는 다음 메소드 중 zoo 함수는 문법 오류는 아니지만 noexcept로 수식하는 것이 적절하지 않다. foo 메소드는 throw 문을 이용하여 직접 예외를 발생하는 함수이므로 그것을 호출하는 zoo 역시 예외를 발생하는 함수이다. 따라서 noexcept로 수식하는 것은 잘못된 것이다. 이와 달리 baz도 foo 메소드를 호출하고 있지만, try-catch 문을 이용하여 예외를 처리하고 있으므로 noexcept로 수식할 수 있다. 참고로 foo처럼 항상 예외를 발생하는 함수를 정의하여 사용하는 경우는 없다.

```cpp
void zoo() noexcept {
    foo();
}

void baz() noexcept {
    try {
        foo();
    }
    catch(const std::exception& e) {}
}

void ham() noexcept {
    bar();
}
```

보통 함수는 은행 계좌의 deposit 메소드처럼 인자에 문제가 있으면 예외를 발생하고, 문제가 없으면 발생하지 않는다. deposit 메소드를 호출하는 함수는 보통 noexcept로 수식하는 것은 적절하지 않지만, deposit에 항상 문제가 없는 인자만 전달하면 noexcept로 수식할 수 있다.

제시된 예에서 알 수 있듯이 noexcept로 수식된 함수가 실제 예외를 발생하지 않는지 컴파일러가 검사하지 않는다. 실제 정확하게 할 수 없어서 하지 않는 것이다. 그럼에도 컴파일러는 개발자를 믿고 코드를 최적화한다. 컴파일러가 예외 발생 여부를 스스로 판단할 수 있다면 noexcept의 사용 없이 최적화를 해줄 수 있다. 하지만 그것을 컴파일러가 판단할 수 없으므로 개발자의 도움을 받아 최적화하는 것이다.

다음 두 함수 중 foo 함수는 new를 사용하고 있고 std::nothrow를 사용하지 않고 있으므로 예외가 발생할 수 있다. 특히, foo 함수에 -1을 인자로 전달하면 예외가 발생한다. 반면에 bar는 -1을 전달하여도 예외가 발생하지 않고 nullptr을 반환하여 준다. 물론 보통 이와 같은 함수의 매개 변수 타입은 int가 아니라 size_t를 사용하는 것이 더 적절하다.

```
int* foo(int size) noexcept {
    return new int[size];
}

int* bar(int size) noexcept {
    return new (std::nothrow) int[size];
}
```

프로그래머는 자신이 호출하는 함수가 noexcept인지 확인할 필요가 있으며, noexcept가 아니면 어떤 종류의 예외가 어떤 이유에서 발생할 수 있는지 이해하고 사용해야 한다.

3.6. 생성자, 소멸자와 예외 처리

객체를 생성할 때 호출하는 생성자에서는 예외가 발생하지 않도록 하는 것이 바람직하다. 특히, 기본 생성자는 절대 예외를 발생하지 않아야 한다. 기본 생성자에서 예외가 발생할 수 있다는 것은 논리적으로 모순이다. 하지만 인자를 받는 생성자는 인자 때문에 충분히 예외를 발생할 수 있다. 예를 들어, 다음과 같은 BankAccount 클래스에서 int를 받는 생성자는 인자 때문에 deposit 메소드 실행 과정에서 예외가 발생할 수 있다.

```
class BankAccount {
private:
    unsigned int balance{0};
public:
    BankAccount() noexcept = default;
    BankAccount(int amount) {
        deposit(amount);
    }
    //
};
```

생성자에서 throw 문을 실행하면 생성하고자 하는 객체는 생성되지 않는다. 따라서 이 객체의 소멸자는 어떤 경우에도 호출되지 않는다. 하지만 멤버 변수는 이미 생성될 수 있으며, 이들이 객체 타입이고 상위에서 try-catch를 하면 throw 문의 실행 과정에서 이들에 대한 소멸자는 호출된다. 참고로 객체 생성 과정에서 가장 늦게 실행되는 것이 생성자 몸체이다.

예를 들어, 다음과 같은 클래스에서 A(int) 생성자의 실행 과정에서 throw 문이 실행되면 멤버 변수 b 객체의 소멸자는 자동으로 실행된다. 이와 같은 이유로 앞서 설명한 것처럼 RAII 기법의 사용이 편리하고 중요하다.

```
class A {
private:
    B b;
    int* p{new int[10]};
public:
    A(int x) {
        if(x < 0) {
            delete [] p;
            throw std::runtime_error{""};
        }
    }
};
```

참고로 무조건 소멸자가 호출되는 것은 아니다. 던진 예외를 잡아 처리할 수 있는 코드가 있는 경우에만 호출되고, 그렇지 않으면 앞서 설명한 것처럼 프로그램은 그 위치에서 비정상적으로 종료한다.

4. assert

```
void withdraw(int amount) {
    assert(amount > 0);
    if(amount > balance) throw Insufficient_fund{"잔액 부족"};
    else balance -= amount;
}
```

〈그림 10.5〉 assert를 이용하는 BankAccount의 withdraw 메소드

개발 과정에서 오류를 찾기 위해 예외를 발생하는 형태로 구현하기보다는 assert 매크로를 활용하는 것이 더 효과적일 수 있다. 예를 들어, 앞서 살펴본 BankAccount 클래스의 인출 메소드인 withdraw는 그림 10.5와 같이 assert를 이용하여 구현할 수 있다.

assert는 인자로 받은 bool 식의 평가 결과가 false이면 프로그램을 중단하고 오류 메시지를 출력한다. assert는 매크로이기 때문에 사용할 때 주의해야 한다. 특히, 쉼표를 사용하면 매크로 인자의 구분자로 인식한다. assert는 다음 전처리 문장을 추가함으로써 컴파일러가 모든 assert를 무시하도록 만들 수 있다.

```
#define NDEBUG
```

C++11부터 static_assert가 추가되었으며, static_assert는 기존 assert와 달리 매크로가 아니다. 하지만 static_assert는 컴파일 시간에 상수식을 검사하기 위해 도입된 것이기 때문에 위 예처럼 인자 값을 검사하기 위해 사용할 수 없다. static_assert는 15장에서 설명하는 메타 프로그래밍에서 많이 활용한다.

5. 예외 처리 팁

프로그램의 가독성을 높이기 위해 예외 처리 부분과 실제 알고리즘 부분을 분리하여 코딩할 수 있다. 예를 들어, 다음과 같은 메소드가 정의되어 있으면 try-catch 문 때문에 실제 코드를 읽기가 불편할 수 있다.

```
void f() noexcept {
    try {
        statement1;
        //
        statementn;
    }
    catch(const exceptionA& e) {
    }
    catch(const exceptionB& e) {
    }
}
```

이 경우 try 절에서 실행하는 문장들로만 구성된 별도 메소드를 정의하면 try 절 대신에 해당 메소드를 통해 코드 리뷰를 할 수 있다.

```
void f() noexcept {
    try{
        g();
    }
    catch(const exceptionA& e) { }
    catch(const exceptionB& e) { }
}

void g() {
    statement1;
    //
    statementn;
}
```

라이브러리에 있는 함수를 사용할 때는 각 함수가 어떤 예외를 발생할 수 있는지 파악한 후에 사용해야 한다. 예를 들어, std::string의 substr 메소드는 인자로 전달한 부분 문자열의 시작 위치가 현재 문자열 범위를 벗어나면 std::out_of_range 예외를 발생한다.

예외는 무시하는 것은 바람직하지 않으며, 예외를 다른 목적으로 사용하는 것도 바람직하지 않다. 예를 들어, 다음과 같이 함수를 특정 순간에 종료시키고 어떤 값을 호출한 함수로 전달하기 위해 예외를 사용하는 것은 잘못된 프로그래밍 스타일이다.

```
void find(const int* list, size_t size, int v) {
    for(size_t i{0}; i < size; ++i)
        if(list[i] == v) throw &list[i];
}

void foo() {
    int list[]{1, 2, 3, 7, 4};
    try {
        find(list, 5, 7);
    }
    catch(int* p) {
        *p = 0;
    }
}
```

try-catch 문을 이용하여 예외를 처리할 때 너무 작은 단위로 처리하는 것은 잘못된 것이며, 어떤 예외가 발생하였을 때 함께 실행되지 말아야 하는 문장들을 try 절에 함께 포함하여야 한다.

5.1. std::optional

많은 경우 적절한 반환 값을 반환할 수 없을 때, 특별한 값을 대신 반환하여 그 사실을 호출한 측에 알려준다. 예를 들어, std::string의 find 메소드는 찾고자 하는 문자가 없으면 std::string::npos라는 값을 반환하여 준다. 유사한 예로 정수 배열과 정수를 받아 주어진 정수가 배열에 있는지 찾는 다음 메소드를 구현한다고 생각하여 보자.

```
int search(int nums[], size_t size, int v);
```

이 경우 보통 주어진 v가 배열에 없는 경우 -1을 반환하는 형태로 구현을 많이 한다. 하지만 한 가지 논리적 모순이 있다. 이 함수는 배열의 크기로 size_t를 사용하고 있다. 따라서 유효한 색인 범위가 매우 클 수 있으므로 반환 타입도 size_t가 되어야 한다. 그런데 size_t는 unsigned 타입이므로 -1을 반환할 수 없다. 따라서 이 문제 때문에 없는 경우 -1을 반환하는 것이 아니라 size를 반환할 수 있다. 그런데 이 경우 없다는 것이 아니라 size 색인에 찾고자 하는 것이 있다고 오해할 수 있다. 이처럼 종종 함수를 구현할 때 실패한 것을 알리기 위해 적절한 반환 값을 찾기가 어려운 경우가 많고, 함수마다 그것을 알리기 위해 사용하는 값이 다양할 수 있다.

```
std::optional<size_t> search(int nums[], size_t size, int v) {
   for(size_t i{0}; i < size; ++i)
      if(nums[i] == v) return i;
   return std::nullopt;
}
```

〈그림 10.6〉 std::optional을 이용한 선형 검색 함수 search

이 문제는 C++17부터는 std::optional을 사용할 수 있다. 위에 제시한 search 함수는 그림 10.6과 같이 정의할 수 있다. std::optional을 반환하는 함수를 정의할 때, 반환할 것이 없으면 std::nullopt을 반환한다. 이처럼 std::optional을 사용하면 얻을 수 있는 이점은 다음과 같다.

- 이 함수는 원하는 값을 주지 않을 수 있다는 것이 명백하게 나타난다.
- 원하는 값을 얻지 못할 때 확인하는 방법이 명백하다.

더욱이 함수마다 실패하였을 때 반환하는 값이 다양할 수 있는데, 모두 std::optional로 통일하면 일관성 있게 구현할 수 있다. 그림 10.4의 함수는 반환 타입으로 auto를 사용하고, return i 대신에 return std::optional<size_t>(i)를 사용할 수 있다.

std::optional을 반환하는 함수는 원하는 값을 반환하였는지 아니면 반환할 수 없었는

지 포인터 개념을 이용하여 파악할 수 있다. 포인터 개념을 이용하기 싫으면 has_value와 value 메소드를 다음과 같이 이용할 수 있다.

```
std::optional<size_t> findLoc{search(nums, 10, 3)};
if(findLoc) std::cout << *findLoc << '\n';
if(findLoc.has_value()) std::cout << findLoc.value() << '\n';
```

퀴즈

1. 예외 처리와 관련된 다음 설명 중 **틀린** 것은?

   ① 개발 과정에서는 오류를 찾는 것이 가장 중요한 목적이다.
   ② 외부 요인 때문에 발생하는 많은 예외는 극복이 가능한 예외이다.
   ③ 예측하지 못한 예외도 처리할 수 있다.
   ④ 예외는 아무 곳에서 잡을 수 없고 함수 흐름 과정 안에서만 잡을 수 있다.

2. 예외 처리할 때 사용하는 throw, try-catch와 관련된 다음 설명 중 **틀린** 것은?

   ① catch 절은 정의한 순서로 발생한 예외를 잡을 수 있는지 검사하므로 정의하는 순서가 중요하다.
   ② throw는 값으로 전달하고 catch는 참조로 잡는 것이 원칙이다.
   ③ 예외가 발생하였을 때 상위 함수에 해당 예외를 잡는 요소가 없으면 프로그램은 그 즉시 종료한다.
   ④ 한 번 catch한 예외는 재차 상위로 전달할 수 없다.
   ⑤ throw를 이용하여 던질 수 있는 것에 제한이 없다.

3. 다음과 같은 코드를 실행하였을 때,

```
try {
    std::cout << "호호\n";
    foo();
    std::cout << "히히\n";
}
catch(const A& e) {
    std::cout << "라라\n";
}
catch(const B& e) {
    std::cout << "쿠쿠\n";
}
std::cout << "하하\n";
```

foo에서 예외가 발생하지 않았다. 다음 중 출력되는 결과는?

① 호호
하하

② 호호
히히
하하

③ 호호
히히

④ 하하
히히
라라
쿠쿠
하하

4. 다음과 같은 코드를 실행하였을 때,

```
try {
    std::cout << "ra ra\n";
    foo();
    std::cout << "ro ro\n";
}
catch(const A& e) {
    std::cout << "ho ho\n";
}
catch(const B& e) {
    std::cout << "hi hi\n";
}
std::cout << "ha ha\n";
```

foo에서 A 타입의 예외가 발생하였다. 다음 중 출력되는 결과는?

① ra ra
ro ro
ho ho

② ra ra
ho ho
ha ha

③ ra ra
ro ro
ha ha

④ ra ra
ho ho

5. 다음과 같은 코드를 실행하였을 때,

```
try {
    std::cout << "ra ra\n";
    foo();
    std::cout << "ro ro\n";
}
catch(const A& e) {
    std::cout << "ho ho\n";
}
catch(...) {
    std::cout << "hi hi\n";
    throw;
}
std::cout << "ha ha\n";
```

foo에서 B 타입의 예외가 발생하였다. 다음 중 출력되는 결과는?

① ra ra
ro ro
hi hi

② ra ra
hi hi
ha ha

③ ra ra
ro ro
ha ha

④ ra ra
hi hi

연습문제

1. 다음 두 함수의 문제점을 찾아 설명하라.

```
void foo() {
    try {
        //
    }
    catch(const std::exception& e) {}
    catch(const std::runtime_error& e) {}
}

void foo() {
    try {
        //
    }
    catch(...) {}
    catch(const std::runtime_error& e) {}
}
```

2. 계정명과 패스워드를 통해 사용자를 인증하는 웹 서비스가 있다고 가정하자. 이와 관련하여 다음 각각에 대해 답변하라.

① 새 사용자의 가입을 처리할 때 사용하는 다음 함수에서 발생할 수 있는 예외를 모두 제시하라.

```
void verifyUserID(std::string_view id);
void verifyPasswd(std::string_view passwd);
```

매개 변수 id와 passwd는 사용자가 등록 과정에서 입력한 계정명과 패스워드이다.

② 기존 사용자를 인증하는 다음 함수에서 발생할 수 있는 예외를 모두 제시하라.

```cpp
bool verifyUserLogin(std::string_view id, std::string_view passwd);
```

3. 9장 연습문제 3번의 Wallet 클래스의 필요한 예외 처리를 추가하라. 추가하는 예외 처리가 프로그래밍 오류를 발견하기 위한 처리인지 배포 버전에서도 유지해야 하는 예외 처리인지 구분하여 구현해야 한다.

제 **11** 장

Is-A, Has-A, Use-A

제11장 Is-A, Has-A, Use-A

1. 클래스 간, 객체 간 관계

어떤 한 소프트웨어를 객체지향으로 개발할 때 보통 여러 개의 클래스를 정의하며, 이들 클래스의 객체를 여러 개 생성하여 사용한다. 프로그램에서 정의한 각 클래스는 보통 독립적으로 존재하지 않으며, 프로그램의 실행을 위해 생성한 객체도 보통 독립적으로 존재하지 않는다.

클래스 간 관계는 프로그램이 실행되는 동안 바뀌지 않으므로 **정적 관계**라 한다. C++에는 클래스 간의 **상속**(inheritance) 관계를 형성할 수 있다. 상속은 기존에 존재하는 클래스를 활용하여 새로운 클래스를 정의할 수 있도록 해준다. 한 클래스가 다른 클래스를 상속받으면 해당 클래스의 모든 상태와 대부분의 행위를 다시 정의하지 않아도 자동으로 포함된다. 예를 들어, 애완동물이라는 클래스가 정의되어 있으면 이를 이용하여 강아지, 고양이 클래스를 정의할 수 있으며, 모든 애완동물이 공통으로 가지고 있는 상태와 행위는 강아지, 고양이 클래스에 중복하여 정의할 필요 없이 애완동물 클래스에 정의하면 된다. 이때 애완동물 클래스를 강아지 클래스의 부모 클래스라 하고, 고양이 클래스를 애완동물 클래스의 자식 클래스라 한다. 상속 관계에서 자식 객체는 부모 객체의 한 종류가 된다. 예를 들어. 강아지는 애완동물(a dog is a pet)이라는 명제가 성립한다. 이 때문에 상속 관계를 다른 말로 **is-a 관계**라 한다.

객체 간 관계는 프로그램이 실행되는 동안 바뀔 수 있으므로 **동적 관계**라 한다. 예를 들어, RPG(Roll Playing Game)에서 캐릭터 클래스와 무기 클래스가 정의되어 있고, 캐릭터 객체는 무기 객체를 하나 유지한다고 하자. 또한 이 게임은 게임이 진행되면서 여러 종류의 무기를 획득할 수 있지만 한 번에 하나의 무기만 소유할 수 있다고 하자. 이 경우 한 캐릭터 객체가 유지하는 무기는 프로그램이 실행되는 동안 수시로 바뀔 수 있다. 시작할 때는 칼을 가지고 있다가 중간에 도끼로 바뀔 수 있다.

객체 간 관계는 크게 **사용**(use-a) 관계와 **포함**(has-a) 관계로 구분할 수 있다. 사용 관계는 한 객체가 어떤 기능을 수행하기 위해 다른 객체가 필요한 경우를 말하며, 포함 관계는 한 객체가 다른 객체를 멤버 변수로 유지하는 경우를 말한다. 보통 포함 관계는 전체-부분 관계(whole-part)를 나타내기 위해 주로 사용한다. 하지만 전체-부분관계가 아니더라도 관계가 지속되어 관계를 장기적으로 유지하기 위해 포함 관계로 모델링하는 경우도 많다. 또 동일 객체를 특정 기능을 수행할 때만 필요한 것이 아니라 여러 기능을 수행할 때 계속 사용해야 하면 구현의 편리성을 위해 포함 관계로 모델링한다. 앞서 설명한 캐릭터와 무기 예제처럼 개념적으로 사용 관계이지만 지속해서 사용하기 때문에 캐릭터는 무기를 멤버 변수로 유지할 수 있다. 전체-부분관계가 아니지만 멤버 변수로 다른 객체를 유지하는 경우, 이를 **연관**(association) 관계라고도 한다. 따라서 어떤 관계는 사용 관계인 동시에 포함 관계일 수 있다.

사용 관계는 보통 논리적인 개념이다. 실제 코드상에 어떻게 구현되는지와 관계없이 논리적으로는 사용 관계에 해당할 수 있다. 이와 달리 포함 관계는 논리적인 개념보다 물리적인 개념으로 한 객체가 다른 객체를 멤버 변수로 유지하면 그것의 논리적인 이유와 무관하게 포함 관계라 한다.

2. 의존 관계

```
class A: public B, public C {
private:
   D* d;
public:
   void foo(const E& e) {
   }
   F bar() {
      F f;
      //
      return f;
   }
};
```

〈그림 11.1〉 의존 관계

한 클래스를 정의할 때 다른 클래스를 사용하면 두 클래스 간 또는 두 클래스 객체 간의 관계가 있다는 것을 의미한다. 예를 들어, 그림 11.1에 제시된 A 클래스의 정의에는 B, C, D, E, F 클래스가 등장하고 있다. 한 클래스를 정의할 때 다른 클래스가 부모 클래스, 멤버 변수의 타입, 매개 변수의 타입, 지역 변수의 타입, 반환 값의 타입으로 등장할 수 있다. 이 경우 클래스 A는 B, C, D, E, F에 의존하고 있다고 말한다. 따라서 클래스 간 관계 또는 객체 간 관계가 맺어지기 위해서는 클래스 간 의존 관계가 형성되어 있어야 한다.

한 클래스 A가 다른 클래스 B에 의존할 때, B를 수정하면 A를 수정해야 할 수 있다. 이 때문에 한 클래스가 의존하는 클래스의 수는 적을수록 좋다. 또 의존하더라도 구체적 클래스 대신에 상속 관계에서 상위 클래스에 의존하는 것이 바람직하며, 그 형태는 포인터 타입이나 참조 타입이어야 한다. 그 이유는 클래스 A가 클래스 계층도에서 상위에 있는 클래스에 의존하면 코드 수정 없이 다양한 클래스와 상호 작용할 수 있기 때문이다. 이 개념은 D, E, F와 같은 형태의 의존 관계에 해당하는 것이며, 상속 관계와 관련된 것은 아니다. 상속 관계는 코드 수정 없이 바꿀 수 있는 것은 아니다.

3. 사용 관계

```cpp
class Child {
public:
    void wash(const Towel& towel) {
    }
};
```

(1) Child 객체가 Towel 객체 사용

```cpp
class Camera {
public:
    Picture takePicture() {
        Picture picture;
        //
        return picture;
    }
};
```

(2) Camera 객체가 Picture 객체 사용

〈그림 11.2〉 사용 관계 예

한 객체가 어떤 행위를 하기 위해 다른 객체를 사용하면 두 객체 간 관계를 사용 관계라 한다. 가장 일반적이고 널리 나타나는 관계이다. 앞서 말한 것처럼 사용 관계는 논리적인 관계이지만 그림 11.2에 제시된 예제처럼 메소드의 인자로 다른 종류의 객체를 받아 사용하면, 또 메소드 내에서 다른 종류의 객체를 생성하여 사용하면 무조건 사용 관계이다.

4. 포함 관계

한 클래스의 객체가 다른 클래스의 객체를 멤버 변수로 유지하면 포함 관계라 한다. 예를 들어, 컴퓨터는 내부 부품으로 CPU, HDD와 같은 부품을 포함하고 있으며, 빌딩은 빌딩 내부에 여러 방으로 구성되어 있다. 포함 관계는 크게 전체-부분관계를 나타내는 경우와 그렇지 않은 경우로 나눌 수 있으며, 후자를 연관 관계라 한다. 포함 관계로 모델링할 때는 관계의 **다중도**(multiplicity)를 살펴보아야 한다. 회사와 직원 관계는 일대다 관계, 직원은 회사와 일대일 관계로 모델링할 수 있다. 이처럼 모델링하면 한 회사가 여러 명의 직원을 고용할 수 있지만 한 직원은 오직 한 회사에 소속할 수 있다는 것을 의미한다.

4.1. 전체-부분 관계

전체-부분관계는 다시 집합(aggregation) 관계와 복합(composition) 관계를 나누어지며, 집합은 전체가 소멸하여도 부분은 계속 존재할 수 있는 경우이고, 복합은 전체가 소멸하면 부분도 함께 소멸해야 하는 경우를 말한다. 따라서 집합과 복합은 응용의 요구사항에 따라 달라질 수 있다.

```
class Computer {
private:
    CPU* cpu;
    //
public: // 아래 ...은 문법적 요소가 아니고 해당 부분의 내용을 생략한 것임
    Computer(const CPU* cpu, ...): cpu{cpu}, ... { }
    //
};
```

(1) 집합 관계

```
class Computer {
private:
   CPU* cpu;
   //
public: // 아래 ...은 문법적 요소가 아니고 해당 부분의 내용을 생략한 것임
   Computer(std::string_view cpuType, ...):
      cpu{CPU::getInstance(cpuType)}, ... { }
   ~Computer() {
      delete cpu;
      //
   }
   //
};
```

(2) 복합 관계

〈그림 11.3〉 포함 관계 중 전체-부분 관계

집합과 복합 관계는 구현 측면에서 그림 11.3처럼 관계의 논리적 개념이 더 직관적으로 나타나도록 다르게 구현할 수 있다. 보통 집합 관계의 경우에는 부분에 해당하는 객체를 클래스 외부에서 생성하고, 복합 관계에서는 부분에 해당하는 객체를 클래스 내부에서 생성한다. 특히, 복합 관계에서는 부분에 해당하는 객체를 동적 생성하면 전체에 해당하는 객체의 소멸자는 부분에 해당하는 객체를 반납해야 한다. 그림 11.3에서 CPU::getInstance 메소드는 CPU의 종류를 받아 CPU 객체를 생성하여 주는 static 메소드이며, 이와 같은 메소드를 객체지향에서는 팩토리(factory) 메소드라 한다.

4.2. 연관 관계

두 클래스 간 연관 관계가 복잡하면 연관 클래스를 정의하여 사용할 수 있다. 예를 들어, 학생과 수강 교과 간의 관계를 생각하여 보자. 학생은 여러 교과를 수강할 수 있고, 한 교과를 여러 번 수강할 수 있다. 한 교과는 학기마다 여러 분반을 개설할 수 있고, 개설한 분반마다 여러 학생의 수강 기록을 유지해야 한다. 이 문제를 설계하는 방법은 매우 다양할 수 있으며, 많은 양의 데이터를 장기적으로 유지해야 하므로 이들을 메모리에 유지하기보다는 데이터베이스에 유지할 것이다. 이 절에서는 연관 관계를 설명하기 위해 메모리에 관련 데이터를 모두 유지한다고 가정한다.

학생과 수강 교과 간에는 다대다 관계를 형성하기 때문에 연관 클래스를 사용하지 않고 모델링하면 정보의 중복이 불가피하다. 이것은 학생 쪽에도 교과 쪽에도 관계를 나타내는 정보를 각각 유지해야 하기 때문이다. 그림 11.4에 제시한 것처럼 Student 클래스에 연관 정보를 나타내기 위한 TakenRecord 목록을 유지하고 있고, Subject 클래스에도 연관 정보를 유지하기 위한 OpenCourse 목록을 유지하면 정보가 중복되는 형태가 된다. 정보가 중복되면 그것의 일관성을 유지하고, 갱신하기가 어렵다.

```
class TakenRecord {
private:
    int subjectNum;                  // 교과 코드
    int year;                        // 개설 연도
    int semester;                    // 개설 학기
    int classNum;                    // 분반
    std::string grade;
};

class Student {
private:
    int studentNum;                  // 학번
    std::string name;                // 이름
    std::vector<TakenRecord> takenList;
};

class TakerRecord {
private:
    int studentNum;
    std::string grade;               // 성적
};

class OpenCourse {
private:
    int year;                        // 개설 연도
    int semester;                    // 개설 학기
    int classNum;                    // 분반
    std::vector<TakerRecord> takerList;
```

```
};

class Subject {
private:
    int subjectNum;             // 교과 코드
    std::string name;           // 교과명
    std::vector<OpenCourse> openCourseList;
};
```

〈그림 11.4〉 학생과 수강 교과 모델링: 정보 중복 버전

연관 클래스란 두 객체 간의 연관 정보를 유지하는 별도 클래스를 말한다. 그림 11.5와 같이 학생과 개설 교과 간의 연관 정보를 나타내는 GradeRecord라는 연관 클래스를 정의할 수 있다. 연관 클래스를 사용하면 연관 클래스의 객체는 각각 관계를 맺고 있는 두 객체가 참조 형태로 유지한다. 보통 그림 11.5처럼 한 곳에서 실제 데이터를 유지하고, 다른 한 곳은 데이터의 주소를 유지하는 형태로 구현한다.

```
class GradeRecord {
private:
    int subjectNum;       // 교과 코드
    int studentNum;       // 학번
    int year;             // 개설 연도
    int semester;         // 개설 학기
    int classNum;         // 분반
    std::string grade;    // 성적
};

class Student {
private:
    int studentNum;
    std::string name;
    std::vector<GradeRecord*> takenList;
};

```

```
class Subject {
private:
    int subjectNum;
    std::string name;
    // key: 개설년도, 학기, 분반을 식별하는 ID (예: 2024-01-01)
    std::map<std::string key, std::vector<GradeRecord>> openCourseDB;
};
```

〈그림 11.5〉 학생과 수강 교과 모델링: 연관 클래스 버전

5. 상속

5.1. Subclassing vs. Subtyping

객체지향은 한 클래스를 이용하여 다른 클래스를 정의할 수 있도록 해준다. 이와 관련하여 **subclassing**, **subtyping** 두 가지 개념이 있다. Subclassing은 한 클래스의 상태와 행위의 구현을 재사용하게 해주는 형태로 기존 클래스를 이용하여 새 클래스를 정의할 수 있도록 해준다. C++에서 제공하는 상속은 subclassing에 해당한다. Subtyping은 한 클래스의 외부 모습만 재사용하게 해주는 형태로 기존 클래스를 이용하여 새 클래스를 정의할 수 있도록 해준다. Subtying을 하여 B 클래스가 A 클래스의 subtype이면 A 타입을 기대하는 어느 곳이나 B 타입의 객체를 안전하게 사용할 수 있다. 이 특성을 **대체 가능성**(substitutability)이라 한다.

Subclassing을 하더라도 subtyping이 만족하도록 상속하는 것이 바람직하다. 이때 문법적으로 subtyping뿐만 아니라 논리적으로 subtyping이 되어야 한다. 이렇게 해야 상속을 통해 강건한 범용 코드를 작성할 수 있고, 다형성을 활용하는 것이 된다. 예를 들어, 하늘을 날 수 있는 오리 클래스를 상속하여 장난감 고무오리 클래스를 정의하면 고무오리는 하늘을 날 수 없으므로 문법적으로 대체할 수 있어도 논리적으로 subtyping을 만족하지 않는다.

C++의 상속은 subclassing에 해당하지만, 상속 접근 제어 때문에 문법적으로도 항상

subtyping을 보장하지 않는다. 또 C++에서 상속을 오직 subtyping 목적으로만 사용할 수도 있다. 상속이 다형성이 목적이면 대체할 수 있도록 C++는 포인터 타입이나 참조 타입을 사용하여 객체를 처리해야 한다. 물론 상속이 다형성이 목적이 아닐 수 있으며, 이 경우에는 대체 가능성이 필요 없다.

C++에서 상속을 subtyping의 목적으로만 사용할 수도 있다. 이 경우는 보통 상속 관계와 포함 관계를 동시에 사용한다. 같은 상위 타입으로 처리할 수 있기 위해 상속 관계를 사용하지만, 상속받은 메소드를 그대로 사용하지 않고, 유지하는 객체를 통해 메소드의 기능을 재정의하여 사용한다. 실제 객체지향 설계 패턴 중 장식 패턴(decorator pattern)과 프록시 패턴(proxy pattern)을 적용할 때, 이와 같은 형태를 사용한다.

5.2. 기본 개념

상속은 기존 클래스를 이용하여 새 클래스를 정의할 수 있도록 해준다. 한 클래스가 기존 클래스를 상속하면 기존 클래스의 상태와 행위를 중복 정의하지 않고 새 클래스가 가지고 있는 것이 되기 때문에 코드 중복을 없애 주는 효과가 있다. 또 상속은 하나의 타입을 이용하여 여러 타입을 처리할 수 있는 공통 타입이 만들어지며, 이를 이용한 범용 프로그래밍을 통해 추가로 코드 중복을 없애 주는 효과가 있다.

예를 들어, 다양한 애완동물을 모델링하기 위해 Pet 클래스를 정의한 후에 이를 상속받는 Dog과 Cat를 정의할 수 있다. 추가로 Dog을 특수화한 ShihTzu 클래스를 정의할 수 있고, Cat을 특수화한 Siamese를 정의할 수 있다. 이때 Dog, Cat은 Pet의 서브/자식/파생(sub/child/derived) 클래스라 하며, Pet은 Dog의 슈퍼/부모/기저(super/parent/base) 클래스라 한다. Dog와 Cat은 같은 부모를 가졌으므로 이들을 형제(sibling) 클래스라 한다. 또한 ShihTzu는 Pet의 후손 클래스라 하고, Pet은 ShitTzu의 조상 클래스라 한다. 이와 같은 상속 관계를 도식화한 것을 **클래스 계층도**(class hierarchy)라 한다.

상속은 코드를 재사용할 수 있도록 해주지만 코드 재사용 목적만을 위해 상속하는 것은 바람직하지 않다. 상속을 하면 한 클래스의 참조 변수나 포인터 변수에 그것의 후손 클래스의 객체를 유지할 수 있다. 따라서 논리적으로 is-a 관계가 성립하지 않는 클래스를 상속하여 정의하면 코드를 읽을 때 매우 어색하게 된다. 예를 들어, 애완동물과 강아지, 사람과 학생은 논리적으로 is-a 관계가 성립하지만, 사람과 강아지의 경우 강아지가 사람과 마찬가지로 먹기, 걷기 등의 행위를 할 수 있지만 is-a 관계가 성립하지 않기 때문에 사람을 상속하여 강아지를 정의하는 것은 적절하지 않다. 물론 다형성이 목적이 아니면 is-a 관계가 성립하지 않아도 상속할 수 있다. C++는 이때 사용하는 문법(private 상속 접근 제어)이 다르다.

클래스 간 상속 관계가 형성되면 조상 클래스 타입의 참조 변수나 포인터 변수에 후손 클래스 타입의 객체를 유지할 수 있다. 이것은 범용 프로그래밍을 가능하게 해주고, 나중에 코드를 쉽게 수정할 수 있도록 해주며, 확장을 쉽게 할 수 있도록 해준다. 예를 들어, 다음과 같은 Person 클래스에 멤버 변수로 Pet 타입을 사용하는 것과 Dog를 사용하는 것의 차이점을 생각하여 보자.

```
class Person {
private:
    Pet* pet; // Dog* dog;
};
```

Dog 타입을 사용하면 애완동물로 강아지만 유지할 수 있다. 하지만 Pet 타입을 사용하면 다양한 종류의 애완동물을 유지할 수 있다. 그뿐만 아니라 지금 정의되어 있지 않은 애완동물도 나중에 Pet을 상속받아 구현하면 Person 클래스를 수정하지 않고 해당 종류의 애완동물을 Person 객체의 멤버로 유지할 수 있다.

위 예에서 포인터 타입을 사용하는 것에 유의해야 한다. 포인터 타입이 아닌 일반 값 타입이면 다양한 애완동물 객체를 대입할 수 있지만 해당 애완동물의 특성에 따라 행동하지 않는다. 이에 대해서는 5.6절에서 자세히 설명한다. 참조 타입도 가능할 수 있지만, 참조 타입은 최초 참조 이후 참조하는 것을 바꿀 수 없으므로 멤버 변수를 참조 타입으로 유지하는 경우는 거의 없다. 물론 객체의 특성이 생성자에서 받은 객체를 소멸할 때까지 바꿀 필요가 없을 수도 있다. 이 경우에는 참조 타입도 충분히 가능하다.

한 가지 예를 더 살펴보자. 매개 변수의 타입을 상속 관계에서 상위 타입에 대한 참조나 포인터를 사용하면 다양한 종류의 객체를 인자로 받을 수 있다. 이것은 위 예와 마찬가지로 나중에 코드의 수정과 확장을 쉽게 할 수 있도록 해준다.

```
void takeWalk(const Pet& pet) {
}
```

위 함수가 Pet이 아니라 Dog 타입을 사용하였다면 다양한 종류의 애완동물을 인자로 받을 수 없고, 강아지만 인자로 받을 수 있다. 이 경우에도 매개 변수는 반드시 참조나 포인터 타입이어야 한다. 값 전달 방식으로는 우리가 원하는 효과를 얻을 수 없다. 이것은 멤버 변수로 포인터 타입을 유지하는 것과 같은 이유이다. 자세한 것은 5.6절에서 설명한다.

5.3. 클래스 계층도

자바처럼 단일 상속만 지원하면 클래스 계층도는 트리 구조가 된다. C++는 한 클래스가 여러 클래스를 상속할 수 있다. 이것을 다중 상속이라 하는데, 이 때문에 클래스 계층도가 트리 구조가 아닐 수 있다. 그럼에도 불구하고 가급적 클래스 계층도를 그렸을 때 트리 구조가 되도록 설계하는 것이 바람직하다. 또 클래스 계층도에서 자식이 없는 단말 노드에 해당하는 클래스만 객체를 생성하는 것이 바람직하다. 즉, 단말이 아닌 노드에 해당하는 클래스는 객체를 생성하기 위해 정의하는 클래스가 아니라 다양한 객체를 유지하기 위한 범용 타입으로 활용하는 것이 바람직하다.

이를 위해서는 형제 클래스 간의 차이가 메소드 수의 차이가 아니라 메소드 내용의 차이만 있는 것이 가장 바람직하다. 우리가 상속하는 중요 목적 중 하나는 다형성이다. 상속 관계에서 상위 타입 변수는 다양한 하위 타입 객체를 처리할 때 사용할 수 있다. 이때 포인터나 참조 타입 변수를 사용해야 하며, 호출하는 메소드는 가상 함수이어야 다형성이 제공된다. 상위 타입 포인터나 참조 타입 변수를 이용하여 호출할 수 있는 것은 사용하는 변수 타입에 의해 결정되지만, 가상 메소드를 호출하면 실제 호출되는 것은 참조 또는 가리키는 객체의 메소드가 호출된다.

```
class Pet {
private:
    std::string name;
public:
```

```
    Pet(std::string_view name = "무명") noexcept: name{name} {}
    virtual ~Pet() noexcept = default;
    std::string_view getName() const noexcept { return name; }
    std::string_view eat() const noexcept { return "얌얌"; }
    virtual std::string_view makeSound() const noexcept = 0;
};

class Dog: public Pet {
public:
    Dog() noexcept = default;
    Dog(std::string_view name) noexcept: Pet{name} {}
    virtual ~Dog() noexcept = default;
    std::string_view eat() const noexcept { return "쩝쩝"; }
    std::string_view makeSound() const noexcept override { return "멍멍"; }
};

class Cat: public Pet {
public:
    Cat() noexcept = default;
    Cat(std::string_view name) noexcept: Pet{name} {}
    virtual ~Cat() noexcept = default;
    std::string_view makeSound() const noexcept override { return "야옹"; }
};
```

〈그림 11.6〉 Pet, Dog, Cat 클래스

예를 들어, Dog에 강아지가 소리 내는 행위를 모델링하기 위해 bark라는 이름의 메소드를 정의하고, Cat에 meow라는 메소드를 정의하였고, 그들의 부모인 Pet에는 이들 메소드가 없다고 하자. 이 경우에는 Pet 타입의 포인터 또는 참조 변수를 이용하면 그것이 가리키는 객체가 강아지 또는 고양이더라도 bark나 meow 메소드를 호출할 수 없다. 메소드 이름의 가독성 측면에서 bark와 meow가 적절하더라도 상속으로 모델링하여 부모 타입을 이용하여 자식 객체를 범용적으로 처리하고자 하면 그림 11.6과 같이 공통 이름의 메소드 makeSound를 Pet에 정의하고 Dog와 Cat은 이 메소드를 재정의하여 각각 강아지와 고양이에 알맞은 행위를 하도록 하는 것이 바람직하다.

그림 11.6에 제시된 코드를 살펴보면 처음 보는 키워드와 문법이 등장한다. 한 클래스를 정의할 때 다른 클래스를 상속하고 싶으면 클래스 이름 다음에 상속받을 클래스를 기술해야 한다. 이때 상속 접근 제어를 지정해야 한다. 또 부모 타입의 포인터 또는 참조 변수로 다양한 자식 클래스 객체를 조작할 때 사용할 메소드이면 이 메소드를 가상 함수로 만들어 주어야 한다. 가상 함수는 virtual 키워드를 수식하여야 하며, 가상 함수를 자식 클래스에 재정의하면 override 키워드로 수식해 줄 수 있다. Pet처럼 다른 클래스가 상속할 클래스이면 반드시 소멸자를 가상 함수로 정의해 주어야 하며, 부모 클래스의 소멸자가 가상 함수이면 자식의 소멸자도 virtual 키워드의 수식 여부와 무관하게 가상 함수가 된다. 가상 함수에 대해서는 12장에서 자세히 설명한다.

5.4. 상속되지 않는 메소드

부모에 정의된 모든 메소드가 자식에게 상속되는 것은 아니다. 모든 생성자와 소멸자는 상속되지 않는다. 대입 연산자도 상속되지 않는 것으로 이해할 필요가 있다. 부모 클래스에 대입 연산자가 다중 정의되어 있지만, 자식 클래스에는 정의되어 있지 않으면 시스템에서 대입 연산자를 자동으로 제공하여 준다. 따라서 자식 타입의 객체를 이용한 대입은 부모에 있는 대입 연산자를 사용하는 것이 아니라 시스템에서 자동 제공하는 대입 연산자를 사용하는 것이다. 접근 권한이 없는 메소드도 상속되지 않는다고 이해할 필요가 있다. 접근 권한이 없는 메소드는 자식 클래스를 정의할 때 사용할 수 없으며, 외부에서 객체에 접근할 때도 호출할 수 없으므로 상속이 되어도 자식 클래스 측면에서는 활용할 수 있는 메소드가 아니다.

5.5. 접근 제어

C++는 다음과 같이 3가지 종류의 접근 제어를 제공한다.

- private: 외부에서 무조건 접근 불가
- protected: 외부에서 접근할 수 없지만 자식 클래스에서는 접근 가능
- public: 외부에서 접근 가능

protected 멤버는 클래스 외부에서는 private과 같으며, 자식 클래스에서는 public과 접근 권한이 같다. 접근 권한의 수준은 private, protected, public 순으로 강하다고 말한다. 객체 변수를 이용하여 멤버를 접근할 때 접근 제어에 따라 접근할 수 있는 것이 결

정된다.

C++에서는 상속할 때, 위 3가지 종류의 접근 제어 키워드를 이용하여 상속에 대한 접근 제어를 지정할 수 있다. 지정된 상속 접근 제어에 따라 부모로부터 상속받은 멤버의 접근 권한이 강해질 수 있다. 이것은 자식 클래스에서 해당 멤버에 대한 접근을 강화하는 것이 아니라 외부에서 상속된 멤버에 대한 접근을 강화하는 것이다.

```cpp
class A {
private:
    int a{0};
protected:
    int b{0};
public:
    int c{0};
    virtual ~A() = default;
};
```

(1) 부모 클래스 A

```cpp
class B: public A {
public:
    void h() {
        a = 1;   // error
        b = 1;
        c = 1;
    }
};
```

```cpp
void g() {
    B obj;
    obj.a = 2; // error
    obj.b = 2; // error
    obj.c = 2;
}
```

(2) public 상속

```cpp
class C: protected A {
public:
    void h() {
        a = 1;   // error
        b = 1;
        c = 1;
    }
};
```

```cpp
class D: private A {
public:
    void h() {
        a = 1; // error
        b = 1;
        c = 1;
    }
};
```

```cpp
void g() {
    C obj;
    obj.a = 2; // error
    obj.b = 2; // error
    obj.c = 2; // error
}
```

(3) protected 상속

```cpp
void g() {
    D obj;
    obj.a = 2; // error
    obj.b = 2; // error
    obj.c = 2; // error
};
```

(4) private 상속

〈그림 11.7〉 상속 접근 제어

그림 11.7의 (1)에 제시된 클래스 A는 3종류의 다른 접근 권한을 가지는 멤버 변수를 가지고 있다. 이 클래스를 각 상속 접근 제어를 이용하여 상속하였을 때 상속받은 3개의 멤버 변수의 접근 권한이 어떻게 변하는지 살펴보자. B, C, D는 모두 A를 상속받고 있으므로 부모에 정의된 3개의 멤버 변수를 모두 상속받는다.

B는 public으로 상속받고 있으므로 부모에 지정된 접근 권한이 그대로 상속받는 멤버에 적용된다. 즉, B의 a, b, c 멤버는 외부에서 각각 B의 private, protected, public 멤버로 인식된다. C는 protected로 상속받고 있으므로 원래 public인 멤버의 접근 권한이 protected로 바뀐다. 이 때문에 외부에서 C의 a 멤버는 private, b와 c 멤버는 모두 protected 멤버로 인식된다. D는 private로 상속받고 있으므로 원래 protected와 public인 멤버의 접근 권한이 모두 private으로 바뀐다. 따라서 D의 a, b, c 멤버는 외부에서는 모두 private 멤버로 인식된다. 이처럼 상속 접근 제어는 외부에서 자식 클래스 객체의 멤버를 접근할 때 영향을 주며, 해당 클래스를 상속 받는 후손 클래스도 영향을 받는다. 그림 11.7은 멤버 변수를 이용하여 설명하고 있지만 3종류의 접근 권한을 가진 메소드를 이용하여도 각 메소드를 자식과 외부에서 접근할 수 있는 경우는 변하지 않는다.

private 또는 protected로 상속하면 상속하는 사실을 외부에 숨기는 효과가 있으므로 자식 타입의 객체를 부모 리모컨을 이용하여 조작할 수 없다. 상속의 중요한 이점이 범용 리모컨을 이용한 다형성 활용인데, private 또는 protected로 상속하면 그것을 활용할 수 없다. 특히, private 상속의 경우에는 상속 대신에 부모 객체를 멤버로 유지하여 부모 클래스의 코드를 활용하는 것이 더 올바른 설계일 수 있다.

using을 이용하여 상속 접근 제어 때문에 강화된 개별 메소드나 멤버 변수의 접근 권한을 약화할 수 있다. 예를 들어, 다음과 같은 클래스가 있을 때,

```
class A {
public:
    void foo() {}
    void bar() {}
};
```

다음과 같이 private으로 상속하면 foo와 bar 메소드의 접근 권한은 private으로 바뀐다. 하지만 using 문 때문에 foo 메소드의 접근 권한은 public이 된다.

```
class B: private A {
public:
    using A::foo;
};
```

이 기능은 상속 접근 제어를 통해 대부분의 접근 권한을 강화하는 것이 필요하지만 소수의 메소드는 접근 권한을 유지해야 할 때 사용한다. 이 기능은 원래 접근 수준보다 낮게 바꿀 수 없고, 상속 접근 제어 때문에 강화된 것을 원래 수준으로 되돌릴 수만 있다.

5.6. 객체 잘림 현상

```
class Person {
private:
    std::string name;
    int age;
public:
    virtual ~Person() = default;
};

class Student: public Person {
private:
```

```
    std::string number;
};
```

〈그림 11.8〉 Person과 Student 클래스

그림 11.8에 제시된 것과 같이 Person과 Student 클래스가 정의되어 있다고 하자. 여기서 Student 클래스는 Person의 자식 클래스이다. C++에서는 조상 타입의 변수에 후손 타입의 객체를 대입할 수 있지만, 후손 타입의 변수에 조상 타입의 객체를 대입할 수는 없다. 따라서 다음은 문법적으로 문제가 없는 코드이다.

```
Student s;
Person p;
p = s;
```

하지만 위와 같이 실행하면 s 객체는 부모로부터 상속받은 이름, 나이 정보 외에 학번을 유지하고 있지만 학번 정보는 대입 과정에서 사라지게 된다. p 변수는 Person 타입이기 때문에 Person 타입이 유지하는 멤버 변수만 유지할 수 있다. 이와 같은 현상을 **객체 잘림**(slicing) 현상이라 한다. 따라서 상위 타입에 하위 타입의 객체를 유지할 때는 참조나 포인터 변수를 이용하여야 한다.

이것은 다음과 같이 값 전달 방식으로 인자를 전달하여도 같은 현상이 일어난다.

```
void foo(Person p) {
}

void bar() {
    Student s;
    foo(s);
}
```

객체 잘림 현상 때문에 다형성이 목적이면 멤버 변수는 상위 타입의 포인터 변수를 사용하고, 함수의 매개 변수는 상위 타입의 참조 변수를 사용한다.

5.7. 상속과 생성자

5.7.1. 초기화 순서

객체의 초기화 순서는 생성한 객체의 최상위 조상 클래스부터 차례로 진행되어 가장 마지막에 생성한 객체 클래스에 있는 코드가 실행된다. 각 클래스에서 초기화 순서는 명백한 초기화, 생성자 초기화 목록, 생성자 몸체 순으로 이루어진다. 이 때문에 한 멤버 변수가 불필요하게 중복해서 초기화되도록 코드를 구성하는 것은 효율성 측면에서 바람직하지 않다. 최상위 조상 클래스부터 초기화가 진행되지만, 초기화 과정에서 사용하는 생성자는 하위 클래스가 결정한다. 자식 클래스가 부모의 특정 생성자를 호출하지 않으면 부모의 기본 생성자가 호출된다. 그런데 이때 부모가 기본 생성자를 가지고 있지 않으면 문법 오류이다. 이 때문에 상속이 대상이 되는 클래스는 기본 생성자를 제공하는 것이 바람직하다.

클래스의 멤버 변수의 타입이 다른 클래스이거나 구조체이면 명백한 초기화 과정에서 해당 클래스나 구조체의 생성자가 호출될 수 있다. 하지만 초기화 목록에서 해당 멤버 변수의 생성자를 직접 호출하면 명백한 초기화 과정에서는 생성자 호출이 일어나지 않는다. 다음과 같은 클래스를 정의하면 a 멤버 변수는 기본 생성자를 이용하여 생성된 후 생성자 몸체에서 대입 연산자를 통해 다시 초기화된다. 반면에 b 멤버 변수는 초기화 목록에서 특정 생성자의 호출을 통해 초기화된다. 따라서 객체 타입의 멤버 변수는 가능하면 초기화 목록을 이용하여 초기화하는 것이 가장 효과적이다.

```
class A {
private:
    std::string a;
    std::string b;
public:
    A(std::string_view a, std::string_view b): b{b} {
        this->a = a;
    }
};
```

상속에서 상속받는 멤버 변수의 초기화는 항상 원 클래스에 있는 코드를 통해 이루어진다. 자식 클래스에서 상속받은 멤버 변수를 자신의 생성자 초기화 목록에서 직접 초기화할 수 없다. 소멸자가 호출되는 순서는 생성자와 정반대이다.

```
class X {
public:
    X() { std::cout << "X()\n"; }
    ~X() { std::cout << "~X()\n"; }
};

class Y {
public:
    Y() { std::cout << "Y()\n"; }
    Y(int n) { std::cout << "Y(int)\n"; }
    ~Y() { std::cout << "~Y()\n"; }
};

class A {
private:
    X x;
public:
    A() { std::cout << "A()\n"; }
    A(int n) { std::cout << "A(int)\n"; }
    virtual ~A() { std::cout << "~A()\n"; }
};

class B: public A {
private:
    Y y;
public:
    B() { std::cout << "B()\n"; }
    B(int n): A{5}, y{3} { std::cout << "B(int)\n"; }
    B(double f): B{} { std::cout << "B(double)\n"; }
    ~B(){ std::cout << "~B()\n"; }
};
```

〈그림 11.9〉 생성자와 소멸자 호출 순서

그림 11.9에 제시된 코드를 통해 객체의 초기화 순서를 구체적으로 살펴보자. 앞서 언

급한 바와 같이 상속 관계를 활용하는 경우 최상위 클래스부터 최하위 클래스 순으로 초기화가 이루어지는데, 초기화할 때 사용하는 생성자는 하위 클래스가 결정하는 형태이다. 이때 부모의 특정 생성자를 호출하지 않으면 자동으로 부모의 기본 생성자를 활용한다.

(1) B b;	(2) B b{1};	(3) B b{1.5};
X() A() Y() B() ~B() ~Y() ~A() ~X()	X() A(int) Y(int) B(int) ~B() ~Y() ~A() ~X()	X() A() Y() B() B(double) ~B() ~Y() ~A() ~X()

〈그림 11.10〉 객체 초기화 순서 실행 결과

그림 11.9에 제시된 B 클래스의 객체를 그림 11.10에 제시된 소제목처럼 실행하였을 때 초기화되는 순서를 생각하여 보자. 첫 번째 예에서는 특별한 생성자를 호출하지 않기 때문에 B의 기본 생성자가 호출되며, B의 기본 생성자에서는 직접적으로 부모인 A의 생성자를 호출하고 있지 않으므로 A의 기본 생성자가 호출된다. A는 X 타입의 멤버 변수를 가지고 있으므로 X의 기본 생성자가 호출된 다음에 A의 생성자 몸체가 실행된다. 소멸자는 항상 생성자가 호출된 역순으로 호출된다. 특히, 자식 클래스의 소멸자가 호출되어 종료하면 자동으로 부모의 소멸자가 호출된다.

두 번째 예에서는 int를 받는 B의 생성자를 호출하고 있다. 이 생성자는 A의 생성자 중 int를 하나 받는 생성자를 호출하고 있으므로 이 생성자를 이용하여 초기화가 이루어진다. 또 같은 초기화 목록에서 int를 받는 생성자를 호출하여 y 멤버를 초기화하고 있다.

세 번째 예에서는 double를 받는 B의 생성자를 호출하고 있다. 이 생성자는 생성자 목록에서 B의 기본 생성자를 호출하고 있고, B의 기본 생성자는 부모의 특별한 생성자를 호출하고 있지 않으므로 A의 기본 생성자가 호출된다. 이처럼 초기화 목록에서 같은 클래스

에 있는 다른 생성자를 호출하면 다른 것을 초기화 목록에 나열할 수 없다. 이 예처럼 객체를 생성하는 과정에서 같은 클래스의 여러 생성자 몸체가 실행될 수 있다. 따라서 이와 같은 형태를 이용하면 불필요한 중복 초기화가 이루어지지 않도록 코드를 구성하여야 한다. 같은 클래스의 여러 생성자 몸체가 실행되어도 객체는 항상 하나만 생성된다. 따라서 소멸자는 항상 한번 실행되며, 생성자 호출 수와 일치하지 않을 수 있다.

```
class X {
private:
    int n{0};
public:
    X() { std::cout << "X()\n"; }
    X(int n): n{n} { std::cout << "X(" << n << ")\n"; }
    ~X() { std::cout << "~X(" << n << ")\n"; }
};

class A {
private:
    X x{2};
public:
    A() { std::cout << "A()\n"; }
    A(int n): x{n} { std::cout << "A(int)\n"; }
    ~A() { std::cout << "~A()\n"; }
};
```

〈그림 11.11〉 생성자와 소멸자 호출 순서: 객체 멤버의 초기화

그림 11.9의 X와 A를 그림 11.11처럼 수정한 다음, 다음과 같이 2개의 객체를 생성하였을 때 출력되는 결과를 생각하여 보자.

```
A a1{};
A a2{1};
```

a1 객체는 기본 생성자를 이용하여 생성하고 있으므로 x는 명백한 초기화를 통해 생성된다. 반면에 a2 객체는 정수를 하나 받는 생성자를 호출하고 있으며, 해당 생성자의 초기화

목록에서 x를 초기화하고 있으므로 x 멤버는 명백한 초기화에 제시된 2를 이용한 호출은 사용하지 않고, 인자 1을 이용한 생성자 호출을 통해 생성된다.

다시 요약하면, 최상위 조상부터 최하위 단말 클래스 순으로 초기화가 이루어지며, 각 클래스 내에서 명백한 초기화, 생성자의 초기화 목록, 생성자 몸체 순으로 초기화가 이루어진다. 이때 호출되는 생성자는 자식 클래스가 결정하며, 자식 클래스가 특정 생성자를 직접 호출하지 않으면 부모의 기본 생성자가 호출된다. 따라서 상속 대상이 되는 클래스는 보통 기본 생성자를 제공해야 한다. 초기화 목록에서 다른 생성자를 호출할 수 있으며, 부모 생성자를 호출할 수 있다. 이때 다른 생성자를 호출하면 다른 것을 초기화 목록에 추가로 나열할 수 없다. 하지만 부모 생성자를 호출할 때는 다른 멤버 변수를 초기화 목록에서 초기화할 수 있다.

5.7.2. using을 이용한 생성자 상속

```
class A {
public:
    A(int n = 0) { std::cout << "A(int)\n"; }
    virtual ~A() { std::cout << "A destructor\n"; }
};

class B: public A {
public:
    using A::A;
    virtual ~B() { std::cout << "B destructor\n"; }
};

class C: public A {
public:
    virtual ~C() { std::cout << "C destructor\n";}
};
```

〈그림 11.12〉 using을 이용한 생성자 정의

자식 클래스를 정의할 때 해당 클래스의 생성자가 부모 생성자를 호출하는 것을 제외하

고 특별히 할 일이 없으면 using 키워드를 이용하여 부모와 동일한 종류의 생성자를 가지고 있는 것으로 정의할 수 있다. 그림 11.12에 제시된 것과 같이 3개의 클래스가 정의되어 있을 때, 클래스 C는 생성자를 하나도 정의하고 있지 않기 때문에 시스템에서 제공하는 생성자만 사용할 수 있다. 하지만 클래스 B는 using을 이용하여 부모 클래스인 A와 같은 종류의 생성자를 가지고 있다고 정의하고 있으므로 int를 하나 받는 생성자를 이용하여 객체를 생성할 수 있다. 컴파일러는 using 문에 의해 다음과 같은 생성자를 B에 추가했다고 생각하면 된다.

```
B(int n = 0): A{n} {}
```

using을 이용한 생성자 상속은 일반 메소드와 달리 자식 클래스의 접근 제어에 영향을 받지 않고 항상 부모와 동일한 접근 제어를 가진다.

그림 11.12의 B처럼 using을 이용하면 부모 클래스가 가지고 있는 생성자 수만큼의 생성자가 추가되며, 각 생성자는 부모의 기본 생성자가 아니라 같은 매개 변수 목록을 가진 부모 생성자를 호출한다. 예를 들어, A에 A(std::string_view s) 형태의 생성자가 있으면 B에 추가된 B(std::string_view s)는 A(std::string_view s)를 호출하는 형태로 추가된다.

6. 중첩 클래스

클래스나 구조체 내에 클래스나 구조체를 정의할 수 있으며, 심지어 메소드 내에 클래스나 구조체를 정의할 수 있다. 보통 특정 클래스에서만 사용하는 매우 간단한 클래스는 다른 요소 내부에 정의할 수 있다. 이와 같은 클래스를 중첩 클래스(nested class) 또는 내부 클래스(inner class)라 하고, 중첩 클래스가 아닌 클래스를 독립 클래스라 한다.

중첩 클래스(메소드 내부에 정의한 클래스 포함)는 자동으로 그것을 포함하고 있는 외부 클래스의 친구(friend) 클래스가 된다. 친구 클래스이면 접근 제어가 무의미하다. 따라서 외부 클래스 객체를 메소드의 인자로 받으면 그것의 private 메소드도 호출할 수 있다. 친구 클래스에 대해서는 13장에서 자세히 설명한다. 자바는 두 종류의 내부 클래스를 제공하며, 그중 하나는 외부 클래스 객체에 대한 포인터를 내부 클래스 객체가 유지한다. 하지만 C++는 이와 같은 개념은 제공하지 않는다.

퀴즈

1. C++에서 상속과 관련된 다음 설명 중 **틀린** 것은?

① 다양한 종류의 객체를 공통으로 처리할 수 있는 타입을 얻을 수 있다.
② 자식 클래스를 정의할 때 부모에 있는 기능을 중복 정의하지 않아도 되므로 편리하다. 즉, 코드 재사용을 가능하게 해준다.
③ 다형성이 목적이면 is-a 관계가 성립할 때만 상속으로 모델링하는 것이 바람직하다.
④ 값 타입의 변수를 이용하여도 다형성을 활용할 수 있다.

2. 다음과 같은 클래스가 있을 때,

```
class A: public B {
private:
    D* d;
public:
    void foo(const E& e) {
        C c;
        //
    }
};
```

클래스 간 관계, 객체 간 관계와 관련된 다음 설명 중 **틀린** 것은?

① 클래스 A는 4개 클래스에 의존하고 있다.
② A 타입 객체는 B 타입의 객체와 포함 관계를 맺고 있다.
③ A 타입 객체는 D 타입의 객체와 포함 관계를 맺고 있다.
④ A 타입 객체는 C 타입의 객체, E 타입의 객체와 사용 관계를 맺고 있다.

3. 다음과 같은 클래스가 있을 때,

```
class A {
private:
    void foo() {}
protected:
    void bar() {}
public:
    void ham() {}
    virtual ~A() = default;
};
```

```
class B: public A {
public:
    void h() {
        //
    }
};
```

```
class C: protected A {
public:
    void h() {
        //
    }
};
```

```
class D: private A {
public:
    void h() {
        //
    }
};
```

다음 중 B, C, D 클래스의 h에서 모두 호출할 수 있는 메소드가 올바르게 제시된 것은?

① foo, bar, ham
② ham만 가능
③ 없음
④ bar, ham

4. 문제 3에 제시된 클래스에 대해 외부에서 B, C, D 객체를 이용하여 모두 호출할 수 있는 메소드가 올바르게 제시된 것은?

① foo, bar, ham
② ham만 가능
③ 없음
④ bar, ham

연습문제

1. 다음과 같은 클래스가 정의되어 있다.

```
class X {
public:
  X() { std::cout << "X()\n"; }
  ~X() { std::cout << "~X()\n"; }
};

class Y {
public:
  Y() { std::cout << "Y()\n"; }
  Y(int n) { std::cout << "Y(int)\n"; }
  ~Y() { std::cout << "~Y()\n"; }
};

class A {
private:
  X x;
public:
  A() { std::cout << "A()\n"; }
  A(int n) { std::cout << "A(int)\n"; }
  virtual ~A() {
    std::cout << "~A()\n";
  }
};

class B {
private:
  X x;
public:
  B() { std::cout << "B()\n"; }
  B(int n) { std::cout << "B(int)\n"; }
  virtual ~B() {
```

```
class C: public A {
private:
  Y y;
public:
  C() { std::cout << "C()\n"; }
  C(int n): A{n}, y{n} {
    std::cout << "C(int)\n";
  }
  ~C() { std::cout << "~C()\n"; }
};

class D: public B {
private:
  Y y;
public:
  D() { std::cout << "D()\n"; }
  D(int n): B{} {
    std::cout << "D(int)\n";
  }
  ~D() { std::cout << "~D()\n"; }
};
```

```
        std::cout << "~B()\n";
    }
};
```

다음에 대해 각각 답변하라.

① 다음과 같은 함수를 실행하였을 때, 출력 결과를 제시하고 설명하라.

```
void foo() {
    C c{};
}
```

② 다음과 같은 함수를 실행하였을 때, 출력 결과를 제시하고 설명하라.

```
void foo() {
    D d{1};
}
```

③ 다음과 같은 함수를 실행하였을 때, 출력 결과를 제시하고 설명하라.

```
void foo() {
    A* a{new C{1}};
    delete a;
}
```

④ 다음과 같은 함수를 실행하였을 때, 출력 결과를 제시하고 설명하라.

```
void foo() {
    B* b{new D{1}};
    delete b;
}
```

2. 가입 고객을 일반 고객과 VIP 고객으로 분류하는 웹 서비스(예: 웹툰, VOD 서비스 등)가 있다. 이 서비스에서 고객은 코인을 충전하여 유료 서비스 결제에 사용한다. 이 서비스에서 1코인은 100원에 해당한다. 예를 들어, 고객이 코인을 충전하기 위해 10,000원을 내면 100코인을 얻는다. 그런데 일반 고객과 VIP 고객은 코인을 충전할 때 받는 보너스 코인이 다르다. 일반 고객은 10,000원 단위로 5코인을 추가로 충전해 준다. 반면에 VIP 고객은 충전할 때마다 충전 금액과 무관하게 10%만큼의 코인을 더 충전해 준다. 예를 들어 설명하면 다음과 같다.

충전액	누적 충전액	일반 고객	VIP 고객
5,000원	5,000원	50코인	50 + 5 = 55코인
8,000원	13,000원	80 + 5 = 85코인	80 + 8 = 88코인
20,000원	33,000원	200 + 10 = 210코인	200 + 20 = 220코인

고객의 코인 충전과 서비스 결제를 위해 다음과 같은 클래스를 정의하였다.

```
class Customer {
private:
    int mCoins{0};    // 고객 보유 코인
public:
    virtual ~Customer() = default;
    int numberOfCoins() const {
        return mCoins;
    }
    void useCoins(int coins) {
        mCoins -= coins;
    }
    virtual void pay(int amount) = 0;
protected:
    void charge(int coins) {
        mCoins += coins;
    }
};
```

제시된 코드에서 알 수 있듯이 이 문제에서는 예외 처리(coins 인자가 0이거나 음수가 전달되는 등의 문제)는 하지 않고 있다. 또 pay 메소드의 인자 amount은 항상 100으로 나누어지는 금액만 주어진다고 가정한다. 예를 들어, 1,200원은 전달할 수 있지만 1,250원은 인자로 전달하지 않는다. 이 예에서 charge 메소드는 코인을 충전할 때 사용하는 메소드이다. 고객이 코인을 충전하기 위해 pay 메소드를 통해 돈을 내면 충전할 코인을 계산한 후 charge 메소드를 통해 코인을 충전한다. 객체지향에서는 일반 고객과 VIP 고객으로 나누어야 할 때 Customer 클래스에서 멤버 변수를 이용하여 구분하지 않고 상속을 이용할 수 있다. 이 문제에서는 일반 고객과 VIP 고객을 나타내기 위해 NormalCustomer와 VipCustomer를 정의하고자 한다. 이와 관련하여 다음에 대해 각각 답변하라.

① pay 메소드는 고객이 코인을 충전할 때 사용하는 메소드이다. 일반 고객과 VIP 고객은 충전할 때 지급되는 보너스 코인이 다르므로 Customer에 정의하지 않고, 고객 분류에 맞게 NormalCustomer와 VipCustomer에 정의할 예정이다. 실제 보너스 지급만 다르므로 순수 가상 함수 대신에 일반 가상 함수로 다음과 같이 정의할 수 있다.

```
virtual void pay(int amount) {
    charge(amount/100);
}
```

위 코드에서 알 수 있듯이 코인의 충전은 charge 메소드를 이용하고 있다. 그런데 다른 메소드와 달리 이 메소드의 접근 권한은 protected이다. 그 이유를 설명하라.

② 일반 고객과 VIP 고객을 나타내기 위한 NormalCustomer와 VipCustomer를 정의하라. 두 클래스는 pay 메소드만 재정의하면 된다. 이때 원래 제시한 것처럼 pay가 순수 가상 함수라 생각하고 재정의하여도 되고, ①에 제시한 것과 같이 구현된 일반 가상 함수라 생각하고 재정의하여도 된다.

제**12**장

상속과 다형성

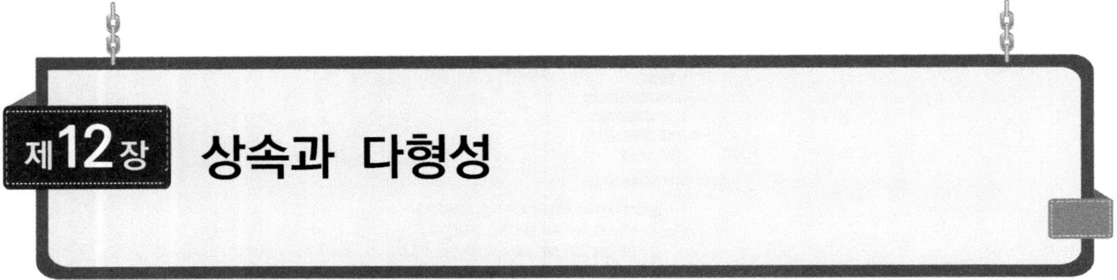

제12장 상속과 다형성

1. 가상 함수

1.1. 가상 함수와 메소드 재정의

자식 클래스를 정의할 때 부모에 정의된 메소드를 그대로 물려받아 사용할 수 있고, 자식에서 재정의하여 사용할 수 있다. 예를 들어, 은행 계좌 중에 특별한 계좌는 입금과 인출할 때마다 그 횟수를 기억해야 한다고 하자. 원래 은행 계좌에는 해당 기능이 없으므로 자식 클래스에서 다음과 같이 메소드를 재정의하여 필요한 기능을 추가할 수 있다.

```
class CheckingAccount: public BankAccount {
private:
    int transactionCount{0};
public:
    void deposit(int amount) override {
        BankAccount::deposit(amount);
        ++transactionCount;
    }
    //
};
```

〈그림 12.1〉 CheckingAccount 클래스

보통 부모에 정의된 메소드를 재정의할 때 부모에 정의된 메소드를 완전히 무시하고 새롭게 정의하는 경우보다는 부모에 정의된 기능 외에 추가로 해야 하는 작업이 있는 경우가 많다. 이때 부모에 정의된 같은 이름의 메소드를 호출하고자 하면 위처럼 부모 클래스 이름과 :: 연산자를 함께 사용하여 호출한다.

그림 11.6에 정의된 클래스를 활용하는 다음 함수가 어떻게 동작하는지 살펴보자.

```
void petCry(const Pet& pet) {
    std::cout << pet.makeSound() << '\n';
}
```

이 함수는 실행 시간이 되어야 어느 종류의 애완동물이 인자로 올지 알 수 있으며, 인자로 전달되는 애완동물의 종류가 결정되어야 함수 몸체에서 makeSound 메소드를 호출할 때 어떤 메소드를 호출해야 하는지 알 수 있다. 보통 함수 호출은 이와 달리 컴파일 시간에 어떤 함수를 호출해야 하는지 알 수 있다. 이 두 가지를 구분하기 위해 전자를 **늦은 바인딩**(late binding)이라 하고, 후자를 **이른 바인딩**(early binding)이라 한다. 이 용어 대신에 동적 바인딩, 정적 바인딩을 사용하기도 한다.

C++에서 메소드 호출을 늦은 바인딩하기 위한 필요조건은 메소드가 **가상 함수**이어야 한다. 메소드를 virtual 키워드로 수식하면 가상 함수가 된다. 이 키워드는 메소드를 선언할 때만 하고, 메소드의 정의를 별도 소스 파일에 할 때는 메소드 정의에는 이 키워드로 수식하지 않는다. 부모의 메소드가 가상 함수이면 그것을 재정의한 자식 클래스의 메소드도 가상 함수가 된다. 가상 함수를 재정의할 때는 이를 컴파일러에게 알려줘 더 엄격하게 문법 검사를 하도록 override 키워드를 사용할 수 있다. 가상 함수를 재정의할 때만 이 키워드를 사용할 수 있으므로 이 키워드로 수식하면 virtual 키워드의 수식은 생략할 수 있다. 따라서 그림 12.1에서 BankAccount 클래스의 deposit 메소드가 가상 함수가 아니면 override 키워드의 사용은 문법 오류이다.

상위 타입의 참조 변수가 하위 타입 객체를 참조할 수 있고, 상위 타입의 포인터 변수가 하위 타입 객체를 가리키고 있을 수 있다. 이때 해당 참조 변수나 포인터 변수를 이용하여 호출할 수 있는 것은 참조 변수나 포인터 변수 타입에 의해 결정된다. 하지만 실제 호출하는 메소드는 메소드가 가상 함수이면 참조 변수가 참조하는 객체 또는 포인터 변수가 가리키는 객체에 의해 결정된다. 반대로 객체를 일반 변수를 이용하여 처리하거나 호출하는 메소드가 가상 함수가 아니면 무조건 이른 바인딩을 한다.

늦은 바인딩을 하는 이유는 조상 타입의 변수를 이용하여 다양한 객체를 처리하기 위함이다. 상위 타입에 공통 메소드를 정의한 다음 하위 타입에서는 이 메소드를 재정의하고 상위

타입의 참조 변수나 포인터 변수를 이용하여 이 메소드를 호출하면 변수가 가리키는 객체에 정의된 메소드가 호출된다. 이 특징을 객체지향에서는 **다형성**이라 한다. 예를 들어, "열다"의 대상(문, 창문, 서랍 등)에 따라 그것에 알맞은 메커니즘이 동작하여 대상이 열리게 되는 것이 다형성이다. 하나 이상의 가상 함수를 가진 클래스를 **다형성 지원 클래스**(polymorphic class)라 한다. 다형성 지원 클래스의 소멸자는 반드시 가상 소멸자이어야 한다.

다형성을 활용하기 위해서는 상위 타입에 공통으로 사용할 메소드를 가상 함수로 정의하여야 한다. 하지만 이 메소드에 특별히 구현할 것이 없을 수 있다. 하위 타입에서 공통으로 활용할 수 있는 기능이 있으면 그것을 공통 메소드에 포함할 수 있지만 없는 경우도 많다. 이 경우에는 선언만 할 수 있으며, 이와 같은 함수를 **순수 가상 함수**(pure virtual function)라 한다. 순수 가상 함수는 몸체를 제공하는 대신에 그림 11.6에 제시된 Pet의 makeSound 메소드처럼 =0으로 수식한다.

순수 가상 함수를 다른 말로 **추상 메소드**라 하며, 추상 메소드를 가진 클래스는 객체를 생성할 수 없다. 따라서 이와 같은 클래스를 **추상 클래스**라 한다. 추상 클래스를 상속한 클래스는 부모의 추상 메소드를 재정의해야 한다. 재정의하지 않으면 이 클래스도 추상 클래스가 된다. C++는 이 경우를 제외하고 추상 클래스를 만드는 방법이 없다. 추상 클래스는 객체를 생성할 수 없으므로 그것의 생성자를 protected로 선언하는 경우도 종종 있다. 하지만 using를 이용하여 생성자를 상속하면 상속된 생성자도 protected 접근 권한을 가지기 때문에 불편할 수 있다.

〈표 12.1〉 객체 메소드 호출할 때 적용하는 바인딩 규칙

변수 종류	값 타입 변수	포인터 타입 변수	참조 타입 변수
일반 메소드	이른 바인딩	이른 바인딩	이른 바인딩
가상 메소드	이른 바인딩	늦은 바인딩	늦은 바인딩

makeSound는 가상 함수이고, petCry 함수의 pet 매개 변수는 참조 타입이므로 다음과 같은 코드를 실행하면 전달한 인자에 맞게 각각 "멍멍"과 "야옹"이 출력된다.

```
Dog dog;
Cat cat;
```

```
petCry(dog);
petCry(cat);
```

하지만 이와 달리 다음과 같은 함수가 정의되어 있을 때,

```
void petEat(const Pet& pet) {
    std::cout << pet.eat() << '\n';
}
```

아래 코드를 실행하면 모두 "얌얌"이 출력된다.

```
Dog dog;
Cat cat;
petEat(dog);
petEat(cat);
```

이것은 Pet의 eat 메소드는 가상 함수가 아니므로 늦은 바인딩을 하지 않기 때문이다. petCry가 다음과 같이 정의되어 있어도 늦은 바인딩이 이루어지지 않는다.

```
void petCry(Pet pet) {
    std::cout << pet.makeSound() << '\n';
}
```

늦은 바인딩이 이루어지기 위해서는 호출하는 함수가 가상 함수이어야 하고, 참조 타입이나 포인터 타입을 이용하여 호출하여야 한다. C++에서 객체 메소드를 호출할 때 바인딩 규칙은 표 12.1과 같다.

늦은 바인딩을 제공하기 위해서는 추가적인 정보가 필요하며, 이 정보는 실행 파일에 테이블 형태로 구현되어 포함된다. 다형성 지원 객체는 이 테이블에 대한 포인터를 유지하고 있으며, 실행 시간에 이 테이블을 참조하여 실행하므로 이른 바인딩으로 호출하는 함수에 비해 상대적으로 느리다. 따라서 다형성 구현을 위해 꼭 필요한 메소드만 가상 함수로 정의해야 한다.

다형성을 구현하기 위해 하위 타입은 상위 타입에 정의된 가상 함수를 재정의한다. 이때 정의하는 메소드가 재정의하는 메소드임을 컴파일러에게 알려주어 더 엄격하게 문법 검사를 하도록 override 키워드로 수식하여 줄 수 있다. 이때 const 키워드와 함께 사용하면 override는 const 다음에 와야 한다. 또 noexcept 수식어까지 함께 사용하면 const, noexcept, override 순으로 작성해야 한다. 더 이상 하위 클래스가 재정의할 수 없도록 만들고 싶으면 override 대신에 final로 수식한다. override와 final 수식어는 모두 가상 함수에만 수식할 수 있으므로 보통 이들을 사용하면 virtual 키워드는 생략한다.

2. 재정의 규칙

가상 함수에 대한 재정의 규칙은 다음과 같다.

- 매개 변수 목록은 정확하게 일치해야 한다. 개수와 각 변수의 타입이 정확하게 일치해야 한다.
- 반환 타입은 부모보다 더 특수화된 타입을 사용할 수 있다. 이것을 전문 용어로 타입의 공변성(covariance)이라 한다.
- 부모 메소드가 const이면 재정의하는 메소드도 const이어야 한다.
- 부모 메소드가 noexcept이면 재정의하는 메소드도 noexcept이어야 한다.

```
class A {
protected:
    virtual void foo() const {
        std::cout << "A::foo\n";
    }
public:
    virtual ~A() = default;
    virtual void bar() const {
        std::cout << "A::bar\n";
    }
};
```

```
class B: public A {
public:
    virtual ~B() = default;
    void foo() const override {
        std::cout << "B::foo\n";
    }
protected:
    void bar() const override {
        std::cout << "B::bar\n";
    }
};
```

〈그림 12.2〉 가상 함수 재정의에서 접근 제어 관련 제약이 없음

C++는 재정의할 때 접근 제어 관련 제약은 없다. 이것은 여러 가지 문제를 초래할 수 있다. 보통 다형성을 활용할 때, 부모 타입의 참조나 포인터 변수로 자식 객체를 조작하는 것이 어색하지 않아야 한다. 따라서 제약이 없지만 접근 권한을 재정의하면서 강화하는 것은 바람직하지 않다. 그림 12.2에 제시된 클래스를 생각하여 보자. B 타입 변수를 이용하면 B 타입 객체에 대해 foo 메소드는 호출할 수 있지만 bar 메소드는 호출할 수 없다. 그런데 다음과 같이 A 타입의 참조 변수로 B 타입 객체를 조작하면 호출할 수 있는 메소드가 달라진다.

```
B b{};
A& a{b}:
a.foo();   // error
a.bar();
```

위에서 a.foo()는 오류이다. A 타입 변수를 이용하면 foo는 protected이므로 호출할 수 없다. 강건성 측면에서 이 오류는 문제가 되지 않는다. 타입 변환을 하면 호출할 수 있기 때문이다. 반대로 a.bar()는 문제없이 호출된다. 하지만 이것은 B 타입 객체의 의도와 맞지 않는다. B에서 bar는 protected이므로 호출할 수 없어야 하는 것인데, 호출이 실제 이루어지고 있다. 자바에서는 재정의하면서 접근 권한을 강화하는 것은 문법 오류이다.

```
class A {
public:
    virtual ~A() = default;
    virtual void foo(int x = 0, int y = 0) const {
        std::cout << "A::foo(" << x << ", " << y << ")\n";
    }
};
```

```
class B: public A {
public:
    virtual ~B() = default;
    void foo(int x = 1, int y = 1) const override {
        std::cout << "B::foo(" << x << ", " << y << ")\n";
    }
};
```

〈그림 12.3〉 가상 함수 재정의에서 기본 인자의 사용

기본 인자는 항상 컴파일 시간에 처리하는 것이기 때문에 가상 함수에 기본 인자를 사용하면 기대한 것과 다르게 동작할 수 있으므로 주의해야 한다. 즉, 메소드 호출의 바인딩과 기본 인자의 사용이 불일치할 수 있다. 예를 들어, 그림 12.3과 같은 클래스가 있을 때, 다음을 실행하면 주석에 있는 내용이 출력된다.

```
B b;
b.foo(2);  // B::foo(2, 1)
A& a{b};
a.foo(2);  // B::foo(2, 0)
```

여기서 b는 값 타입이므로 b.foo(2)는 이른 바인딩을 한다. 실제 출력되는 것을 보면 기대하였던 것처럼 매개 변수 y는 B 클래스 정의에 있는 기본 인자 1을 가지게 된다. 반면에 a는 참조 타입이므로 a.foo(2)는 늦은 바인딩을 한다. 하지만 매개 변수 y는 기본 인자로 1이 아니라 0을 가지게 된다. 그 이유는 기본 인자는 항상 컴파일 시간에 처리되며, a는 A 타입이므로 a.foo(2)는 a.foo(2, 0)으로 컴파일 시간에 바뀐 후 실행 시간에 늦은 바인딩을 하기 때문이다.

3. 일반 메소드의 재정의

다형성과 관련된 메소드의 재정의는 부모의 가상 함수를 재정의하는 것을 말한다. 가상 함수가 아닌 일반 메소드의 재정의는 다형성 구현과 아무 관련이 없다. 따라서 이것을 재정의라 하는 것 자체가 잘못된 표현일 수 있다. 일반 메소드의 재정의는 해당 메소드를 상속받지 않겠다는 의미로 해석할 수 있다. 그 이유는 부모에 정의된 일반 메소드와 이름이 같은 메소드를 정의하면 그 이름의 부모 메소드를 숨기는 효과가 있다. 이 효과는 메소드의 매개 변수 목록과 무관하다. 부모에 정의된 같은 이름의 메소드와 매개 변수 목록이 일치하지 않아도 같은 이름의 모든 부모 메소드를 숨기는 효과가 있다. 이것을 이해하는 또 다른 방법은 가시영역 중첩이다. 지역 변수 이름이 전역 변수 이름과 같으면 지역 변수 이름에 의해 전역 변수 이름은 숨겨지는 효과가 있다. 이와 동일한 현상(부모 클래스와 자식 클래스가 합쳐진 큰 영역에 있는 이름과 같은 이름을 더 작은 영역인 자식 클래스 영역에 정의하고 있음)이다.

```
class A {
public:
    virtual ~A() = default;
    void foo(int n) const {
        std::cout << "A::foo\n";
    }
};
```

```
class B: public A {
public:
    virtual ~B() = default;
    void foo() const {
        std::cout << "B::foo\n";
    }
};
```

〈그림 12.4〉 일반 메소드의 재정의에 의한 숨김 효과

그림 12.4에 주어진 클래스에 대해 다음의 실행을 생각하여 보자.

```
B b{};
b.foo(5);      // error
b.A::foo(5);
```

이 예에서 부모로부터 상속받은 foo 메소드는 자식에서 정의한 같은 이름의 메소드 때문에 숨겨지는 효과가 있어 두 번째 문장은 오류이다. 이렇게 숨겨진 메소드는 세 번째 문장처럼 부모 이름과 가시영역 해소 연산자를 이용하면 호출할 수 있다. 실제 이처럼 숨겨지는 효과는 메소드 바인딩 규칙과도 관련되어 있다. 이에 대해서는 8절에서 다시 자세히 설명한다.

4. 상속에서 가상 소멸자의 중요성

A가 B 클래스의 부모 클래스일 때 A의 소멸자 정의에서 virtual 키워드를 사용하지 않고, 다음이 실행되었다고 하자.

```
A* a{new B{}};
//
delete a;
```

위 예에서는 B 타입의 객체를 동적 생성하지만, 그것을 부모 타입인 A 타입의 포인터를

이용하여 접근하고 있다. 따라서 나중에 delete를 이용하여 동적 생성한 객체의 공간을 반납하면 A의 소멸자가 가상 함수가 아니기 때문에 B 타입의 소멸자가 호출되지 않고 A의 소멸자만 호출된다. a가 실제 가리키는 객체는 B 타입의 객체이므로 B의 소멸자가 먼저 호출되어야 올바르게 동작한다. 이를 위해서는 사용하는 리모컨 타입의 소멸자가 가상 함수이어야 한다.

따라서 생성자가 호출된 역순으로 정확하게 소멸자가 호출되도록 하기 위해서는 A의 소멸자를 가상 함수로 만들어 주어야 한다. B의 소멸자만 가상 함수로 만들면 여전히 A의 소멸자만 호출되지만, A의 소멸자를 가상 함수로 만들고 B는 수식하지 않아도 위 예에서는 올바른 순서로 소멸자가 호출된다. 부모 소멸자가 가상 함수이면 자동으로 자식 클래스의 소멸자도 가상 함수가 된다. 따라서 상속 계층 구조에서 가장 최상위 클래스의 소멸자만 가상 함수로 만들면 모든 후손의 소멸자는 자동으로 가상 함수가 된다.

5. 상속과 final 키워드

```
class A {
public:
    virtual ~A() = default;
    virtual void f() const;
};

class B: public A {
public:
    virtual ~B() = default;
    void f() const final;
};
```

```
class C final: public B {
public:
    virtual ~C() = default;
    void f() const override; // error
};

class D: public C {} // error
```

〈그림 12.5〉 상속에서 final 키워드의 역할

가상 함수에 final 수식어를 추가하여 재정의할 수 없도록 만들 수 있다. 또 클래스 자체를 final 수식어로 수식하여 상속할 수 없도록 만들 수 있다. 가상 함수를 처음 정의하면서 final로 수식할 이유는 없으므로 이 수식어는 가상 함수를 재정의할 때만 사용한다.

따라서 virtual, override, final를 모두 함께 사용할 수 있지만 final 키워드를 하나만 수식하여도 재정의하는 가상 함수라는 것을 알 수 있으므로 virtual과 override와 함께 사용할 필요는 없다. 굳이 override와 함께 사용하고 싶으면 final 수식어는 override 뒤에 위치해야 한다.

참고로 C++에서 다음과 같은 클래스는 상속할 수 없다.

- 경우 1. final 클래스
- 경우 2. 모든 생성자가 private인 클래스
- 경우 3. 소멸자가 private인 클래스

두 번째 경우, 해당 클래스의 친구(friend) 클래스이면 여전히 상속할 수 있다. 친구 클래스 개념은 13장에서 설명한다. 또 생성자가 private인 더미 클래스를 만들고, 이 클래스의 친구 클래스가 더미 클래스를 가상 상속(virtual inheritance)을 하면 이 클래스도 상속할 수 없다. 가상 상속은 12절에서 설명하며, 다중 상속 문제를 해결하기 위해 사용하는 상속 방법이다. C++11부터는 final 키워드를 클래스 정의할 때 수식하여 상속할 수 없도록 만들 수 있으므로 실제 상속을 할 수 없는 클래스를 만들고 싶으면 final 클래스로 만들어 주는 것이 가장 간결하고 효과적인 방법이다.

6. 함수와 메소드 수식어

〈표 12.2〉 함수와 메소드 수식어

수식어	위치	적용 (일반 함수/메소드)	선언/정의
`static`	반환 타입 앞	모두 가능	선언
`inline`	반환 타입 앞	모두 가능	선언
`noexcept`	매개 변수 목록과 몸체 사이	모두 가능	양쪽
`constexpr`	반환 타입 앞	모두 가능	양쪽
`consteval`	반환 타입 앞	모두 가능	양쪽
`explicit`	반환 타입 앞	생성자, 타입 변환 연산자	선언

수식어	위치	적용 (일반 함수/메소드)	선언/정의
const	매개 변수 목록과 몸체 사이	메소드	양쪽
virtual	반환 타입 앞	가상 함수	선언
override	매개 변수 목록과 몸체 사이	가상 함수	선언
final	매개 변수 목록과 몸체 사이	가상 함수	선언
= 0	매개 변수 목록과 몸체 사이	순수 가상 함수	선언
= default	매개 변수 목록과 몸체 사이	기본 생성자, 빅5, 비교 연산자	선언
= delete	매개 변수 목록과 몸체 사이	모두 가능	선언

일반 함수나 메소드를 선언 또는 정의할 때 다양한 수식어를 사용할 수 있다. 함수 수식어는 반환 타입 앞에 붙이거나 매개 변수 목록과 몸체 사이에 붙인다. 매개 변수 목록과 몸체 사이에 붙이는 수식어를 여러 개 사용하면 순서에 제한이 있을 수 있다. 일반 함수와 메소드에 모두 붙일 수 있는 것이 있고, 메소드에만 붙일 수 있는 것이 있다. 대부분은 같은 용도로 사용하지만, static처럼 일반 함수와 메소드를 수식할 때 전혀 다른 용도로 사용하는 수식어도 있다. 메소드에만 붙일 수 있는 수식어는 붙일 수 있는 메소드가 보통 제한된다. 함수 또는 메소드 선언에 붙이는 것이 원칙인 수식어도 있다. 선언과 정의가 모두 있을 때, 양쪽에 모두 붙여야 하는 수식어도 있다. 함수 또는 메소드 선언과 정의에 모두 사용해야 하는 수식어는 불일치하면 문법 오류이다. = default는 특수 메소드 선언에 사용하지만. 이 수식어를 사용하면 해당 선언이 정의 역할까지 한다. 함수 수식어의 사용 방법의 특성을 정리하면 표 12.2와 같다. 이들의 사용법은 각 관련 장에서 자세히 설명하고 있다.

7. 상속과 dynamic_cast

상속 관계에 있는 클래스 간의 타입 변환이 필요하면 static_cast 대신에 dynamic_cast를 사용하는 것이 안전하다. 예를 들어, 해당 타입에만 정의된 메소드를 호출하기 위해 보통 조상 타입의 포인터(또는 참조)에 유지된 객체를 원래 타입으로 변환해야 할 수 있다. static_cast는 타입 변환이 컴파일 과정에서 이루어지지만, dynamic_cast는 실행 시간에 포인터가 실제 가리키는 것의 타입이나 참조 타입이 실제 참조하는 것의 타입을 확인한다. 특히, 포인터 타입의 경우 실행 시간 검사를 통해 타입 변환을 할 수 없으면 dynamic_cast의 결과는 예외가 아니라 nullptr이 된다. 따라서 이를 검사하여 올바르게 타입 변환이 되었는지 확인할 수 있다.

dynamic_cast를 이용한 타입 변환 중 실제 가장 많이 사용하는 것은 앞서 설명한 상위 타입에 유지된 객체를 원래 타입으로 변환하는 downcasting이다. C++는 다중 상속을 지원하기 때문에 한 부모에서 다른 부모로 타입 변환하는 경우가 있으며, 이를 crosscasting이라 한다. 예를 들어, 다음과 같은 클래스가 있을 때,

```
class A {
public:
    virtual ~A() = default;
};

class B {
public:
    virtual ~B() = default;
};
```

```
class C: public A, public B {
public:
    virtual ~C() = default;
};
```

다음 코드에서 두 번째 문장은 downcasting에 해당하고, 세 번째 문장은 crosscasting에 해당한다.

```
A* a{new C{}};
C* c{dynamic_cast<C*>(a)};    // downcasting
B* b{dynamic_cast<B*>(a)};    // crosscasting
```

이 예에서 C 타입은 A와 B 두 개의 부모 클래스를 가지고 있으므로 C 타입의 객체는 A와 B 타입을 이용하여 모두 처리할 수 있다. 이 때문에 C 타입의 객체를 A 타입으로 처리하다 B 타입으로 처리하기 위해 crosscasting이 필요할 수 있다.

```
class A {
public:
    void foo() const {}
};

class B: public A {
public:
    void bar() const {}
};
```

```
class C {
public:
    virtual ~C() = default;
    void foo() const {}
};

class D: public C {
public:
    void bar() const {}
};

class E: public C {
public:
    void bar() const {}
};
```

〈그림 12.6〉 다형성 지원 여부와 dynamic_cast

그림 12.6에 제시된 5개의 클래스를 통해 dynamic_cast의 동작을 더 자세히 살펴보자. 이 예서 각 자식 클래스는 부모에 없는 메소드를 가지고 있다. 이와 같은 메소드는 부모 타입의 변수를 이용하여 호출할 수 없다. 이와 같은 메소드가 있는 것이 바람직하지 않지만, 있는 경우에는 이 메소드를 호출하기 위해 부모 타입 포인터에 유지한 변수를 자식 타입으로 변환해야 한다. 이때 dynamic_cast를 사용한다.

B는 A의 자식 클래스이지만 A와 B는 가상 함수를 하나도 가지고 있지 않으므로 다형성 지원 클래스가 아니다. 실제 상속 관계에서 소멸자가 올바르게 호출되게 하려면 상속이 허용된 클래스는 최소한 소멸자만이라도 가상 함수로 정의해야 한다. 이와 달리 C에 정의된 가상 소멸자 때문에 D와 E는 C의 다형성을 만족하는 자식 클래스이다. 이 때문에 다음에서 여섯 번째 줄은 문법 오류이다. dynamic_cast는 다형성을 만족하는 클래스 간 타입 변환을 할 때 사용할 수 있다.

```
1  A* a{new B};
2  C* c1{new D};
3  C* c2{new E};
```

```
B* b{static_cast<B*>(a)};
C* c3{static_cast<B*>(a)};       // error
B* b{dynamic_cast<B*>(a)};       // error: A는 다형성 지원 클래스가 아님
D* d{dynamic_cast<D*>(c1)};
E* e1{dynamic_cast<E*>(c2)};
E* e2{dynamic_cast<E*>(c1)};    // ok, but e2 is nullptr
E* e3{static_cast<E*>(c1)};     // ok, 하지만 실제는 오류가 발생해야 한다.
```

e2는 타입 변환이 가능하지 않기 때문에 nullptr이 되지만 e3처럼 dynamic_cast 대신에 static_cast를 사용하면 문법 오류는 아니지만 변환되지 않아야 하는 것이 강제 변환되므로 논리 오류이다.

정리하면 다형성 지원 클래스를 타입 변환할 때는 dynamic_cast를 사용해야 하며, 사용한 후에는 변환 결과가 nullptr이 아닌지 확인해야 한다. 그런데 가급적 타입 변환하지 않고 프로그래밍하는 것이 더 효과적인 프로그래밍 방법이다.

8. typeid

typeid 연산자는 객체의 가상 함수 테이블을 이용하여 실행 시간에 포인터나 참조 변수가 실제 가리키는 객체 타입이 무엇인지 알 수 있으며, 이를 비교하여 같은 타입인지 확인할 수 있다. typeid는 단항 연산자로 타입이나 표현식을 받으며, 사용법은 sizeof, decltype처럼 괄호에 피연산자를 서술한다. typeid는 언어에 포함된 연산자이지만 이것을 사용할 때는 보통 〈typeinfo〉 헤더 파일을 포함해야 한다. typeid의 결괏값은 std::type_info이며, 이 타입은 name이라는 메소드를 가지고 있다. 하지만 name이 반환하는 문자열을 보고 그것의 타입을 직관적으로 파악하기는 어렵다. 따라서 이 문자열을 참조하여 프로그래밍하는 형태가 아니고, 보통 다음과 같이 사용한다.

```
if(typeid(a) == typeid(b)) ...    // B b; A& a{b};
if(typeid(a) == typeid(B)) ...
```

a와 b 변수가 주석과 같으면 위 두 if 문의 조건식은 모두 true이다.

9. 메소드 호출 바인딩 규칙

```
class A {
public:
  virtual ~A() = default;
  void foo(int n) {}
  void foo(double d) {}
  virtual void bar(int n) {}
  virtual void bar(double d) {}
  void baz(int n) {}
  void baz(double d) {}
  virtual void ham(int n) {}
  virtual void ham(double d) {}
};
```

```
class B: public A {
public:
  virtual ~B() = default;
  void baz(int n) {}
  void ham(int n) override {}
};
```

〈그림 12.7〉 메소드 호출 바인딩 규칙을 위한 예제

메소드 호출과 실제 호출되는 함수를 연결하는 규칙을 **바인딩 규칙**이라 하며, 이미 표 12.1을 통해 C++에서 사용하는 기본적인 규칙을 제시하였다. 이를 다시 정리하면 다음과 같다.

- 사용하는 변수 타입이 값 변수이면 무조건 이른 바인딩을 한다.
- 사용하는 변수 타입과 무관하게 메소드가 가상 함수가 아니면 이른 바인딩을 한다.
- 참조 변수 또는 포인터 변수를 이용하여 가상 함수를 호출하면 늦은 바인딩을 한다.
- 생성자와 소멸자에서 메소드 호출은 항상 이른 바인딩을 한다.

여기서 한 가지 주의할 점은 호출할 수 있는 함수는 사용하는 변수 타입에 의해 결정된다. 따라서 바인딩을 생각하기 전에 실제 호출이 가능한지(사용하는 변수 타입에 정의되어 있는 함수인지, 접근이 가능한 함수인지) 먼저 살펴보아야 한다. 호출이 가능하면 바인딩 규칙을 이용하여 실제 호출하는 함수를 알 수 있다.

그림 12.7에 제시된 클래스에 대해 값 타입 변수, 포인터 타입 변수, 참조 타입 변수를 이용한 메소드 호출 결과는 그림 12.8과 같다. a 변수는 값 타입이므로 무조건 이른 바인딩이 이루어진다. pa는 포인터 변수이므로 메소드가 가상 함수이면 늦은 바인딩을 한다. bar와 ham은 가상 함수이므로 늦은 바인딩을 한다. 이른 바인딩에서 호출되는 함수는 사용하는 변수 타입에 따라 결정된다. pa는 A 타입이므로 foo와 baz는 A에 정의된 함수가 호출된다. r은 참조 변수이므로 메소드가 가상 함수이면 늦은 바인딩을 한다. pa와 차이점은 r은 B 타입이므로 baz는 A가 아니라 B에 정의된 함수가 호출된다.

```
A a;
a.foo(1);    // 이른: A::foo(int)
a.bar(2);    // 이른: A::bar(int)
```

(1) 값 타입 변수

```
A* pa{new B};
pa->foo(1); // 이른: A::foo(int)
pa->bar(2); // 늦은: A::bar(int)
pa->baz(3); // 이른: A::baz(int)
pa->ham(4); // 늦은: B::ham(int)
delete pa;
```

(2) 포인터 타입

```
B b;
B& r{b};
r.foo(1);    // 이른: A::foo(int)
r.bar(2);    // 늦은: A::bar(int)
r.baz(3);    // 이른: B::baz(int)
r.ham(4);    // 늦은: B::ham(int)
```

(3) 참조 타입

〈그림 12.8〉 메소드 호출 바인딩 규칙 예제 실행 결과

10. 매소드 다중 정의와 상속

3절에서 설명한 것처럼 부모 메소드에 있는 일반 메소드와 같은 이름의 메소드를 자식 클래스에 정의하면 이름 충돌로 상속되는 같은 이름의 부모 메소드를 숨기는 효과가 있다. 따라서 자식 타입의 변수를 이용해서는 이들 메소드에 접근할 수 없다. 일반 메소드이므로 자식 타입 변수를 사용하면 변수의 종류와 무관하게 이른 바인딩을 하므로 사용하는 변수의 종류와 상관없이 상속받은 메소드를 호출할 수 없다.

```cpp
class A {
public:
   void foo(int n) { std::cout << "A::foo(int)\n"; }
   void foo(double d) { std::cout << "A::foo(double)\n"; }
   virtual void bar(int n) { std::cout << "A::bar(int)\n"; }
   virtual void bar(double d) { std::cout << "A::bar(double)\n"; }
   virtual ~A() = default;
};

class B: public A {
public:
   using A::foo;
   void foo(int n) { std::cout << "B::foo(int)\n"; }
   void bar(int n) override { std::cout << "B:bar(int)\n"; }
   virtual ~B() = default;
};
```

〈그림 12.9〉 다중 정의 메소드의 상속

예를 들어, 그림 12.9와 같은 클래스가 정의되어 있다고 하자. 클래스 B는 A를 상속받고 있으므로 정의된 4개의 메소드를 모두 상속받는다. B는 foo와 bar 메소드를 모두 하나씩만 재정의하고 있다. foo 메소드는 가상 함수가 아니기 때문에 실제 재정의한 메소드가 아니다.

```cpp
B b;
b.foo(1);      // B::foo(int)
b.foo(1.5);    // A::foo(double)
b.bar(1);      // B::bar(int)
b.bar(1.5);    // B::bar(int)
```

(1) 값 타입

```cpp
A* a{new B};
a->foo(1); ;   // A::foo(int)
a->foo(1.5);   // A::foo(double)
a->bar(1); ;   // B::foo(int)
a->bar(1.5);   // A::foo(double)
delete a;
```

(2) 포인터 타입

〈그림 12.10〉 상속된 다중 정의 메소드의 실행 결과

그림 12.9에 제시된 클래스에 대해 그림 12.10과 같이 값 타입 변수와 포인터 타입 변수를 이용한 메소드 호출 결과를 생각하여 보자. b는 값 타입이므로 호출하는 메소드가 가상 함수인지는 중요하지 않다. 따라서 b를 이용한 4개의 호출은 모두 이른 바인딩을 한다. using A::foo를 사용하지 않으면 부모에 있는 foo(double) 메소드가 숨겨지기 때문에 b.foo(1.5)는 B 클래스에 정의된 foo(int) 메소드가 호출된다. 하지만 using A::foo를 사용하면 숨겨진 것을 사용할 수 있으므로 상속받은 부모 메소드가 호출된다. 이와 달리 재정의된 bar(int) 메소드에 의해 부모의 bar(double) 메소드가 숨겨지기 때문에 b.bar(1.5)는 B 클래스의 bar(int)가 호출된다.

a는 포인터 타입이므로 함수가 가상 함수인지가 호출하는 메소드를 결정하는 데 영향을 준다. 하지만 foo는 가상 함수가 아니기 때문에 이른 바인딩이 이루어지며, A 타입의 리모컨을 사용하고 있으므로 클래스 A에 정의된 메소드가 호출된다. 이와 달리 bar는 가상 함수이기 때문에 호출되는 것이 실행 시간에 결정된다. 따라서 리모컨의 타입이 아니라 실제 리모컨이 가리키는 타입에 따라 결정된다. 이 때문에 a->bar(1)은 B에 정의된 메소드가 호출된다. 또 가상 함수이므로 실행 시간에 숨겨지는 효과가 없어 using을 사용하지 않아도 a->bar(1.5)는 부모에 정의된 메소드가 호출된다.

11. 상속의 문제점

```
class Duck {
public:
    virtual ~Duck() noexcept = default;
    virtual void swim() const noexcept {
        std::cout << "수영하고 있어요\n";
    }
    virtual void fly() const noexcept {
        std::cout << "하늘을 날고 있어요\n";
    }
    virtual void quack() const noexcept {
        std::cout << "꽥꽥\n";
    }
```

```
    virtual void display() const noexcept = 0;
};

class MallardDuck: public Duck {
public:
    virtual ~MallardDuck() noexcept = default;
    void display() const noexcept override {
        std::cout << "청둥오리\n";
    }
};
```

〈그림 12.11〉 Duck, MallardDuck 클래스

그림 12.11과 같은 오리 클래스를 정의하고, 이를 상속하여 다양한 오리(예: 청둥오리, 비오리, 빨간머리오리 등)를 정의할 수 있다. 이처럼 오리 클래스를 정의하고 오리를 상속하여 청둥오리를 정의하는 것은 상속 측면에서 볼 때 매우 적절한 접근 방법이다. 하지만 이 상태에서 청둥오리와 같은 방법으로 장난감 고무오리를 정의하였다고 하자. 이 경우 고무오리는 날 수 없으므로 부모로부터 물려받는 메소드 중 일부는 사용할 수 없어야 한다. 그러나 프로그래밍에서 상속할 때 자식이 원하는 것만 상속받을 수 없다. 상속은 자식이 필요하든 필요하지 않든 부모에 정의된 모든 메소드가 상속된다. 상속은 이처럼 원하는 것만 취사선택할 수 없다.

따라서 상속으로 모델링할 때 자식 클래스 객체가 부모에 정의된 메소드를 사용할 수 없다면 상속으로 모델링하는 것 자체가 적절한지 검토해야 한다. 상속은 다형성이 목적이면 is-a 관계가 성립할 때만 상속해야 한다. "고무오리는 오리이다" 명제가 거짓인지 참인지는 명확하게 결론을 내릴 수 있는 것은 아니다. 하지만 subclassing을 하더라도 subtyping이 되어야 한다는 개념을 적용하면 고무오리는 공통 행위로 정의한 오리의 모든 행위를 하지 못하기 때문에 오리의 온전한 subtype으로 보기 어렵다. 이 경우 상속 여부는 개발자가 결정하면 된다. 하지만 온전한 subtype이 아니기 때문에 이것이 문제가 되지 않도록 필요한 조처를 해야 한다.

이 문제점은 다형성을 목적으로 상속할 때만 성립하는 내용이다. 오리 리모컨으로 일반 오리와 함께 고무오리도 조작하는 것이 목적이 아니면 subtyping이 성립하지 않아도 된

다. C++는 이 경우에는 private 상속 접근 제어로 상속하여 다형성이 목적이 아니라는 것을 명확하게 나타낼 수 있다.

```
class RubberDuck: public Duck {
public:
    virtual ~RubberDuck() noexcept = default;
    void quack() const noexcept override {
        std::cout << "삑삑\n";
    }
    void fly() const noexcept override {}
    void display() const noexcept override {
        std::cout << "고무오리\n";
    }
};
```

〈그림 12.12〉 RubberDuck 클래스

자식 클래스 객체가 부모 클래스에 정의된 행위 중 자신에게 맞지 않는 행위가 있다면 그 메소드를 그림 12.12와 같이 빈 메소드로 재정의하여 해당 메소드를 호출하더라도 아무것도 하지 않도록 하여 문제를 해결할 수 있다.

```
class NonFlyingDuck: public Duck {
public:
    virtual ~NonFlyingDuck() noexcept = default;
    void fly() const noexcept final {}
};
```

〈그림 12.13〉 NonFlyingDuck 클래스

혹, 이와 같은 형태의 자식 클래스가 많으면 클래스마다 빈 메소드로 재정의하기보다는 그림 12.13과 같이 중간 클래스를 정의하여 해당 클래스에 해당 메소드를 빈 메소드로 재정의하는 것이 효과적일 수 있다.

자신에게 맞지 않는 부모 메소드를 빈 메소드로 재정의하여 해결하는 방법을 항상 사용

할 수 있는 것은 아니다. 특히, 메소드가 반환 타입이 있으면 빈 메소드로 재정의하는 방법을 사용할 수 없다. 이때 특정한 값을 반환하여 거부한 메소드를 호출하고 있다는 것을 알 수 있게 할 수 있다. 하지만 이것이 항상 가능한 것은 아니며, 호출할 때 추가적인 검사가 필요할 수 있다. 적절한 반환 값이 없으면 예외를 발생하는 것이 유일한 방법일 수 있지만, 다형성 환경에서 원하는 구현이 아닐 수 있다. 이 경우 전체 설계를 다시 하는 것이 필요할 수 있다.

자식 클래스 객체가 부모 클래스에 정의된 행위를 할 수 있지만 부모에 정의된 것과 다르게 행동해야 하면 해당 내용으로 메소드를 재정의하면 된다. 예를 들어, 고무오리는 "꽥꽥" 대신 "삑삑" 울어야 한다면 그림 12.12처럼 quack 메소드를 재정의하면 된다. 하지만 전혀 성격이 다르게 메소드를 재정의하면 프로그램 가독성과 강건성에 문제가 될 수 있다. 기대한 행동과 전혀 다른 행동을 하게 되면 해당 클래스를 사용하는 측에게 큰 혼란을 줄 수 있다.

오리와 고무오리 문제와 관련된 객체지향 설계 원리는 SOLID의 LSP와 ISP이다. LSP 원리는 subclassing을 하더라도 subtyping도 만족해야 한다는 것이다. 앞서 언급한 것처럼 고무오리는 하늘을 날 수 없으므로 온전한 오리의 subtype이 아니다. LSP 원리와 관련하여 가장 널리 살펴보는 예제는 직사각형과 정사각형이다. "정사각형은 직사각형이다"라는 명제는 is-a 측면에서 보면 틀린 것이 아니라고 생각할 수 있다. 하지만 직사각형과 정사각형은 특성이 같지 않다. 직사각형은 높이와 폭을 별도 조절할 수 있지만 정사각형은 높이나 폭 중 하나를 조절하면 다른 하나도 같이 조절해야 정사각형 특성을 유지할 수 있다.

ISP 원리는 자신이 필요하지 않은 메소드를 구현하도록 강요되지 않아야 한다는 원리이다. 이 원리에 맞게 클래스를 정의하기 위해서는 클래스가 제공하는 메소드의 수를 최소화해야 한다. 이 예에서 고무오리를 오리 범주에 포함할 것이면 오리 클래스에서 fly 메소드를 포함하지 않아야 한다. Duck 클래스 아래에 FlyingDuck과 NonFlyingDuck 두 개의 중간 클래스를 만들고, FlyingDuck에 fly 메소드를 추가하는 것이 ISP 측면에서 맞는 설계 방식이고, NonFlyingDuck을 상속하여 고무오리를 정의하면 LSP에 어긋나지 않는 설계이다.

12. 조금 다른 상속

자바는 상속과 구체화 두 종류의 클래스 간 관계를 제공한다. 구체화는 메소드만 선언되어 있는 특수한 클래스를 상속받는 것이다. 예를 들어, 하늘을 날 때 사용하는 메소드가 fly일 때, 이 메소드를 가지는 모든 종류의 클래스를 특정 타입의 변수를 이용하여 처리할 수 있도록 그림 12.14와 같이 구현할 수 있다. 이와 같은 프로그래밍을 **계약 프로그래밍**(contract-based programming)이라 한다.

```
class Flyable {
public:
    virtual ~Flyable() noexcept = default;
    virtual void fly() const noexcept = 0;
};

class Airplane: public Flyable {
public:
    virtual ~Airplane() noexcept = default;
    void fly() const noexcept override {
        std::cout << "비행기가 엔진을 이용하여 하늘을 날고 있음\n";
    }
};

class Bee: public Flyable {
public:
    virtual ~Bee() noexcept = default;
    void fly() const noexcept override {
        std::cout << "꿀벌이 윙윙 하늘을 날고 있음\n";
    }
};

void flyTest(const Flyable& flyable) noexcept {
    flyable.fly();
}
```

〈그림 12.14〉 C++에서 구체화

어떤 클래스의 객체를 flyTest 함수의 인자로 전달하고 싶으면 해당 클래스가 Flyable 클래스를 상속받도록 하고, 가상 함수인 fly 메소드를 해당 클래스에 맞게 재정의하면 된다. C++에서도 이처럼 순수 가상 함수만 가지고 있는 추상 클래스를 정의하여 자바의 interface처럼 사용할 수 있다. 이와 같이 상속을 활용하면 멤버 변수나 메소드의 구현을 재사용하는 것이 아니므로 subclassing이 아니라 subtyping을 목적으로 활용하는 형태가 된다. 또 이와 같은 상속에서는 엄밀한 의미에서 is-a 관계도 성립하지 않는다.

13. 다중 상속

```
class LivingThing {
public:
    virtual ~LivingThing() noexcept = default;
    virtual void eat() const noexcept {
        std::cout << "얌얌\n";
    }
};

class LivingInWater: public LivingThing {
public:
    virtual ~LivingInWater() noexcept = default;
    virtual void swim() const noexcept {
        std::cout << "첨벙 첨벙\n";
    }
    virtual void play() const noexcept {
        std::cout << "물놀이 중\n";
    }
};

class LivingInSky: public LivingThing {
public:
    virtual ~LivingInSky() noexcept = default;
```

```
    virtual void fly() const noexcept {
        std::cout << "훨훨 훨훨\n";
    }
    virtual void play() const noexcept {
        std::cout << "비행 중\n";
    }
};

class Duck: public LivingInWater, public LivingInSky {
public:
    virtual ~Duck() noexcept = default;
};
```

〈그림 12.15〉 다중 상속과 다이아몬드 문제

C++에서 한 클래스는 여러 개의 부모로부터 상속을 받을 수 있다. 예를 들어, 그림 12.15와 같이 클래스를 정의하였다고 하자. 다음과 같은 코드를 실행하면 아무 문제 없이 실행된다.

```
Duck duck;
duck.swim();
duck.fly();
```

하지만 duck 객체를 이용하여 eat 메소드를 호출하거나 play 메소드를 호출하면 문법 오류가 된다.

eat 메소드의 호출이 오류인 이유는 LivingThing 클래스가 두 가지 경로를 통해 접근할 수 있기 때문이다. 이것을 **다이아몬드 문제**라 한다. 이 문제는 LivingInWater와 LivingInSky를 정의할 때 다음과 같이 virtual 키워드를 상속하는 클래스 앞에 붙이면 한 번만 포함되기 때문에 모호성이 없어져 해소된다. 이처럼 상속하는 것을 **가상 상속**이라 한다.

```
class LivingInSky: virtual public LivingThing {
```

이 예제에서 LivingThing 클래스는 멤버 변수가 없지만 멤버 변수가 있는데 가상 상속

을 하지 않으면 Duck 클래스가 같은 이름의 멤버 변수 두 개를 물려받는 문제점이 있다. 가상 상속을 하면 이와 같은 멤버 변수도 중복되지 않고 하나만 존재한다. 하지만 가상 상속을 하면 객체를 초기화하는 방법이 기존과 달라진다. 보통 단말 클래스의 생성자가 호출되면 이 클래스는 그것의 부모 클래스의 생성자를 호출하고, 이것이 반복되어 최상위 클래스의 생성자가 호출된다. 이 방식을 가상 상속에 적용하면 하나의 생성자가 두 번 호출되는 문제가 발생한다. 예를 들어, LivingThing의 생성자를 LivingInSky와 LivingInWater가 각각 호출하게 된다. 이 때문에 가상 상속을 하면 가상 상속한 클래스의 생성자는 그것의 자식 클래스가 호출하지 않고 다중 상속하는 클래스가 호출한다.

다중 상속을 할 때, 그림 12.15의 Duck 클래스처럼 상속받는 각 클래스 앞에 접근 제한 수식어를 붙일 수 있고, 같은 접근 제한으로 여러 클래스를 상속하면 첫 번째 클래스를 제외한 나머지 클래스 앞에는 수식어는 생략할 수 있다. 따라서 그림 12.15의 Duck의 정의와 다음은 동일한 정의다. 보통 다음처럼 생략하는 형태를 많이 사용한다.

```
class Duck: public LivingInWater, LivingInSky {
```

```
class A {
public:
    A() {
        std::cout << "A()\n";
    }
    A(int x) {
        std::cout << "A(int)\n";
    }
    virtual ~A() = default;
};
```

```
class C: virtual public A {
public:
    C(): A{1} {
        std::cout << "C()\n";
    }
    C(int x): A{} {
        std::cout << "C(int)\n";
    }
};
```

```
class B: virtual public A {
public:
    B() {
        std::cout << "B()\n";
    }
```

```
class D: public B, C {
public:
    D(): B{0} {
        std::cout << "D()\n";
    }
```

```
    B(int x) {
        std::cout << "B(int)\n";
    }
};
```

```
    D(int x): A{x}, C{x} {
        std::cout << "D(int)\n";
    }
};
```

〈그림 12.16〉 가상 상속에서 단말 클래스의 조상 클래스 생성자 호출

그림 12.16에서 D 클래스는 가상 상속으로 다중 상속하고 있으므로 가상 상속하는 조상 클래스 A의 생성자를 D가 직접 호출해야 한다. D의 기본 생성자는 A의 생성자를 직접 호출하고 있지 않으므로 A의 기본 생성자를 호출한다. 반면에 D의 정수 하나를 인자로 받는 생성자는 A의 정수 하나를 인자로 받는 생성자를 호출하고 있고, C의 정수 하나를 받는 생성자를 호출하고 있다. C의 정수 하나를 받는 생성자는 A의 기본 생성자를 호출하고 있지만 이것은 무시되고, D에서 지정한 A의 정수 하나를 받는 생성자를 호출한다. 따라서 다음과 같이 객체를 생성하면

```
D d{1};
```

다음이 출력된다.

```
A(int)
B()
C(int)
D(int)
```

play 메소드는 두 종류의 부모에 모두 존재하기 때문에 어떤 것을 호출할지 모호하므로 문법 오류가 된다. 이 문제는 Duck 클래스에 play 메소드를 재정의하여 이 메소드만 사용하도록 하여 해결할 수 있고, 메소드를 호출할 때 다음과 같이 가시영역 해소 연산자를 사용하여 모호성을 제거하는 방법도 있다.

```
Duck duck;
duck.LivingInWater::play();
```

또 다른 방법으로는 using을 이용하여 둘 중 하나를 오리가 사용할 play 메소드로 지정할

수 있다.

14. 상속 사용 시 중요 고려사항

다형성을 목적으로 상속하면 항상 다음을 고려하여 사용하여야 한다.

- 고려사항 1. is-a 관계가 성립하고 구현하고자 하는 프로그램 내에서 상속을 통해 얻을 수 있는 이점이 충분할 때만 상속으로 모델링해야 한다.
- 고려사항 2. 상속은 클래스 간의 정적 관계가 맺어지는 것이며, 후손은 자신이 물려받는 것을 취사선택할 수 없으므로 하위 클래스를 구현할 때 물려받는 모든 것에 대해 필요한 조처를 해야 한다.
- 고려사항 3. 형제 클래스 간의 차이는 메소드 수의 차이가 아니라 메소드의 내부 내용의 차이만 있는 것이 가장 이상적이며, 객체를 처리할 때는 상위 추상 타입의 리모콘(포인터 타입 또는 참조 타입)을 이용하여 처리할 수 있어야 바람직하다.
- 고려사항 4. 상속 계층도에서 단말 클래스를 제외한 나머지 클래스는 객체를 생성하지 않고, 하위 클래스 객체를 범용적으로 처리하기 위한 리모컨으로만 사용하는 것이 바람직하다.
- 고려사항 5. C++는 다중 상속을 지원하기 때문에 클래스의 상속 계층도가 단일 루트가 있는 트리 구조가 아닐 수 있지만 가급적 단일 루트가 있는 트리 구조가 되도록 설계할 필요가 있다.
- 고려사항 6. 상속에 대해 미리 준비하고 설계한 클래스가 아니면 이를 상속받는 자식 클래스를 정의하기가 어려울 수 있다.
- 고려사항 7. 클래스 상속의 깊이가 너무 깊으면 불필요한 복잡성이 생길 수 있으므로 적당한 수준의 상속 깊이를 사용하여야 한다.
- 고려사항 8. 상속과 포함 관계 두 가지 모두를 이용하여 같은 문제를 해결할 수 있다면 포함 관계가 더 효과적일 수 있다.

고려사항 1에서 is-a가 성립하더라도 부모와 자식 간에 같은 메소드의 논리적 의미가 매우 다르면 상속으로 모델링하는 것이 적절하지 않을 수 있다. 11절에서 설명한 선언된 메소드만 있는 클래스의 상속은 엄밀한 의미에서 is-a 관계가 아니다. 하지만 같은 이름의 행위를 가지는 클래스를 묶어 계약 기반 프로그래밍하는 것은 매우 바람직한 형태이다. 더욱이 고려사항 4, 5와 관련하여 이처럼 메소드가 선언만 되어 있는 여러 개 클래스를 상속하더라도 다중 상속에서 발생할 수 있는 문제는 발생하지 않는다. 이 같은 경우를 제외하고는 가급적 다중 상속을 사용하지 않는 것이 바람직하다.

제시된 대부분의 고려 사항은 다형성을 목적으로 상속할 때 고려해야 하는 사항이다. 다형성이 목적이 아니면 여기에 제시된 고려사항이 중요하지 않을 수 있다. 하지만 다형성이 목적이 아니면 고려사항 8에 제시한 것처럼 포함 관계를 이용하는 것이 더 효과적일 수 있고, 상속하더라도 private 접근 제어로 상속하는 것이 바람직하다.

고려사항 2에서 클래스가 물려받는 메소드가 자신에게 맞지 않을 때 재정의할 수 있고, 빈 메소드나 예외 처리를 통해 해결할 수 있다. 이때 반환 타입이 있는 메소드는 빈 메소드로 해결하기 어렵다. 여러 형제 클래스가 빈 메소드나 예외 처리로 해당 메소드를 사용할 수 없도록 할 경우에는 이들을 아우르는 중간 클래스를 정의하고 해당 클래스에서 이 메소드를 빈 메소드로 처리할 수 있다. 하지만 이와 같은 해결이 올바른 해결책이 아니라 고려사항 1에 대한 보충 설명에서 언급한 것과 같이 설계 자체가 잘못된 것일 수 있다.

고려사항 6의 경우에는 OCP가 어렵다는 것이다. 상속을 고려하지 않은 클래스를 상속할 경우에는 상속하는 클래스의 수정이 필요하거나 전체적인 설계의 변경이 필요할 수 있다.

14.1. Is-A vs. Has-A

이전 절에 제시된 상속 사용 시 중요 고려사항 중 여덟 번째에 has-a를 우선하라는 것이 있다. 이것을 이해하기 어려울 수 있어, 간단한 예를 통해 설명하고자 한다. 우리가 개발해야 하는 응용에서 강아지는 “멍멍”, 고양이는 “야옹”하고 우는 것을 모델링해야 하면 기존 구조화 프로그래밍에서는 조건문을 이용하여 이를 구현할 것이다. 하지만 객체지향에서는 다형성을 이용하는 것이 모범 답안이며, 그림 11.6과 같이 구현할 것이다. 즉, 보통 객체지향에서 다형성을 말하면 상속을 생각하게 된다. 그러나 다형성을 상속 말고 포함 관계를 이용하여 모델링할 수 있다.

```
class PetSound {
public:
   PetSound() = default;
   virtual ~PetSound() = default;
   virtual std::string_view play() const = 0;
};

class DogSound: public PetSound {
public:
   DogSound() = default;
   virtual ~DogSound() = default;
   std::string_view play() const override { return "멍멍"; }
};

class CatSound: public PetSound {
public:
   CatSound() = default;
   virtual ~CatSound() = default;
   std::string_view play() const override { return "야옹"; }
};
```

〈그림 12.17〉 PetSound, DogSound, CatSound 클래스

강아지는 "멍멍", 고양이는 "야옹"하고 우는 것을 포함 관계를 이용하여 모델링하기 위해서는 우는 행위 자체를 추상 클래스로 모델링해야 한다. 그림 12.17에서 PetSound 클래스가 여기에 해당한다. 원래 객체지향에서 객체는 상태를 가지고 있고, 상태에 따라 동작하는 행위를 가지는 것이 일반적이다. 하지만 포함 관계로 다형성을 모델링할 때는 이처럼 행위가 중심이 되는 클래스를 만들어 사용할 수 있다. 이와 같은 클래스는 11절에서 살펴본 조금 다른 상속에서 사용한 클래스에 해당한다. 추상 클래스를 정의하였으면 그림 12.17과 같이 이것을 상속받아 "멍멍" 우는 행위와 "야옹" 우는 행위를 실제로 구현한 클래스 DogSound와 CatSound를 정의한다. 그다음 이 클래스의 객체를 실제 행위를 할 객체가 멤버로 유지하도록 포함 관계로 모델링한다.

```cpp
class Pet {
    std::string name;
    PetSound* petSound{nullptr};
public:
    Pet(std::string_view name = "무명"): name{name} {}
    virtual ~Pet() {
        delete petSound;
    }
    std::string_view getName() const { return name; }
    void setSound(PetSound* petSound) {
        delete this->petSound;
        this->petSound = petSound;
    }
    std::string makeSound() const {
        std::stringstream ss;
        ss << name << ':' << petSound->play();
        return ss.str();
    }
};
```

〈그림 12.18〉 소리 전략을 이용하는 Pet 클래스

그림 12.18에서 Pet 클래스는 다형성을 위해 PetSound 객체를 포인터 타입의 멤버 변수에 유지하고 있다. 이 Pet 타입의 객체가 구체적인 우는 소리를 내기 위해서는 setSound 메소드를 이용하여 우는 소리를 내는 객체를 설정해 주어야 한다. 어떤 객체를 설정했는지에 따라 makeSound를 호출하였을 때 결과가 달라진다. 이 형태의 프로그래밍은 객체지향 설계 패턴 중 전략 패턴(strategy pattern)에 해당한다. 심지어 실행 시간에 setSound 메소드를 이용하여 우는 소리를 내는 객체를 수정하여 makeSound의 행위 방식을 바꿀 수 있다. 이 특성 때문에 상속과 달리 관계가 고정되지 않은 포함 관계가 더 유연한 방법이라고 하는 것이다.

Pet 클래스의 소멸자에서 petSound를 delete하고 있다. 따라서 Pet 클래스가 올바르게 동작하기 위해서는 복사 생성자, 복사 대입 연산자 등을 정의해야 한다. 하지만 상위 타입에 다형성 지원 객체를 유지하면 실제 어떤 종류의 객체를 유지하고 있는지 파악해야

깊은 복사가 가능하다. 이를 조건문과 typeid을 이용하여 파악하는 것은 코드의 간결성 측면에서 바람직하지 않다. 다형성 지원 객체가 있을 때 깊은 복사를 하는 복사 생성자를 정의하는 방법은 14장에서 자세히 설명한다. 실제 DogSound와 같은 클래스는 상태를 유지하는 클래스가 아니므로 두 객체가 같은 DogSound 객체를 유지하여도 문제가 없지만 소멸자에서 delete하고 있으므로 깊은 복사를 하는 것이 필요하다.

포함 관계를 이용하여 얻을 수 있는 이점은 Pet 클래스 입장에서는 PetSound 클래스만 알면 되고, PetSound 클래스의 후손 클래스에 대해서는 전혀 알 필요가 없다는 것이다. 심지어 나중에 다른 울음소리 클래스가 정의되어도 Pet 클래스는 코드 수정 없이 이를 이용할 수 있다. 전문 용어로 이 특성을 **관계 주입**(dependency injection)이라 한다. 관계 주입은 다형성 지원 객체를 생성자나 setter로 받아 상위 타입 포인터나 참조 타입에 유지하여 사용한다. 이렇게 하면 실제 사용하는 클래스에 의존하지 않고 해당 클래스의 객체와 상호작용할 수 있다. 더욱이 필요하면 유지하는 객체를 실행 시간에 얼마든지 바꿀 수 있다.

관계 주입은 SOLID 원리 중 DIP와 매우 밀접한 관련이 있다. DIP 원리는 의존 관계를 뒤집는 원리이며, 다른 클래스를 의존하더라도 구체적 클래스가 아니라 상속 관계에서 상위 타입에 의존해야 한다는 것이다. 보통 A 클래스가 B 클래스의 메소드를 호출하기 위해서는 A는 B에 의존해야 한다. 하지만 관계 주입을 활용하면 의존하지 않고 사용할 수 있다. Pet 클래스는 DogSound 클래스에 의존하지 않지만 포함 관계로 해당 클래스의 객체를 유지할 수 있으며, 해당 클래스의 play 메소드를 호출할 수 있다.

포함 관계를 이용하는 방법이 항상 우수하다고 말할 수는 없다. 특히, 그림 12.18처럼 구현하면 기존 상속을 이용하였던 방식과 달리 강아지와 고양이를 나타내는 구체적인 타입이 존재하지 않는 문제점도 있다. 그러나 같은 목적을 이루기 위해 상속을 사용할 수 있고, 포함 관계를 사용할 수 있다는 것은 꼭 기억하고, 필요할 때 활용하면 더 효과적인 코드를 설계할 수 있다.

퀴즈

1. 다음과 같은 클래스가 있다.

```
class A {
public:
    virtual ~A() = default;
};

class B: public A {
};

```

```
class C {
};

class D: public B {
};

class E: public C {
};
```

이때 다음과 같이 객체를 동적 생성하였다.

```
A* a1{new B};
C* c{new E};
A* a2{new D};
```

다음 타입 변환 중 문법 오류가 있는 것은?

① `B* b{dynamic_cast<B*>(a1)};` ② `B* b{dynamic_cast<B*>(a2)};`
③ `E* e{dynamic_cast<E*>(c)};` ④ `D* d{dynamic_cast<D*>(a2)};`

2. 다음과 같은 클래스가 있다.

```
class A {
public:
    virtual ~A() = default;
    void foo(int n) const { std::cout << "A::foo(int)\n"; }
    void foo(double d) const { std::cout << "A::foo(double)\n"; }
```

```
    virtual void bar(int n) const { std::cout << "A::bar(int)\n"; }
    virtual void bar(double d) const { std::cout << "A::bar(double)\n"; }
};

class B: public A {
public:
    virtual ~B() = default;
    void foo(int n) const { std::cout << "B::foo(int)\n"; }
    void bar(int n) const override { std::cout << "B::bar(int)\n"; }
};
```

다음을 실행하였을 때 출력 결과는?

```
A* a{new B};
B b;
a->foo(1.5);
a->bar(1);
b.foo(1.5);
b.bar(1);
```

① A::foo(double)
B::bar(int)
A::foo(double)
B::bar(int)

② B::foo(double)
B::bar(int)
B::foo(double)
B::bar(int)

③ A::foo(double)
B::bar(int)
B::foo(int)
B::bar(int)

④ A::foo(double)
A::bar(int)
A::foo(double)
B::bar(int)

3. 다음과 같은 클래스가 있다.

```
class X {
public:
    X() { std::cout << "X()\n"; }
    ~X() { std::cout << "~X()\n"; }
};
```

```
class Y {
public:
    Y() { std::cout << "Y()\n";}
    ~Y() { std::cout << "~Y()\n"; }
};
```

```
class A {
private:
    X x;
public:
    A() { std::cout << "A()\n"; }
    A(int n) {
      std::cout << "A(int)\n";
    }
    virtual ~A() {
      std::cout << "~A()\n";
    }
};
```

```
class B: public A {
private:
    Y y;
public:
    B() { std::cout << "B()\n"; }
    B(int n): B() {
      std::cout << "B(int)\n";
    }
    B(double f): A{10} {
      std::cout << "B(double)\n";
    }
    virtual ~B() {
      std::cout << "~B()\n";
    }
};
```

다음과 같이 객체를 생성한 후, 이 객체가 소멸할 때 출력되는 결과는?

```
B b{4};
```

① ~B()
~Y()
~A()
~X()

② ~A()
~X()
~B()
~Y()

③ ~X()
~A()
~Y()
~B()

④ ~Y()
~B()
~X()
~A()

연습문제

1. 개발하고자 하는 응용에서 문(door)을 모델링하고자 한다. 이 응용은 두 종류의 문이 필요하다. 하나는 잠금장치가 없는 문이고, 다른 하나는 잠금장치가 있는 문이다. 다형성을 위해 두 종류의 문을 Door라는 클래스를 통해 처리하고자 한다. 어떻게 설계하는 것이 적절한지 구체적인 코드로 제시하라. 잠금장치가 없는 문은 열린 상태, 닫힌 상태 두 가지만 존재하지만, 잠금장치가 있는 문은 열린 상태, 닫힌 상태, 잠김 상태, 세 가지가 존재한다.

2. 다음과 같은 개구리 클래스를 만들어 잘 사용하고 있었다.

```
class Frog {
public:
    virtual ~Frog() = default;
    virtual void jump() const {
        std::cout << "폴짝폴짝\n";
    }
    virtual void croak() const {
        std::cout << "개굴개굴\n";
    }
};
```

그런데 천재 공학자가 로봇 개구리를 만들었습니다. 이를 반영하기 위해 RobotFrog 클래스를 다음 두 가지 방법으로 각각 구현하라.

① 상속을 이용하여 설계 및 구현하라.

② 포함 관계를 이용하여 설계 및 구현하라.

RobotFrog은 Frog와 마찬가지로 jump, croak을 동일하게 할 수 있다. 다만, 배터리가 충전된 경우에만 할 수 있다. 이 때문에 가끔 charge라는 메소드를 통해 배터리를 충전해야 한다. 배터리는 int 타입의 멤버 변수를 사용하여 모델링하며, 이 값이 양수일 경우에만 jump와 croak이 동작하고, 동작한 후에는 이 값이 1 감소해야 한다.

3. 다음과 같이 타원을 상속하여 원을 정의하였다.

```
class Ellipse {
    Point center;
    double radiusX;
    double radiusY;
public:
    Ellipse(Point center, double radiusX, double radiusY):
        center{center}, radiusX{radiusX}, radiusY{radiusY} {}
    virtual ~Ellipse() = default;
    virtual void setRadiusX(double radiusX) {
        if(radiuxX > 0) this->radiusX = radiusX;
    }
    virtual void setRadiusY(double radiusY) {
        if(radiuxY > 0) this->radiusY = radiusY;
    }
    //
};

class Circle: public Ellipse {
public:
    Circle(Point center, double radius): Ellipse(center, radius, radius) {}
    //
};
```

이와 관련하여 다음 각각에 대해 답변하라.

① Circle의 setRadiusX와 setRadiusY를 어떻게 재정의해야 하는지 제시하라.

② Circle은 setRadiusX와 setRadiusY가 필요한 것이 아니라 setRadius 하나만 필요하다. setRadiusX와 setRadiusY를 재정의하지 않고 setRadius를 추가하고자 한다. 이것의 문제점을 설명하라. 이때 setRadiusX와 setRadiusY를 사용하지 못하도록 하고 싶으면 어떻게 해야 하는지 설명하라.

③ ①과 같이 재정의하였을 때 문제점을 설명하라.

4. 다음과 같은 클래스가 있을 때,

```
class A {
public:
  A(int x) {
     std::cout << "A(int)\n";
  }
  A(int x, int y) {
     std::cout << "A(int, int)\n";
  }
  virtual ~A() = default;
};
```

```
class C: virtual public A {
public:
  C(): A{1} {
     std::cout << "C()\n";
  }
  C(int x): A{x, 0} {
     std::cout << "C(int)\n";
  }
};
```

```
class B: virtual public A {
public:
  B(): A{0, 0} {
     std::cout << "B()\n";
  }
  B(int x): A{x, 1} {
     std::cout << "B(int)\n";
  }
};
```

```
class D: public B, C {
public:
  D(): B{0} {
     std::cout << "D()\n";
  }
  D(int x): A{x}, B{x}, C{x} {
     std::cout << "D(int)\n";
  }
};
```

다음 각각에 대해 답변하라.

① 주어진 코드에 있는 문법 오류를 제시하라.

② 문법 오류가 없도록 수정하고, 다음과 같이 객체를 생성할 때 출력되는 결과를 제시하라.

```
D d{0};
```

제**13**장

연산자 다중 정의

제13장 연산자 다중 정의

1. 연산자 다중 정의

기존 C 언어에서는 원시 타입만 언어에 정의된 연산자를 이용하여 원하는 계산을 하는 표현식을 작성할 수 있었다. 연산자는 그것의 피연산자를 받아 결과를 계산하는 함수로 생각할 수 있으며, 구조체와 같은 사용자 타입은 연산자를 사용할 수 없으므로 어떤 계산을 하는 기능이 필요하면 함수를 정의하여 사용하였다. C++에서는 사용자 정의 타입에도 연산자를 다중 정의하여 해당 연산자를 이용하여 표현식을 작성할 수 있다. 이것을 통해 더 간결하게 프로그래밍할 수 있다. 하지만 프로그래머가 원래 연산자의 의미와 전혀 다른 용도로 해당 연산자를 다중 정의하여 사용할 수 있으므로 오히려 가독성을 악화시킬 수 있는 문제점도 있다.

2. 덧셈군의 구현

응용수학(abstract algebra)이라는 수학의 한 세부 분야에는 군(group)이라는 개념이 있다. 군은 집합과 이항 연산 $\circ$에 의해 정의되며, 이 집합은 이 연산에 대해 닫혀 있어야 한다. 닫혀 있다는 것은 집합에 있는 임의의 두 원소를 군 이항 연산의 피연산자로 사용하여 계산하면 그 결과가 다시 집합에 있는 원소가 된다는 것을 말한다. 군은 추가로 결합법칙($(a \circ b) \circ c = a \circ (b \circ c)$)을 만족해야 하며, 항등원(모든 원소 a에 대해 $a \circ e = a$가 되는 e)이 존재하고, 모든 원소는 역원($a \circ b = e$가 되는 b가 a의 역원)이 있어야 한다. 이때 이항 연산이 덧셈 종류의 연산이면 이 군을 덧셈군(additive group)이라 한다.

```cpp
class AdditiveGroup {
private:
    int p;
    int n;
    int reduce(int val) const noexcept {
        val %= p;
        return val < 0? val + p: val;
    }
public:
    AdditiveGroup(int p, int n): p{p}, n{reduce(n)} {
        if(p <= 1) throw std::runtime_error("");
    }
    virtual ~AdditiveGroup() noexcept = default;
    int get() const noexcept {
        return n;
    }
    AdditiveGroup add(const AdditiveGroup& other) const {
        if(p != other.p) throw std::invalid_argument("");
        AdditiveGroup ret{*this};
        ret.n = (n + other.n) % p;
        return ret;
    }
    static AdditiveGroup add(
        const AdditiveGroup& a, const AdditiveGroup& b) {
        return a.add(b);
    }
};
```

〈그림 13.1〉 덧셈군 클래스

간단하게 법 7에서 덧셈 연산과 집합 {0, 1, 2, 3, 4, 5, 6}을 생각하여 보자. 이 집합에 있는 어떤 두 개 원소를 뽑아 더한 후에 7로 나누었을 때 나머지를 결괏값으로 취하면 그 결과는 다시 집합에 있는 원소 중 하나가 되므로 이 집합은 해당 이항 연산에 대해 닫혀 있다. 또 여기서 0은 항등원이며, 모든 원소는 역원(예: 1의 역원은 6)을 가지고 있다. 이것을 먼저 연산자를 다중 정의하지 않고 C++ 클래스로 정의하면 그림 13.1과 같다. 참고

로 멤버 변수 p는 상수로 모델링해야 하지만 상수로 모델링하면 시스템에서 대입 연산자를 제공해 주지 않기 때문에 const 키워드를 사용하지 않았다. 이 문제는 대입 연산자를 다중 정의하여 해결할 수 있다.

군의 원소 a와 b가 있을 때 우리는 $a + b$와 같은 계산을 하고 싶다. 이것을 함수 형태로 표현하면 a.add(b)나 add(a, b)와 같다. 전자와 같은 형태는 메소드로 구현해야 하고, 후자는 static 메소드나 일반 함수로 구현해야 한다. 그림 13.1에서는 static 메소드로 구현하고 있다. 그림 13.1에 제시된 클래스는 다음과 같이 사용할 수 있다.

```
AdditiveGroup a{7, -11};
AdditiveGroup b{7, 3};
a = a.add(b);
b = AdditiveGroup::add(a, b);
```

static 메소드로 구현하지 않고 일반 함수로 구현할 수 있지만, 이 경우에는 객체의 private 멤버 변수에 접근할 수 없어 기본 접근자가 없을 때는 구현 자체가 어렵다. 이 문제는 6절에서 설명하는 **친구**(friend) 함수라는 개념을 이용하면 접근 권한과 무관하게 이와 같은 함수를 쉽게 구현할 수 있다. 또 일반 함수로 구현하면 호출할 때 클래스 이름과 가시영역 해소 연산자를 사용할 필요가 없다.

add 메소드의 내부 구현을 좀 더 자세히 살펴보자. $a + b$와 같은 식에서 알 수 있듯이 덧셈 연산은 각 피연산자를 수정하지 않고, 결괏값에 해당하는 새 개체를 생성한다. 따라서 add 메소드나 함수도 피연산자를 수정하지 않고 덧셈 결과를 유지하는 새로운 객체를 만들어 반환하여야 한다. 함수가 이와 같은 객체를 반환하면 임시 객체가 이 함수를 호출한 함수의 스택 프레임에 만들어진다. 이처럼 생성된 임시 객체는 일시적으로 사용하고 바로 소멸하지만, 일반 객체와 마찬가지로 생성하는 데 동일한 비용이 소요된다. 특히, 원래 객체가 무거우면 동일 타입의 임시 객체도 역시 무거울 수밖에 없다. 하지만 C++17부터는 RVO 최적화를 하므로 이 임시 객체의 반환에 대한 비용은 고려하지 않아도 된다. 참고로 첫 번째 문장은 같은 군의 원소만 연산하도록 하기 위한 검사이다. 또 반환 타입에 const 키워드의 사용은 값 반환 방식을 사용하고 있으므로 선택 사항이다.

```
AdditiveGroup operator+(const AdditiveGroup& other) const {
    if(p != other.p) throw std::invalid_argument("");
    AdditiveGroup ret{*this};
    ret.n = (n + other.n) % p;
    return ret;
}
```

〈그림 13.2〉 덧셈군 클래스의 덧셈 연산자 다중 정의

C++에서 연산자의 다중 정의는 함수를 정의하는 또 다른 방법이다. 일반 함수와 차이점은 함수 이름으로 operator 키워드와 다중 정의하고자 하는 연산자를 사용한다. 예를 들어, 일반 메소드 형태로 정의된 add 메소드는 + 연산자를 이용하도록 그림 13.2와 같이 다중 정의할 수 있다.

다중 정의된 몸체의 내용을 보면 기존 메소드로 구현하였을 때와 차이가 없다. + 연산자를 다중 정의하면 다음과 같이 사용할 수 있다.

```
1   AdditiveGroup a{7, -11};
2   AdditiveGroup b{7, 3};
3   a = a + b;
4   a = a.operator+(b);
```

다른 메소드처럼 위 4번째 문장과 같이 정의할 때 사용한 함수 이름을 이용하여 호출할 수 있지만 간결하게 사용하기 위해 다중 정의하는 것이므로 내부적으로 다른 연산자를 정의할 때를 제외하고는 이 형태로 사용하는 경우는 없다. 연산자의 다중 정의는 메소드로 정의할 수 있고, 일반 함수로 정의할 수 있지만 같은 연산자를 두 방법으로 모두 정의하면 중복 정의가 되므로 문법 오류가 된다.

3. 연산자 다중 정의 문법

C++는 클래스를 위해 새 연산자를 정의할 수는 없지만, 대부분의 기존 연산자는 다중

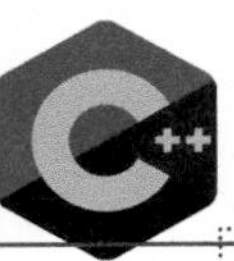

정의할 수 있다. 하지만 연산자 ., ::, ?:, sizeof, typeid 등은 다중 정의할 수 없다. 보통 이항 연산자는 $a+b$처럼 **사이 표기법**(infix notation)을 사용한다. 사이 표기법은 $+(a, b)$와 같이 **전위 표기법**(prefix notation)으로 나타낼 수 있으며, 이항 연산자를 다중 정의하는 것은 이전 절에서 본 예처럼 전위 표기법 형태의 함수를 정의하는 것과 같다. 물론 메소드로 정의하면 전위 표기법 형태는 아니다. 하지만 사용할 때는 정의하는 방법과 상관 없이 사이 표기법 형태로 사용한다. 연산자를 다중 정의할 때는 기존 연산자의 논리적 의미와 같아지도록 하는 것이 가독성 측면에서 바람직하다. 최소한 연산자의 기호가 다중 정의한 기능을 고려하였을 때 어색하지 않아야 한다.

어떤 클래스 객체에 대해 연산자를 이용하기 위해서는 해당 연산자가 다중 정의되어 있어야 한다. 예외적으로 대입 연산자는 프로그래머가 직접 다중 정의하지 않아도 보통 제공해 준다. 하지만 클래스에 따라 시스템에서 제공하는 대입 연산자는 복사 생성자와 비슷하게 멤버 기반 복사 대입을 하므로 주의해야 한다. 연산자를 다중 정의하는 과정에서 연산자의 우선순위와 평가 방향을 변경할 수 없으며, 연산자의 피연산자 수를 변경할 수 없다. 이 때문에 출력할 때 cout 객체에서 사용하는 << 연산자는 비트 이동 연산자의 우선순위와 같아 사용할 때 주의가 필요하다.

연산자의 다중 정의를 통해 원시 타입에 대한 기존 연산자의 의미를 변경할 수 없다. 따라서 연산자 다중 정의를 하는 메소드나 함수에서 최소 하나의 인자는 객체 또는 객체에 대한 참조이어야 한다. 하나의 연산자를 다중 정의한다고 관련 연산자가 자동으로 다중 정의되지 않는다. 예를 들어, + 연산자를 다중 정의한다고 그와 관련된 복합 대입 연산자인 += 연산자가 자동으로 다중 정의되지 않는다. 또 이항 연산자 -을 정의하였다고 대응되는 단항 연산자가 정의되는 것도 아니다. 하지만 C++20부터 삼방향 비교 연산자 <=>와 == 연산자를 다중 정의하면 나머지 비교 연산자를 자동으로 제공해 준다.

라이브러리를 만드는 것이 아니면 프로그램 내에서 사용하지 않는 연산자는 다중 정의하지 않는 것이 바람직하다. 반대로 공개되어 다른 프로그래머들이 활용하는 클래스이면 관련 연산자를 반드시 함께 다중 정의해 주어야 문제가 발생하지 않는다. 예를 들어, 비교 연산자를 다중 정의하면 6개의 비교 연산자를 모두 다중 정의해 주는 것이 필요하다. 생성자와 마찬가지로 타입 변환 연산자는 컴파일러가 프로그래머의 의도와 무관하게 이들 연산자를 활용하지 못하도록 explicit 키워드를 함께 사용하는 것이 필요하다.

연산자는 메소드로 다중 정의할 수 있고, 일반 함수로 다중 정의할 수 있다. 일반 함수로 다중 정의할 때, 접근 제어와 무관하게 멤버에 직접 접근할 수 있도록 6절에서 설명하는 친구 함수로 다중 정의한다. 연산자를 다중 정의할 때도 여러 종류의 인자를 처리하기 위해 여러 번 다중 정의해야 할 경우가 많으며, 다중 정의해야 하는 경우의 수를 줄이기 위해 메소드 대신에 일반 함수로 다중 정의하는 경우가 종종 있다. []와 같이 메소드로만 다중 정의할 수 있는 연산자도 있다. 성능 측면에서는 메소드로 다중 정의하나 일반 함수로 다중 정의하나 차이는 없다. 보통 간결성 측면에서 어떤 형태로 다중 정의할지 결정한다. 하지만 친구 함수 기능을 이용하여 일반 함수로 다중 정의하는 것보다는 메소드로 다중 정의하는 것이 캡슐화 측면에서 올바른 구현 방법이다.

4. 메소드로 연산자 다중 정의하기

4.1. 사칙연산

메소드로 사칙연산의 다중 정의는 보통 다음과 같이 정의한다.

```
A operator+(const A& other) const {
    A ret{*this}
    //
    return ret;
}
```

이항 연산자를 다중 정의할 때 매개 변수의 수는 하나이다. 이항 연산자의 왼쪽 피연산자는 this 객체에 해당하며, 오른쪽 피연산자는 이 메소드로 전달된 인자이다. 지역 객체를 몸체 시작부터 생성하지 않고 반환할 때 생성하는 다음과 같은 형태로도 구현할 수 있다.

```
A operator+(const A& other) const {
    //
    return A{...};
}
```

둘 다 임시 객체를 생성하여 복사 방식으로 반환하기 때문에 효율성 측면에서 마음에 드는 형태는 아니다. 하지만 앞서 설명한 바와 같이 C++17부터는 RVO가 의무화되었기 때문에 이처럼 구현하더라도 반환하는 과정에서 임시 객체의 생성이나 반환 비용은 발생하지 않는다. 하지만 RVO를 하지 않으면 임시 객체가 생성되며, 이 비용을 최적화하기 위해 이동 생성자, 이동 대입 연산자가 도입되었다는 것을 인식하고 있을 필요가 있다.

RVO 최적화를 하지 않는다고 가정하고 제시된 다중 정의 연산자를 이용하여 $a = a + b + c$ 를 계산하였다고 하자. 이 경우 $a + b$를 계산하는 과정에서 함수 내에서 지역 객체를 하나 생성하며, 함수에서 결괏값이 반환되면 해당 영역에서 임시 객체가 복사 생성자를 이용하여 생성된다. 따라서 $a + b + c$를 계산하는 과정에서 총 4개의 임시 객체를 생성한다. 이와 같은 임시 객체의 생성 문제가 C++11을 표준화하면서 해결하고 싶은 핵심 문제 중 하나였으며, 이 문제를 효과적으로 해결하기 위해 도입된 것이 Rvalue 참조와 이동 개념이다.

4.2. 단항 산술 연산자

단항 연산자는 이항 연산자와 달리 피연산자의 상태를 변경할 수 있다. 산술 관련 단항 연산자 중 가장 많이 다중 정의하는 것이 단항 뺄셈 연산자이다. 단항 뺄셈 연산자는 피연산자의 상태를 변경하지 않는다. 단항 연산자는 this 객체가 피연산자가 되기 때문에 다중 정의할 때 매개 변수의 수는 0이다. 단항 뺄셈 연산자는 보통 다음과 같이 구현한다.

```
A operator-() {
    A ret{*this}
    //
    return ret;
}
```

단항 연산자가 피연산자의 상태를 변경하면 this 객체의 상태를 바꾸고, this를 참조로 반환한다.

증감 연산자는 피연산자 앞에 올 수 있고 뒤에 올 수 있다. 피연산자 앞에 올 때는 증가 또는 감소한 값을 반환하여야 하며, 뒤에 올 때는 현재 값을 반환하지만, 피연산자는 증가 또는 감소하여야 한다. 이 두 가지를 구분하기 위해 후위 증감 연산자는 이름이 없는 int

타입의 매개 변수를 함수 매개 변수 목록에 추가한다. 실제 인자가 필요 없지만, 전위와 후위를 구분하기 위한 요소로만 사용한다.

다음은 ++의 전위 연산자를 다중 정의할 때 구현하는 방법이고,

```
A& operator++() {
    //
    return *this;
}
```

다음은 후위 연산자를 다중 정의할 때 구현하는 방법이다. 원래 전위 연산자는 Lvalue이므로 반환 타입에서 보통 const를 사용하지 않는다.

```
A operator++(int) {
    A ret{*this};
    //
    return ret;
}
```

후위 증감 연산자의 경우에는 내부적으로 임시 변수를 생성하며, 참조가 아닌 값 복사 방식으로 값을 반환한다. 따라서 전위와 비교하였을 때 비용이 많이 소요된다는 것을 알 수 있으며, 이 때문에 일반적으로 단독으로 증감 연산자를 사용하면 전위 버전을 사용하는 것이 효과적인 이유를 쉽게 이해할 수 있다.

보통 전위와 후위 연산자는 반환 값은 다르지만, 증가 또는 감소해야 하는 것은 동일하게 구현해야 하므로 코드가 중복될 수밖에 없다. 따라서 보통 후위 연산자의 다중 정의는 다음과 같이 전위 연산자의 다중 정의를 활용하여 정의한다. this를 이용하여 전위 연산자를 호출하는 부분이 복잡하면 주석에 있는 것을 대신 이용할 수 있다.

```
A operator++(int) {
    A ret{*this};
    ++(*this); // operator++();
    return ret;
}
```

4.3. 비교 연산자

6개의 비교 연산자는 >와 == 두 개만 구현한 다음에 나머지 4개는 기존 구현된 2개를 이용하여 아래와 같이 구현한다.

```
bool operator==(const A& other) const {
    // 구현 필요
}
bool operator>(const A& other) const {
    // 구현 필요
}
bool operator!=(const A& other) const {
    return !operator==(other);
}
bool operator>=(const A& other) const {
    return !operator<(other);
}
bool operator<(const A& other) const {
    return other.operator>(*this);
}
bool operator<=(const A& other) const {
    return !operator>(other);
}
```

==와 !=, >와 <=, <와 >=는 서로 반대 개념이고, >와 <는 하나가 구현되어 있다면 다른 하나는 인자의 위치를 바꾸어 다른 하나를 이용하여 구현할 수 있다. 이처럼 연산자를 다중 정의할 때 이미 다중 정의한 연산자를 이용하여 구현할 수 있으면 코드 중복을 줄이기 위해 이미 다중 정의한 연산자를 많이 활용한다.

C++20부터는 == 연산자를 다중 정의하면 != 연산자가 자동으로 제공되며, default 수식어를 이용하여 == 연산자를 다중 정의할 수 있다. 이 경우 시스템에서 모든 멤버 변수를 ==로 비교해 주는 == 연산자를 제공해 준다. 또 C++20부터 삼방향 비교 연산자가 추가되었으며, 이 연산자와 == 연산자를 다중 정의하면 나머지 비교 연산자를 자동으로 제공해 준다. 삼방향 연산자도 default 수식어를 이용하여 정의할 수 있다. 이 경우 == 연산자를

다중 정의하지 않아도 나머지 비교 연산자를 모두 자동으로 제공해 준다. default 수식어를 이용하여 정의한 삼방향 연산자는 선언된 순서로 멤버 변수를 비교한다. 삼항 연산자를 다중 정의할 때는 완전 순서(std::strong_ ordering), 부분 순서(std::partial_ordering), 약한 순서(std::weak_ordering) 중 어느 것에 해당하는지 잘 판단하여 정의해야 한다.

```
auto operator<=>(const A& other) const noexcept {
    for(size_t i{0}; i < W.size(); ++i) {
        if(i < other.W.size()) {
            int comp{std::tolower(W) - std::tolower(other.W[i])};
            if(comp < 0) return std::weak_ordering::less;
            else if(comp > 0) return std::weak_ordering::greater;
        }
        else return std::weak_ordering::greater;
    }
    return W.size() == other.W.size()? std::weak_ordering::equivalent:
        std::weak_ordering::less;
}

bool operator==(const A& other) const noexcept {
    return this->operator<=>(other) == 0;
}
```

〈그림 13.3〉 삼방향 비교 연산자 다중 정의

예를 들어, 클래스 A가 std::string 타입의 영대소문자로만 구성된 W 맴버 변수를 유지하고 있을 때, 대소문자를 무시하고 이 멤버 변수를 비교하는 삼방향 비교 연산자를 다중 정의하고 싶으면 그림 13.3과 같이 정의할 수 있다. 대소문자를 무시하고 비교하고 있으므로 약한 순서에 해당한다. 대소문자를 무시하였을 때, 비교 결과가 같으면 등가에 해당하기 때문에 std::weak_ordering::equivalent를 반환하고 있다. std::weak_ordering::equivalent 등을 사용하기 위해서는 〈compare〉를 포함해야 한다. 그림 13.3처럼 직접 삼방향 비교 연산자를 다중 정의하면 == 연산자도 다중 정의해야 기존 6개의 비교 연산자를 모두 사용할 수 있다. 이때 == 연산자는 보통 정의된 〈=〉 연산자를 이용하여 정의한다.

4.4. 논리 연산자

보통 논리 연산자를 다중 정의하는 경우는 많지 않다. 특히, &&, ||을 다중 정의하면 단축 회로 평가 기능이 없어진다. 따라서 &&, ||을 다중 정의할 필요가 있으면 &, |을 다중 정의하여 사용하는 것이 올바른 방법이다. 아니면 bool 타입으로 타입 변환 해주는 타입 변환 연산자를 다중 정의하면 같은 효과를 얻을 수도 있다. 이와 관련된 예제와 설명은 5절에서 제시한다.

4.5. 타입 변환 연산자

다른 연산자 다중 정의와 달리 함수를 정의할 때 반환 타입을 표시하지 않는다. 이것은 변환하는 타입 자체가 반환하는 타입이 되어야 하기 때문이다. 어떤 클래스 객체를 int로 타입 변환하는 연산자의 다중 정의는 다음과 같이 구현한다.

```
operator int() const {
    //
    return ...;
}
```

a가 위의 타입 변환 연산자를 다중 정의한 클래스의 객체이고 n이 int 타입 변수이면 다음과 같이 해당 연산자를 사용할 수 있다.

```
n = static_cast<int>(a);
```

또한 n = a를 한 경우에도 컴파일러가 다중 정의된 타입 변환 연산자를 이용하여 a 객체를 int로 바꾸어 n에 저장할 수 있다. 보통 이 같은 경우는 프로그래머가 의도한 것이 아닐 수 있다. 따라서 타입 변환 연산자를 다중 정의할 때는 생성자와 마찬가지로 explicit 키워드를 사용하고, 필요할 때 타입 변환 연산자를 직접 사용하는 것이 바람직하다.

explicit 키워드를 사용하지 않으면 모호한 상황이 만들어져 문법 오류가 될 수도 있다. 예를 들어, 다음과 같은 클래스를 생각하여 보자.

```
class A {
public:
    A(const B& b);
    //
};
```

```
class B {
public:
    operator A() const;
};
```

이 경우 B 타입의 객체를 A 타입의 객체로 자동 변환해야 할 때, A의 타입 변환 생성자를 사용할 수 있고, B의 타입 변환 연산자를 사용할 수 있다. 따라서 이 경우는 문법 오류가 된다.

4.6. 복사 대입 연산자

복사 대입 연산자는 사용자가 직접 다중 정의하지 않아도 시스템에서 보통 제공하여 준다. 하지만 시스템에서 제공하여 주는 복사 생성자와 같이 멤버 기반 복사를 하므로 주의해야 한다. 이 때문에 const 멤버 변수가 있거나 깊은 복사가 필요하면 직접 다중 정의하여야 한다. 복사 대입 연산자의 몸체 내용은 복사 생성자와 유사하지만, 복사 생성자는 객체를 생성할 때 사용하는 것이고, 대입 연산자는 이미 존재하는 객체의 상태를 바꾸는 것이므로 분명한 차이가 있다. 이것이 const 멤버 변수가 멤버 기반 복사에서 문제가 되는 이유이다.

복사 대입 연산자는 연속적인 대입이 가능하므로 구현 형태는 다음과 같다.

```
A& operator=(const A& other) {
    if(this != &other) {
        //
    }
    return *this;
}
```

몸체에 포함된 조건문은 최적화를 하기 위한 요소이다. 우연히 오른쪽 피연산자가 왼쪽과 같을 수 있는데, 이 경우 모든 멤버 변수를 복사하는 것은 무의미하다. 6장에서 언급한 바와 같이 반복문을 조기 종료하기 위한 조건문을 반복문에 추가하는 것이 성능에 나쁜 영

향을 줄 수도 있다. 같은 이유로 이 최적화는 우연히 a = a를 실행한 경우에만 필요한 것이므로 이 최적화를 하지 않는 것이 성능에 더 효과적일 수 있다.

연속 대입을 허용하고 싶지 않으면 반환 타입을 void로 정의할 수 있다. 즉, 연산자를 다중 정의할 때 기존 관례를 반드시 지켜야 하는 것은 아니다. 하지만 사용할 때 오해의 소지가 있으므로 일반 관례에 따라 원래 연산자와 똑같이 사용할 수 있도록 정의하는 것이 바람직하다.

복사 대입처럼 연산자 다중 정의 중에 객체 자신을 참조로 반환해야 하는 경우가 있다. 객체 멤버 변수를 참조로 반환할 때는 캡슐화에 어긋날 수 있으므로 수정불가 참조로 반환해야 한다. 이 때문에 this를 이용하여 객체 자체를 참조로 반환할 때도 수정불가 참조로 반환하는 것이 강건성에 필요하다고 생각할 수 있다. 실제 다음과 같은 것을 허용하지 않기 위해 수정불가 참조를 반환하도록 전위 ++ 연산자를 정의할 수 있다.

```
(++a).foo(10);
```

여기서 a는 어떤 클래스 A의 값 타입 객체 변수이고, foo는 A 클래스의 멤버 변수를 수정하는 메소드이다. 이 예는 매우 예외적인 경우이고, 수정불가 참조로 반환한다고 크게 문제가 될 경우는 없다. 따라서 객체 자체를 반환해야 할 때, 관례에 따라 수정불가 참조 대신에 일반 참조로 반환하는 것이 일반적이다.

반환 타입을 참조가 아니라 다음과 같이 값 복사 방식으로 구현할 수 있다. 하지만 이 경우에는 반환 과정에서 비용이 발생한다.

```
A operator=(const A& other);
```

보통 복사 대입 연산자의 구현은 copy-and-swap 이디엄을 사용한다. 이 이디엄은 전달된 인자를 이용하여 임시 객체를 생성한 후 임시 객체의 모든 멤버 변수와 현재 객체의 모든 멤버 변수를 swap하는 방식으로 복사 대입 연산자를 정의한다. 이 방식을 실제 구현하는 방법과 이 방법의 이점은 14장에서 자세히 설명한다.

B가 A의 자식 클래스일 때, 다음 코드를 생각하여 보자.

```cpp
void foo(A& a) {
    B b;
    //
    a = b; // a.operator=(b);
}
```

매개 변수 a는 참조 변수이므로 늦은 바인딩이 가능하지만, operator=는 가상 함수가 아니므로 이른 바인딩을 한다. 따라서 a가 B 타입의 객체를 참조하고 있어도, B 클래스의 복사 대입 연산자가 아니라 A 클래스의 복사 대입 연산자가 실행되며, 그 결과로 객체 잘림 현상이 나타난다.

그러면 복사 대입 연산자를 가상 함수로 정의해야 하나? 가상 함수로 정의할 수 있지만 보통은 가상 함수로 정의하지 않는다. 일반적으로 A와 B 클래스의 복사 대입 연산자의 서명은 다음과 같다.

```cpp
A& A::operator=(const A& other);
B& B::operator=(const B& other);
```

즉, 매개 변수 타입이 다르다. 따라서 A의 복사 대입 연산자를 가상 함수로 정의하여도 B의 복사 대입 연산자는 A의 복사 대입 연산자를 재정의한 메소드로 인식되지 않는다. 물론 B의 복사 대입 연산자를 다음과 같이 정의할 수 있지만,

```cpp
B& B::operator=(const A& other);
```

엉뚱한 객체가 전달될 수 있고, 내부적으로 타입 변환이 필요하므로 일반적으로 이렇게 하지 않는다. 따라서 상위 타입 참조나 포인터로 객체를 처리할 때는 되도록 복사 대입할 필요가 없도록 코드를 구성해야 한다.

4.7. 복합 대입 연산자

복사 대입 연산자는 사용자가 직접 다중 정의하지 않더라도 시스템에서 제공하여 준다. 하지만 복합 대입 연산자는 자동으로 제공하여 주지 않는다. 더욱이 덧셈 연산자와 대입

연산자를 정의하였더라도 += 연산자를 정의하여 주지는 않는다. 복합 대입 연산자의 구현 형태는 다음과 같다.

```
A& operator+=(const A& other) {
    //
    return *this;
}
```

복합 대입 연산자도 다양한 인자를 처리하기 위해 여러 개를 다중 정의할 수 있다. 예를 들어, 정수를 인자로 받는 복합 대입 연산자의 구현 형태는 다음과 같다.

```
A& operator+=(int n) {
    //
    return *this;
}
```

복합 대입 연산자를 다중 정의할 때는 대응되는 이항 연산자와 그것의 의미가 같아야 한다. 항상 연산자를 정의할 때 일관성 있게 정의하는 것이 매우 중요하다.

4.8. 연산자 다중 정의를 이용한 덧셈군 클래스

```
class AdditiveGroup {
private:
    const int p;
    int n;
    int reduce(int val) const noexcept {
        val %= p;
        return val < 0? val + p: val;
    }
    void testModulus(const AdditiveGroup& other) const {
        if(p != other.p) throw std::invalid_argument("");
    }
public:
```

```
    AdditiveGroup(int p, int n): p{p}, n{reduce(n)} {
        if(p <= 1) throw std::runtime_error("");
    }
    virtual ~AdditiveGroup() noexcept = default;
    AdditiveGroup& operator=(const AdditiveGroup& other) {
        testModulus(other); n = other.n; return *this;
    }

    explicit operator int() const noexcept { return n; }
    explicit operator std::string() const noexcept {
        return std::to_string(n) + " (mod " + std::to_string(p) + ")";
    }

    AdditiveGroup operator-() const noexcept {
        return AdditiveGroup(p, -n);
    }
    AdditiveGroup& operator++() noexcept {
        n = (n+1) % p; return *this;
    }
    AdditiveGroup operator++(int) noexcept {
        AdditiveGroup ret{*this}; operator++(); return ret;
    }
    AdditiveGroup& operator--() noexcept {
        n = (n+p-1) % p; return *this;
    }
    AdditiveGroup operator--(int) noexcept {
        AdditiveGroup ret{*this}; operator--(); return ret;
    }

    AdditiveGroup operator+(const AdditiveGroup& other) const {
        testModulus(other);
        AdditiveGroup ret{*this}; ret.n = (n + other.n) % p; return ret;
    }
    AdditiveGroup operator-(const AdditiveGroup& other) const {
```

```
            return operator+(AdditiveGroup{other.p, -other.n});
        }
        AdditiveGroup& operator+=(const AdditiveGroup& other) {
            testModulus(other); n = (n + other.n) % p; return *this;
        }
        AdditiveGroup& operator-=(const AdditiveGroup& other) {
            return operator+=(AdditiveGroup{other.p, -other.n});
        }

        bool operator==(const AdditiveGroup& other) const {
            testModulus(other); return n == other.n;
        }
        bool operator!=(const AdditiveGroup& other) const {
            return !operator==(other);
        }
        bool operator>(const AdditiveGroup& other) const {
            testModulus(other); return n > other.n;
        }
        bool operator>=(const AdditiveGroup& other) const {
            return !operator<(other);
        }
        bool operator<(const AdditiveGroup& other) const {
            return other.operator>(*this);
        }
        bool operator<=(const AdditiveGroup& other) const {
            return !operator>(other);
        }
    };
```

〈그림 13.4〉 연산자 다중 정의를 이용한 AdditiveGroup 클래스

지금까지 설명한 연산자 다중정의 방법을 이용하여 그림 13.1의 덧셈군을 다시 정의하면 그림 13.4와 같다. 이 구현에 대해 몇 가지 설명하면 다음과 같다.

- 법 n은 객체 상수로 모델링하였다. 이 때문에 대입 연산자를 다중 정의하지 않으면 대입 연산자를 사용할 수 없다.

- 두 객체의 법이 서로 다르면 이항 연산자의 피연산자로 사용할 수 없도록 항상 검사하고 있다.
- 한 연산자를 다른 연산자를 이용하여 정의할 수 있으면 코드 중복을 줄이기 위해 활용하였다.
- C++20에서 6개의 비교 연산자 대신에 다음과 같이 삼방향 비교 연산자와 == 연산자만 정의할 수 있다.

```
auto operator<=>(const AdditiveGroup& & other) const {
    testModulus(other);
    return n <=> other.n;
}

bool operator==(const A& other) const {
    return this->operator<=>(other) == 0;
}
```

5. 문자열 클래스

```
class KString {
private:
    size_t size{0};
    char* sbuf{nullptr};
public:
    KString() noexcept = default;
    KString(const char* s):
        size{std::strlen(s)}, sbuf{new char[size + 1]} {
        std::copy(s, s + size + 1, sbuf);
    }
    KString(const KString& other):
        size{other.size}, sbuf{new char[size + 1]} {
        std::copy(other.s, other.s + size + 1, sbuf);
```

```
    }
    virtual ~KString() noexcept {
        delete [] sbuf;
    }
};
```

〈그림 13.5〉 KString 클래스

C++는 라이브러리에 문자열을 처리하기 위한 std::string 클래스를 제공하고 있다. 이 절에서는 연산자 다중 정의에 대한 추가적인 실습을 위해 std::string과 유사한 문자열 클래스 KString을 정의한다. 이 클래스의 멤버 변수, 생성자, 소멸자는 그림 13.5와 같다. 이 클래스는 C 문자열과 마찬가지로 끝에 널 문자를 유지한다. 따라서 size 멤버 변수의 값보다 하나 더 많은 공간을 확보하여 사용한다. 문자열 예제를 살펴보는 이유는 동적 할당된 멤버 변수를 유지하기 때문에 복사 생성자와 복사 대입 연산자를 올바르게 다중 정의해 주어야 하는 예이며, 배열 색인 연산자 []를 유용하게 사용하는 예이기 때문이다.

5.1. KString의 복사 대입 연산자

먼저 복사 대입 연산자를 다중 정의하여 보자. 이 클래스는 포인터 타입의 멤버 변수를 가지고 있으므로 시스템에서 제공하는 대입 연산자를 사용하면 대입 후 두 객체가 동일 버퍼를 가리키는 문제점이 발생한다. 따라서 복사 대입 연산자도 그림 13.5에 포함된 복사 생성자처럼 그림 13.6과 같이 깊은 복사를 해야 한다. 하지만 복사 생성자와 달리 복사 대입 연산자에서 왼쪽 피연산자인 this에 해당하는 객체는 이미 생성되어 사용 중인 객체이다. 따라서 기존에 사용하고 있는 버퍼의 반납이 필요하다. 여기서 if 문은 왼쪽과 오른쪽 피연산자가 같은 객체이면 복잡한 대입 과정을 생략하기 위한 요소이다.

```
KString& operator=(const KString& other) {
    if(this != &other) {
        delete [] sbuf;
        size = other.size;
        sbuf = new char[size + 1];
```

```
        std::copy(other.sbuf, other.sbuf + size + 1, sbuf);
    }
    return *this;
}
```

〈그림 13.6〉 KString의 복사 대입 연산자

5.2. KString의 배열 색인 연산자

```
char operator[](size_t index) const {
    if(index >= size) throw std::range_error("");
    return sbuf[index];
}

char& operator[](size_t index) {
    if(index >= size) throw std::range_error("");
    return sbuf[index];
}
```

〈그림 13.7〉 KString의 배열 색인 연산자

배열 색인 연산자는 대입 연산자 오른쪽에 위치할 수 있고 왼쪽에 위치할 수 있다. 따라서 보통 const 버전과 const가 아닌 두 개의 버전을 그림 13.7과 같이 정의하여 사용할 수 있다. 연산자를 다중 정의할 때 이처럼 const 버전과 const가 아닌 두 개의 버전을 제공해야 하는 경우가 많다. 이것은 일반 메소드도 마찬가지이다. 두 개의 버전을 각각 만들면 코드 중복은 불가피하다.

코드 중복 문제는 보통 const가 아닌 버전을 const 버전을 이용하여 정의하여 제거할 수 있으며, 이때 const_cast 연산자가 필요하다. 이를 위해 const 버전은 값 반환 대신에 수정불가 참조를 반환하는 형태로 정의하고, const가 아닌 버전은 const 버전을 호출하는 형태로 그림 13.8처럼 정의한다. this가 수정불가 포인터가 아니므로 수정불가 참조로 바꾸어 const 버전을 호출해야 한다. C++17 이전에는 static_cast를 사용했지만, C++17부터는 〈utility〉에서 제공하는 std::as_const를 이용할 수 있다. const 버전의 호출 결과

는 const이므로 이것을 제거하기 위해 const_cast 연산자를 사용하고 있다.

```
const char& operator[](size_t index) const {
    if(index >= size) throw std::range_error("");
    return sbuf[index];
}

char& operator[](size_t index) {
    // return const_cast<char&>(static_cast<const KString&>(*this)[index]);
    return const_cast<char&>(std::as_const(*this)[index]); // C++17
}
```

〈그림 13.8〉 KString의 배열 색인 연산자: 코드 중복 제거 버전

5.3. KString의 산술 연산자, 비교 연산자

```
KString operator+(const KString& other) const {
    KString tmp;
    tmp.size = size + other.size;
    tmp.sbuf = new char[tmp.size + 1];
    std::copy(sbuf, sbuf + size, tmp.sbuf);
    std::copy(other.sbuf, other.sbuf + other.size + 1, tmp.sbuf + size);
    return tmp;
}
```

〈그림 13.9〉 KString의 덧셈 연산자

```
bool operator==(const KString& other) const noexcept {
    if(size == other.size) {
        for(size_t i{0}; i < size; ++i)
            if(sbuf[i] != other.sbuf[i]) return false;
        return true;
    }
```

```
        return false;
    }

    bool operator>(const KString& other) const noexcept {
        size_t minSize{std::min(size, other.size)};
        for(size_t i{0}; i < minSize; ++i) {
            if(sbuf[i] > other.sbuf[i]) return true;
            else if(sbuf[i] < other.sbuf[i]) return false;
        }
        return (size > other.size);
    }
```

〈그림 13.10〉 KString의 비교 연산자: ==, >

문자열 관련 산술 연산자 +는 그림 13.9와 같이 정의할 수 있고, 비교 연산자 중 ==와 >는 그림 13.10과 같다. 나머지 4개는 그림 13.4에 제시된 것과 인자만 다를 뿐 차이가 없다. 6개 비교 연산자 중 ==와 >만 정의하고 나머지는 항상 동일하게 구현할 수 있다. 물론 C++20부터는 삼방향 비교 연산자를 다중 정의하여 다중 정의하는 연산자의 수를 줄일 수 있다.

5.4. KString의 타입 변환 연산자

```
bool operator&&(const KString& other) const noexcept {
    return size != 0 && other.size != 0;
}
```

〈그림 13.11〉 KString의 논리곱 연산자

```
operator bool() const noexcept {
    return size != 0;
}
```

〈그림 13.12〉 KString의 bool 타입 변환 연산자

KString의 논리곱 연산자를 그림 13.11과 같이 정의할 수 있다. 앞서 설명한 바와 같이 이렇게 정의한 논리곱 연산자는 기존 논리곱 연산자와 달리 지연 평가를 하지 못한다. 따라서 비트 논리곱 연산자를 다중 정의하거나 그림 13.12와 같은 bool 타입 변환 연산자를 정의하는 것이 더 옳은 방법이다. 예를 들어, 다음 코드는 13.11 또는 13.12에 제시된 연산자가 다중 정의되어 있으면 동작한다. 둘 다 정의되어 있으면 다중 정의된 논리곱 연산자를 이용한다.

```
KString a{};
KString b{"banana"};
if(a && b) ...
```

bool 타입 변환 연산자를 이용하면 다중 정의된 &&을 이용하는 것이 아니므로 지연 평가가 적용된다. 또 !a와 같은 형태로 사용하여도 bool 타입 변환 연산자가 호출된다. 물론 explicit 키워드로 수식한 bool 타입 변환 연산자만 있으면 이처럼 동작하지 않는다.

6. 친구 함수, 친구 클래스

친구 함수란 클래스 가시영역 밖에 정의되는 함수임에도 불구하고 클래스의 private과 protected 멤버에 접근할 수 있는 함수를 말한다. 친구 함수는 클래스에 정의된 접근 권한이 무의미하므로 애초 접근 권한을 지정한 것에 어긋(객체지향 캡슐화 개념과 정반대되는 특이 요소)나는 형태의 함수가 된다. 이 때문에 꼭 필요한 경우에만 친구 함수로 정의해야 한다. 친구 함수로 가장 적합한 함수가 일반 함수로만 다중 정의할 수 있는 연산자를 다중 정의하는 함수이다.

어떤 함수를 클래스의 friend 함수로 선언하기 위해서는 그 함수의 선언을 클래스 정의 내부에 포함하고 그 앞에 friend라는 키워드로 수식해야 한다. friend 함수의 선언은 접근 제어와 무관하다. 예를 들어, 다음과 같은 클래스가 있다고 하자.

```
class Counter {
private:
    int n{0};
public:
    Counter(int x = 0}: n{x} {}
    friend void specialSet(Counter &c, int x);
};
```

이 경우 다음과 같은 보통 함수는 접근 제어 때문에 Counter 객체의 n 멤버 변수를 직접 접근할 수 없다.

```
void set(Counter &c, int x) {
    c.n = x;    // error
}
```

하지만 다음은 Counter의 친구 함수이므로 Counter의 private 멤버 변수에 직접 접근할 수 있다.

```
void specialSet(Counter &c, int x) {
    c.n = x;    // ok
}
```

함수뿐만 아니라 어떤 클래스를 다른 클래스의 **친구 클래스**로 선언할 수 있다. A 클래스가 B 클래스를 친구로 지정하면 B 클래스 내에서 A 클래스의 모든 멤버에 접근 권한과 무관하게 접근할 수 있다. A 클래스가 B 클래스를 친구로 지정하고 싶으면 friend class B;를 클래스 A의 정의 내에 포함하면 된다. 접근 권한을 개방할 클래스를 친구로 지정하는 형태이다.

친구 개념은 반사적도 추이적도 아니다. B 클래스가 A 클래스의 친구이고, C가 B 클래스의 친구이더라도 A는 B 클래스의 친구가 아니고, C는 A 클래스의 친구가 아니다.

덩치 큰 클래스 A를 모듈화하기 위해 B 클래스를 정의할 경우, B 클래스는 A 클래스만 사용하는 경우가 많다. B가 매우 단순한 클래스이면 A의 내부 클래스로 만들 수 있지만 독립 클래스로 정의하였다고 가정하자. 모듈화의 결과로 A 클래스는 B 클래스의 객체를 유지한다. 이때 B 타입의 객체는 제공해야 하는 기능을 위해 A 클래스의 일부 메소드를 호출해야 할 수 있다. 하지만 이 메소드는 A 클래스 객체를 사용하는 외부에서는 호출할 필요가 없는 메소드인 경우가 많다. 이 경우 B를 A의 친구 클래스로 지정하고, 이와 같은 메소드를 private으로 설정하면 B만 이 메소드를 호출할 수 있다. 이처럼 특수 관계인 클래스만 필요한 메소드는 private 권한을 주고, 해당 클래스를 친구 클래스로 지정하는 것이 공개 메소드의 수를 줄이는 데 효과적인 방법이다.

7. 일반 함수로 연산자 다중 정의하기

일반 함수로 연산자를 다중 정의할 때는 간결하게 구현하기 위해 보통 친구 함수로 정의한다. 메소드로 이항 연산자를 다중 정의하면 현재 객체가 연산자의 왼쪽 피연산자가 되고, 유일 인자가 오른쪽 피연산자가 되지만 함수로 정의하면 첫 번째 인자가 왼쪽 피연산자가 되고, 두 번째 인자가 오른쪽 피연산자가 된다. 클래스 A를 위한 이항 연산자를 다중 정의해야 하는데, 왼쪽 피연산자가 A 타입이 아니면 일반 함수로만 구현할 수 있다. 물론 왼쪽 피연산자 타입에 해당하는 클래스에 연산자를 다중 정의할 수 있지만, 프로그래머가 수정할 수 있는 클래스가 아니면 일반 함수로만 구현할 수 있다.

(), [], ->, = 연산자는 반드시 메소드로 다중 정의해야 하지만 다른 연산자는 메소드로도 구현할 수 있고, 일반 함수로도 구현할 수 있다. 따라서 다음과 같은 경우에만 보통 일반 함수로 구현한다.

- 경우 1. 가장 왼쪽 피연산자가 원시 타입인 경우
- 경우 2. 가장 왼쪽 피연산자가 다른 클래스의 객체 타입이지만 해당 클래스에 다중 정의할 수 없는 경우
- 경우 3. 이항 연산자에서 두 피연산자의 타입이 다를 때 하나의 함수로 구현하고 싶은 경우

예를 들어, a가 어떤 객체일 때 1 + a와 a + 1이 모두 가능하도록 구현하고 싶으면 다음과 같이 구현하는 것을 고려해 볼 수 있다.

```
class A {
public:
    A(int) {}
    friend A operator+(const A& a, const A& b);
}
```

여기서 중요한 것은 explicit 키워드로 int 하나를 받는 생성자를 수식하지 않아야 한다. 또 논리적으로 정수와 객체를 더하는 것과 정수를 이용하여 해당 타입의 임시 객체를 생성한 후 그 객체 간 더하는 것이 같아야 한다.

explicit 키워드를 사용하지 않는 것이 적절하지 않다고 생각하면 다음과 같이 두 개를 정의하거나

```
A operator+(int b) const;
friend A operator+(int a, const A& b);
```

다음과 같이 일반 함수를 다중 정의해야 한다.

```
friend A operator+(const A& a, int b);
friend A operator+(int a, const A& b);
```

7.1. 스트림 삽입과 추출 연산자

C++에서는 기본적으로 입출력은 std::cout 객체와 std::cin 객체를 이용하며, 이들은 각각 <<와 >> 연산자를 사용한다. 이들 연산자는 연속적으로 적용할 수 있는 이항 연산자이며, 이들 연산자의 왼쪽 피연산자는 std::cout 또는 std::cin이어야 한다. 따라서 이들 연산자를 사용자 정의 타입에 다중 정의하고 싶으면 일반 함수로만 가능하다. 이 두 연산자를 클래스 A에 사용하고 싶으면 다음과 같은 형태로 구현해야 한다.

```
class A {
public:
    friend std::ostream& operator<<(std::ostream& os, const A& a);
    friend std::istream& operator>>(std::istream& is, A& a);
```

```
};

std::ostream& operator<<(std::ostream& os, const A& a) {
    //
    return os;
}
std::istream& operator>>(std::istream& is, A& a) {
    //
    return is;
}
```

출력은 객체를 수정하지 않지만, 입력은 객체를 수정해야 하므로 >> 연산자의 다중 정의에서 매개 변수 타입에 const를 사용하지 않아야 한다. 예를 들어, 이전에 살펴본 KString에 적용하면 그림 13.13과 같다. 입력을 처리하는 것이 복잡한 이유는 입력받을 문자열의 크기를 모르기 때문이다. 이 때문에 용량을 자동으로 늘려주는 std::vector을 사용하고 있다.

```
std::ostream& operator<<(std::ostream& os, const KString& s) {
    os << s.sbuf;
    return os;
}

std::istream& operator>>(std::istream& is, KString& s) {
    std::vector<char> buf;
    for(char c{'\0'}; is.get(c) && !std::isspace(c); )
        buf.push_back(c);
    delete [] s.sbuf;
    s.size = buf.size();
    s.sbuf = new char[s.size + 1]{};
    std::copy(buf.cbegin(), buf.cend(), s.sbuf);
    return is;
}
```

〈그림 13.13〉 KString의 입출력 연산자

8. 이동 생성자, 이동 대입 연산자

다음과 같은 코드의 실행을 생각하여 보자.

```
KString a{"apple"};
KString b{"banana"};
KString c{"cherry"};
KString f;
f = a + b + c;
```

a + b를 하는 과정에서 지역 객체가 하나 생성되고, 이 객체가 반환되면서 임시 객체가 생성된다. 이 객체가 c와 덧셈이 이루어지면서 다시 2개의 객체가 생성된다. 즉, 총 4개의 임시 객체가 생성된다. 그런데 덧셈군 클래스와 달리 KString 클래스는 동적 할당하는 멤버 변수가 있으므로 4개의 객체가 생성되면서 총 4번의 동적 할당과 반납이 이루어진다. 그뿐만 아니라 임시 객체에 기존 데이터를 복사해야 한다. 이 비용은 무시할 수 있는 정도의 비용이 아니다. 그런데 이 과정에 생성되는 임시 객체는 일시적으로 생성된 후 바로 사라지는 객체이다.

```
KString(KString&& tmp) noexcept: size{tmp.size}, sbuf{tmp.sbuf} {
    tmp.sbuf = nullptr;
}

KString& operator=(KString&& tmp) noexcept {
    size = tmp.size;
    delete [] sbuf;
    sbuf = tmp.sbuf;
    tmp.sbuf = nullptr;
    return *this;
}
```

〈그림 13.14〉 KString의 이동 생성자와 이동 대입 연산자

이동 생성자와 이동 대입 연산자는 임시 객체의 동적 할당 공간을 재활용하여 불필요한 동적 할당과 반납을 줄여준다. 그림 13.14는 KString 클래스에 대한 이동 생성자와 이동

대입 연산자이다. 이들은 복사 생성자와 복사 대입 연산자와 구분하기 위해 Rvalue 참조를 이용하고 있다. 이들 함수는 인자를 수정해야 하므로 복사 생성자나 복사 대입 연산자와 달리 const를 사용하지 않는다. 두 함수의 내부를 보면 인자의 동적 할당 멤버 변수가 가리키는 것을 현 객체에 할당하고, 인자의 멤버 변수에는 nullptr를 할당한다. 따라서 기존 복사 생성자나 일반 대입 연산자와 달리 복제와 대입 과정에서 새롭게 생성된 객체나 대입 연산자의 왼쪽 피연산자에 해당하는 객체는 새 공간을 확보하지 않아도 된다.

이동 대입 연산자도 복사 대입 연산자처럼 copy-and-swap 이디옴을 이용할 수 있다. 이에 대해서는 14장에서 자세히 설명한다.

다음 함수를 실행하였을 때, 이동 생성자와 이동 대입 연산자가 정의되어 있는 경우와 정의되어 있지 않는 경우의 차이는 그림 13.15와 13.16을 통해 비교할 수 있다.

```
void foo() {
    KString a{"abc"};
    KString b{"mno"};
    KString c{"xyz"};
    KString d;
    d = a + b + c;
}
```

각 줄에는 2개의 주소가 출력되고 있는데, 첫 번째 주소가 this의 주소이며, 두 번째 주소가 sbuf의 주소이다.

그림 13.15의 5번째 줄에 생성된 객체는 a + b가 실행될 때 지역 객체의 생성을 나타내며, 8번째 줄에 생성된 객체는 임시 객체와 c가 결합할 때 지역 객체의 생성을 나타낸다. 6번째 줄과 9번째 줄에서 생성된 객체는 덧셈 연산자에서 반환된 것을 이용하여 생성된 임시 객체를 나타낸다.

이동 생성자가 정의되어 있지 않으면 5번째, 8번째 줄에서 생성된 객체는 임시 객체로 복제가 이루어진 이후 소멸하며, 이때 확보하였던 공간을 7번째 줄, 10번째 줄에서 각각 반납하고 있다. 반면에 이동 생성자가 정의되어 있으면 이들 각각은 확보한 공간을 임시 객체에 주고 소멸할 때 확보하였던 공간을 반납하지 않는다. 더욱이 임시 객체는 이들 객체가 확보한 공간을 인계받기 때문에 객체가 생성될 때 공간을 확보하지 않는다. 이동 생성자가 정의되어 있으면 결국 d 객체는 임시 객체가 확보한 공간을 인계받아 사용하는 형태가 된다.

```
KString(const char*): 0x7ffeea7c8118: 0x7f95054006a0: abc
KString(const char*): 0x7ffeea7c8100: 0x7f9505402970: mno
KString(const char*): 0x7ffeea7c80d8: 0x7f9505402980: xyz
KString(): 0x7ffeea7c80c0: nullptr
KString(): 0x7ffeea7c8048: nullptr
KString(const KString&): 0x7ffeea7c8090: 0x7f95054029a0: abcmno
~KString(): 0x7ffeea7c8048: 0x7f9505402990: abcmno
KString(): 0x7ffeea7c8048: nullptr
KString(const KString&): 0x7ffeea7c80a8: 0x7f95054029b0: abcmnoxyz
~KString(): 0x7ffeea7c8048: 0x7f9505402990: abcmnoxyz
operator=(const KString&) : 0x7ffeea7c80c0: 0x7f9505402990: abcmnoxyz
~KString(): 0x7ffeea7c80a8: 0x7f95054029b0: abcmnoxyz
~KString(): 0x7ffeea7c8090: 0x7f95054029a0: abcmno
~KString(): 0x7ffeea7c80c0: 0x7f9505402990: abcmnoxyz
~KString(): 0x7ffeea7c80d8: 0x7f9505402980: xyz
~KString(): 0x7ffeea7c8100: 0x7f9505402970: mno
~KString(): 0x7ffeea7c8118: 0x7f95054006a0: abc
```

〈그림 13.15〉 이동 생성자와 이동 대입 연산자 없이 실행한 결과

```
KString(const char*): 0x7ffeebe98108: 0x7fc8884006a0: abc
KString(const char*): 0x7ffeebe980f0: 0x7fc8884029b0: mno
KString(const char*): 0x7ffeebe980c8: 0x7fc8884029c0: xyz
KString(): 0x7ffeebe980b0: nullptr
KString(): 0x7ffeebe98038: nullptr
KString(KString&&): 0x7ffeebe98080: 0x7fc8884029d0: abcmno
~KString(): 0x7ffeebe98038: nullptr
KString(): 0x7ffeebe98038: nullptr
KString(KString&&): 0x7ffeebe98098: 0x7fc8884029e0: abcmnoxyz
```

```
~KString(): 0x7ffeebe98038: nullptr
operator=(KString&&): 0x7ffeebe980b0: 0x7fc8884029e0: abcmnoxyz
~KString(): 0x7ffeebe98098: nullptr
~KString(): 0x7ffeebe98080: 0x7fc8884029d0: abcmno
~KString(): 0x7ffeebe980b0: 0x7fc8884029e0: abcmnoxyz
~KString(): 0x7ffeebe980c8: 0x7fc8884029c0: xyz
~KString(): 0x7ffeebe980f0: 0x7fc8884029b0: mno
~KString(): 0x7ffeebe98108: 0x7fc8884006a0: abc
```

〈그림 13.16〉 이동 생성자와 이동 대입 연산자 다중 정의 후 실행한 결과

그림 13.16에 제시된 결과는 RVO 최적화를 하지 않을 때 나타나는 결과이다. RVO 최적화를 하면 a + b를 실행할 때 지역 객체를 operator+ 메소드의 스택 프레임에 생성하지 않고, 그것을 호출한 함수의 스택 프레임에 생성한다. 따라서 반환 과정이 불필요하며, 반환 과정이 불필요하므로 이동 생성자를 사용하지 않는다.

9. 함수 호출 연산자 다중 정의

함수 호출 연산자도 다중 정의하여 **호출 가능한 객체**(function object)를 만들 수 있다. 호출 가능한 객체를 다른 말로 **함수 객체**(functor)라 한다. 람다 표현식이 도입되기 전에는 함수 포인터 대신에 함수를 다른 함수에 인자로 전달할 때 함수 호출 연산자 다중 정의를 많이 활용하였다. Person 클래스에 getAge 메소드가 있을 때, 나이 기준으로 정렬하고 싶으면 다음과 같은 함수 객체를 정의하여 사용할 수 있다.

```
struct PersonAgeComparator {
    bool operator()(const Person& p1, const Person& p2) const noexcept {
        return p1.getAge() < p2. getAge();
    }
};
```

위 함수 객체를 이용하여 std::vector<Person> 타입의 people를 나이 기준으로 다음과 같이 오름차순 정렬할 수 있다.

```
std::sort(people.begin(), people.end(), PersonAgeComparator{});
```

```
class IntAccumulator {
private:
    int sum{0};
public:
    int operator()(int n) const noexcept {
        sum += n;
        return n;
    }
    int get() const noexcept {
        return sum;
    }
};
```

〈그림 13.17〉 IntAccumulator 함수 객체

함수 호출 연산자 다중 정의는 멤버 변수나 메소드를 추가하여 기능을 더 풍부하게 만들 수 있는 이점이 있다. 특히, 멤버 변수의 추가는 그림 13.17과 같이 가시영역이 제한된 전역 변수로 활용할 수 있다. 예를 들어, nums가 정수 배열이면 다음과 같이 이 배열에 유지된 모든 값의 합을 다음과 같이 확보할 수 있다. 이 예에서 함수 호출 연산자의 반환 타입을 void로 설정할 수 있고, n을 반환하지 않고 지금까지의 합계를 나타내는 sum을 반환할 수도 있다.

```
IntAccumulator accumulator{};
for(auto n: nums)
    accumulator(n);
std::cout << accumulator.get() << '\n';
```

```cpp
class Nearer {
private:
    int refValue;
public:
    Nearer(int refValue): refValue{refValue} {}
    bool operator()(int a, int b) const noexcept {
        return std::abs(a - refValue) < std::abs(b - refValue);
    }
};
```

〈그림 13.18〉 Nearer 함수 객체

또 다른 예로 생성할 때 초기화한 값에 따라 함수의 실행 결과가 달라지는 함수 객체를 그림 13.18과 같이 정의할 수 있다. a와 b가 int 타입의 변수일 때, a가 b보다 0에 가까우면 다음 if 문의 조건식은 true가 된다.

```cpp
Nearer nearerZero{0};
if(nearerZero(a, b)) ...
```

10. 열거형을 위한 연산자 다중 정의

```cpp
Weekday& operator++(Weekday& weekday) {
    int n{static_cast<int>(weekday)};
    n = (n + 1) % 7;
    weekday = static_cast<Weekday>(n);
    return weekday;
}
```

〈그림 13.19〉 Weekday 열거형을 위한 ++ 연산자 다중 정의

일반 함수로 연산자를 다중 정의함으로써 열거형을 연산자의 피연산자로 사용할 수 있다. 예를 들어, 다음과 같은 요일을 나타내는 열거형이 있을 때,

```
enum class Weekday {
    SUN, MON, TUE, WED, THU, FRI, SAT
}';
```

그림 13.19와 같이 증가 연산자를 구현하여 사용할 수 있다. 이 증가 연산자는 전위 연산자에 해당한다. 후위 연산자를 정의하고 싶으면 이름은 없는 int 타입의 매개 변수를 추가해 주어야 한다.

퀴즈

1. 연산자 다중 정의와 관련된 다음 설명 중 **틀린** 것은?

① 모든 연산자를 다중 정의할 수 있다.
② 연산자를 다중 정의할 때는 기존 연산자의 논리적 의미와 같아지도록 하는 것이 바람직하다.
③ 연산자는 메소드로 다중 정의할 수 있고 일반 함수로 다중 정의할 수 있다.
④ 연산자를 다중 정의할 때 연산자의 우선순위와 평가 방향을 바꿀 수 없다.

2. 클래스 A에 + 이항 연산자를 다중 정의하였다. a, b, c가 A 타입의 객체일 때 다음 문장과 관련된 설명 중 **틀린** 것은?

```
c = a + b;
```

① RVO 최적화가 적용되면 operator+ 메소드 내에 선언된 +의 결과를 유지하는 지역 객체를 operator+ 함수의 스택 프레임에 만들지 않고 그것을 호출한 함수의 스택 프레임에 생성한다.
② RVO 최적화가 적용되지 않고, 이동 생성자가 정의되어 있지 않다면 operator+ 메소드가 실행되고 종료하면 총 2개의 객체가 생성된다.
③ RVO 최적화가 적용되지 않고, 이동 생성자가 정의되어 있으면 operator+ 메소드가 실행되고 종료하면 총 1개의 객체만 생성된다.
④ a + b의 결과를 유지한 임시 객체를 c에 대입할 때 이동 대입 연산자가 정의되어 있으면 이 연산자를 이용한다.

3. 각 연산자의 다중 정의와 관련된 다음 설명 중 **틀린** 것은?

① ++와 -- 증감 연산자는 전위와 후위를 구분하기 위해 후위 연산자를 다중 정의할 때 이름이 없는 int 타입의 매개 변수를 추가한다.
② [] 연산자는 대입문 왼쪽과 오른쪽에 따라 의미가 달라져야 하므로 const 메소드와 const가 아닌 메소드를 다중 정의하여 이를 구분한다.
③ 대입 연산자도 반드시 직접 다중 정의해야 사용할 수 있다.
④ 타입 변환 연산자를 다중 정의하는 메소드는 반환 타입을 표시하지 않으며, 컴파일러가 잘못 사용하는 것을 방지하기 위해 explicit 키워드로 수식해 주는 것이 바람직하다.

연습문제

1. 다음은 분수를 나타내는 클래스이다.

```
class Fraction {
private:
    int n{0};
    int d{1};
public:
    explicit Fraction() noexcept = default;
    explicit Fraction(int n, int d = 1): n{n}, d{d} {
        if(d == 0)
            throw std::invalid_argument("분모는 0이 될 수 없음");
        if((n >= 0 && d < 0) || (n < 0 && d < 0)) {
            this->n = -n;
            this->d = -d;
        }
    }
    virtual ~Fraction() noexcept = default;
    int numerator() const noexcept { return n; }
    int denominator() const noexcept { return d; }
    explicit operator std::string() const {
        if(n % d == 0) return std::to_string(n / d);
        return std::to_string(n) + "/" + std::to_string(d);
    }
};
```

제시된 클래스 정의에서 알 수 있듯이 음의 분수는 음의 정보를 분자에 유지한다. 또한 분모는 절대 0이 될 수 없고, 약분하여 유지하지 않는다. 즉, $\frac{1}{2}$, $\frac{2}{4}$는 내부 멤버 변수의 값이 다르다. 이 클래스에 대해 다음 각각의 연산자를 다중 정의하라.

① double 타입으로 타입 변환하는 단항 연산자를 다중 정의하라.

② 단항 연산자 -를 다중 정의하라. 이 연산자는 결과를 약분하지 않는다.

③ 이항 연산 +, -, *, /를 다중 정의하라. 이때 결과는 약분하여 반환하여야 하고, 메소드로 정의하라.

④ 6개의 비교 연산자를 정의하라. 이때 $\frac{1}{2}$과 $\frac{2}{4}$을 ==로 비교하면 true를 반환하여야 한다.

2. 위 문제와 같이 사칙연산을 메소드로 정의하는 것과 친구 함수로 정의하는 것, Fraction (int, int =1) 생성자를 정의할 때 사용한 explicit 키워드를 생략하는 것과 생략하지 않는 것의 차이점을 설명하라.

3. KString 클래스를 자바처럼 불변 클래스로 정의하고자 한다. 기존 구현된 KString에 어떤 변화를 주어야 하는지 설명하라. (삭제되어야 하는 메소드, 구현 내용이 변경되어야 하는 메소드 등을 구체적으로 설명하라)

4. KString 클래스에 KString(const char* s, size_t length) 생성자를 추가하라. 다양한 예외적 상황을 생각하여 구현해야 한다. 참고로 그림 13.5에 있는 KString(const char* s)는 strlen을 이용하고 있다.

제**14**장

C++의 빅5

제14장 C++의 빅5

C++11 표준화 과정에서 지금까지 C++에서 가장 골치가 아팠던 문제들을 해결하고자 하였다. 이 문제들이 바로 **이동 개념**(move semantic)과 **완벽 포워딩**(perfect forwarding)이다. 이 때문에 등장한 것이 Rvalue 참조와 포워딩 참조 전달이다. 이 개념에 대한 이해는 매우 어렵다. 하지만 이 장의 내용이 이것을 이해하는 밑거름으로 충분한 역할을 할 수 있을 것이며, 왜 이와 같은 개념과 기능을 C++에 추가하였는지 이해할 수 있을 것이다.

1. Lvalue, Xvalue, PRvalue

3장에서 설명한 바와 같이 C++11부터 표현식의 값을 Lvalue, Xvalue, PRvalue로 분류한다. 즉, 모든 표현식은 이 3가지 중 하나에 속하게 된다. 이 3가지 분류의 상위 개념으로 GLvalue, Rvalue가 있으며, GLvalue는 Lvalue와 Xvalue가 합쳐진 개념이고, Rvalue는 Xvalue와 PRvalue가 합쳐진 개념이다[15].

표현식의 값 분류는 다음 두 가지 기준을 이용하여 분류한다.

- 기준 1. 구분할 수 있는가(does it have an identity)?
- 기준 2. 안전하게 옮길 수 있는가(can it be safely moved)?

첫 번째 기준에서 영문에 있는 identity가 어떤 의미인지 선뜻 이해하기가 쉽지 않다. 표준에 있는 내용을 그대로 직역하면 평가 결과가 어떤 개체(이름이 할당된 메모리 공간, 함수 등)를 결정하게 해주는 표현식[16]을 말한다. 이 개념은 주소와 연관되어 있다. 즉, 주

15) http://www.stroustrup.com/terminology.pdf
16) Definition of GLvalue: an expression whose evaluation determines the identity of an object, bit-field, or function. Here, an object means a named region of storage.

소로 참조할 수 있는 것은 identity를 가지고 있는 것이고, 그렇지 않으면 가지고 있지 않은 것이다. 예를 들어, 다음과 같은 문장이 있다고 하자.

```
int a{0}, b{0}, c{0};
a = 1;
b = a + c;
```

두 번째, 세 번째 문장에서 = 연산자 왼쪽에 있는 표현식은 주소로 참조할 수 있는 식이지만 오른쪽에 있는 1과 a + c는 주소로 참조할 수 있는 식이 아니다. 따라서 = 연산자 왼쪽에 있는 표현식은 Lvalue이고, 1과 a + c는 Lvalue가 아니다. 정확하게는 이들은 PRvalue이다.

두 번째 기준에서 이동하는 개념은 어떤 위치에 있는 값을 옮기는 것이 아니라 그 자체를 이동하는 것을 말한다. 기준 1을 설명할 때 제시된 예의 a 변수를 가지고 설명해 보면 다음과 같다. 이 변수가 어떤 함수의 지역 변수이면 해당 함수가 실행 중일 때 그 함수의 스택 프레임에 자리를 차지한다. 그리고 우리는 그 공간의 주소를 이용하여 이 변수를 참조할 수 있다. 실제 이 변수를 다른 위치로 옮기는 방법은 없지만, 이 변수를 다른 주소로 옮겼다고 하자. 이 경우 a를 가리키는 포인터 변수는 올바르게 동작하지 않는다. 반면에 1과 같은 상수는 그것의 주소를 참조할 수 있는 것이 아니기 때문에 다른 위치로 옮겨도 프로그램에 문제가 생길 이유는 없다.

분류 기준 1에 의해 구분할 수 있는 것을 i, 없는 것을 I로 표시하고, 분류 기준 2에 의해 안전하게 옮길 수 있으면 m, 없으면 M으로 표시한다고 하면 값은 크게 iM, im, Im, IM이 존재할 수 있다. 하지만 구분도 할 수 없고 옮길 수도 없는 것은 실제 존재하지 않으며, 아무런 용도도 없다. 따라서 이 기준으로 값 분류를 설명하면 iM은 Lvalue, im은 Xvalue, Im은 PRValue에 해당하며, GLvalue는 i, Rvalue는 m에 해당한다.

1.1. Lvalue

C++11부터 Lvalue는 C 언어에서 사용한 대입 연산자 왼쪽에 올 수 있는 표현식(left value)이 아니라 표현식 값의 주소를 얻을 수 있는 것(locator value)으로 정의된다. 다시 말해 Lvalue는 표현식의 결괏값을 메모리에 (반드시) 유지하는 표현식을 말한다. 모든 값

을 메모리에 유지한다고 생각할 수 있지만, a + 3과 같은 표현식을 평가할 때 a의 값이 2이면 2 + 3을 계산하게 되고, 이 표현식의 평가 값은 5가 된다. 이 값을 메모리에 유지할 필요는 없다. Lvalue의 특성은 다음과 같다.

- 특성 1. 대입 연산자 왼쪽에 올 수 있음
- 특성 2. & 연산자로 주소를 얻을 수 있음 (identity)
- 특성 3. 표현식의 평가 이후에도 사용할 수 있음
- 특성 4. Lvalue 참조의 초깃값으로 사용할 수 있음

모든 Lvalue가 대입 연산자 왼쪽에 올 수 있는 것은 아니다. 오직 수정 가능한 Lvalue만 대입 연산자 왼쪽에 올 수 있다. 예를 들어, 다음에서 *p은 Lvalue이지만 p는 수정불가 포인터이기 때문에 대입 연산자 왼쪽에 올 수 없다.

```
void foo(const int* p) {
    *p = 0; // error
}
```

하지만 대입 연산자 왼쪽에 올 수 있으면 그 표현식은 무조건 Lvalue이다.

Lvalue를 PRvalue가 필요한 곳에 사용하면 자동으로 PRvalue로 전환된다. 하지만 PRvalue는 Lvalue가 필요한 곳에 사용할 수 없다. 이 때문에 Lvalue는 사용하는 위치에 따라 특성이 변할 수 있다.

Lvalue에 해당하는 표현식을 일부 나열하면 다음과 같다.

- 변수 이름, 함수 이름: 예) void foo(int a){}가 있을 때, void (*fp)(int) = &foo;처럼 주소 연산자를 이용하여 함수의 주소를 얻을 수 있음
- Lvalue 참조를 반환하는 함수 호출
- 대입 계열 연산자를 사용하는 식: 예) a = b, a += b 등
- 전위 증감 연산자를 사용하는 식: 예) ++a, --a 등
- 포인터 참조식: 예) *p
- 배열 선택식: 예) a[n]
- 일반적인 멤버 선택식: 예) a.m, p->m

- 문자열 상수

다음 예에서 알 수 있듯이 참조를 반환하는 함수 호출은 Lvalue이지만 포인터를 반환하는 함수 호출은 Lvalue가 아니다.

```
int g{0};
int& foo() { return g; }
int* bar() { return &g; }

void test() {
    int n{1};
    foo() = 10;
    *bar() = 3;
    bar() = &n; // error
}
```

1.2. PRvalue

순수 Rvalue를 뜻하는 PRvalue는 어떤 것과 연관되지 않은 값이다. 대표적으로 문자열을 제외한 수치 상수는 모두 PRvalue이다. PRvalue의 특성은 다음 같다.

- 특성 1. 대입 연산자 왼쪽에 올 수 없음
- 특성 2. & 연산자로 주소를 얻을 수 없음
- 특성 3. 표현식 평가 이후에는 사용할 수 없음

이 특성은 앞서 제시한 Lvalue와 완전히 반대되는 개념이다. 특별한 연산자를 제외하고는 대부분의 연산자는 피연산자로 PRvalue를 요구한다. PRvalue는 표현식 평가 이후에 사라지기 때문에 이 값을 계속 사용하고 싶으면 변수에 저장해야 한다.

문자열 상수는 수치 상수와 달리 PRvalue가 아니다. 전통적으로 C부터 문자열 상수의 타입은 char*이며, C++에서는 약간 수정되어 const char*이다. 따라서 sizeof("CSE")는 4이며, 문자열은 주소를 가지기 때문에 PRvalue가 아니다. 문자열 상수가 주소를 가진다는 것을 보여주는 간단한 예는 다음과 같다.

```
const char *p{nullptr};
p = "lvalue";
```

위 예에서 두 번째 문장은 유효한 문장이며, 포인터 p는 문자열 상수의 주소를 유지한다.

PRvalue에 해당하는 표현식들을 일부 나열하면 다음과 같다.

- 문자열 상수를 제외한 상수: 예) 77, true, nullptr 등
- 참조를 반환하지 않는 함수 호출 또는 다중 정의 연산자를 사용하는 식
- 산술 연산자를 사용하는 식: 예) a + b, a << b 등
- 후위 증감 연산자를 사용하는 식: 예) a++, a-- 등
- 비교 연산자를 사용하는 식: 예) a > b, a <= b 등
- 논리 연산자를 사용하는 식: 예) a && b, a || b 등
- 주소 연산자를 사용하는 식: 예) &a
- this 포인터
- 열거형 상수

PRvalue는 Lvalue로 전환되지 않지만, Xvalue로는 전환될 수 있다. 다음 예를 생각하여 보자.

```
struct Point {
   int x{0};
   int y{0};
};
void foo(const Point& p);
```

이때 foo(Point{})와 같이 foo를 호출하면 이 인자는 생성자 호출이므로 PRvalue이다. C++는 이 과정에서 임시 개체를 생성(temporary materialization conversion)하며, 이 임시 개체는 Xvalue로 간주한다. 하지만 foo 함수의 매개 변수가 값 타입이면 컴파일 최적화 기술 때문에 임시 객체가 생성되지 않으므로 Xvalue로 전환되지 않는다.

1.3. Xvalue

영어 자체를 번역하면 Xvalue는 곧 사라질 값을 의미한다. Xvalue의 특성은 다음과 같다.

- 특성 1. 주소를 갖지만 주소 연산자로 값의 주소를 얻을 수 없음
- 특성 2. 표현식 평가 이후에도 값이 존재함

특성 2에 따라 Xvalue는 PRvalue와 달리 재사용이 가능하다. 또한 곧 사라질 값이기 때문에 복사하는 것보다는 이동하는 것이 효율적이다.

Xvalue에 해당하는 표현식을 일부 나열하면 다음과 같다.

- Rvalue 참조를 반환하는 함수 호출: 예) std::move(x)
- Rvalue 구조체/클래스 변수를 이용한 멤버 변수 접근: 예) Point{2, 3}.x

여기서 std::move는 Lvalue를 Xvalue로 바꾸어 주는 함수이다. std::move는 이동 개념을 구현할 때 널리 활용하는 함수이다. 이전 절에서 설명한 바와 같이 PRvalue를 참조 변수 초기화에 사용하거나 Lvalue가 필요한 곳에 사용하면 주소를 가지는 임시 개체가 생성될 수 있으며, 이 임시 개체는 Xvalue에 해당한다.

프로그래밍하면서 정확하게 Xvalue를 구분할 수 있어야 하는 것은 아니다. 더 중요한 것은 Lvalue와 Rvalue의 구분이다. 또 프로그램이 실행되면 Lvalue가 아닌 무거운 임시 객체가 생성될 수 있으며, 이들은 곧 자동으로 사라지기 때문에 Lvalue와 다르게 이동을 통해 효과적으로 처리할 수 있다는 것을 이해해야 한다.

1.4. Lvalue와 Rvalue 참조

C++11부터 참조를 Lvalue 참조와 Rvalue 참조로 구분한다. 실제 C++11 이전에 사용한 참조는 수정불가 참조가 아니면 Lvalue만 참조할 수 있었다. 따라서 C++11 이전에는 Rvalue를 참조하면서 그것을 수정할 수 없었다. 이것이 필요해 Rvalue 참조를 새롭게 도입한 것이다.

Rvalue 참조는 5장에서 설명한 것과 같이 &를 두 개 사용하여 선언한다. 이름에서 알

수 있듯이 기본적으로 Lvalue 참조는 Lvalue를 참조하기 위한 것이고, Rvalue는 Rvalue를 참조하기 위한 것이다. 한 가지 여기서 주의해야 할 것은 Lvalue 참조는 Rvalue를 참조할 수 없지만 수정불가 Lvalue 참조는 Rvalue를 참조할 수 있다.

```
int n{5};
int& r1{n};           // Lvalue를 참조하는 Lvalue 참조
const int& r2{10};    // Rvalue를 참조하는 수정불가 Lvalue 참조
int& r3{10};          // error: Lvalue 참조는 Rvalue를 참조할 수 없음
int&& rr{10};         // Rvalue를 참조하는 Rvalue 참조
const int&& rrr{5};
rr = 6;
rrr = 0;              // error
int *p{&rr};
*p = 7;
int *q{&r1};
*q = 8;
```

이 예처럼 실제 사용하는 경우는 없지만 Rvalue 참조의 개념을 이해하는데 도움이 되기 때문에 제시한 예이다. 보통 참조는 주로 함수의 매개 변수를 정의할 때 사용한다.

Rvalue 참조에서 주의해야 할 것은 Rvalue 참조 변수 자체로 구성된 표현식은 Rvalue가 아니라 Lvalue이다. 다음과 같은 예를 생각하여 보자.

```
void bar(X&& a);
void bar(X& a);

void foo(X&& x) {
   bar(x);
}
```

foo 함수의 bar 호출은 다중 정의된 두 개의 함수 중 void bar(X& a)가 호출된다. 비록 foo가 Rvalue를 인자로 받았지만, 표현식 x 자체는 Lvalue이기 때문이다. 참고로 모든 변수 이름은 Lvalue이다.

2. 시스템에서 자동 제공 가능 메소드

〈표 14.1〉 시스템 자동 제공 메소드

자동 제공 메소드 종류	제공 조건
기본 생성자 A()	다른 생성자를 정의하면 제공되지 않는다.
소멸자 ~A()	사용자 정의 소멸자가 없으면 제공된다. 하지만 제공해 주는 소멸자는 가상 소멸자가 아니다.
복사 생성자 A(`const` A&)	이동 생성자 또는 이동 대입 연산자를 직접 정의하지 않으면 제공해 준다. 제공된 복사 생성자는 멤버 기반 복사를 해준다.
이동 생성자 A(A&&)	기본 생성자를 제외하고 목록에서 제시된 것 중 하나를 직접 정의하면 제공되지 않는다. 제공된 이동 생성자는 멤버 기반 이동을 해준다.
복사 대입 연산자 A& `operator=`(`const` A&)	이동 생성자 또는 이동 대입 연산자를 직접 정의하지 않으면 제공해 준다. 제공된 복사 대입 연산자는 멤버 기반 복사를 해준다.
이동 대입 연산자 A& `operator=`(A&&)	기본 생성자를 제외하고 목록에서 제시된 것 중 하나를 직접 정의하면 제공되지 않는다. 제공된 이동 대입 연산자는 멤버 기반 이동을 해준다.

C++에서 어떤 클래스 A를 정의하면 표 14.1에 제시된 6개 메소드를 시스템에서 자동 제공해 줄 수 있다. 이 6개 중 소멸자, 복사 생성자, 복사 대입 연산자를 빅3라 하고, 여기에 C++11 이후 도입된 이동 생성자와 이동 대입 연산자를 더해 빅5라 한다.

자동 제공되는 생성자와 소멸자는 부모 클래스와 static 멤버 변수가 아닌 일반 멤버 변수 때문에 사용할 수 없게 될 수 있다. 시스템에서 제공하는 복사나 이동 생성자는 멤버 기반 복사 또는 이동을 한다. 따라서 부모와 객체 타입 멤버 변수가 복사나 이동 생성자를 제공하지 않거나 이 클래스에서 접근할 수 없으면, 시스템은 이 클래스의 복사나 이동 생성자를 제공할 수 없다. 또 가상 상속을 하면 가상 기저 클래스 생성자를 직접 호출해야 하므로 가상 기저가 복사나 이동 생성자를 제공하지 않으면 시스템은 이들 생성자를 제공해 줄 수 없다. 자동 제공되는 소멸자는 부모 소멸자를 호출해야 하며, 각 멤버 변수의 소멸자를 호출해야 한다. 따라서 이를 할 수 없으면 소멸자를 제공해 줄 수 없다.

대입 연산자도 마찬가지이다. 멤버 변수 중 복사나 이동 대입을 제공하지 않으면 해당 대입 연산자를 제공할 수 없다. 따라서 const로 수식된 일반 멤버 변수가 있거나 참조 타입의 일반 멤버 변수가 있으면 복사나 이동 대입 연산자를 제공해 줄 수 없다.

다음 A 클래스는 사용자 정의 소멸자가 있으므로 이동 생성자, 이동 대입 연산자는 제공되지 않지만, 기본 생성자, 복사 생성자, 복사 대입 연산자는 제공된다.

```
class A {
public:
    ~A() {}
};
```

다음 B 클래스는 A와 마찬가지로 사용자 정의 소멸자가 있으므로 이동 생성자, 이동 대입 연산자를 제공하지 않아야 하지만 이동 생성자는 사용하겠다고 하였으므로 이동 생성자는 제공된다. 하지만 이동 생성자를 사용하겠다고 하였기 때문에 기본 생성자는 제공되지 않는다.

```
class B {
public:
    ~B() {}
    B(B&&) = default;
};
```

즉, 생성자나 대입 연산자를 = default 또는 = delete를 사용하여도 직접 정의한 것으로 간주한다. 따라서 B 클래스는 복사 생성자와 복사 대입 연산자도 제공되지 않는다. 지금 살펴본 A와 B 클래스는 언제 시스템에서 기본 생성자와 빅5를 제공해 주는지 알아보기 위한 예일 뿐, 실제 이처럼 정의하여 사용할 일은 없다.

3. 빅3

C++에서는 복사 생성자, 복사 대입 연산자, 소멸자를 빅3라 하며, 이 중 하나를 구현해야 하면 보통 나머지도 모두 구현해야 클래스가 올바르게 동작한다. 이들 빅3는 프로그래

머가 직접 정의하지 않으면 시스템에서 예외적인 경우가 아니면 보통 제공하여 준다. 시스템에서 제공하여 주는 소멸자는 몸체가 빈 소멸자이며 가상 함수가 아니다. 또 시스템에서 제공하여 주는 복사 생성자와 복사 대입 연산자는 멤버 기반 복사를 한다.

3.1. 복사 생성자의 사용 위치

C++에서 복사 생성자는 매우 중요한 역할을 한다. 복사 생성자는 사용자가 직접 호출하지 않아도 인자 전달이나 함수에서 값을 반환할 때 호출될 수 있다. 예를 들어, 객체를 생성할 때 프로그래머가 직접 복사 생성자를 다음과 같이 호출할 수 있다.

```
1   A a1;
2   A a2{a1};
3   A a3 = a1;
```

위 예에서 2번째, 3번째는 모두 복사 생성자가 호출된다. 세 번째는 C++11 이전에 종종 사용하던 방식이다.

객체를 값 전달 방식으로 전달할 경우와 함수에서 값을 반환할 때 복사 생성자가 호출될 수 있다. 예를 들어, 다음과 같은 함수가 정의되어 있다고 하자.

```
void foo(A o) {
}

A bar() {
    A r{1};
    //
    return r;
}
```

이때 다음이 실행되었다고 하자.

```
A a{0};
foo(a);
a = bar();
```

foo 함수가 호출될 때 매개 변수 o 객체를 생성하기 위해 복사 생성자가 실행된다. 이 경우 a가 Lvalue이므로 복사 생성자가 호출되지만, Rvalue가 전달되면 이동 생성자가 호출되거나 복사 생략이라는 최적화가 이루어질 수 있다. 이동 생성자가 호출되기 위해서는 A 클래스에 이동 생성자가 정의되어 있어야 한다. 함수의 호출 과정에서 발생하는 복사 또는 이동 생성자의 비용은 값 전달 방식 대신에 참조 전달 방식을 사용하면 제거할 수 있다.

bar 함수가 호출되어 실행이 완료되면 bar의 지역 객체가 값 반환 방식으로 반환되며, 이때 임시 객체가 복사 생성자를 이용하여 생성된다. 이 임시 객체는 대입 연산자를 이용하여 a 객체에 대입된다. 이때에도 A 클래스에 이동 생성자가 정의되어 있으면 임시 객체는 복사 생성자가 아니라 이동 생성자를 이용하여 생성된다. C++17 이후에는 RVO 최적화가 의무화되었기 때문에 C++17에서 bar를 실행하면 반환하는 과정에서 어떤 생성자도 호출되지 않는다. 이처럼 C++17 이후, 객체를 값 전달로 인자 전달하지 않으면 자동으로 복사나 이동 생성자가 호출되는 경우는 거의 없다.

3.2. 복사 생략과 반환 값 최적화

C++는 객체지향 언어이기 때문에 객체를 많이 생성한다. 또 생성한 객체를 함수로 전달하거나 함수에서 반환할 때도 많다. 특히, 객체의 반환에서 지역 객체를 참조나 주소로 반환할 수 없으므로 이 과정에 대한 최적화가 중요하다. 이 과정에서 사용하는 최적화 기술이 **복사 생략**(copy elision)과 **RVO**이다.

이 두 가지 개념을 몇 가지 예를 통해 이해하여 보자. 다음과 같은 클래스가 있다고 하자.

```
class A {
public:
    A(int n = 0) {
        std::cout << "default constructor\n";
    }
    A(const A& other) {
        std::cout << "copy constructor\n";
    }
};
```

이때 다음과 같은 코드를 실행하면 컴파일러가 최적화를 어떻게 하느냐 따라 실행 결과가 다를 수 있다.

```
A a = 10;
```

참고로 이 코드는 보통 A a{10}와 같이 구현하겠지만 복사 생략을 설명하기 위해 제시한 코드이다.

최적화를 전혀 하지 않으면 10을 이용하여 A 타입의 임시 객체를 만들고, 이 객체를 복사 생성자의 인자로 사용하여 a 객체를 생성한다. 하지만 대부분 컴파일러는 임시 객체를 생성하지 않고 a 객체를 생성한다. 이것을 확인하기 위해서는 -fno-elide-constructors 옵션을 사용하여 복사 생략을 하지 않도록 해야 한다. 이 옵션은 디버깅할 때를 제외하고는 실제 사용할 일은 없다. 또 -std=c++11 옵션을 주어야 제시된 설명대로 동작한다. C++17부터는 복사 생략과 반환 값 최적화가 의무화되었기 때문에 -fno-elide-constructors 옵션을 주어도 최적화가 진행된다.

복사 생략이 중요하게 일어나는 곳은 객체를 반환할 때이다. 예를 들어, 다음과 같은 함수가 있을 때,

```
A foo() {
    //
    return A{};
}
```

최적화가 없는 경우 다음 문장이 어떻게 처리되는지 생각하여 보자.

```
void bar() {
    A a = foo();
}
```

최적화가 없다면 foo 함수에서 객체가 기본 생성자를 이용하여 생성되고, foo 함수의 종료에 따라 임시 객체가 복사 또는 이동 생성자를 이용하여 생성된다. 그다음, 이 임시 객체를 복사 또는 이동 생성자의 인자로 사용하여 a 객체를 생성한다.

RVO는 이처럼 객체를 반환할 때 사용하는 최적화 기법이다. 함수에서 지역 객체를 반환하면 지역 객체를 해당 함수의 스택 프레임에 만들지 않고, 그 함수를 호출한 함수에서 생성하여 불필요한 객체의 생성과 복사를 제거하여 준다. 즉, foo 함수의 스택 프레임에 객체를 생성하지 않고, bar 함수의 스택 프레임에 객체를 생성한다. foo 함수를 다음과 같이 수정하여도 마찬가지이다.

```
A foo() {
    A ret;
    //
    return ret;
}
```

이 경우에는 NRVO(Named RVO)라 한다. 실제 위 예는 임시 객체 자체를 생성하지 않고, bar 함수에서 생성된 a 객체를 foo 함수에서 사용하는 형태로 최적화된다.

RVO 최적화는 일반 객체 메소드를 호출할 때 숨겨진 매개 변수 this를 추가하는 것과 비슷하다. 컴파일러가 실제 사용하는 코드는 다음과 다를 수 있지만 위에 제시된 bar와 foo는 RVO 최적화 때문에 다음과 비슷하게 변경된다고 이해하면 된다.

```
void bar() {
    A a;
    foo(a);
}
```

```
void bar() {
    A a;
    A tmp{...};
    foo(tmp);
    a = std::move(tmp);
}
```

```
void foo(A& ret) {
    //
}
```

위에 bar 함수가 2개 제시되어 있는데, foo에서 ret을 생성하는 방법에 따라 둘 중 하나와 가깝게 최적화될 것이다. 원래 bar 함수는 a 객체를 생성하고 있다. 따라서 첫 번째 bar는 임시 객체를 하나도 생성하지 않는 형태이고, 두 번째 bar는 foo에서 생성해야 하는 ret를 bar에서 생성(tmp)하여 인자로 전달하는 형태이다. 두 번째 bar 함수는 이동 대입 연산자를 사용하기 위해 std::move를 이용하고 있다.

모든 반환이 항상 최적화되는 것은 아니다. 멤버 변수나 static 지역 변수는 당연히

RVO를 적용하지 않는다. 또 return 문이 단일 변수 이름이 아닌 Lvalue이면 RVO를 적용하지 않는다. 따라서 다음은 RVO가 적용되지 않는다.

```
return condition? var1: var2;
```

그런데 이것을 if-else 문으로 작성하면 RVO가 적용된다.

복사 생략은 다음과 같이 값 전달 방식으로 객체를 전달할 때도 사용된다.

```
void baz(A c) {
}
```

이와 같은 함수에 다음과 같이 객체를 전달하면

```
baz(A{});
```

임시 객체를 생성한 후에 매개 변수 c 객체를 복사 또는 이동 생성자를 이용하여 생성하지 않고, c 객체만 생성하는 형태로 최적화된다.

이와 같은 최적화 때문에 다음에 설명할 빅3와 빅5가 별로 중요하지 않다고 생각할 수 있지만, 복사 생성자와 이동 생성자를 사용할 수 없도록 클래스를 정의하면 복사 생략이나 RVO 최적화가 올바르게 이루어지지 않을 수 있다. 특히, 컴파일러에 따라 적절한 최적화를 하지 않을 수 있다. 물론 C++17부터는 객체를 직접 반환하면 무조건 복사 생략을 하도록 표준으로 정의하고 있다.

3.3. 빅3의 중요성

```
class A {
private:
    int *data{nullptr};
public:
```

```
    A(int n = 0): data{new int{n}} {}
    virtual ~A() noexcept {
        delete data;
    }
    void set(int n) noexcept {
        *data = n;
    }
    int get() const noexcept {
        return *data;
    }
};
```

〈그림 14.1〉 동적 할당된 포인터 타입의 멤버 변수를 유지하는 클래스

일반적으로 시스템에서 제공하는 빅3의 사용이 문제가 없다면 사용자가 이들을 직접 정의 또는 다중 정의할 필요가 없다. 하지만 복사 생성자와 대입 연산자는 멤버 기반 복사를 하므로 포인터나 참조 타입의 멤버 변수를 가지고 있으면 시스템에서 제공하는 것을 사용할 수가 없다. 또 동적 할당된 포인터 타입을 유지하면 소멸자에서 이를 반납해야 한다.

예를 들어, 그림 14.1과 같은 클래스가 정의되어 있다고 하자. 이 클래스는 복사 생성자를 직접 정의하고 있지 않으며, 복사 대입 연산자도 다중 정의하고 있지 않다. 따라서 시스템에서 제공하는 멤버 기반 복사를 하는 것을 사용한다. 이때 다음과 같은 코드가 실행되었다고 하자.

```
1  A o1{1};
2  A o2{2};
3  A o3{o1};
4  o2 = o1;
5  o2.set(3);
6  o3.set(4);
```

세 번째 줄에서 o3는 복사 생성자를 이용하여 생성하며, 네 번째 줄에서 o1를 o2에 대입하고 있다. 하지만 둘 다 시스템에서 제공하는 복사 생성자와 대입 연산자를 이용하기 때문에 o1, o2, o3 객체의 data 멤버 변수는 모두 같은 메모리 공간을 가리키게 된다. 이 때문에 5번째, 6번째 줄이 실행되면 모든 객체의 동일 멤버 변수가 함께 수정된다. 더욱이 이들 객체가 소멸할 때 동일 공간을 세 번 반납을 시도하는 문제도 발생한다. 이 문제 때문에 반납한 것을 사용하는 심각한 문제가 발생할 수 있다.

그림 14.1에 다음과 같은 복사 생성자를 정의하고 대입 연산자를 다중 정의하면 앞서 살펴본 예제와 같은 문제가 발생하지 않는다.

```
A(const A& a): data{new int{*a.data}} {}

A& operator=(const A& a) noexcept {
    *data = *a.data;
    return *this;
}
```

참고로 그림 14.1의 예처럼 정수 하나를 유지하기 위해 동적 할당을 사용할 이유는 없다. 멤버 기반 복사의 문제점을 간단히 보여주기 위한 예일 뿐이다.

3.4. 복사 생성자와 복사 대입 연산자

복사 생성자의 정의와 대입 연산자의 다중 정의는 구현 측면에서 유사한 부분이 있지만 매우 중요한 차이가 있다. 복사 생성자는 객체를 생성할 때 사용하는 것이고, 대입 연산자는 이미 생성된 객체의 내부 상태를 바꾸는 것이다. 따라서 데이터를 복사하는 것은 같지만 복사 생성자는 멤버 변수를 초기화하는 것이고, 대입 연산자는 멤버 변수의 값을 바꾸는 것이다. 또한 대입 연산자는 a = b = c와 같은 형태로 사용할 수 있기 때문에 값이 변경된 this 객체를 반환하여 주어야 한다.

13장에서 살펴본 문자열 예제의 복사 생성자와 대입 연산자를 다시 살펴보자.

```
KString(const KString& other): size{other.size}, sbuf{new char[size + 1]} {
    std::copy(other.s, other.s + size + 1, sbuf);
}

KString& operator=(const KString& other) {
```

```
    if(this != &other) {
        delete [] sbuf;  // 이 부분이 복사 생성자와 차이가 있는 부분
        size = other.size;
        sbuf = new char[size + 1];
        std::copy(other.sbuf, other.sbuf + size + 1, sbuf);
    }
    return *this;
}
```

복사 생성자는 인자의 값을 옮겨 받기 위해 필요한 만큼의 크기를 확보한 후에 데이터를 새 공간으로 복사하고 있는 반면에 대입 연산자는 기존에 사용하던 공간을 반납한 후에 필요한 새 공간을 확보하고 데이터를 복사한다. 이전 절에 제시된 A 클래스의 대입 연산자는 반납하는 과정이 없다. 그 이유는 각 객체가 유지하는 공간의 크기가 변하지 않기 때문이다. KString도 기존 공간이 충분하면 반납하지 않고 기존 공간을 그대로 사용할 수 있다. 하지만 이 경우 용량 정보를 별도 유지해야 한다.

대입 연산자의 반환 값의 타입을 보면 참조로 반환하고 있다. 대입 연산자는 참조가 아닌 다음과 같이 값 반환 방식으로 정의할 수 있다.

```
A operator=(const A& a) noexcept {
    *data = *a.data;
    return *this;
}
```

이처럼 정의하고 a = b = c 형태로 사용하면 대입 연산자만 두 번 호출되는 것이 아니라 복사 생성자도 두 번 호출된다. 그 이유는 대입 연산자가 종료될 때마다 해당 메소드에서 객체가 반환되면서 임시 객체가 생성되기 때문이다. 하지만 참조로 반환하면 임시 객체가 생성되지 않고, 이 참조가 대입 연산자의 인자로 전달되기 때문에 더 효과적이다. 또한, 대입 연산자 다중 정의에서 반환되는 것은 지역 객체가 아니기 때문에 복사 생략이나 RVO에 의해 최적화되는 것이 없다. 따라서 대입 연산자는 수정불가 참조로 받고 참조를 반환하는 형태로 정의해야 한다.

복사 생성자를 정의할 때 copy-and-swap 기법을 사용할 수 있으며, 이 기법을 사용하면 코드 중복을 효과적으로 줄일 수 있다. 이 기법은 동일 타입의 다른 객체와 멤버 변수의 값을 모두 맞바꾸는 다음과 같은 메소드의 정의가 필요하다.

```
void swap(KString& other) noexcept {
    std::swap(size, other.size);
    std::swap(sbuf, other.sbuf);
}
```

```
KString& operator=(const KString& other) {
    if(this != &other) {
        KString tmp{other};
        swap(tmp);
    }
    return *this;
}
```

〈그림 14.2〉 KString의 copy-and-swap 기법을 이용한 복사 대입 연산자

swap 메소드가 있으면 복사 대입 연산자를 그림 14.2와 같이 정의할 수 있다. 이 클래스만 이처럼 정의하는 것이 아니라 모든 클래스의 복사 대입 연산자를 같은 형태로 정의할 수 있다. 그림 14.2에서 KString 식별자를 모두 해당 클래스의 이름으로 바꾸면 된다. 이처럼 정의하면 강건성도 향상된다. 예외가 발생할 수 있는 곳은 복사 생성자뿐이며, 복사 생성자에서 예외가 발생하여도 this에는 영향을 주지 않는다. 그림 14.2의 복사 대입 연산자는 내부적으로 임시 객체를 생성하므로 복사 생성자를 다음과 같이 정의하는 것이 더 효과적이라고 주장하기도 한다.

```
KString& operator=(KString other) {
    swap(other);
    return *this;
}
```

이 경우 a = a에 대한 최적화가 이루어지지 않지만, 나머지 경우에는 같은 효과를 얻을

수 있다. swap 함수는 copy-and-swap 기법에서만 사용하는 내부 메소드로 생각할 수 있지만 실제 다른 용도로 필요할 때 충분히 활용할 수 있으므로 보통 public 접근 권한으로 정의한다.

복사 생성자와 다음 절에서 살펴볼 이동 생성자를 정의할 때 explicit 키워드로 수식할 수 있다. 이 키워드로 수식하면 명백한 호출은 가능하지만, 컴파일러가 자동으로 호출하는 것은 문법 오류가 된다. 자동 타입 변환 때문에 일반 생성자를 explicit 키워드로 수식하는 것은 강건성에 중요한 요소이지만 복사나 이동 생성자에 이 키워드로 수식하는 것은 중요하지 않으며, 실제 거의 사용하지 않는다.

4. 빅5

C++11부터는 빅3에 이동 생성자, 이동 대입 연산자 2개가 추가되어 **빅5**라 한다. 이동 생성자와 이동 대입 연산자를 도입한 이유는 객체를 생성할 때 필요한 동적 할당과 데이터 복사 비용을 줄이기 위함이다. C++11 이전에는 클래스가 동적 할당하는 포인터 타입의 멤버 변수를 유지하고 있으면 반드시 할당된 공간을 반납하는 소멸자, 깊은 복사를 하는 복사 생성자와 복사 대입 연산자를 정의해야 프로그램이 강건하게 동작하기 때문에 이를 빅3라 하였다. 하지만 깊은 복사를 하면 그 과정에서 메모리 공간의 확보와 반납이 불가피하며, 일시적으로 사용하는 임시 객체도 예외가 아니다.

예를 들어, a, b, c, d가 깊은 복사가 필요한 KString 클래스의 객체일 때, 어떤 최적화도 없이 복사 생성자와 복사 대입만을 이용하여 a = b + c + d라는 문장이 실행된다고 가정하여 보자. 이 경우 b + c가 실행되면 지역 객체가 하나 생성되며, 종료할 때 복사 생성자를 이용하여 임시 객체가 하나 생성된다. 이 임시 객체와 d를 덧셈할 때도 2개의 객체가 추가로 생성된다. 따라서 총 4번의 new와 delete가 실행된다. 더욱이 4번의 데이터 복사도 필요하다.

그런데 이 4개의 객체는 모두 이 과정에서만 일시적으로 사용하는 객체이며, operator+의 지역 객체와 그것이 종료할 때 만들어지는 임시 객체는 내부 내용이 같고, 최종적으로 b + c + d를 유지하는 임시 객체와 a는 내부 내용이 같다. 일시적으로 사용하는 객체이기 때문에 지역 객체 데이터를 임시 객체로 복사하는 것은 낭비적인 측면이 있다. 따라서 임시 객체가 지역 객체 공간을 그대로 사용할 수 있다면 동적 할당과 복사 비용을 제거할 수 있다. 이것을 해주는 것이 바로 이동 생성자와 이동 대입 연산자이다.

그러면 a = b + c + d 과정에서 어떤 최적화가 가능할지 조금 더 구체적으로 생각하여 보자. 이를 위해 덧셈 연산에서 지역 객체 생성과 임시 객체의 생성까지 어떤 일이 일어나고 있는지 살펴보자.

- 단계 1. 지역 객체의 생성 (new 필요)
- 단계 2. 두 인자가 유지하는 문자열을 복사 (2번의 std::copy)
- 단계 3. 임시 객체의 생성 (new 필요)
- 단계 4. 임시 객체로 지역 객체 문자열 복사 (std::copy)
- 단계 5. 지역 객체 소멸 (delete 필요)
- 단계 6. 임시 객체의 소멸 (delete 필요, 바로 소멸하지 않고 해당 임시 객체를 생성한 함수가 종료할 때 소멸)

총 2번의 동적 할당과 반납, 3번의 std::copy 호출이 일어난다.

이동 생성자는 새 공간을 할당하지 않고 곧 소멸할 인자로 주어진 객체의 공간을 자신의 멤버 변수가 가리키도록 한다. 이때 중요한 것은 인자 객체가 소멸할 때 옮긴 주소를 반납하지 않도록 인자 객체의 포인터 멤버 변수의 값을 nullptr로 바꾸어 주어야 한다.

b + c 과정에서 RVO 최적화를 하지 않으면 함수에서 반환되는 객체는 Rvalue이므로 이동 생성자를 이용하여 임시 객체를 생성한다. 이동 생성자를 이용하면 위에 제시한 단계 3과 4가 필요 없으며, 단계 5에서 지역 객체의 문자열 버퍼는 nullptr로 바뀌었으므로 반납 비용이 발생하지 않는다.

대입 과정에서도 이와 유사한 최적화를 할 수 있다. 한 가지 차이점은 대입은 이미 생성된 객체의 내용을 바꾸는 것이다. 따라서 대입 연산자 왼쪽에 있는 객체의 포인터 멤버가 가리키는 곳을 반납하는 과정이 필요하다. 반납하지 않고 swap 함수를 이용하여 포인터 멤버가 서로 가리키는 곳을 맞바꾸는 방법도 있다. 앞서 설명한 copy-and-swap 기법을 여기서도 사용할 수 있다.

이처럼 이동 생성자와 이동 대입 연산자를 올바르게 구현하였다면 a = b + c + d는 5번의 동적 할당, 5번의 반납이 필요하였던 것을 다음과 같이 2번의 동적 할당과 3번의 반납만 사용하도록 최적화된다.

- 동적 할당: 2개의 지역 객체를 생성할 때 필요하다.
- 반납: 새롭게 동적 할당된 2개와 a가 사용하던 기존 공간을 반납할 때 필요하다.
- 복사 비용: 덧셈 결과를 유지할 새 문자열을 만들 때만 복사 비용이 발생하고, 임시 객체를 생성할 때는 복사 비용이 발생하지 않는다.

이동 생성자를 정의하여도 a = b + c + d는 RVO 때문에 실제 이동 생성자가 호출되지 않는다. 덧셈 연산의 지역 객체는 덧셈 연산 함수의 스택 프레임에 생성하지 않고, 덧셈이 이루어지는 함수의 스택 프레임에 만들어진다. 따라서 RVO 최적화로 반환 과정에서 임시 객체를 생성하지 않는다. 하지만 임시 객체를 a에 대입하는 과정에서는 이동 대입 연산자를 사용한다.

4.1. 이동 생성자와 이동 대입 연산자

13장에서 이미 제시하였던 문자열 예제의 이동 생성자와 이동 대입 연산자는 다음과 같다. 복사 생성자와 일반 대입 연산자와 달리 Rvalue 참조(&&)를 사용하고 있으며, 매개 변수 타입이 수정불가 참조가 아니다. 수정불가가 아닌 이유는 매개 변수 객체의 포인터 멤버 변수를 nullptr로 바꾸어 주어야 하기 때문이다. 또 이동 생성자의 경우에는 포인터 멤버 변수를 위한 새 공간을 확보하지 않는다.

```
KString(KString&& tmp): size{tmp.size}, sbuf{tmp.sbuf} {
    tmp.sbuf = nullptr;
}

KString& operator=(KString&& tmp) noexcept {
    delete [] sbuf;  // 이 부분이 이동 생성자와 차이가 있는 부분
    size = tmp.size;
    sbuf = tmp.sbuf;
    tmp.sbuf = nullptr;
    return *this;
}
```

```
KString(KString&& tmp) noexcept: KString{} {
    swap(tmp);
}

KString& operator=(KString&& tmp) noexcept {
    swap(tmp);
    return *this;
}
```

〈그림 14.3〉 KString의 copy-and-swap 기법을 이용한 이동 생성자와 대입 연산자

copy-and-swap 기법을 이동 생성자와 이동 대입에 적용하면 그림 14.3과 같다. 이 예에서 이동 생성자는 기본 생성자를 활용하고 있다. 하지만 기본 생성자에서 공간을 확보하는 형태이면 기본 생성자를 활용하지 않고, 이전에 제시한 형태로 이동 생성자를 정의하는 것이 더 효과적일 수 있다.

이동 생성자와 이동 대입 연산자는 C++ 프로그램의 효율성을 한 단계 높여주고 있으며, Rvalue 참조 없이는 이동 생성자와 이동 대입 연산자를 제공할 수 없다. 이동 생성자와 이동 대입 연산자는 임시 객체를 인자로 받는다. 예를 들어, foo(A{})와 같이 임시 객체를 생성하여 foo라는 함수에 전달하였다고 하자. 여기서 A{}는 Rvalue이므로 매개 변수의 타입이 Lvalue 참조이면 받을 수 없지만 void foo(const A& a)처럼 수정불가 Lvalue 참조이면 받을 수 있다. 그러나 수정불가 Lvalue 참조로 받으면 수정을 할 수 없으므로 이동 개념을 구현할 때 사용할 수 없다. 따라서 Lvalue가 전달되었을 때와 Rvalue가 전달되었을 때, 이를 구분해서 받기 위한 매개 변수 타입이 필요한 것이다.

4.2. 상속과 빅5

시스템에서 제공해 주는 복사 생성자, 복사 대입은 멤버 기반 복사를 하며, 이동 생성자, 이동 대입은 멤버 기반 이동을 한다. 이때 부모 클래스가 있는 클래스이면 시스템에서 제공해 주는 복사 생성자와 이동 생성자가 각각 부모의 복사 생성자와 이동 생성자를 호출하며, 복사 대입과 이동 대입도 각각 부모의 복사 대입과 이동 대입을 활용한다.

하지만 자식 클래스에 직접 빅5를 정의해야 하는 경우 직접 대응되는 부모 생성자를 호

출하거나 대응되는 대입 연산자를 활용해야 한다. 부모의 이동 생성자를 호출하고자 다음과 같이 구현하였다고 하자.

```
Child(Child&& tmp): Parent(tmp) {
    // 자식 클래스에서 추가로 해야 하는 일 구현
}
```

이것의 문제점은 무엇인가? 앞서 Rvalue 참조에서 설명하였듯이 Rvalue 참조 변수 자체는 Lvalue이다. 따라서 Parent(tmp)는 부모의 이동 생성자를 호출하는 것이 아니라 복사 생성자를 호출한다. 이 때문에 다음과 같이 구현해야 한다.

```
Child(Child&& tmp): Parent(std::move(tmp)) {
    // 자식 클래스에서 추가로 해야 하는 일 구현
}
```

참고로 자식 클래스에 복사 생성자나 이동 생성자를 정의할 때 부모 생성자를 명백하게 호출하지 않으면 부모의 기본 생성자가 호출된다.

또 자식 클래스에서 이동 대입 연산자를 구현하기 위해 다음과 같이 하였다면 이 역시 부모의 이동 대입 연산자를 호출하는 것이 아니라 복사 대입 연산자를 호출하게 된다.

```
Child& operator=(Child&& tmp) {
    Parent::operator=(tmp); // Parent::operator=(std::move(tmp));
    // 자식 클래스에서 추가로 해야 하는 일 구현
}
```

부모가 copy-and-swap 기법을 활용하고 있으면 자식 클래스는 swap 함수를 다음과 같이 구현하고, 복사와 이동 대입 연산자는 대응되는 부모 메소드를 호출하지 않고 기존과 같은 방법으로 구현할 수 있다.

```
void swap(Child& other) {
    Parent::swap(other);
    // 자식 클래스의 멤버 변수 swap
}
```

4.3. 다형성 지원 객체를 유지하는 클래스의 빅5

```
class Person {
private:
   std::string name;
   Pet* pet{nullptr};
public:
   Person(std::string_view name, Pet* pet): name{name}, pet{pet} {}
   virtual ~Person() noexcept {
      delete pet;
   }
   //
};
```

〈그림 14.4〉 다형성 지원 객체를 유지하는 Person 클래스

동적 할당하는 포인터 타입의 멤버 변수가 있으면 빅5를 직접 정의해야 한다. 그런데 C++에서 다형성을 지원하는 객체를 멤버 변수로 유지할 때 포인터 타입으로 유지한다. 따라서 C++에서는 이와 같은 클래스의 빅5를 정의해야 하는 경우가 많을 수 있다. 예를 들어, 그림 14.4와 같은 클래스를 생각하여 보자.

이 클래스의 pet 멤버 변수는 포인터 타입이며, 다음과 같이 다양한 애완동물을 유지할 수 있다.

```
Person p{"홍길동", new Dog{}};
```

이 클래스의 복사 생성자는 pet 멤버 변수를 깊은 복사를 해야 한다. 깊은 복사를 하지 않으면 복제된 사람도 원 사람과 같은 애완동물을 가리키는 포인터를 멤버 변수로 유지한다. 이것은 다양한 문제점을 초래할 수 있다.

```
class Pet {
   //
public:
```

```
    //
    virtual Pet* clone() const = 0;
};

class Dog: public Pet {
    //
public:
    Dog* clone() const override {
        return new Dog(*this);
    }
};
```

〈그림 14.5〉 상속 관계에서 가상 생성자

pet 멤버 변수를 깊은 복사를 하기 위해서는 이 멤버 변수가 실제 가리키는 타입을 파악해야 한다. typeid를 이용해 파악할 수 있지만 이를 바탕으로 조건문을 통해 객체를 복제하는 것은 코드가 너무 지저분하다. 이 문제를 해결하기 위해 사용하는 것이 **가상 생성자**(virtual constructor)다, 가상 생성자는 자바에서 사용하는 clone과 유사하다. 그림 14.5에 제시된 것처럼 가장 상위 클래스에 복제된 객체를 반환하는 가상 함수 clone를 추가하고, 각 자식 클래스에서 이를 재정의하여 활용한다. 이 가상 생성자를 이용한 Person 클래스의 복사 생성자는 다음과 같다.

```
Person(const Person& other): name{other.name}, pet{other.pet->clone()} {}
```

복사 생성자 외에 복사 대입, 이동 생성자, 이동 대입은 copy-and-swap 기법을 사용하면 수정 없이 그대로 사용할 수 있다.

4.4. 추상 클래스와 copy-and-swap 기법

```
class Hero {
private:
    int hp{10};
```

```
    Weapon* weapon;      // 다형성 지원 객체
public:
    Hero(Weapon* weapon) noexcept: weapon{weapon} {}
    virtual ~Hero() noexcept {
        delete weapon;
    }
    Hero(const Hero& other):
        hp{other.hp}, weapon{other.weapon->clone()} {}
    Hero(Hero&& tmp) noexcept: hp{tmp.hp}, weapon{tmp.weapon} {
        tmp.weapon = nullptr;
    }
    void swap(Hero& other) noexcept {
        std::swap(hp, other.hp);
        std::swap(weapon, other.weapon);
    }
    Hero& operator=(const Hero& other) {
        if(this != &other) {
            Hero tmp{other}; // error
            swap(tmp);
        }
        return *this;
    }
    Hero& operator=(Hero&& tmp) noexcept {
        swap(tmp);
        return *this;
    }
    virtual int attack() const = 0;
    //
};
```

〈그림 14.6〉 다형성 지원 객체를 유지하는 Hero 클래스

```
Hero& operator=(const Hero& other) {
   if(this != &other) {
      hp = other.hp;
      delete weapon;
      weapon = other.weapon->clone();
   }
   return *this;
}
```

〈그림 14.7〉 Hero 클래스의 복사 대입 연산자의 다중 정의

그림 14.6에 제시된 Hero 클래스를 생각하여 보자. 이 클래스는 순수 가상 함수를 가지고 있으므로 추상 클래스이다. 이 때문에 그림 14.6의 복사 대입 연산자는 문법 오류이다. Hero는 추상 클래스이므로 Hero 타입의 객체를 생성할 수 없다. 따라서 copy-and-swap 기법을 적용할 때 사용한 방법으로 Hero 클래스의 복사 대입 연산자를 정의할 수 없다. Hero 클래스의 복사 대입 연산자는 그림 14.7과 같이 swap 함수를 이용하지 않고 정의해야 한다.

4.5. std::move의 활용

이동 생성자나 이동 대입은 많은 경우 우리가 직접 호출하는 것이 아니라 시스템에서 자동으로 호출한다. 복사보다 이동이 효과적인 객체 타입을 처리할 때는 이동 생성이나 이동 대입을 적극 활용하면 프로그램의 효율성을 높일 수 있다. 한 객체를 이용하여 다른 객체를 생성하거나 한 객체를 다른 객체에 대입할 때, 생성자나 대입 연산자의 인자로 사용하는 객체가 더 이상 필요 없으면 복사 생성이나 복사 대입하는 것보다 이동 생성 또는 이동 대입을 하는 것이 더 효과적일 수 있다. 이때 이동 생성이나 이동 대입을 호출하기 위해 사용하는 것이 std::move 함수이다. 이 함수는 Lvalue를 Rvalue로 바꾸어 준다. 정확하게는 Xvalue로 바꾸어 준다.

c와 a가 같은 타입의 값 타입 변수일 때 c = a는 복사 대입 연산자를 호출하지만 c = std::move(a)는 이동 대입 연산자를 호출한다. 이처럼 Lvalue 변수를 std::move의 인자로 사용하면 그 이후에는 절대 그 변수를 사용하지 않아야 한다.

5. 제로 규칙

표 14.1에 제시된 것처럼 기본 생성자와 빅5는 시스템에서 모두 제공해 줄 수 있다. 클래스를 정의할 때 빅5를 하나도 정의하지 않고, const나 참조 타입의 멤버 변수가 없으며, 빅5가 delete된 객체 타입(값 타입)의 멤버 변수가 없으면 시스템은 빅5를 모두 제공해 준다. 빅5가 모두 제공된다고 쓸모가 있는 것은 아니다. 많은 클래스는 복사나 이동의 차이가 없으며, 시스템에서 제공하는 멤버 기반 복사나 이동이 클래스에 적합하지 않을 수 있다.

클래스의 멤버 변수 중 동적 할당하는 포인터 타입이 있으면 빅5를 모두 적절히 구현해야 하며, 이를 **5 규칙**이라 한다. 하지만 이들을 구현하는 것은 번거롭고, 잘못 구현하면 오히려 더 큰 문제를 초래할 수 있으므로 최근에는 빅5를 정의하지 않아도 되도록 클래스를 설계하는 것이 더 바람직하다는 주장이 있다. 이를 **제로 규칙**이라 한다.

제로 규칙을 사용하기 위한 두 가지 방법은 다음과 같다.

- 방법 1. 이들을 사용할 수 없도록 만드는 방법
- 방법 2. 시스템에서 제공하는 것을 사용하여도 문제가 없도록 만드는 방법

첫 번째는 = delete를 이용하는 방법이다. 이 경우 객체를 값 전달 방식으로 전달할 수 없으며, 값 반환 방식으로 반환받을 수도 없다. 따라서 객체의 사용이 매우 제한적이기 때문에 많이 사용하는 방식은 아니다.

두 번째는 동적 할당이 필요한 경우 이를 대신할 수 있는 표준 라이브러리에서 제공하는 자료구조를 사용하는 방법이다. 표준 라이브러리 클래스는 빅5가 올바르게 정의되어 있으므로 멤버 기반 복사 또는 이동 방식의 시스템에서 제공하는 빅5를 사용하더라도 문제가 발생하지 않는다. 시스템에서 제공하는 빅5를 모두 사용하기 위한 구현 방법은 다음과 같이 하나도 정의하지 않는 방법과

```
class A {
};
```

default 키워드를 활용하여 다음과 같이 정의하는 방법이 있다.

```
class A {
public:
    A() = default;
    virtual ~A() = default;
    A(const A&) = default;
    A(A&&) = default;
    A& operator=(const A&) = default;
    A& operator=(A&&) = default;
};
```

하지만 위 두 가지 방법 간에 중요한 차이점이 있다. 최초 A 클래스에 사용자 정의 소멸자를 추가하거나 virtual ~A() = default;만 추가하더라도 더 이상 이동 생성자와 이동 대입이 제공되지 않는다. 하지만 두 번째에서 소멸자를 default 대신에 몸체를 추가하여도 여전히 나머지 빅5는 시스템에서 제공해 준다.

제시된 A 클래스에 대해 오해할 수 있는 요소가 있다. 현재 A 클래스에는 멤버 변수를 하나도 정의하고 있지 않다. 실제 멤버 변수가 하나도 없거나 빅5가 필요 없는 멤버 변수(예, 원시 타입의 변수만 있는 경우)만 있으면 빅5에 대해 전혀 고려할 필요가 없다. 즉, 동적 할당이 필요한 멤버 변수가 있는 경우에만 빅5에 대한 고려가 필요하고, 이때 직접 동적 할당하여 사용하지 않고 동일한 효과를 얻을 수 있는 빅5가 잘 정의되어 있는 라이브러리 클래스를 사용하면 제로 규칙을 활용할 수 있다. 예를 들어, 동적 배열이 필요할 때 std::vector를 사용하면 제로 규칙을 활용할 수 있다.

스마트 포인터는 표준 라이브러리 클래스이므로 이들을 사용하면 제로 규칙을 사용할 수 있다고 생각할 수 있다. 17장에서 설명하지만, std::unique_ptr를 사용하면 이 스마트 포인터는 복사 생성자, 복사 대입 연산자를 제공하지 않으므로 그것을 멤버 변수로 유지하는 클래스는 복사 생성자, 복사 대입 연산자가 자동으로 삭제된다. 이 문제를 std::shared_ptr의 사용을 통해 해결할 수 있다고 생각할 수 있지만, 다형성 지원 객체를 std::shared_ptr로 유지하고 제로 규칙을 사용하면 깊은 복사가 이루어지지 않는다. 이에 대한 더 자세한 설명은 17장으로 미룬다.

6. 완벽 포워딩

Rvalue 참조가 필요하게 된 두 가지 이유는 이동 개념과 완벽 포워딩이다. **완벽 포워딩**(perfect forwarding)이란 한 함수에 전달된 인자를 그것의 값 분류(Lvalue 또는 Rvalue)를 유지한 상태에서 그대로 또 다른 함수 호출의 인자로 전달하는 것을 말한다. 완벽 포워딩을 이해하기 위해 다음 구조체를 생각하여 보자.

```
struct Pair {
    Person first;
    Person second;
};
```

이 구조체의 생성자를 어떻게 정의하는 것이 효과적인지 생각하여 보자. 다음과 같이 각 인자에 Lvalue를 전달할 수 있고, Rvalue를 전달할 수 있다.

```
Person a{"홍길동", 21};
Person b{"성춘향", 19};
Pair p1{Person{"임꺽정", 21}, Person{"서장금", 20}};
Pair p2{a, Person{"서장금", 20}};
Pair p3{Person{"임꺽정", 21}, b};
Pair p4{a, b};
```

위에 제시된 4가지 경우를 모두 효과적으로 처리하기 위해서는 다음과 같이 4개의 생성자를 다중 정의해야 한다.

```
Pair(const Person& first, const Person& second):
    first{first}, second{second} {}
Pair(const Person& first, Person&& second):
    first{first}, second{std::move(second)} {}
Pair(Person&& first, const Person& second):
    first{std::move(first)}, second{second} {}
Pair(Person&& first, Person&& second):
    first{std::move(first)}, second{std::move(second)} {}
```

이 4개의 생성자는 전달받은 인자를 first와 second의 생성자로 완벽 포워딩하고 있다.

완벽 포워딩은 위에 제시된 것에서 알 수 있듯이 Rvalue 참조가 필요하다. 함수에 전달된 인자가 Lvalue인지 Rvalue인지 구분하기 위해서는 Lvalue 참조와 Rvalue 참조를 사용하여 함수를 다중 정의해야 한다. 하지만 완벽 포워딩을 제공해야 하는 인자의 수에 따라 다중 정의해야 하는 것이 너무 많을 수 있다.

이 문제를 해결하기 위해 범용 함수를 정의할 때는 위처럼 다중 정의하지 않아도 완벽 포워딩을 제공할 수 있도록 범용 함수에서 매개 변수 타입이 Rvalue 참조이면 Rvalue 참조로 해석하지 않고 다르게 해석한다. 아래와 같이 하나의 범용 함수를 정의하면 위처럼 4개의 함수를 다중 정의할 필요가 없다. 우리는 하나의 범용 함수를 정의하지만, 실제 컴파일러는 사용하는 인자에 따라 필요한 개수의 함수를 다중 정의하여 처리한다. 제시된 범용 함수에 등장하는 요소(std::forward)와 완벽 포워딩에 대해서는 15장에서 더 자세히 설명한다.

```
template <typename U, typename V>
Pair(U&& first, V&& second):
    first{std::forward<U>(first)}, second{std:: forward<V>(second)} {}
```

7. 컴파일러의 발달과 프로그래밍 방법의 변화

auto의 활용처럼 컴파일러의 발달이 프로그래머에게 많은 편리성을 제공해 주고 있다. 이 때문에 최근에는 다음과 같이 컴파일러를 최대한 활용하여 프로그래밍하는 것이 효율적이며 강건하다고 주장하기도 한다.

- constexpr처럼 컴파일 시간에 할 수 있으면 컴파일 시간에 모두 해야 한다.
- override처럼 컴파일 시간에 검사할 수 있으면 컴파일 시간에 검사해야 한다.
- auto처럼 컴파일러가 결정할 수 있으면 컴파일러가 결정하도록 해야 한다.

개발할 때 코드를 직접 최적화하는 것보다 컴파일러가 잘해줄 것으로 기대하고 구현하는 것이 더 효과적일 수 있다. 물론 컴파일러가 최적화를 잘하도록 noexcept, [[likely]]처럼 적극적으로 도움을 줄 필요는 있다. 또 컴파일러가 어떤 상황에서 어떻게 최적화하는지 알면 불필요한 최적화를 피할 수 있다. 대표적인 것이 앞서 살펴본 복사 생략과 반환 값 최적화이다.

이동 개념을 이해하였으니, 인자의 전달과 함수의 정의를 다시 한번 생각하여 보자. 특히, 단순 setter를 정의하는 여러 가지 방법을 생각하여 보자. A는 동적 할당하는 멤버 변수를 가지고 있는 무거운 객체라 가정하고 다음과 같이 3가지 방법으로 구현한 단순 setter를 비교하여 보자.

```
void set(const A& m) {
    this->m = m;
} // version 1
```

```
void set(A m) {
    this->m = std::move(m);
} // version 2
```

```
void set(A&& m) {
    this->m = std::move(m);
} // version 3
```

다음과 같이 Rvalue로 전달하는 경우 3종류의 setter의 성능을 살펴보자.

```
o.set(A{...});
```

3종류는 모두 Rvalue를 인자로 받을 수 있다. 버전 1의 경우에는 매개 변수가 수정불가 Lvalue 참조이므로 전달 비용은 발생하지 않지만, 내부에서 복사 대입 연산자가 실행된다. 버전 2의 경우에는 복사 생략이 적용되면 인자 객체를 생성하지 않고 매개 변수 객체를 바로 생성하고, 내부에서는 이동 대입 연산자가 실행된다. 버전 3의 경우에는 Rvalue 참조이므로 전달 비용은 발생하지 않고, 내부에서 이동 대입 연산자가 실행된다. 따라서 버전 2와 버전 3이 버전 1보다는 효율적이고, 버전 2가 복사 생략을 하면 버전 2와 버전 3은 차이가 없다. 참고로 A처럼 복사와 이동이 큰 차이가 있는 타입도 있지만 멤버 변수가 원시 타입뿐인 간단한 클래스는 복사와 이동의 차이가 없다는 측면도 고려할 필요가 있다.

Rvalue 대신에 다음과 같이 Lvalue를 전달하는 경우를 생각하여 보자.

```
A m{...};
o.set(m);
```

버전 1은 Rvalue 때와 마찬가지로 전달 과정에서는 비용이 발생하지 않지만, 내부에서는 복사 대입 연산자가 실행된다. 버전 2는 복사 생성자를 이용하여 매개 변수 객체가 생성되고, 내부에서는 이동 대입 연산자가 실행된다. 버전 3은 매개 변수가 Rvalue 참조이기 때문에 Lvalue를 인자로 받을 수 없다. 따라서 Lvalue를 전달할 때는 버전 1이 버전 2보다 효율적이다. 실제 버전 1과 버전 2는 다중 정의할 수 없으므로 Lvalue와 Rvalue를 모두 받을 수 있는 setter를 정의하고 싶으면 버전 1과 버전 3을 다중 정의하는 것이 가장 효과적이다. 매개 변수가 하나이면 두 개를 다중 정의하는 것이 번거롭지 않지만 매개 변수가 여러 개인 함수는 다중 정의해야 할 함수가 많아지기 때문에 이처럼 다중 정의를 통해 최적화하기는 어렵다. 따라서 보통 버전 1만 정의하여 사용하는 경우가 많다.

퀴즈

1. 이동 생성자, 이동 대입 연산자와 관련된 다음 설명 중 **틀린** 것은?

① 이동 생성자, 이동 대입 연산자는 매개 변수를 Rvalue 참조를 이용하여 정의한다.
② 이동 생성자, 이동 대입 연산자는 모든 클래스를 효율적으로 사용하기 위해 꼭 필요하다.
③ std::move를 이용하여 복사 생성자, 복사 대입 연산자 대신에 이동 생성자, 이동 대입 연산자를 사용하도록 할 수 있다.
④ 이동 생성자, 이동 대입 연산자는 인자로 받는 임시 객체를 수정해야 하므로 수정불가 Rvalue 참조로 받을 수 없다.

2. 제로 규칙은 시스템에서 제공하는 빅5를 사용하여도 문제가 없도록 클래스를 정의하는 것을 말한다. 제로 규칙과 관련된 다음 설명 중 **틀린** 것은?

① 빅5를 하나도 정의하지 않고, 멤버 변수 중 빅5를 자동 제공하는 데 문제가 되는 것이 없으면 빅5를 모두 제공해 주기 때문에 제로 규칙에 해당한다.
② 소멸자, 이동 생성자, 이동 대입만 default를 통해 사용한다고 하고, 복사 생성자, 복사 대입 연산자를 제공하지 않으면 제로 규칙에 해당한다.
③ 이동 생성자, 이동 대입 연산자를 자동 제공하는 규칙 때문에 빅5를 하나도 정의하지 않는 방법보다는 default 키워드를 이용하여 모두 사용하겠다고 하는 것이 더 좋은 방법이다.
④ 멤버 기반 복사/이동을 하면 문제가 되는 멤버 변수가 필요하면 그것을 대신할 수 있는 복사 생성자, 이동 생성자가 잘 정의되어 있는 라이브러리 클래스를 사용하여 해당 맴버 변수를 정의해야 제로 규칙을 사용할 수 있다.

3. C++는 클래스를 정의하면 우리가 정의하지 않아도 자동으로 제공(추가)하여 주는 메소드가 있다. 이들 메소드의 자동 제공과 관련된 다음 설명 중 **틀린** 것은?

① 기본 생성자는 복사 생성자, 이동 생성자를 포함하여 다른 생성자를 하나라도 정의하면 제공되지 않는다.
② 복사 생성자는 직접 정의하지 않으면 무조건 제공된다.
③ 복사 대입 연산자는 이동 대입 연산자를 정의하면 제공되지 않는다.
④ 이동 생성자는 나머지 빅5 중 직접 정의한 것이 있으면 제공되지 않는다.

4. 다음과 같이 값 전달로 인자를 받는 함수가 있다.

```
void bar(A a) {}
```

이 함수를 다음과 같이 foo 함수에서 호출하였다.

```
void foo() {
    bar(A{});
}
```

이때 발생하는 것과 관련된 다음 설명 중 **틀린** 것은? 참고로 A 클래스에는 빅5가 모두 정의되어 있다고 가정하자.

① 컴파일러 최적화가 이루어지지 않으면 foo에서 A{} 객체를 생성한 후에 호출 과정에서 매개 변수 a 객체는 복사 생성자를 이용하여 생성한다.
② 컴파일러 최적화가 이루어지면 foo에서 A{} 객체를 생성하지 않고, 호출 과정에서 매개 변수 a 객체만 기본 생성자를 이용하여 생성한다.
③ 이 과정에서 일어나는 컴파일러 최적화를 복사 생략이라 한다.
④ bar의 매개 변수 타입을 A&&로 수정하면 foo에서 A{} 객체를 생성하지만, 전달 비용은 발생하지 않는다.

연습문제

1. 다음과 같은 클래스에 대해 다음 각각에 대해 답변하시오.

```
class A {
public:
    A(int n = 0) {
        std::cout << "A()\n";
    }
    A(const A& other) {
        std::cout << "A(&)\n";
    }
    A operator=(const A& other) {
        std::cout << "=(A&)\n";
        return *this;
    }
};
```

① 다음과 같은 일련의 문장이 실행되었을 때 결과를 제시하라. 이때 -std=c++11, -fno-elide-constructors 옵션을 사용한 경우와 -std=c++20만 사용한 경우의 결과를 각각 제시하라.

```
A a{1};
A b{2};
A c{};
c = a = b;
```

② A 클래스의 복사 대입 연산자의 반환 타입을 A&로 수정하였을 때 ① 문제에 제시된 코드의 실행 결과를 ①과 마찬가지로 두 가지 경우로 구분하여 제시하라.

2. 다음과 같은 클래스에 대해 다음 각각에 대해 답변하라.

```
class A {
public:
    A(int n = 0) {
        std::cout << "A()\n";
    }
    A(const A& other) {
        std::cout << "A(A&)\n";
    }
    A(A&& tmp) {
        std::cout << "A(A&&)\n";
        return *this;
    }
    A& operator=(const A& other) {
        std::cout << "=(A&)\n";
        return *this;
    }
    A& operator=(A&& tmp) {
        std::cout << "=(A&&)\n";
        return *this;
    }
    A operator+(const A& other) {
        A ret;
        std::cout << "operator+\n";
        return ret;
    }
};
```

① 다음과 같은 일련의 문장이 실행되었을 때 결과를 제시하라. 이때 -std=c++11, -fno-elide-constructors 옵션을 사용하였다고 가정하고, 이동 생성자가 없을 때, 있을 때를 구분하여 결과를 제시하라.

```
A a{1};
A b{2};
A c{3};
A d{};
d = a + b + c;
```

② -fno-elide-constructors 옵션을 사용하지 않고 -std=c++20만 사용할 때, ①에 제시된 코드의 실행 결과를 제시하라.

3. FIFO(First-In-First-Out) 방식의 int를 유지하는 큐 클래스를 다음과 같이 정의하고자 한다.

```
class Queue {
private:
    size_t capacity;
    size_t numItems{0};
    size_t head{0};
    size_t tail{0};
    int* items{nullptr};
public:
    Queue(size_t capacity = 10):
        capacity{capacity}, items{new int[capacity]} {}
    ~Queue() noexcept { delete [] items; }
    //
    size_t size() const noexcept { return numItems; }
    bool isEmpty() const noexcept { return numItems == 0; }
    void push(int item) {
        if(size == capacity) increaseCapacity();
        items[tail] = item;
        tail = (tail + 1) % capacity;
        ++numItems;
    }
    //
};
```

이 클래스의 복사 생성자, 복사 대입 연산자, 이동 생성자, 이동 대입 연산자를 정의하라. 이때 swap 함수를 추가한 다음, copy-and-swap 기법을 이용하여 빅5를 정의하라.

제**15**장

범용 프로그래밍

제15장 범용 프로그래밍

1. 범용 프로그래밍

범용 프로그래밍이란 하나의 코드를 이용하여 다양한 타입을 처리하는 것을 말한다. 이렇게 하면 프로그래머가 코딩해야 하는 양을 줄일 수 있으며, 코드 중복을 없애는 또 하나의 방법이다. 범용 프로그래밍은 크게 범용 함수를 정의하는 것과 범용 클래스를 정의하는 것으로 구분할 수 있다. 범용 함수는 다양한 타입의 인자를 받는 함수를 말하며, 매개 변수 타입이 바뀌더라도 알고리즘은 변하지 않을 때 사용한다. 반면에 매개 변수 타입에 따라 알고리즘이 다르면 함수를 다중 정의해야 한다. 예를 들어, 다양한 타입의 배열을 받아 정렬하는 함수는 범용 함수로 만들면 코드 중복을 줄일 수 있다. 범용 클래스란 다양한 종류의 타입을 유지하는 클래스를 만드는 것을 말한다. 리스트, 스택과 같은 범용 자료구조가 여기에 해당한다. 참고로 객체지향에서는 상속을 통해 자연스럽게 다형성을 활용하는 범용 프로그래밍이 가능하다.

C++는 쉽게 범용 프로그래밍을 구현할 수 있도록 template 기능을 제공한다. template은 구체적인 타입 대신에 타입 매개 변수를 정의하여 사용할 수 있도록 해준다. 이렇게 정의한 범용 함수나 범용 클래스는 그것을 사용할 때 실제 사용할 타입을 타입 매개 변수에 대한 인자로 지정해 주어야 한다. 범용 함수와 template 키워드의 사용에 대해서는 이미 7장에서 간단히 소개하였지만, 이 장에서는 범용 클래스의 구현을 중심으로 범용 프로그래밍에 대해 자세히 다룬다. 참고로 일반 개발자는 응용을 개발할 때 범용 함수나 범용 자료구조를 구현할 일은 많지 않다. 하지만 모든 개발자는 라이브러리로 제공된 범용 함수나 범용 자료구조를 사용할 수 있어야 하며, 이들을 올바르게 사용하기 위해서는 범용 함수나 범용 클래스를 정의하는 방법과 관련 내용을 잘 이해하고 있어야 한다.

2. template 문법

범용 함수를 정의하고 싶으면 다음과 같이 함수 정의 앞에 template 키워드와 〈〉 내에 타입 매개 변수 목록을 제시해야 한다.

```
template <typename T>
T func(T val) {
    T a;
    //
}
```

타입 매개 변수 목록은 typename 또는 class라는 키워드 다음에 변수 이름 쌍으로 구성된다. 원래는 class라는 키워드를 사용하였지만, 타입 매개 변수에 대한 인자로 클래스 타입뿐만 아니라 원시 타입도 올 수 있으므로 적절하지 않다고 주장되어 C++11부터 class 대신에 typename도 사용할 수 있다.

범용 클래스도 범용 함수와 마찬가지로 다음과 같이 클래스 정의 앞에 template 키워드와 타입 매개 변수 목록을 제시해야 한다.

```
template <typename T>
class A {
private:
    T x;
public:
    A() = default; // A<T>() = default;도 가능
    void foo(T a);
    T bar();
};
```

여러 개의 타입 매개 변수를 정의할 때는 각 타입 매개 변수마다 typename 또는 class 키워드를 사용해야 한다. 범용 클래스나 함수 내에서 클래스 이름 또는 함수 이름은 위에 생성자 정의처럼 범용 매개 변수가 생략된 형태로 사용할 수 있다.

타입 매개 변수 이름으로는 type이라는 영어의 맨 앞 문자인 T를 주로 사용한다. 보통 매개 변수 이름은 그것의 용도를 잘 나타내기 위해 명명해야 하지만 타입 매개 변수는 일반 매개 변수와 달라 특별한 이름으로 명명할 것이 없다. 이 때문에 간단하게 단일 대문자 하나를 사용하여 주로 명명한다. 여러 개의 타입 매개 변수를 사용하면 또는 타입 매개 변수를 특별한 용도로 사용하면 그 용도를 알 수 있도록 긴 이름으로 명명할 수 있다. 예를 들어, 범용 맵 자료구조를 정의하는 경우 다음과 같이 타입 매개 변수 이름을 명명하기도 한다.

```
template <typename KeyType, typename ValueType>
class Map {
    //
};
```

이 경우도 간단하게 template 〈typename K, typename V〉처럼 단일 문자로 식별만 할 수 있도록 명명할 수 있다.

범용 함수의 타입 매개 변수는 반환 타입, 매개 변수 타입, 지역 변수 타입으로 사용할 수 있으며, 범용 클래스에서는 멤버 변수 타입, 메소드의 반환 타입, 매개 변수 타입, 지역 변수 타입으로 사용할 수 있다. 매개 변수 이름이 T이면 T 자체만 사용할 수 있는 것은 아니고, T*, const T*, const T&, std::vector〈T〉 등과 같이 사용할 수 있다. 이때 타입 인자로 A*, A&, const A 등이 주어질 수 있으므로 타입 매개 변수를 사용한 형태에 따라 해석이 복잡해질 수 있다.

정의된 범용 함수를 호출하거나 범용 클래스의 객체를 생성할 때는 정의된 타입 매개 변수에 대한 타입 인자를 다음과 같이 지정해야 주어야 한다.

```
int n{0};
A<std::string> a;
n = func<int>(10);
n = func(20);
n = func<>(30);
```

타입 인자로 사용할 수 있는 타입에 대한 제한은 없으며, 범용 함수 호출에서는 생략할 수 있고, C++17부터 범용 클래스의 객체를 생성할 때도 생략할 수 있다. 생략하면 시스템에서 인자 값의 타입이나 생성자 호출에 사용된 인자 값을 이용하여 타입 인자를 유추한다. 범용 함수의 경우 일반 함수와 구분하기 위해 위의 다섯 번째 문장처럼 타입 인자 없이 빈 것을 사용할 수 있다.

일반 인자와 마찬가지로 template에서 사용하는 타입 매개 변수도 다음과 같이 기본 인자를 지정할 수 있다.

```
template <typname T = int>
class A {
private:
    T member;
};
```

이 경우 객체를 생성할 때 타입 인자를 제공하지 않고 다음과 같이 사용하면 타입 인자로 int를 사용한다.

```
A<> a;
```

기본 인자를 지정할 때 다른 타입 매개 변수를 지정할 수 있다. 예를 들어, 2개의 타입 매개 변수를 사용하는 범용 클래스를 다음과 같이 정의하면

```
template <typname T1, typename T2 = T1>
class Pair {
private:
    T1 member1;
    T2 member2;
};
```

타입 인자를 하나만 줄 수 있고, 두 개를 줄 수 있다. 예를 들어, 다음과 같이 객체를 생성하면

```
Pair<int> a;
Pair<int, double> b;
```

a 객체의 두 개의 멤버 변수는 모두 int 타입이지만, b 객체의 두 멤버 변수는 서로 다른 타입이다.

타입 매개 변수 목록에 일반 매개 변수를 포함할 수 있다. 예를 들어, 다음과 같이 일반 매개 변수에 기본 인자를 지정하여 클래스를 정의할 수 있다.

```
template <typename T, size_t C = 10>
class ArrayList {
private:
    T data[C];
    size_t size{0};
};
```

이처럼 정의하고, 다음과 같이 선언하면

```
ArrayList<int> list1;
ArrayList<std::string, 30> list2;
```

list1의 data 멤버의 용량은 10이 되지만 list2의 data 멤버의 용량은 30이 된다. 모든 종류의 타입을 범용 클래스의 일반 매개 변수로 사용할 수 없다. 정수형 타입과 열거형 상수는 사용할 수 있지만 부동 소수는 범용 함수나 클래스의 일반 매개 변수로 사용할 수 없다. 부동 소수의 연산 결과는 반올림 오차 오류 때문에 프로그래머 의도와 다르게 해석될 여지가 있어 허용하지 않는다. C++17부터 타입 매개 변수 목록에 일반 매개 변수를 선언할 때 auto를 사용할 수 있으며, C++20부터는 일반 매개 변수로 객체 타입을 사용할 수 있다.

C++20부터는 7장에서 소개한 바와 같이 auto를 이용하여 template 키워드를 사용하지 않고 간결하게 범용 함수를 정의할 수 있다. 함수를 정의할 때 auto를 매개 변수 타입으로 사용하면 해당 함수는 범용 함수가 된다. 주의할 점은 auto로 정의한 매개 변수만큼 타입 매개 변수가 만들어지므로 이들을 같은 타입으로 제한할 수 없다.

2.1. 범용 클래스와 범용 함수의 특징

범용 클래스나 범용 함수를 정의만 하고 실제 사용하지 않으면 주석과 큰 차이가 없다. 실제 컴파일러는 주석과 마찬가지로 무시한다. 물론 문법 검사는 하지만 코드를 생성하지 않는다. 이때 아직 어떤 타입 인자를 사용할지 알 수 없으므로 할 수 있는 문법 검사도 제한적이다. 타입 인자를 주어 범용 클래스의 객체를 생성하거나 범용 함수를 호출하면 컴파일러는 해당 인자를 이용하여 클래스나 함수의 정의를 만들고 컴파일하여 목적 파일에 포함한다. 이 때문에 다양한 종류의 인자를 이용하여 객체를 생성하거나 함수를 호출하면 그만큼 생성되는 클래스의 수와 함수 정의의 수가 많아지고, 실행 파일의 크기가 커진다. 이와 같은 현상을 7장에서 범용 함수를 설명할 때 언급한 바가 있는 "template bloating"이라 한다. 이 문제는 일반 매개 변수를 사용하면 더 커질 수 있다. 사용하는 일반 매개변수의 값마다 새 클래스의 정의가 포함될 수 있으므로 이것을 고려하여 일반 매개 변수의 사용 여부를 결정해야 한다.

template 기능을 사용하지 않으면 원래 그 정도의 코드가 필요하다고 볼 수 있으므로 이것이 문제가 된다고 생각하지 않을 수 있다. 하지만 자바와 같은 언어는 하나의 범용 클래스마다 사용한 타입 인자의 수와 무관하게 항상 하나의 코드만 생성한다. 또 사용한 일반 매개 변수마다 클래스를 중복 정의하는 것은 코드 크기를 불필요하게 늘리는 측면이 있다.

범용 클래스를 정의할 때는 모든 메소드를 정의하지 않고, 실제 사용하는 메소드만 정의하여 사용한다. 이 때문에 여전히 오류가 있는 코드를 사용할 여지가 있다. 이 문제 때문에 특정 타입 인자에 대해 클래스 전체를 정의하도록 유도할 수 있다. 아래처럼 선언하면 int 타입 인자를 이용하여 A 클래스를 정의하며, 이 정의에는 모든 메소드의 정의가 포함된다.

```
template class A<int>;
```

이 때문에 일부러 문법 검사를 위해 사용할 타입 인자에 대해 위와 같이 선언한 후 오류가 없으면 삭제하는 방식을 사용하기도 한다.

범용 함수와 클래스에 대해 컴파일러는 보통 2단계 검사를 한다. 1 단계에서는 타입 매개 변수를 이용한 정의 자체를 검사한다. 2 단계에서는 사용된 각 타입 인자마다 함수 또는 클래스를 정의하고 문법 검사를 한다. 1 단계에서 할 수 있는 검사는 제한된다. 특히, 의존 이름은 검사를 할 수 없다. 의존 이름이란 타입 인자가 결정되어야 알 수 있는 이름이다. 예를 들어, 다음에서 foo는 의존 이름이다.

```
template <typename T>
void ham() {
    T::foo();
    bar();
}
```

의존 이름이지만 컴파일러가 의존 이름이 아닌 것으로 잘못 판단하는 경우가 있다. 이 경우에는 해당 이름을 typename으로 수식해 주어야 한다. 범용 코드에서 타입 매개 변수를 선언하는 곳이 아닌 곳에서 typename의 사용은 이 용도이다.

C++는 소스 단위로 컴파일하기 때문에 범용 클래스나 함수를 이용하기 위해서는 컴파일러가 먼저 타입 인자를 이용하여 이들을 정의해야 한다. 주어진 타입 인자로 범용 클래스나 범용 함수를 정의하기 위해 컴파일러는 전체 코드가 필요하다. 이 때문에 범용 클래스나 함수는 보통 헤더 파일에 정의하고, 그것이 필요한 모든 소스 파일에 포함하여 사용한다. 이 때문에 일반 클래스처럼 클래스의 메소드를 별도 소스 파일에 정의하여 사용하기 어렵다. 편법을 사용하면 가능하지만, 일반적인 방법으로는 사용할 수 없다. 보통 linking 하는 과정에서 오류가 발생한다. 범용 클래스를 정의할 때 클래스 내에 메소드는 선언만 하고, 그것의 정의는 클래스 밖에 작성하면 각 메소드 정의마다 template 키워드를 반복하여 사용하여야 하고, 클래스 이름 다음에 타입 매개 변수를 <>내에 나열해야 한다.

3. 범용 클래스

지금부터는 몇 가지 예를 통해 범용 클래스를 정의하고 사용하는 방법을 살펴본다.

3.1. Pair 클래스

```
template <typename U, typename V = U>
class Pair {
private:
    U first;
    V second;
public:
    Pair(const U& first, const V& second): first{first}, second{second} {}
    const U& getFirst() const noexcept { return first; }
    const V& getSecond() const noexcept { return second; }
    void setFirst(const U& first) noexcept {
        this->first = first;
    }
    void setSecond(const V& first) noexcept {
        this->second = second;
    }
    void set(const U& first, const V& second) noexcept {
        setFirst(first);
        setSecond(second);
    }
};
```

〈그림 15.1〉 Pair 범용 클래스

프로그래밍하다 보면 두 개의 값을 쌍으로 유지해야 하는 경우가 종종 있다. 실제 이를 위해 〈utility〉 헤더에 pair라는 구조체가 정의되어 있다. 이처럼 값을 쌍으로 유지하는 클래스를 직접 정의해 보면 그림 15.1과 같다. 이 구현에서 몇 가지 중요하게 관찰해야 할 요소들이 있다. 첫째, 생성자와 각 메소드의 매개 변수 타입을 보면 참조 타입을 사용하고 있다. 이것은 타입 인자로 원시 타입뿐만 아니라 구조체, 클래스와 같은 복합 타입이 올 수 있기 때문이다. 둘째, 단순 getter 메소드는 const 참조로 반환하고 있다. 이 이유도 타입 매개 변수에 무거운 복합 타입을 사용할 수 있기 때문이다. 실제 이 예처럼 모든 setter가 사전 조건이 없는 단순 setter이면 getter와 setter를 만들지 않고 두 멤버 변수를 public 접근 권한을 주어 사용하는 것이 더 간편하다. Getter와 setter 없이 모든 멤버 변수를 public 접근 권한을 주어 정의할 때는 범용 구조체로 정의하는 것이 일반적이다. 따라서 이 예는 범용 클래스를 정의하는 방법을 익히기 위해 제시된 예일 뿐이다.

3.2. 스택

```cpp
class Stack {
private:
  size_t capacity;
  size_t size{0};
  int* items;
  void increaseCapacity() {
    capacity *= 2;
    int* tmp{new int[capacity]};
    std::copy(items,
      items + size, tmp);
    delete [] items;
    items = tmp;
  }
public:
  Stack(size_t capacity = 10):
    capacity{capacity},
    items{new int[capacity]}{}
  virtual ~Stack() noexcept {
    delete [] items;
  }
  bool isEmpty() const noexcept {
    return numItems == 0;
  }
  size_t size() const noexcept {
    return numItems;
  }
  void push(int item) {
    if(numItems == capacity)
```

```cpp
template <typename T>
class Stack {
private:
  size_t capacity;
  size_t numItems{0};
  T* items;
  void increaseCapacity() {
    capacity *= 2;
    T* tmp{new T[capacity]};
    std::copy(items,
      items + size, tmp);
    delete [] list;
    items = tmp;
  }
public:
  Stack(size_t capacity = 10):
    capacity{capacity},
    items{new T[capacity]}{}
  virtual ~Stack() noexcept {
    delete [] items;
  }
  bool isEmpty() const noexcept {
    return numItems == 0;
  }
  size_t size() const noexcept {
    return numItems;
  }
  void push(const T& item) {
    if(numItems == capacity)
```

```
      increaseCapacity();
    items[numItems] = item;
    ++numItems;
  }
  int pop() {
    if(isEmpty())
      throw std::runtime_error("");
    int ret{items[numItems - 1]};
    --numItems;
    return ret;
  }
  int top() const {
    if(isEmpty())
      throw std::runtime_error("");
    return items[numItems - 1];
  }
};
```

1) 정수 스택

```
      increaseCapacity();
    items[numItems] = item;
    ++numItems;
  }
  T pop() {
    if(isEmpty())
      throw std::runtime_error("");
    T ret{items[numItems - 1]};
    --numItems;
    return ret;
  }
  const T& top() const {
    if(isEmpty())
      throw std::runtime_error("");
    return items[numItems - 1];
  }
};
```

(2) 범용 스택

〈그림 15.2〉 스택

스택은 널리 사용하는 자료구조 중 하나로, 가장 최근에 추가한 요소를 가장 먼저 추출하는 LIFO(List-In-First-Out) 형태의 데이터 추가와 추출을 지원하는 자료구조이다. 스택에서 가장 최근에 추가한 요소의 위치를 스택의 top이라 하며, 스택은 push, pop, top 또는 peek 3가지 기본 연산을 제공한다. push는 스택 맨 위에 데이터를 추가하는 연산이고, pop은 스택 맨 위에 있는 데이터를 추출하는 연산이며, top은 스택 맨 위에 있는 데이터를 열람하는 연산이다. pop은 스택에 있는 요소를 제거만 할 수 있고, 제거할 뿐만 아니라 제거한 요소를 반환해 줄 수 있다.

그림 15.2에는 int 타입의 데이터만 저장할 수 있는 스택 버전과 범용 스택 버전이 동시에 제시되어 있다. 두 버전을 비교하면 몇 곳을 제외하고 int를 단순히 타입 매개 변수 T로 바꾸었을 뿐이다. 단순히 바꾸지 않은 곳은 범용 클래스는 원시 타입뿐만 아니라 복합 타입을 타입 인자로 사용할 수 있으므로 이를 고려하기 위해 int를 const T&로 바꾸고 있다.

실제 그림 15.2처럼 동적 배열을 사용하면 빅5를 모두 정의해 주어야 올바르게 동작한다. 하지만 공간 제약 때문에 해당 그림에서는 생략하였다. 또 실제 온전하고 효율적인 스택 자료구조로 활용하기 위해서는 추가해야 하는 메소드가 몇 가지 더 있다.

3.3. template 특수화

범용 함수나 클래스를 정의할 때 특정 타입만 다르게 구현해야 하면 해당 타입 인자에 대해서만 특수한 버전을 정의할 수 있다. 이것을 template 특수화라 한다. 예를 들어, 다음과 같은 범용 정렬 함수가 정의되어 있을 때,

```
template <typename T>
void sort(T list[], size_t size) {
    //
}
```

문자 타입의 배열에 대해서만 다르게 정렬하고 싶으면 다음과 같이 특수화된 버전을 정의할 수 있다.

```
template <>
void sort<char>(char list[], size_t size) {
    //
}
```

template 특수화의 정의는 template 키워드 다음에 빈 타입 매개 변수 목록을 사용하고, 함수 이름 또는 클래스 이름 다음에 특수화하고자 하는 타입 인자를 제시한다. 몸체나 클래스 내용에서는 타입 매개 변수 대신에 타입 인자를 사용하여 정의한다. 특수 버전은 대응되는 범용 클래스와 일관성을 유지할 필요 없이 자유롭게 정의(새 멤버의 추가, 기존 멤버 정의 수정 등)할 수 있다. 이 장 8절에서 설명하는 메타 프로그래밍과 16장에서 **해싱**(hashing) 기반 집합이나 맵 자료구조를 사용할 때, 해시함수를 정의하기 위해 template 특수화 기능을 많이 사용한다.

3.4. 범용 클래스의 static 멤버 변수

다음과 같은 범용 클래스가 정의되어 있다고 하자.

```
template <typename T>
class A {
private:
    static int x;
    static T y;
};
```

이때 다음과 같이 이 클래스의 객체를 생성하면,

```
A<int> a, b, c;
A<std::string> e, d;
```

static 멤버 변수인 x와 y는 각각 총 2개가 생성된다. 한 쌍은 모든 A〈int〉 타입이 공유하며, 다른 한 쌍은 모든 A〈std::string〉 타입이 공유한다. 즉, static 멤버 변수는 같은 타입 인자를 이용하여 생성된 모든 객체가 공유하게 된다. C++는 타입 인자마다 새 클래스를 정의하여 사용하기 때문에 이처럼 동작할 수밖에 없다.

이 때문에 static 멤버 변수는 다음과 같이 각 타입 인자마다 별도 초기화해야 한다.

```
template <typename T> int A<T>::x{0};
template <> int A<int>::y{1};
template <> std::string A<std::string>::y{"good"};
```

여기서 주의해야 할 부분은 위와 같이 초기화하여 모든 종류의 타입 인자에 대해 x를 공통으로 초기화할 수 있지만 y는 각 타입 인자마다 다른 타입이 되므로 반드시 별도 초기화해야 한다. x는 공통으로 초기화하였지만, 여러 개가 존재하는 것임을 기억해야 하며, 타입 인자마다 별도로 초기화하고 싶으면 다음과 같이 초기화하면 된다.

```
template <> int A<int>::x{0};
template <> int A<std::string>::x{1};
```

특정 타입 인자에 대해 초기화하지 않은 static 멤버 변수가 있을 때 해당 타입의 객체를 생성하면 링커 오류가 발생한다.

3.5. 범용 클래스와 상속

타입 인자를 지정하여 다음과 같이 범용 클래스를 상속하는 새 클래스를 정의할 수 있다.

```
template <typename T>
class A {
};

class B: public A<int> {
};
```

일반 클래스를 상속받는 자식 클래스를 다음과 같이 범용 클래스로 정의할 수 있다.

```
class A {
};

template <typename T>
class B: public A {
};
```

범용 클래스를 상속받는 범용 클래스를 정의할 수 있다.

```
template <typename T>
class A {
};

template <typename T>
```

```
class B: public A<T> {
};

template <typename U, typename V = U>
class C: public A<U> {
};
```

클래스 B는 타입 매개 변수 T를 이용하여 클래스 내부 내용을 정의할 수 있으며, 클래스 C는 타입 매개 변수 U와 V를 이용하여 클래스 내부 내용을 정의할 수 있다.

3.6. 기타

다음과 같이 일반 클래스의 일부 메소드만 범용 메소드로 정의할 수 있다.

```
class A {
public:
    template <typename T>
    void func(T x) {
    }
};
```

범용 클래스를 정의하면서 일부 메소드만 다시 범용 메소드로 정의할 수 있다. 5.2절에서 설명하는 emplace로 시작하는 메소드를 범용 자료구조에 추가할 때 범용 메소드로 추가한다. 예를 들어, 15.2.(2) 범용 스택을 위한 emplace 메소드는 다음과 같다. 이 메소드와 이 메소드 구현에 대해서는 다음 절부터 차례로 설명한다.

```
template <typename T>
class Stack {
//
public:
    //
    template <typename... Ts>
```

```
    void emplace(Ts&&... args){
        if(top == capacity) increaseCapacity();
        new (&buf[top++]) T(std::forward<Ts>(args)...);
    }
};
```

5장에서 설명한 바와 같이 C++11부터 긴 타입 이름에 대한 간결한 가명(alias)이 필요하면 typedef를 이용하지 않고 using을 이용할 수 있다. 더욱이 using은 범용 타입에 대한 간결한 이름을 정의할 수 있는 이점도 있다. 예를 들어, 다음과 같이 Vec 가명을 정의하면

```
template <typename T>
using Vec = std::vector<T>;
```

이 이름을 사용할 때, 다음과 같이 타입 인자를 사용할 수 있다.

```
Vec<int> X{1, 2, 3};
```

auto는 절대 참조로 유추하지 않으므로 함수 반환 타입을 정확하게 유추를 못 할 수 있다. 이때 사용할 수 있는 것이 decltype(auto)이다. 예를 들어, 다음과 같은 간단한 범용 함수를 생각하여 보자.

```
template <typename T>
decltype(auto) foo(T&& x) {
    return x.get();
}
```

위 범용 함수는 decltype(auto)의 사용으로 x.get()이 반환하는 타입에 따라 정확하게 반환 타입을 유추할 수 있다. 예를 들어, x.get()이 수정불가 참조를 반환하면 정확하게 수정불가 참조로 유추하여 준다.

4. template template 매개 변수

범용 스택을 다른 범용 자료구조를 이용하여 정의하기 위해 다음과 같이 정의할 수 있다.

```
template <typename T, typename Container>
class Stack {
    Container items;
public:
    //
    void push(const T& item);
};
```

이 경우, 다음과 같이 정수를 유지하는 범용 스택을 생성할 수 있다.

```
Stack<int, std::vector<int>> stack;
```

하지만 이 경우 int가 중복되며, 두 번째 타입 인자가 첫 번째 타입 인자와 불일치할 수 있다. 이때 사용할 수 있는 것이 template template **매개 변수**이다.

지금까지 사용한 타입 매개 변수는 타입 인자로 특정 타입 인자로 구체화된 범용 클래스 타입을 제시할 수 있지만 범용 클래스 자체를 제시할 수 없었다. template template 매개 변수는 특정 타입 인자로 구체화되지 않은 범용 클래스를 타입 인자로 사용할 수 있다. template template 매개 변수는 타입 매개 변수 목록에 다시 template 키워드와 타입 매개 변수 목록을 포함하여 정의한다. 예를 들어, template template 매개 변수를 이용하면 위에 정의한 범용 스택을 다음과 같이 정의할 수 있다.

```
template <typename T, template <typename> class Container>
class Stack {
    Container<T> items; // 타입 매개 변수 T를 타입 인자로 사용하고 있음
public:
    //
```

```
    void push(const T& item);
};
```

타입 매개 변수 목록 내에 있는 template template 매개 변수의 타입 매개 변수 목록에는 타입 매개 변수 이름을 보통 생략한다. 그 이유는 해당 이름을 사용할 일이 없기 때문이다. 보통 C++는 사용하지 않는 이름은 생략할 수 있다. 또 template template 매개 변수는 보통 범용 클래스를 타입 인자로 지정하기 위해 많이 사용하기 때문에 typename 대신에 이전 방식인 class를 많이 사용한다. 위와 같이 범용 스택을 정의하면, int 타입의 데이터를 유지하는 범용 스택은 다음과 같이 생성한다.

```
Stack<int, std::vector> stack;
```

이처럼 template template 매개 변수는 범용 함수나 범용 클래스를 정의할 때 타입 인자로 타입 인자를 지정할 수 있는 범용 타입을 정의할 수 있도록 해준다.

5. 가변 인자 template

```
template <typename T>
auto adder(T args) {
    return args;
}

template <typename T1, typename... Ts>
auto adder(T1 arg1, Ts... args) {
    return arg1 + adder(args...);
}
```

〈그림 15.3〉 가변 인자 범용 함수 adder

C++11 이전에는 가변 인자를 받는 함수를 정의하는 것이 매우 번거로웠다. 하지만 C++11부터는 그림 15.3과 같이 매우 편리하게 가변 인자를 받는 범용 함수를 정의할 수 있다. 이 예에서 args는 가변 인자를 받는 매개 변수이다. 이 인자는 타입이 전혀 다른 여러 개의 인자를 처리할 수 있다. 하지만 가변 인자의 타입이 서로 다르면 이들의 타입을

파악하여 사용하기 어렵기 때문에 특별한 목적의 함수가 아니면 보통 같은 타입의 가변 인자를 받기 위해 가변 인자 범용 함수를 정의한다.

보통 가변 인자를 받는 범용 함수는 재귀적으로 정의하는 것이 간편하다. 하지만 재귀적으로 정의하면 기저 사례 때 사용할 범용 함수를 하나 더 정의해야 한다. 가변 타입 매개 변수를 정의하는 부분과 함수에 가변 매개 변수를 정의하는 부분 모두 ...을 사용하여 가변 매개 변수를 나타내고 있으며, 몸체에서는 args...처럼 ...을 이용하여 가변 매개 변수 전체를 프로그래밍에서 사용할 수 있다. 여기서 예시를 제시하거나 자세한 내용은 소개하지 않지만, 가변 매개 변수를 받는 범용 클래스도 정의할 수 있다. 이를 통해 멤버 변수의 수를 매개 변수 수에 의해 결정하도록 할 수 있다.

```
template <typename... T>
auto adder(T... args) {
   return (... + args);
}
```

〈그림 15.4〉 접기 표현식을 이용한 가변 인자 범용 함수 adder

C++17부터는 **접기 표현식**(fold expression)이 도입되어 가변 인자 범용 함수를 더 간편하게 프로그래밍할 수 있게 되었다. 예를 들어, 접기 표현식을 이용하면 기존에 두 개의 함수를 정의하여 구현한 가변 인자의 합을 반환하여 주는 범용 함수를 그림 15.4와 같이 하나의 함수만 정의하여 구현할 수 있다. 즉, 가변 타입 인자에 대해 (... op args)를 사용하면 ((arg1 op arg2) op arg3) op ...가 되며, (args op ...)를 사용하면 arg1 op (arg2 op ... (argN-1 op argN))이 된다.

6. 완벽 포워딩

C++에 Rvalue 참조라는 것이 도입된 두 가지 이유 중 하나가 완벽 포워딩이다. 완벽 포워딩이란 한 함수의 인자로 전달된 것을 다른 함수로 값 분류가 변하지 않고 그대로 전달하는 것이다. 즉, Lvalue 참조로 전달되었으면 Lvalue 참조로 Rvalue 참조로 전달되었으면 Rvalue 참조로 값을 전달하고 싶다. 이 문제는 조금 뒤에 예제를 통해 살펴보기로 하고, Rvalue 참조, 이동 개념에 대해 간단한 복습부터 해보자.

6.1. Rvalue 참조, 이동 개념에 대한 복습

```
template <typename T>
void swap(T& a, T& b) {
    T tmp{a};
    a = b;
    b = tmp;
}
```

(1) std::move를 사용하지 않는 버전

```
template <typename T>
void swap(T& a, T& b) {
    T tmp{std::move(a)};
    a = std::move(b);
    b = std::move(tmp);
}
```

(2) std::move를 활용하는 버전

〈그림 15.5〉 범용 swap 함수

그림 15.5에 제시된 두 버전의 swap 함수를 비교하여 보자. 12, 13장에서 살펴본 이동 개념을 생각하여 보면 std::move 버전이 이동 생성자와 이동 대입 연산자가 효과적인 타입에 대해서는 비교할 수 없을 정도로 우수하다는 것을 알 수 있다. swap에서 a와 b는 기존에 유지한 값을 이동하기 매우 적절한 예다. 이동하지 않고 복사를 하면 복사 생성자 1번, 복사 대입 연산자를 2번 호출한다. 따라서 Rvalue 개념과 이동 개념을 잘 이해하고 있으면 매우 효과적인 코드 작성이 가능하다.

6.2. 완벽 포워딩의 필요성

14장에서 완벽 포워딩을 설명하기 위해 Person 객체를 두 개 유지하는 Pair 구조체를 이용하였다. Pair 구조체는 4개의 생성자를 다중 정의하여 완벽 포워딩을 제공하고 있다. Pair 예에서 알 수 있듯이 참조 전달을 이용해야 완벽 포워딩을 제공할 수 있다. 그런데 가능한 모든 참조 전달은 해당 예에서 살펴본 2종류만 있는 것이 아니라 그림 15.6에 제시된 것처럼 총 4가지 경우가 있다. 제시된 예에서 알 수 있듯이 Rvalue 인자를 받은 매개 변수 그 자체는 Lvalue이므로 완벽 포워딩을 하기 위해서는 std::move를 이용해야 한다. 그러면 완벽 포워딩을 하기 위해 함수를 4개 다중 정의해야 하는가? 응용에서 그림 15.6처럼 4가지 경우를 모두 고려해야 하지 않을 수 있다. 하지만 완벽 포워딩해야 하는 인자가 늘어나면 다중 정의를 통해 완벽 포워딩을 제공하기가 어렵다.

```cpp
void bar(A& a);
```

```cpp
void foo(A& a) {
   bar(a);
} // version 1
```

```cpp
A a1{1};
foo(a1);
```

(1) Lvalue 참조

```cpp
void bar(const A& a);
```

```cpp
void foo(const A& a) {
   bar(a);
} // version 2
```

```cpp
const A a2{1};
foo(a1);
```

(2) 수정불가 Lvalue 참조

```cpp
void bar(A&& a);
```

```cpp
void foo(A&& a) {
   bar(std::move(a));
} // version 3
```

```cpp
foo(a3{1});
```

(3) Rvalue 참조

```cpp
void bar(const A&& a);
```

```cpp
void foo(const A&& a) {
   bar(std::move(a));
} // version 4
```

```cpp
const A a4{1};
foo(std::move(a4));
```

(4) 수정불가 Rvalue 참조

〈그림 15.6〉 완벽 포워딩

라이브러리에서 실제 완벽 포워딩을 활용하는 예를 살펴보자. 특히, 그 예에서 왜 완벽 포워딩이 필요한지 생각하여 보자. C++11부터 표준 라이브러리에서 제공하는 모든 범용 자료구조에 emplace 개념의 수정자 메소드가 추가되었다. 다음과 같은 코드를 생각하여 보자.

```cpp
std::vector<X> vec;
vec.push_back(X{10});
```

여기서 X 클래스에 대해서는 정수를 하나 받는 생성자가 있다는 것을 제외하고는 이 클래스에 대한 어떤 가정도 하지 않고 분석하여 보자. 또 이 과정에서 어떤 컴파일러 최적화도 이루어지지 않는다고 가정하고 분석하여 보자. std::vector에는 수정불가 Lvalue 참조를 받는 push_back과 Rvalue 참조를 받는 push_back이 다중 정의되어 있다. 따라서 위 예에서는 Rvalue 참조는 받는 push_back이 호출된다.

push_back 메소드가 실행되면 X 클래스와 무관하게 X{10} 임시 객체를 생성하기 위한 생성자 호출이 가장 먼저 실행된다. 그다음 push_back 함수 내에서는 사용하는 내부 배열에 이 임시 객체를 복제한다. 이 과정에서 이동 대입이 호출된다. 그 이후 임시 객체는 소멸한다. 실제 내부적으로 이루어지는 것을 코드로 제시하면 다음과 유사할 것이다.

```
buf[idx] = std::move(item);
```

여기서 buf는 std::vector가 내부적으로 사용하는 동적 배열이고, idx는 이번에 삽입할 위치이며, item은 push_back의 매개 변수이다. 다중 정의를 통해 비교적 효율적으로 진행된다는 것을 알 수 있다.

push_back 대신에 emplace을 사용하면 어떤 개선이 있는지 검토하여 보자. Rvalue를 전달할 때는 push_back 대신에 emplace_back를 사용할 수 있으며, emplace_back은 객체 대신에 객체를 생성할 때 생성자 호출에 필요한 인자를 받는다. 실제 내부적으로 이루어지는 것을 코드로 제시하면 다음과 유사할 것이다.

```
new (&buf[idx]) X{std::forward<Ts>(args)...};
```

여기서 Ts는 emplace_back의 가변 타입 매개 변수이고, args는 가변 인자 매개 변수이며, ...의 사용 위치를 주목해야 한다. 기존 Rvalue 참조를 받는 push_back은 임시 객체의 생성 후 이동 대입이 실행되는 반면에 emplace는 생성자가 한 번만 호출된다. 따라서 Rvalue를 전달할 때는 push_back 대신에 emplace_back을 사용하면 더욱 성능을 개선할 수 있다는 것을 알 수 있다.

그런데 이 emplace_back을 구현하기 위해서는 완벽한 포워딩이 필요하다. emplace_back은 받은 인자를 값 분류 특성을 유지한 상태로 객체 생성자에게 전달해야 한다. 이것을 해주는 것이 std::forward이다. 또 다양한 개수의 인자를 받을 수 있어야 하므로 가변 인자를 받는 범용 함수로 정의해야 한다.

6.3. 완벽 포워딩

범용 함수에서 완벽 포워딩 문제를 생각하여 보자. 범용 함수도 일반 함수와 마찬가지로 여러 개를 다중 정의해야 완벽 포워딩이 가능하다고 생각할 수 있다. 실제 그림 15.7과 같이 함수를 정의하면 그림 15.7의 (1)은 Lvalue를 전달할 때만 완벽 포워딩이 된다. 그림 15.7의 (2)는 수정불가 Lvalue 참조를 사용하고 있으므로 Rvalue 인자를 받을 수 있지만 foo와 zoo는 모두 수정불가 참조가 아니므로 std::move와 상관없이 포워딩할 수 없다. 그림 15.7의 (3)은 Rvalue 참조를 사용하고 있으므로 Rvalue 인자만 포워딩할 수 있다.

```cpp
void foo(A& x);
void zoo(A&& x);
```

```cpp
template <typename F, typename T>
void bar(F f, T& a) {
    f(a);
}
```

```cpp
A a{1};
bar(foo, a);
bar(zoo, A{2});   // error
```

(1) Lvalue 참조

```cpp
template <typename F, typename T>
void bar(F f, const T& a) {
    f(std::move(a));
}
```

```cpp
A a{1};
bar(foo, a);        // error
bar(zoo, A{2});   // error
```

(2) 수정불가 Lvalue 참조

```cpp
template <typename F, typename T>
void bar(F f, T&& a) {
    f(std::move(a));
}
```

```cpp
A a{1};
bar(foo, a);        // error
bar(zoo, A{2});
```

(3) Rvalue 참조

〈그림 15.7〉 범용 함수에서 완벽 포워딩

여러 개를 다중 정의하지 않고 완벽 포워딩을 제공하기 위해서는 Lvalue와 Rvalue를 모두 받을 수 있는 매개 변수를 정의할 수 있어야 한다. 더욱이 이 매개 변수는 인자의 수정불가 여부에 영향을 받지 않고 받을 수 있어야 한다. 또 이 매개 변수는 Lvalue이므로

Rvalue를 전달하면 Rvalue로 다시 바꾸는 방법이 필요하다. 하지만 std::move는 무조건 Rvalue로 바꾸기 때문에 이때 사용할 수 없다.

C++11부터 하나의 범용 함수를 정의하여 완벽 포워딩을 제공할 수 있다. 이를 위해 C++는 범용 함수를 정의할 때 매개 변수로 Rvalue 참조를 사용하면 Rvalue 참조 변수로 해석하지 않고 **포워딩 참조**(forwarding reference) 변수로 해석한다. 포워딩 참조 변수는 Lvalue, 수정불가 Lvalue, Rvalue, 수정불가 Rvalue를 모두 받을 수 있다. 여기에 **참조 결합 규칙**(referencing collapsing)과 std::forward를 이용하면 완벽 포워딩을 구현할 수 있다. std::forward는 std::move와 달리 항상 주어진 인자를 Rvalue로 바꾸는 것이 아니라 인자로 전달된 것이 Rvalue일 경우에만 Rvalue로 바꾸어 준다.

예를 들어, 다음과 같은 범용 함수가 있을 때,

```
template <typename T>
void bar(T&& a);
```

다음 문장이 실행되었을 때, 컴파일러가 타입 매개 변수를 어떻게 해석하는지 살펴보자.

```
bar(A{0}); // A{0}: Rvalue, T: A
A a{1}:
bar(a);    // a: Lvalue, T: A&
```

포워딩 참조 매개 변수에 Lvalue가 전달되면 타입을 참조로 해석한다. 이것은 기존 해석 방법과 다른 것이다. 이에 따라 위의 세 번째 문장은 함수를 다음과 같이 호출하는 것으로 해석한다.

```
bar(A& && a)
```

이것의 의미를 이해하기 위해서는 참조 결합 규칙을 이해해야 한다.

또 다른 예를 살펴보자. 다음과 같은 범용 함수가 있을 때,

```
template <typename T>
void bar(T a) {
   T& r{a};
}
```

다음과 같이 호출하면

```
A a{1};
bar<A&>(a);
```

컴파일러는 bar 함수를 다음과 같이 만들게 된다.

```
void bar(A& a) {
   A& & r{a};
}
```

그런데 여기서 A& &는 어떻게 해석해야 하나? 이때 사용하는 것도 참조 결합 규칙이다. 참조 결합 규칙은 항상 Lvalue 참조를 우선한다. 즉, Lvalue 참조가 연속 2개가 오면 하나로 바꾸고(& & → &), Lvalue 참조와 Rvalue 참조가 연속적으로 오면 Lvalue 참조로 바꾼다(&& & → &, & && → &). Rvalue 참조가 연속적으로 오면 이때만 Rvalue 참조로 바꾼다.

포워딩 참조와 참조 결합 규칙을 이용하면 다음과 같이 하나의 함수만 만들어도 모든 경우를 충족하는 완벽 포워딩 함수를 만들 수 있다.

```
template <typename F, typename T>
void bar(F f, T&& a) {
   f(std::forward<T>(a));
}
```

bar(zoo, a1)이 호출되면 a1이 Lvalue이므로 T를 A&로 해석한다. 따라서 이처럼 호출하면 bar의 두 번째 매개 변수를 A& &&로 해석하며, 참조 결합 규칙에 의해 A&로 최종

해석한다. T를 A&로 해석되었기 때문에 std::forward는 Rvalue로 바꾸지 않는다. 반면에 bar(zoo, A{2})가 호출되면 A{2}는 Rvalue이기 때문에 T를 A로 해석한다. 따라서 이 경우에는 bar의 두 번째 매개 변수를 A&&로 최종 해석하며, T를 A로 해석했기 때문에 std::forward는 매개 변수를 Rvalue로 바꾸어 준다.

3.6절에 제시된 그림 15.2의 범용 스택을 위한 emplace 메소드를 이제는 이해할 수 있을 것이다. 참고로 이 메소드는 범용 Stack 클래스의 타입 인자 T와 전혀 다른 범용 가변 인자 매개 변수 Ts가 필요하므로 범용 메소드로 정의하고 있다.

7. 조건부 컴파일

```
template <typename T>
std::string asString(T x) {
    if constexpr(std::is_same_v<T, std::string>) return x;
    else if constexpr(std::is_arithmetic_v<T>) return std::to_string(x);
    else return std::strng(x);
}
```

〈그림 15.8〉 constexpr if를 이용한 asString 함수

컴파일 시간 if 문을 다른 말로 constexpr if 문이라 한다. template의 경우 컴파일러는 컴파일 과정에서 사용된 타입 인자를 이용하여 필요한 코드를 생성한다. 이때 constexpr if 문을 사용하면 컴파일러는 해당 조건을 검사하여 불필요한 코드를 제거할 수 있다. 예를 들어, 타입 인자 int를 이용하여 그림 15.8의 함수를 호출할 때 컴파일러가 생성하는 코드는 다음과 같다.

```
std::string asString(int x) {
    return std::to_string(x);
}
```

constexpr if 문은 범용 프로그래밍할 때만 사용할 수 있는 것은 아니다. 하지만 사용된

조건식은 상수 조건식이어야 한다. 즉, 컴파일 시간에 평가할 수 있는 조건이어야 한다.

8. 메타 프로그래밍

메타 프로그래밍(meta programming)은 입력으로 프로그램(소스 코드)을 받아 프로그램을 출력하여 주는 프로그래밍을 말한다. 메타 프로그래밍은 보통 실행 시간 대신에 컴파일 시간에 이루어지는 프로그래밍이다. C++는 template 기반 범용 프로그래밍을 이용하여 **범용 메타 프로그래밍**을 할 수 있다. C++의 범용 메타 프로그래밍은 컴파일 시간에 template 코드를 생성할 때(컴파일러는 프로그램 내에 사용된 타입 인자마다 범용 함수나 범용 클래스의 코드를 생성함) 처리하는 프로그래밍을 말한다. 범용 메타 프로그래밍은 **메타 함수**(meta function)의 정의를 통해 이루어진다. 메타 함수는 실제 함수는 아니고, 클래스 또는 구조체이다. 메타 함수를 정의하는 언어 문법이 있는 것은 아니다. C++ 커뮤니티에서 만든 표준 관례에 따라 메타 함수를 정의하여 사용한다. 실제 다른 방식으로 정의할 수 있지만 라이브러리에 있는 코드와 호환을 위해 표준 관례에 따르는 것이 필요하다. 메타 함수의 인자는 타입 매개 변수이며, 구조체에 정의된 상수 값 또는 타입이 반환 값 역할을 한다.

예를 들어, 정수 두 개를 더하는 메타 함수는 다음과 같이 정의한다.

```
template <int X, int Y>
struct IntSum {
    static constexpr int value{X + Y};
};
```

이처럼 정의된 메타 함수는 다음과 같이 올바르게 동작하는지 확인할 수 있다.

```
static_assert(7 == IntSum<3, 4>::value)
```

실제 이와 같은 메타 함수를 정의하여 사용할 이유는 별로 없다. 하지만 메타 프로그래밍을 통해 범용 프로그래밍의 유연성, 강건성, 효율성을 높일 수 있다.

메타 함수는 크게 value을 정의하는 것과 type을 정의하는 것, 두 종류로 구분된다. 또 일반 반복문을 사용할 수 없으므로 재귀적으로 정의하며, 템플릿 특수화를 이용한다. 예를 들어, 타입에서 const를 제거하는 메타 함수는 다음과 같이 정의할 수 있다.

```
template <typename T>
struct remove_const {
    using type = T;
};

template <typename T>
struct remove_const<const T> {
    using type = T;
};

template <typename T>
using remove_const_t = remove_const<T>::type;
```

remove_const는 전형적인 타입을 받아 타입을 반환하여 주는 메타 함수이다. 이처럼 메타 함수는 주 메타 함수를 정의한 후에, 템플릿 특수화를 통해 필요한 기능을 구현한다. 그다음 간결하게 사용하기 위한 도우미 타입(helper type)을 추가로 정의한다. 타입을 반환하는 도우미 타입의 이름은 _t로 끝나며, 값을 반환하는 도우미 타입의 이름은 _v로 끝난다. 이 메타 함수는 범용 함수나 범용 클래스를 정의할 때 사용할 수 있다. 실제 remove_const는 <type_traits>에 정의된 메타 함수이다.

두 타입이 같은지 검사하여 주는 메타 함수는 다음과 같이 정의할 수 있다.

```
template <bool b>
struct boolConstant {
    static constexpr bool value{b};
    constexpr operator bool() const noexcept {
        return value;
    }
};

```

```
using true_type = boolConstant<true>;
using false_type = boolConstant<false>;

template <typename U, typename V>
struct is_same: false_type {};

template <typename T>
struct is_same<T, T>: true_type {};

template <typename U, typename V>
constexpr bool is_same_v{is_same<U, V>::value};
```

is_same 메타 함수는 전형적인 value를 반환하는 메타 함수이다. 항상 메타 함수는 실행 시간이 아니라 컴파일 시간에 활용하는 요소라는 점을 인식해야 한다. 이 예처럼 메타 함수는 코드 중복을 줄이기 위해 상속을 이용하여 많이 구현한다. is_same도 <type_traits>에 정의된 메타 함수이다. boolConstant에 bool 타입 변환 연산자를 정의한 이유는 is_same<int, int>()처럼 구조체 변수를 생성하면 자동으로 value 값으로 변환되는 기능을 이용하기 위함이다.

std::tuple처럼 가변 매개 변수를 사용하는 범용 타입에서 마지막 타입을 반환하여 주는 메타 함수를 다음과 같이 정의할 수 있다.

```
template <typename List>
struct back;

template <template <typename...> class List, typename T>
struct back<List<T>>: std::type_identity<T> {};

template <template <typename...> class List,
    typename T, typename... rest>
struct back<List<T, rest...>>: back<List<rest...>> {};

```

```
template <typename List>
using back_t = typename back<List>::type;
```

back 메타 함수는 앞서 언급한 바와 같이 재귀적 정의를 이용하는 메타 함수이다. 주 메타 함수는 선언만 하고 있고, 첫 번째 템플릿 특수화는 기저 사례, 두 번째 템플릿 특수화는 일반 사례에 적용하는 메타 함수이다. 여기서 std::type_identity는 타입 매개 변수를 type로 반환하여 주는 메타 함수이다. 이것의 동작은 다음을 이용하여 확인할 수 있다.

```
static_assert(std::is_same_v<
    back_t<std::tuple<int, double, bool>>, bool>)
```

C++ 범용 메타 프로그래밍에서 중요한 개념 중 하나가 **SFINAE**(Substitution Failure is Not An Error)이다. 컴파일러가 범용 함수나 범용 클래스의 코드를 정의할 때, 코드를 정의할 수 없으면 문법 오류로 처리하지 않고 무시(코드를 생성하지 않음)한다. 이 개념을 이해하기 위해 다음 코드를 생각하여 보자. 여기에 정의된 메타 함수는 주어진 타입이 복사 대입이 가능한지 검사하여 준다.

```
template <typename T>
using copy_assignment_t =
    decltype( std::declval<T&>() = std::declval<const T&>() );

template <typename T, typename = void>
struct is_copy_assignable: std::false_type {};

template <typename T>
struct is_copy_assignable<T, std::void_t<copy_assignment_t<T>>>:
    is_same<copy_assignment_t<T>, T&> {};

template <typename T>
constexpr bool is_copy_assignable_v{is_copy_assignable<T>::value};
```

여기서 std::void_t는 아무 타입이나 void로 매핑하여 주는 메타 함수이다. copy_assignment_t는 복사 대입이 가능한지 검사하는 메타 함수이다. 이 메타 함수를 이해하기 위해서는 먼저 std::declval을 이해해야 한다. std::declval은 decltype에서 사용할 수 있는 원하는 타입의 가짜 값을 만들어 준다. 따라서 T& 타입의 값에 const T& 값을 대입할 수 있으면 대입의 결과 타입이 copy_assignment_t가 된다. 하지만 T 타입이 복사 대입이 가능하지 않은 타입이면 SFINAE가 적용되어 해당 코드는 생성되지 않는다. 따라서 is_copy_assignable_v〈T〉을 이용하였을 때, copy_assignment_t〈T〉 코드가 만들어질 수 있으면 is_same의 결과에 따라 true, false가 결정된다. 반면에 copy_assignment_t〈T〉 코드가 만들어질 수 없으면 주 메타 함수에 의해 is_copy_assignable_v〈T〉의 값은 false가 된다.

범용 메타 프로그래밍은 실제 최신 라이브러리의 여러 기능을 구현하기 위해 사용하고 있다. 〈type_traits〉 라이브러리가 대표적으로 메타 프로그래밍을 활용한 라이브러리이며, 이 절에서 소개한 여러 메타 함수가 〈type_traits〉에 정의되어 있다. 또 std::tuple과 같은 클래스도 메타 함수를 이용하지 않고는 만들 수 없는 클래스이다.

8.1. 타입 trait

C++에서 타입 trait은 타입의 특징이나 특성을 정의하거나 검사하기 위한 메타 함수를 말한다. 예를 들어, std::is_integral, std::is_pointer 등이 대표적인 타입 trait이다. 범용 프로그래밍을 할 때, 사용된 타입 인자의 종류에 따라 다르게 동작하도록 해야 하는 경우가 종종 있다. C++는 동적 언어가 아니므로 실행 시간에 타입 정보를 파악하여 이를 활용하기 어렵다. 하지만 범용 프로그래밍의 경우, 컴파일 시간에 타입 trait와 조건부 컴파일을 이용하여 동적 언어와 비슷한 프로그래밍을 할 수 있다.

타입 trait 중 클래스의 특징이나 특성을 검사하는 trait를 클래스 trait라 한다. 예를 들어, 클래스가 특정 메소드를 정의하고 있는지 검사하는 메타 함수나 클래스의 특정 조상 클래스를 상속하고 있는지 검사하는 메타 함수는 클래스 trait이다.

대표적인 타입 trait 중 하나가 반복자 trait이다. 사용자 정의 반복자를 정의할 때, using을 이용하여 이 반복자와 관련된 추가 정보를 제공해 줄 수 있으며, 다음과 같은 것을 정의하는 것이 코드 호환에 도움이 된다.

```
template <typename U>
class ArrayIterator {
public:
    using iterator_concept = std::forward_iterator_tag; // C++20
    using iterator_category = std::forward_iterator_tag;
    using value_type = U;
    using difference_type = std::ptrdiff_t;
    using pointer = U*;
    using reference = U&;
    //
};
```

범용 프로그래밍에서 타입 trait이 어떤 유용성이 있는지 알기 위해 그림 15.9의 제시된 accumulate 함수를 살펴보자. 이 함수는 주어진 반복자 구간에 있는 값들의 합을 계산하여 반환하여 준다. accumulate는 반복자 타입 trait을 이용하여 반복자가 반환하는 값의 타입을 확보하여 그것을 반환 값의 타입으로 사용하고 있다. 하지만 합계하는 과정에서 오버플로 문제가 발생할 수 있다. 이 문제를 극복하기 위해 T가 signed 타입이면 long long을, unsigned 타입이면 unsigned long long을, T가 부동 소수 타입이면 long double을 사용하도록 메타 함수를 이용하여 반환 타입을 설정할 수 있다.

```
template <typename InputIT>
auto accumulate(InputIT begin, InputIT end) {
    using T = typename InputIT::value_type;
    T sum{};
    while(begin != end) {
        sum += *begin;
        ++begin;
    }
    return sum;
};
```

〈그림 15.9〉 반복자를 인자로 받는 범용 accumulator 함수

8.2. concept

주어진 범용 함수나 범용 클래스에 사용할 수 있는 타입 인자의 종류가 제한적일 수 있다. 이 제한을 자바처럼 별도 프로그래밍하는 방법이 없었지만, C++20부터 concept라는 개념을 도입하여 제한의 내용을 정의할 수 있고, 이것을 검사할 수 있도록 하였다. concept을 이용하면 타입 인자를 이용하여 코드를 생성한 후에 문법 검사를 하는 것보다 더 많은 제한을 적용할 수 있고, 명백하게 코드에 제한 내용이 제시되는 이점이 있다.

〈concepts〉에 있는 여러 메타 함수를 이용하여 새 concept을 정의할 수 있고, 이를 이용하여 범용 함수나 범용 클래스에 사용할 수 있는 타입 인자를 제한할 수 있다. 예를 들어, 이전 절에 제시한 accumulate 범용 함수는 정수나 부동 소수 타입만 사용하도록 제한하기 위해 다음과 같이 새 concept을 정의할 수 있다.

```
template <typename T>
concept Numeric = std::integral<T> || std::floating_point<T>;
```

〈type_traits〉는 모든 타입을 정확하게 14개 타입으로 분류하고 있다.

이 concept은 다음과 같이 requires를 이용하여 그림 15.9의 accumulate 함수에 적용할 수 있다.

```
template <typename InputIT>
requires Numeric<typename InputIT::value_type>
auto accumulate(InputIT begin, InputIT end) {
    //
}
```

concept을 적용하는 방법은 위와 같은 방법만 있는 것은 아니다. 타입 매개 변수를 선언할 때 다음과 같이 concept 자체를 이용할 수 있고,

```
template <Numeric T>
void foo(T x) {}
```

다음과 같이 함수 수식어처럼 사용할 수도 있다.

```
template <typename T>
void foo(T x) requires Numeric<T> {}
```

또 auto를 이용할 때는 다음과 같이 concept을 적용할 수 있다.

```
void foo(Numeric auto x) {}
```

퀴즈

1. C++에서 template을 이용한 범용 프로그래밍과 관련된 다음 설명 중 **틀린** 것은?

   ① 범용 함수나 범용 클래스를 여러 개의 타입 인자를 이용하여 호출하거나 객체를 생성하면 사용한 타입 인자의 종류만큼 함수나 클래스 정의가 만들어져 실행 파일에 포함된다.

   ② C++는 소스 파일 단위로 컴파일하기 때문에 범용 함수나 범용 클래스를 사용하기 위해서는 해당 정의의 전체가 번역하고 있는 소스 파일에 포함되어 있어야 한다. 이 때문에 범용 함수나 범용 클래스는 보통 헤더 파일에 정의하고, 사용하는 소스 파일에 포함한다.

   ③ 주어진 타입 인자에 대해 범용 클래스의 모든 메소드를 정의하여 사용한다.

   ④ 범용 함수나 범용 클래스를 정의한 후에 특정 타입 인자에 대해서만 별도 버전을 정의할 수 있다.

2. 다음과 같은 범용 클래스 정의가 있을 때,

```
template <typename T, size_t C = 10>
class Queue {
    //
};
```

이 클래스를 이용하여 다음과 같이 5개 객체를 생성하였다.

```
Queue<int> q1;
Queue<int, 32> q2;
Queue<int, 10> q3;
Queue<double> q4;
Queue<std::string, 32> q5;
```

그러면 컴파일러 총 몇 개의 클래스 정의를 만들어 사용하는가?

① 3　　② 알 수 없음　　③ 5　　④ 4

3\. 완벽 포워딩과 관련된 다음 설명 중 **틀린** 것은?

① 한 함수가 받은 인자의 값 분류(Lvalue, Rvalue)를 바꾸지 않고, 그대로 다른 함수의 인자로 전달하는 것을 말한다.
② 일반 함수를 정의할 때 완벽 포워딩이 필요하면 함수를 다중 정의해야 한다.
③ 어떤 함수의 매개 변수가 Rvalue 참조 변수일 때, 이 매개 변수를 그대로 다른 함수의 인자로 사용하면 해당 함수에서도 이 인자를 Rvalue로 해석한다.
④ 범용 함수를 만들 때 완벽 포워딩을 쉽게 구현할 수 있도록 Rvalue 참조 매개 변수를 일반 함수의 Rvalue 참조 매개 변수와 다르게 해석한다.

4\. 다음과 같은 범용 클래스 정의가 있을 때,

```
template <typename T>
class A {
    T data;
};
```

이와 관련된 다음 설명 중 **틀린** 것은?

① data 멤버를 반환하는 getter는 T가 무거운 타입일 수 있으므로 반환 타입은 const T&로 정의하는 것이 바람직하다.
② data 멤버를 수정하는 setter는 T가 무거운 타입일 수 있으므로 다중 정의를 하지 않을 경우 매개 변수 타입은 const T&로 정의하는 것이 바람직하다.
③ data 멤버는 항상 값 타입 멤버 변수가 된다.
④ 타입 매개 변수도 일반 매개 변수처럼 기본 인자(기본 타입)를 지정할 수 있다.

연습문제

1. 가장 많이 사용하는 자료구조에는 스택과 큐가 있다. 그림 15.2에는 범용 스택이 주어져 있다. 이를 참고하여 다음과 같은 범용 큐를 완성하라.

```
template <typename T>
class Queue {
private:
    size_t capacity;
    size_t numItems{0};
    size_t head{0};
    size_t tail{0};
    T* items{new T[C]};
    void increaseCapacity();
public:
    Queue(size_t capacity = 10):
        capacity{capacity}, items{new T[capacity]} {}
    virtual ~Queue() noexcept {
        delete [] items;
    }
    Queue(const Queue& other);
    Queue(Queue&& other) noexcept;
    Queue& operator=(const Queue& other);
    Queue& operator=(Queue&& other) noexcept;
    bool isEmpty() const noexcept { return numItems == 0; }
    size_t size() const noexcept { return numItems; }
    void push(const T& item);
    void push(T&& item);
    T pop();
    const T& front() const noexcept;
};
```

이 큐는 공간이 부족하면 items의 용량을 두 배로 늘려야 한다.

2. 이전 문제에 객체를 생성할 때 전달하는 인자를 받아 큐 끝에 데이터를 추가하는 다음 범용 메소드를 정의하라.

```
template <typename... Ts>
void emplace(Ts... args) {
    //
}
```

이 함수는 std::forward를 활용해야 하며, 버퍼 자리에 가변 인자를 이용하여 T 타입의 데이터를 생성해야 한다. 이 생성은 주소 지정 new를 이용해야 한다.

3. 다음 구조체에

```
template <typename U, typename V = U>
struct Pair {
    U first;
    V second;
    //
};
```

완벽 포워딩을 이용하는 생성자를 정의하라.

제 **16** 장

STL 자료구조

제16장 STL 자료구조

C++ 표준 라이브러리에는 프로그래밍할 때 유용하게 사용할 수 있는 여러 클래스와 함수가 있다. 특히, 이들 클래스 중에 리스트, 스택, 큐와 같은 범용 자료구조는 프로그래밍할 때 매우 소중한 도구이다. 어떤 문제를 효과적으로 해결하기 위해 반드시 사용해야 하는 자료구조가 있으며, 이들 자료구조는 직접 구현하는 것보다 라이브러리에서 제공하는 것을 사용하는 것이 다음과 같은 여러 이점이 있다.

- 이점 1. 직접 구현하지 않기 때문에 빠르게 개발할 수 있다.
- 이점 2. 직접 구현하면 자료구조 구현에 오류가 있을 수 있지만 라이브러리에서 제공하는 것은 정확하며 검증된 것이기 때문에 코드의 강건성이 향상된다.
- 이점 3. 라이브러리에서 제공하는 자료구조는 동적 자료구조이다. 동적 자료구조란 용량이 고정되어 있지 않고 부족하면 자동으로 용량을 늘려 처리해 준다.
- 이점 4. 유용하게 사용할 수 있는 다양한 메소드와 일반 함수를 함께 제공한다.
- 이점 5. 각종 연산자가 다중 정의되어 있으므로 간결하게 코딩할 수 있다. 특히, 리스트 자료구조는 배열 색인자를 이용할 수 있으므로 선언하는 부분을 제외하고는 일반 배열을 사용하듯 코딩할 수 있다.
- 이점 6. 객체이기 때문에 다른 함수에 인자로 전달할 때 편하다. 보통 참조 전달 방식을 사용하여 전달하며, 자료구조 객체 외에 배열처럼 용량을 추가로 전달해야 할 필요도 없다.
- 이점 7. 모두 반복자를 제공하기 때문에 저장된 내부 데이터를 자료구조 종류와 무관하게 같은 방법으로 접근할 수 있다.

표준 라이브러리에서 제공하는 자료구조는 대부분 동적 자료구조이므로 용량이 부족하면 용량을 자동으로 확대해 준다. 하지만 동적 배열 기법을 사용하는 자료구조는 자동으로 용량을 확대할 때 비용이 많이 소요되기 때문에 이와 같은 자료구조는 처음 생성할 때 적절한 용량을 확보해 주는 것이 성능에 매우 중요하다. 배열은 용량과 크기 정보의 구분이 중요하지만, 자료구조는 현재 저장된 개수를 유지하고 있으며, 자료구조를 생성할 때는 성능을 위해 초기에 용량을 충분히 확보해 주어야 하는 측면은 있지만, 생성한 이후에는 용량은 크게 신경을 쓰지 않아도 된다.

1. 배열은 불편해

배열은 대부분의 고급 프로그래밍 언어가 자체적으로 제공하는 동질구조의 복합 타입이다. 우리가 동일 타입의 데이터를 여러 개 유지해야 할 때, 가장 흔하게 사용하는 것이 배열이다. 하지만 정적 배열은 용량이 고정되며, 동적 배열은 같은 위치에서 용량을 확장할 수 없다. 또 언어 자체에서는 배열의 생성과 색인을 이용한 접근만 제공하여 줄 뿐 배열을 조작할 때 유용하게 사용할 수 있는 어떤 기능도 제공하지 않는다. 물론 일부 언어들은 라이브러리를 통해 배열 처리할 때 사용할 수 있는 기능을 제공하고 있지만, 배열과 이들 함수를 이용하여 프로그래밍하기보다는 내부적으로 배열을 이용하여 구현된 리스트 자료구조를 사용하는 것이 보통 더 효과적이다. 특히, C++는 배열을 사용하는 것과 std::vector와 같은 리스트 자료구조를 사용하는 것에 성능 차이가 거의 없다. 더욱이 C++의 배열은 언어의 호환성 유지가 필요하므로 C부터 사용된 배열을 그대로 사용하고 있다. 이 절에서는 배열 대신에 사용할 수 있는 C++ 라이브러리에서 제공하는 다양한 자료구조의 사용법을 살펴본다.

1.1. std::array

자바에서는 배열을 객체로 모델링하고 있어 배열을 인자로 전달하는 것과 다른 객체를 전달하는 것과 차이가 없다. 또한 배열이 객체이기 때문에 자체적으로 용량 정보를 멤버로 유지하고 있다. C++도 C++11부터 배열을 객체로 모델링한 std::array를 표준 라이브러리를 통해 제공하고 있다. std::array는 배열을 객체로 처리한다는 측면을 제외하고는 기존 배열과 차이가 없으며, 주장된 바에 의하면 성능도 차이가 없다. 더욱이 C++는 연산자를 다중 정의할 수 있으므로 사용할 때는 기존 배열처럼 사용할 수 있다.

std::array는 범용 클래스이기 때문에 타입 인자와 배열의 용량을 주어 다음과 같이 생성한다.

```
std::array<int, 5> list1;
std::array<double, 10> list2{1.0, 2.0, 3.0};
```

list1은 용량이 5인 int 배열, list2는 용량이 10인 double 배열 대신 사용할 수 있다. list1의 각 요소는 초기화되지 않지만, list2의 첫 3개 요소는 주어진 초깃값 목록을 이용하여 초기화되며, 나머지는 0.0이 된다. C++11까지는 초깃값 목록을 제시할 때 이중 중괄호를 사용해야 했지만, C++14부터는 이중 중괄호를 사용하지 않아도 된다. 참고로 list1 뒤에 빈 초깃값 목록을 사용하면 list1의 모든 요소는 0으로 초기화된다. std::array는 생성한 후에는 size() 메소드를 이용하여 그것의 용량을 알 수 있다. size() 메소드는 크기가 아니라 용량을 반환하는 메소드이므로, std::array를 사용할 때는 자바처럼 용량과 크기가 되도록 일치하도록 만들어 사용하는 것이 바람직하다.

std::array는 객체이기 때문에 기본적으로 대입 연산자가 정의되어 있다. 따라서 동일 종류의 객체에 대해서는 일반 배열과 달리 다음처럼 대입할 수 있다.

```
std::array<int, 5> a{1, 2, 3, 4, 5};
std::array<int, 5> b{6, 7, 8, 9, 10};
a = b;
a[0] = 0;
```

이 코드가 실행된 다음에 a의 각 요소는 [0, 7, 8, 9, 10]이 된다. std::array의 대입 연산자는 연산자 오른쪽에 있는 std::array의 내용을 왼쪽에 있는 std::array로 복사하므로 대입 이후 a의 사용은 b에 영향을 주지 않는다.

보통 배열은 주소 전달 방식으로 전달하며, 주소로 전달하면 함수에서는 전달된 것이 배열인지 알 수 없다. std::array는 객체이기 때문에 일반 객체를 전달할 때처럼 참조 전달 방식을 사용하며, 전달받은 함수도 전달받은 객체가 std::array임을 알 수 있다.

```
void print(const std::array<int, 5>& list) {
    for(auto n: list)
        std::cout << n << ", ";
    std::cout << std::endl;
}
```

〈그림 16.1〉 std::array<int, 5>를 출력하는 print 함수

그림 16.1에 제시된 함수는 std::array를 받아 그것이 유지하는 값을 출력하여 주는 함수이다. 이 함수는 std::array<int, 5> 타입만 받을 수 있다. 전달된 배열이 용량보다 적게 데이터를 유지하고 있으면 일반 배열처럼 배열의 크기 정보를 함께 전달하고, foreach for 문 대신에 전통 for 문을 사용해야 한다.

```
template <typename T, std::size_t N>
void print(const std::array<T, N>& list) {
    for(auto n: list)
        std::cout << n << ", ";
    std::cout << std::endl;
}
```

〈그림 16.2〉 std::array를 출력하는 범용 print 함수

물론 template를 활용하여 모든 종류의 std::array를 받는 함수를 그림 16.2와 같이 정의할 수 있다. 이 함수는 다음과 같이 사용할 수 있다.

```
std::array<int, 8> list1{1, 2, 0, 3, 0, 0, 4, 5};
print<int, 8>(list1);
std::array<double, 3> list2{1.1, 2.0, 3.4};
print<double, 3>(list2);
std::array<std::string, 3> list3{"apple", "melon", "kiwi"};
print(list3);
```

범용 함수를 설명할 때 언급하였듯이 마지막 호출처럼 범용 함수를 호출할 때 타입 인자를 생략할 수 있다. 범용 함수를 이용하여 std::array를 처리할 때는 인자로 주어진 std::array가 유지하는 요소의 개수를 알 수 없으므로 주의하거나 std::array는 용량과 크기를 항상 일치하도록 사용할 필요가 있다.

std::array는 배열을 객체로 처리할 수 있도록 클래스로 정의되어 있음에도 불구하고 배열을 조작하기 위한 다양한 메소드를 제공하고 있지는 않다.

1.2. std::vector

std::array는 배열을 객체로 처리할 수 있게 해주지만 기존 배열과 마찬가지로 생성할 때 만든 용량이 고정되며, 현재 저장되어 있는 요소의 개수가 아닌 용량 정보만 유지한다. 이 때문에 C++에서 프로그래밍할 때 배열 대신에 가장 많이 사용하는 자료구조는 std::vector이다. std::vector는 내부적으로 동적 배열로 구현되어 있고, 데이터를 추가함에 따라 자동으로 용량을 늘려주며, 저장한 요소의 개수를 유지한다. 용량이 부족할 때 용량을 확장하는 방법은 라이브러리를 구현한 컴파일러에 의해 다를 수 있다.

std::vector는 크게 다음 두 가지 형태로 사용한다.

- 형태 1. 용량이 n, 크기가 0이 되도록 생성한 후에 push_back 메소드를 이용하여 데이터를 삽입한다.
- 형태 2. 용량과 크기가 모두 n이 되도록 생성한 후에 다중 정의되어 있는 색인 연산자를 이용하여 데이터를 삽입한다.

형태 1은 정확하게 몇 개의 데이터를 유지할지 모를 때 많이 사용하는 형태이며, 형태 2는 정확하게 n개 데이터를 유지해야 한다는 것을 알고 있을 때 많이 사용한다. 형태 1은 용량을 0, 크기를 0이 되도록 생성하여 사용할 수 있지만, 이 경우에는 초기에 확장이 자주 일어날 수 있으므로 형태 1을 사용하여도 처음에 어느 정도의 용량을 확보해 주는 것이 바람직하다. 형태 2의 경우에는 특정 초깃값으로 모든 요소를 초기화한 다음 사용하는 형태이다. 형태 1도 데이터를 모두 삽입한 후에는 색인 연산자를 이용하여 저장된 요소를 처리할 수 있으며, 확보된 n개보다 적게 데이터를 삽입하였고 더 이상 데이터의 추가가 필요 없으면 용량과 크기가 일치하도록 용량을 줄여 낭비된 공간을 반납하는 형태로 프로그래밍하기도 한다.

저장된 데이터에 접근할 때 색인 연산자를 사용하지 않고 at 메소드를 이용할 수 있다. 이 둘의 차이점은 주어진 색인의 유효성 검사 여부이다. at 메소드는 인자로 주어진 색인을 검사하며, 범위가 size() 메소드가 반환하는 값과 같거나 크면 예외를 발생한다. 따라서 성능은 색인 연산자를 이용하는 것이 더 효과적이지만 오류를 발견하지 못하는 단점이 있다.

std::vector는 내부적으로 배열로 구현되어 있으므로 형태 1처럼 맨 뒤에 추가하는 것이 가장 효과적이다. 이처럼 자료구조에서 제공하는 연산을 사용할 때는 그것의 성능을 알아야 하며, 효율적인 연산만 사용하여 구현하는 것이 바람직하다. 효율적이지 않은 연산을 많이 사용한다면 자료구조의 선택이 잘못된 경우이다.

int 타입의 데이터를 유지하는 std::vector는 다음과 같이 생성할 수 있다.

```
std::vector<int> list1;
std::vector<int> list2(5);
std::vector<int> list3(5, 1);
std::vector<int> list4;
list4.reserve(100);
std::vector<int> list5{1, 2, 3, 4, 5};
std::Vector<int> list6{5, 1};
```

list1의 크기와 용량은 모두 0이며, 이처럼 생성된 상태에서는 list1[0]에 접근할 수 없다. 배열 색인 연산자를 이용하여 std::vector에 접근할 때 색인이 유효한 범위가 아니면 어떤 결과를 초래할지 알 수 없다. 문법 검사를 통해 이것을 알 수 없으므로 일반 배열을 사용할 때처럼 배열 색인 연산자를 사용할 때 주의해야 한다.

list2의 크기와 용량은 모두 5이며, 모든 요소는 기본값으로 초기화된다. 따라서 list2[0]에 접근할 수 있으며, 이 값은 0이다. list3의 크기와 용량은 모두 5이며, 모든 요소가 1로 초기화된다. list2와 list3이 앞서 설명한 형태 2에 해당한다. list4의 크기는 0이지만 용량은 100이다. 이 경우에는 용량까지의 요소에 접근할 수 있으나 이전 예와 달리 초기화되지 않는다. list4가 형태 1에 해당한다. list5의 크기와 용량은 모두 5이며, list5[0]은 1로 초기화되어 있다. list6은 용량이 2이고, 크기도 2이다. 중괄호를 사용하여 생성자를 호출할 때, 해당 클래스에 초깃값 목록을 받는 생성자가 정의되어 있으면 해당 생성자를 우선한다. 따라서 list3처럼 용량과 기본값을 제시하고 싶으면 중괄호가 아닌 괄호를 이용하여 생성자를 호출해야 한다.

중괄호와 괄호가 혼란스러운 이유는 타입 인자가 int인 이유도 있다. 다음의 경우에는 둘 다 용량과 초기값을 받는 생성자를 호출한다.

```
std::vector<std::string> vec1(5, std::string{});
std::vector<int> vec2{5, std::string{}};
```

list1처럼 생성한 후에 데이터를 추가하면 용량이 자동으로 증가한다. 용량은 평균 비용을 최소화하기 위해 보통 $x(>1)$배씩 증가한다. 실제 사용하는 x는 컴파일러마다 다를 수 있다. 자동으로 용량을 늘려주는 것은 매우 편리한 기능이지만, 용량의 동적 증가는 비용이 많이 소요되기 때문에 필요한 용량을 사전에 알고 있으면 처음부터 충분히 확보한 다음 사용하는 것이 더 효과적이다. 이때 주의할 것은 아래 제시한 코드에서 vec1의 용량과 크기는 모두 100이므로 이 형태로 생성한 std::vector는 색인을 이용하여 데이터를 삽입해야 한다. 아래와 같이 push_back을 이용하면 101번째 위치에 1이 추가된다. 즉, 앞서 설명한 형태 1과 형태 2의 차이를 잘 이해하고, 응용에 맞게 생성한 후 생성한 형태에 맞는 방법으로 데이터를 삽입해야 한다.

```
std::vector<int> vec1(100);
std::vector<int> vec2;
vec2.reserve(100);
vec1.push_back(1);
vec2.push_back(1);
```

std::vector에 객체(복합 타입)를 유지하는 경우 데이터를 추가할 때 push_back을 사용할지 emplace_back을 사용할지 판단할 줄 알아야 한다. 15장에서 설명한 것처럼 다음과 같이 인자에서 객체를 생성하여 전달할 때는

```
students.push_back(Student{"홍길동", 2});
// students.emplace_back("홍길동", 2);
```

emplace_back을 사용하는 것이 더 효과적이다. 참고로 삽입하고자 하는 객체 타입이 기본 생성자를 가지고 있다면 다음과 같이 객체를 추가할 수 있다.

```
students.emplace_back();   // 기본 생성자를 이용하여 객체를 삽입함
```

보통 자료구조에 복합 타입을 유지할 때 데이터 자체를 자료구조에 유지한다. 하지만

필요에 따라 데이터 대신에 데이터의 주소를 자료구조에 유지할 수 있다. std::vector<Student>와 std::vector<Student*>가 있을 때, 두 std::vector를 정렬하는 비용을 생각하여 보자. 주소를 유지하면 주소만 서로 맞바꾸어 정렬할 수 있으므로 훨씬 적은 비용으로 정렬할 수 있다. 하지만 주소만 유지하는 경우 보통 실제 데이터를 유지하는 또 다른 자료구조를 함께 사용한다. 물론 동적 생성한 데이터의 주소를 자료구조에 유지할 수 있는데, 이 경우에는 자료구조를 다 사용한 후에 유지하는 주소를 이용하여 동적 생성한 것을 모두 반납해 주어야 한다.

1.3. 반복자

반복자(iterator)란 복합 타입 자료구조에 저장되어 있는 모든 요소를 한 번씩 방문하게 해주는 객체이다. 객체지향 설계 패턴에서 반복자는 hasNext와 next 메소드를 제공하며, 이들을 이용하여 저장되어 있는 요소를 하나씩 얻을 수 있다. C++에서는 이 형태 대신에 begin, end라는 두 개의 객체를 사용한다. 실제 내부적으로는 포인터가 아닐 수 있지만 프로그래밍할 때 이 두 객체를 포인터처럼 사용한다.

begin은 첫 요소를 가리키는 포인터이고, end는 마지막 요소 다음을 가리키는 포인터로 생각하면 된다. 따라서 begin을 이용하여 첫 번째 요소를 가리키는 포인터를 확보한 후, 이 포인터가 end를 가리킬 때까지 차례로 이동하면서 접근하면 자료구조에 저장된 모든 요소를 한 번씩 접근할 수 있다. 포인터 개념을 사용하기 때문에 접근할 때는 역참조 연산자를 사용하며, 이동은 ++ 연산자를 사용한다.

반복자를 통해 접근하는 순서는 반복자를 사용하는 측에서 결정하는 것이 아니라 반복자에서 결정한다. 따라서 내가 생각하고 있는 첫 번째 요소와 자료구조가 생각하는 첫 번째 요소가 다를 수 있다.

```
template <typename T, std::size_t N>
void print(const std::array<T, N>& list) {
    auto it{list.begin()};
    while(it != list.end()) {
        std::cout << *it << ", ";
```

```
        ++it;
    }
    std::cout << std::endl;
}
```

〈그림 16.3〉 반복자와 while 문을 이용한 std::array를 출력하는 범용 print 함수

```
template <typename T, std::size_t N>
void print(const std::array<T, N>& list) {
    for(auto it{list.begin()}; it != list.end(); ++it)
        std::cout << *it << ", ";
    std::cout << std::endl;
}
```

〈그림 16.4〉 반복자와 for 문을 이용한 std::array를 출력하는 범용 print 함수

```
template <typename T, std::size_t N>
void print(const std::array<T, N>& list) {
    for(auto n: list)
        std::cout << n << '\n';
    std::cout << std::endl;
}
```

〈그림 16.5〉 foreach for 문을 이용한 std::array를 출력하는 범용 print 함수

반복자를 이용하여 std::array가 유지하고 있는 모든 요소를 출력하는 함수는 그림 16.3과 같이 정의할 수 있다. 이 예는 그림 16.4와 같이 for 문을 이용할 수도 있다. 이 경우에는 반복자 변수의 가시영역을 반복문 내로 제한할 수 있는 이점도 있다. 두 예에서 매개 변수가 수정불가 참조이므로 사용하는 begin은 수정불가 반복자이다. 즉, begin은 다중 정의되어 있어 사용하는 변수에 따라 일반 반복자를 반환해 줄 수 있고, 수정불가 반복자를 반환해 줄 수 있다. 보통 모든 요소를 차례로 접근할 때는 실제 while이나 전통 for 문 대신에 그림 16.5와 같이 foreach for 문을 사용한다. Foreach for는 실제 반복자를 이용한 반복문을 간결하게 작성하게 해주는 문법(syntactic sugar)이다.

모든 자료구조를 같은 방법으로 반복할 수 있게 해주는 것이 반복자의 최대 장점이다. C++에서 많은 라이브러리 함수는 반복자를 인자로 사용한다. C++는 두 개의 객체를 사용하기 때문에 이를 이용하여 매우 편리하게 구간을 나타낼 수 있다. 예를 들어, 다음에서 첫 문장은 전체를 정렬하여 주며, 두 번째 문장은 첫 5개의 요소만 정렬하여 준다.

```
std::sort(vec.begin(), vec.end());
std::sort(vec.begin(), vec.begin() + 5);
```

여기서 vec은 std::vector이다.

C++ 반복자의 특징을 요약하면 다음과 같다.

- 두 개의 객체를 이용한다. 이 때문에 필요한 구간을 편리하게 나타낼 수 있다.
- 포인터 개념을 이용한다. 특히, 역참조와 비교를 할 수 있고, ++를 지원하면 반복자로 인식한다.

두 번째 특징 때문에 일반 배열도 반복자가 요구하는 함수를 이용할 수 있다. 포인터 개념을 이용하지만, 실제 내부적으로 포인터와 무관할 수 있다.

C++는 자료구조마다 그 자료구조 특성에 맞는 여러 종류의 반복자를 제공해 준다. 반복자는 다음 3가지 기준에 따라 구분할 수 있다.

- 종류 1. 일반 vs. 수정불가 반복자
- 종류 2. 단방향 vs. 양방향 반복자
- 종류 3. 순방향 vs. 역방향 반복자

일반 반복자는 접근하는 요소를 수정할 수 있다. 반복자를 생성할 때 사용하는 이름이 c로 시작하면 무조건 수정불가 반복자이다. 예를 들어, cbegin, crbegin은 수정불가 반복자이다. 자료구조에 접근할 때 사용하는 변수의 타입이 수정불가 타입이면 그것을 통해 획득한 반복자는 이름과 상관없이 수정불가 반복자이다. 예를 들어, 다음 함수에서 vec을 이용하여 begin을 호출하면 이 반복자는 수정불가 반복자이다.

```
void foo(const std::vector<int>& vec);
```

보통 반복자는 이동을 위해 ++ 연산자만 제공하는데, 양방향 반복자는 -- 연산자도 제공한다. 예를 들어, 단일 연결구조를 이용한 자료구조는 그 특성 때문에 단방향 반복자만 제공한다. 또 보통 반복자는 첫 요소부터 차례로 접근하는데, 맨 마지막 요소부터 거꾸로 접근하게 해주는 반복자를 제공해 줄 수도 있다. 이 반복자는 이름에 r이 포함된다. rbegin, crbegin은 역방향 반복자이다. 역방향 반복자를 이용하더라도 반복자의 이동은 --가 아니라 ++ 연산자를 사용한다.

반복자를 이용하여 자료구조를 수정하면 해당 반복자는 무효화 된다. 여기서 수정은 개별 요소의 값을 수정하는 것이 아니라 요소를 삭제하거나 추가하는 경우를 말한다. 예를 들어, vec이 std::vector〈int〉일 때, 홀수를 모두 제거하고 싶어 다음과 같이 구현하는 것은 잘못된 것이다.

```
for(auto it{vec.begin()}; it != vec.end(); ++it) {
    if((*it & 1) == 1) vec.erase(it);
}
```

std::vector의 erase는 반복자가 가리키는 위치에 있는 요소를 제거해 준다. 이 메소드는 인자로 받은 반복자를 무효화 하므로 위 코드는 올바르게 동작하지 않는다. 하지만 이 메소드는 요소를 제거한 후에 그다음 요소에 해당하는 위치의 반복자를 반환해 준다. 따라서 올바르게 구현하는 방법은 다음과 같다.

```
for(auto it{vec.begin()}; it != vec.end(); ) {
    if((*it & 1) == 1) it = vec.erase(it);
    else ++it;
}
```

std::vector의 반복자는 용량이 아니라 크기를 기준으로 반복할 수 있도록 해준다. 이것이 std::array와 비교하였을 때 또 다른 이점이다. 물론 std::vector도 용량과 크기가 일치된 상태로 사용할 때도 많다.

```
class FibGenerator {
private:
    size_t stop;
    size_t count{0};
    size_t a{0}, b{1};
    void computeNext() noexcept {
        const size_t tmp{b};
        b += a;
        a = tmp;
    }
public:
    explicit constexpr FibGenerator(size_t stop = 0) noexcept:
        stop{stop} {}
    constexpr auto& operator++() noexcept {
        computeNext();
        ++count;
        return *this;
    }
    constexpr auto operator++(int) noexcept {
        auto temp{*this};
        ++(*this);
        return temp;
    }
    bool operator==(const FibGenerator& other) const noexcept {
        return count == other.count;
    }
    bool operator!=(const FibGenerator& other) const noexcept {
        return count != other.count;
    }
    size_t operator*() const noexcept { return b; }
    auto begin() const noexcept { return *this; }
    auto end() const noexcept {
        auto sentinel{FibGenerator()};
        sentinel.count = stop;
```

```
            return sentinel;
        }
    };
```

〈그림 16.6〉 반복자를 응용한 피보나치 수 생성자

반복자를 복합 타입의 개별 요소를 차례차례 방문할 때만 사용하는 것이 아니라 다양하게 응용하여 사용할 수 있다. 예를 들어, 일련의 값을 생성하여 주는 수열 생성자를 반복자로 정의하여 사용할 수 있다. 그림 16.6은 반복자를 응용한 피보나치 수를 생성하는 수열 생성자이다. 이 수열 생성자는 반복자와 같은 형태이므로 다음과 같이 foreach for 문을 활용할 수 있다.

```
FibGenerator generator{10};
for(auto n: generator) std::cout << n << ' ';
std::cout << '\n';
```

그림 16.6에 제시된 반복자 클래스에 begin과 end가 정의되어 있다. 보통 이 메소드는 반복자 클래스에 정의하는 메소드는 아니다. 이 메소드는 반복자를 제공하는 자료구조 클래스에 정의하는 메소드이다. 예를 들어, ArrayList가 배열 기반 동적 선형 자료구조이고, ArrayIterator가 0번째 색인부터 배열을 반복하는 반복자 클래스이면, ArrayList에 다음과 같이 보통 3쌍의 begin, end 메소드를 정의하여 사용한다.

```
template <typenmae T>
class ArrayList {
//
public:
    auto begin() { return ArrayIterator<T>(items);}
    auto end() { return ArrayIterator<T>(items + numItems);}
    auto cbegin() const { return ArrayIterator<const T>(items);}
    auto cend() const { return ArrayIterator<const T>(items + numItems);}
    auto begin() const { return cbegin(); }
    auto end() const { return cend(); }
};
```

1.4. std::span

std::span은 C++20에 추가된 범용 클래스이다. 이 클래스는 std::string_view와 매우 유사하게 소유권 없는 타입이다. std::string_view는 불필요한 std::string 객체의 생성을 줄여주는 것처럼 std::span는 std::vector, std::array와 같이 연속된 메모리 공간에 데이터를 유지하는 객체의 특정 구간을 복제 없이 효과적으로 표현할 수 있다. 특히, std::span은 하나의 함수를 정의해 std::vector와 일반 배열을 모두 처리할 수 있다. 이것은 std::string_view가 하나의 함수를 정의해 std::string과 C 스타일 문자열 리터럴을 모두 효과적으로 처리할 수 있는 것과 같은 특징이다.

우리는 보통 std::vector를 참조 전달 방법을 이용하여 다른 함수에 전달한다. 이 경우 std::vector 대신에 std::span를 사용할 수 있다. std::string_view와 차이점은 std::span은 나타내는 구간에 있는 요소를 수정할 수 있다. std::span을 통해 표현하는 구간의 데이터를 수정할 수 없도록 하고 싶으면 다음과 같이 타입 인자를 const로 수식하면 된다.

```
bool contains(std::span<const int> span, int v);
```

이 함수는 vec이 std::vector<int> 타입이고 nums가 int 배열일 때, 다음과 같이 호출할 수 있다.

```
if(contains(vec, 3)) ...
if(contains(nums, 3)) ...
if(contains(std::span<int>(vec.begin() + 3, 3), 3)) ...
if(contains({vec.begin(), 5}, 3)) ...
if(contains({nums, 3}, 3) ...
```

1.5. 연결구조 리스트

리스트 자료구조는 std::vector처럼 내부적으로 동적 배열로 구현하지 않고, 개별 데이터를 저장할 때마다 새 공간 확보하는 연결구조 방식으로 구현할 수 있다. 연결구조는 임의접근을 제공하지 않지만, 단일 또는 이중 연결구조 여부에 따라 앞에서 추가 및 추출, 뒤에서 추가 및 추출을 매우 효과적으로 할 수 있는 이점이 있다. 또 삽입할 위치를 알거나 특정 요소의 위치를 알면 배열과 달리 중간에 삽입 또는 삭제하는 것도 효과적이다.

C++는 단일 연결구조 방식의 리스트 자료구조인 std::forward_list와 이중 연결구조 방식의 리스트 자료구조인 std::list를 제공한다. 보통 단일 연결구조만 필요할 때 이중 연결구조를 사용하면 불필요한 추가 비용이 소요된다. 그런데 std::forward_list는 특이하게 유지하는 요소의 개수를 반환하여 주는 메소드가 없어 사용하기 불편한 측면이 있다.

종종 효율을 높이기 위해 std::vector 대신에 std::list를 사용하는 경우가 있는데, 많은 경우 기대한 것만큼 성능을 개선하는 효과를 얻지 못한다. 보통 이중 연결구조는 배열 방식과 달리 중간에서 삭제가 효과적이다. 하지만 중간에 있는 데이터를 삭제하기 위해서는 해당 요소를 찾아야 하는데 이 비용이 저렴하지 않다. 앞에서부터 선형 검색하여 요소를 찾는 비용을 줄이기 위해 각 요소의 위치를 해시맵과 같은 별도 자료구조를 이용하여 유지하는 방법도 사용하지만 공간 복잡도가 증가하며, 데이터를 추가할 때마다 드는 비용까지 고려하면 기대한 수준으로 성능 개선을 얻지 못하는 경우가 많다.

2. std::pair

```
std::pair<int, int> findMinMax(const std::vector<int>& list) {
    if(list.size() == 0) throw std::invalid_argument{""};
    int min{list[0]};
    int max{list[0]};
    for(size_t i{1}; i < list.size(); ++i) {
        if(min > list[i]) min = list[i];
        if(max < list[i]) max = list[i];
    }
    return std::make_pair(min, max);
}
```

〈그림 16.7〉 std::pair를 이용한 findMinMax 함수

std::pair는 두 개의 값으로 구성된 구조체가 필요하거나 하나가 아니라 두 개의 값을 반환해야 할 때 많이 사용하는 자료구조이다. std::vector〈int〉에서 최솟값과 최댓값을 동시에 찾아주는 함수는 그림 16.7과 같이 정의할 수 있다. 이처럼 std::pair는 타입 인자가 두 개가 필요하다. 이 함수는 다음과 같이 사용할 수 있다.

```cpp
std::vector<int> list{3, 9, 2, 5, 11, 1, 8};
auto[min, max]{findMinMax(list)};
std::cout << min << ", " << max << '\n';
```

이 예에서 알 수 있듯이 std::pair는 9장에서 설명한 구조화 바인딩과 함께 사용하면 매우 편리하게 사용할 수 있다. 이와 같은 방법 대신에 std::pair에 유지된 두 개의 값은 first와 second 멤버 변수를 통해 접근할 수 있지만, 코드의 가독성이 떨어지는 문제점이 있다. 따라서 구조화 바인딩과 결합하여 사용하지 않고 직접 멤버 변수에 접근해야 하면 std::pair를 사용하지 않고 필요한 구조체를 직접 정의하는 것이 가독성 측면에서 더 효과적이다.

```cpp
std::tuple<unsigned long, unsigned int, double> getStudent (
    const std::vector<Student>& students, std::string_view name) {
    for(auto& student: students)
        if(student.getName() == name) return std::make_tuple(
            student.getNumber(), student.getYear(), student.getGPA());
    return std::make_tuple(0, 0, 0.0);
}
```

〈그림 16.8〉 std::tuple를 이용한 getStudent 함수

2개 아니라 3개 이상의 값이 필요하면 그림 16.8과 같이 std::tuple을 사용할 수 있다. 이 경우에도 다음과 같이 구조화 바인딩을 사용할 수 있다.

```cpp
auto[number, year, gpa]{getStudent(students, "홍길동")};
```

3. std::initializer_list

범용 자료구조를 정의할 때, 초깃값 목록을 제시하여 초기화할 수 있도록 C++는 std::initailizer_list를 제공한다. 이를 이용하여 그림 15.2에 제시된 범용 스택을 위한 생

성자를 정의하면 그림 16.9와 같다. 이와 같은 생성자가 있으면 다음과 같이 초깃값 목록을 제시하여 스택을 생성할 수 있다.

```
Stack<int> stack{1, 2, 3, 4, 5};
```

```
Stack(const std::initializer_list<T>& initList):
    capacity{initList.size()}, items{new T[capacity]} {
    for(auto& item: initList) push(item);
}
```

〈그림 16.9〉 Stack을 위한 초깃값 목록을 받는 생성자

```
Stack(size_t capacity, const T& v): Stack(capacity) {
    for(size_t i{0}; i < capacity; ++i) push(v);
}
```

〈그림 16.10〉 Stack을 위한 용량과 초깃값을 받는 생성자

std::initailizer_list를 이용하는 생성자가 있으면 함수 바인딩을 할 때 이를 우선한다. 예를 들어, 그림 16.10과 같은 생성자가 스택에 추가로 있어도 다음과 같이 객체를 생성하면

```
Stack<int> stack{1, 2};
```

이 생성자는 그림 16.10의 생성자를 이용하지 않고, 초깃값 목록을 우선하는 원칙에 따라 그림 16.9의 생성자를 사용한다. 이것은 1.2절에서 std::vector를 설명할 때 제시한 내용이다. 그림 16.9의 생성자는 반복적으로 push하는 것보다 다음과 같이 std::copy를 이용하는 것이 더 효과적이다.

```
std::copy(initList.begin(), initList.end(), items);
```

4. 〈algorithm〉 헤더 파일에 있는 유용한 함수

〈algorithm〉에는 범용 자료구조를 조작할 때 사용할 수 있는 다양한 함수가 선언되어 있다. 이 절에서 〈algorithm〉에 선언되어 있는 주요 함수를 설명한다.

4.1. std::fill

특정 값으로 범용 자료구조를 채우고자 할 때 사용할 수 있는 함수이다. 〈algorithm〉에 있는 대부분의 함수와 마찬가지로 반복자를 이용한다. 예를 들어, std::array〈int〉 타입 list의 모든 요소를 특정 값으로 바꾸고 싶으면 다음과 같이 할 수 있다. 여기서 list는 수정불가가 아니어야 한다.

```
std::fill(list.begin(), list.end(), 1);
```

보통 복합 타입에 따라 특정 값으로 초기화하는 생성자가 있을 수 있으므로 생성할 때는 해당 타입의 생성자를 활용하는 것이 바람직하고, 생성 이후 사용하다 모든 값을 특정 값으로 바꾸어야 하면 std::fill을 사용한다. 참고로 std::array와 같이 자체적으로 fill 메소드를 가지고 있는 복합 타입도 있다.

4.2. 비교 함수

두 개의 범용 자료구조 객체를 비교하고 싶을 때, std::equal 함수를 사용할 수 있다. 다음이 수행되면 첫 번째 비교는 false이지만 두 번째 비교는 true이다.

```
std::vector<int> list1{1, 2, 3, 4, 5};
std::vector<int> list2{1, 2, 4, 6, 5};
bool ret1{std::equal(list1.cbegin(), list1.cend(), list2.cbegin())};
bool ret2{std::equal(list1.cbegin(), list1.cbegin() + 2, list2.cbegin())};
std::cout << std::boolalpha << ret1 << ", " <<  ret2 << '\n';
```

std::equal에서 반복자의 끝 위치는 비교에 포함되지 않으며, 위에 사용된 버전 외에 다양한 버전이 다중 정의되어 있다.

비교는 아니지만 첫 번째로 틀린 위치를 찾아주는 std::mismatch 함수도 있다.

```
std::vector<int> list1{1, 2, 3, 4, 5};
std::vector<int> list2{1, 2, 4, 6, 5};
auto[it1, it2]{std::mismatch(list1.cbegin(), list1.cend(), list2.cbegin())};
std::cout << it1 - list1.cbegin() << '\n';
std::cout << *it1 << ", " << *it2 << '\n';
```

std::mismatch는 결과로 std::pair를 반환하여 주며, 이 쌍에는 두 리스트에 틀린 위치를 가리키는 반복자가 저장되어 있다. 따라서 위 코드가 실행되면 첫 번째 출력은 2가 출력되고, 두 번째 출력은 틀린 값인 3과 4가 출력된다.

4.3. std::remove

보통 자료구조는 삽입, 추출, 열람 메소드를 가지고 있다. 예를 들어, std::vector에서 마지막 요소를 추출하고 싶으면 pop_back 메소드를 사용하며, 특정 위치에 있는 요소를 제거하고 싶으면 반복자를 이용하는 erase 메소드를 사용한다. 하지만 내부적으로 배열로 구현된 자료구조에서 중간에 있는 값을 제거하는 것은 비용이 높다는 것을 인식하고 사용해야 한다.

std::vector<int>에 있는 특정 값을 모두 제거하고 싶으면 그것을 해주는 함수를 자체적으로 구현할 수 있지만 더 간편한 방법은 std::remove 함수를 사용하는 것이다. 예를 들어, std::vector<int>에 있는 0을 모두 제거하고 싶으면 다음과 같이 하면 된다.

```
std::vector<int> list{1, 2, 0, 3, 0, 4, 0, 5};
std::remove(list.begin(), list.end(), 0);
```

위 코드가 실행되면 list의 크기와 용량은 여전히 8이다. 즉, 0이 아닌 것들이 앞으로 이동한 상태가 된다. 0을 제거하면서 용량과 크기도 줄이고 싶으면 다음과 같이 구현해야 한다.

```
std::vector<int> list{1, 2, 0, 3, 0, 4, 0, 5};
auto end = std::remove(list.begin(), list.end(), 0);
list.resize(end - list.begin());
```

C++20부터는 값을 제거하면서 크기도 동시에 줄이고 싶으면 위와 같이 하지 않고, std::erase를 이용하여 다음과 같이 더 간결하게 프로그래밍할 수 있다.

```
std::vector<int> list{1, 2, 0, 3, 0, 4, 0, 5};
std::erase(list, 0);
```

4.4. std::replace, std::count

범용 자료구조에 저장된 특정 요소를 모두 다른 값으로 바꾸고 싶으면 다음과 같이 std::replace를 사용하면 된다.

```
std::vector<int> list{1, 2, 0, 3, 0, 4, 0, 5};
std::replace(list.begin(), list.end(), 0, 1);
```

위 예는 list에 있는 모든 0을 1로 바꾸어 준다.

바꾸지 않고 특정 값이 몇 개 있는지 개수를 알고 싶으면 std::count를 다음과 같이 사용하면 된다.

```
std::vector<int> list{1, 2, 0, 3, 0, 4, 0, 5};
size_t count{std::count(list.cbegin(), list.cend(), 0)};
```

4.5. 최댓값과 최솟값

범용 자료구조에 저장된 값 중에서 가장 큰 값 또는 가장 작은 값을 찾고 싶으면 std::min_element, std::max_element, std::minmax_element를 사용하면 된다.

```
std::vector<int> list{1, 0, 3, 9, 5, 2, 7, 4};
auto min{std::min_element(list.cbegin(), list.cend())};
auto max{std::max_element(list.cbegin(), list.cend())};
auto[mi, ma]{std::minmax_element(list.cbegin(), list.cend())};
```

이들 함수는 모두 반복자를 반환하여 준다. 따라서 min은 위치이고, 실제 최소값은 *min

으로 접근해야 한다. std::minmax는 std::pair를 반환하여 준다.

4.6. 검색과 정렬

범용 자료구조에 특정 요소가 있는지 검색하고 싶으면 std::find 메소드를 사용하면 된다.

```
std::vector<int> list{1, 0, 3, 9, 5, 2, 7, 4};
auto loc{std::find(list.cbegin(), list.cend(), 5)};
```

위 예제의 경우 list에 5가 존재하기 때문에 해당 위치에 대한 반복자를 결과로 반환하여 준다. 찾고자 하는 값이 없으면 결괏값은 주어진 범위의 끝 위치를 반환한다. 예를 들어, 다음과 같은 코드가 실행되면

```
std::vector<int> list{1, 0, 3, 9, 5, 2, 7, 4};
auto loc{std::find(list.cbegin(), list.cbegin() + 5, 2)};
```

첫 5개 요소 중 2가 없으므로 loc 값은 list.cbegin() + 5와 같다.

범용 자료구조가 정렬되어 있다면 std::find보다 빠른 std::binary_search를 이용할 수 있다.

```
std::vector<int> list{1, 0, 3, 9, 5, 2, 7, 4};
std::sort(list.begin(), list.end());
bool found{std::binary_search(list.cbegin(), list.cend(), 5)};
if(found) std::cout << "found\n";
```

위 예제에서 알 수 있듯이 std::binary_search는 찾는 값이 있는지를 나타내는 bool 값을 반환하여 준다. 범용 자료구조를 정렬하고 싶으면 std::sort를 사용할 수 있다. std::sort는 주어진 범위에 있는 데이터를 오름차순으로 정렬하여 준다.

4.7. 집합 연산

정렬된 두 개의 범용 자료구조에 대해 합집합, 교집합과 같은 집합 연산을 수행할 수 있다. 두 개의 정렬된 리스트가 있을 때 한 리스트가 다른 리스트의 부분 집합인지 다음과 같이 검사할 수 있다.

```
std::vector<int> list1{1, 2, 2, 3, 4, 5};
std::vector<int> list2{1, 2, 5};
std::vector<int> list3{1, 2, 5, 5};
if(std::includes(list1.cbegin(), list1.cend(), list2.cbegin(), list2.cend()))
    std::cout << "list2 is a subset of list1\n";
if(std::includes(list1.cbegin(), list1.cend(), list3.cbegin(), list3.cend()))
    std::cout << "list3 is a subset of list1\n";
```

위 예에서 list2는 list1의 부분 집합이지만 list3은 아니다. 실제 집합 연산에서는 이것이 잘못된 것이지만 리스트 자체가 집합이 아니기 때문에 이 점을 고려하여야 한다.

차집합, 교집합, 합집합은 각각 std::set_difference, std::set_intersection, std::set_union를 이용하여 다음과 같이 계산할 수 있다.

```
std::vector<int> list1{1, 2, 2, 3, 4, 5}, list2{1, 1, 2, 5}, list3, list4, list5;
std::set_difference(list1.cbegin(), list1.cend(),
    list2.cbegin(), list2.cend(), std::back_inserter(list3));
std::set_intersection(list1.cbegin(), list1.cend(),
    list2.cbegin(), list2.cend(), std::back_inserter(list4));
std::set_union(list1.cbegin(), list1.cend(),
    list2.cbegin(), list2.cend(), std::back_inserter(list5));
```

위 예제를 실행하면 list3, list4, list5는 각각 [2, 3, 4], [1, 2, 5], [1, 1, 2, 2, 3, 4, 5]가 된다.

4.8. 기타

자료구조에 있는 모든 요소의 합계를 구하고 싶으면 std::accumulate를 다음과 같이 이용할 수 있다.

```
std::vector<int> list{1, 2, 2, 3, 4, 5};
std::cout << std::accumulate(list.begin(), list.end(), 0) << '\n';
```

정렬된 범용 자료구조에서 중복된 요소를 제거하고 싶으면 std::unique를 다음과 같이 사용할 수 있다.

```
std::vector<int> list{1, 2, 2, 3, 3, 3, 3, 4, 5};
auto end{std::unique(list.begin(), list.end())};
list.resize(end - list.begin());
```

std::unique도 std::remove와 마찬가지로 크기와 용량은 그대로 유지한다. 중복된 것을 제거한 후 크기와 용량을 줄이고 싶으면 std::remove처럼 반환 값과 resize를 이용하면 된다.

범용 자료구조의 요소 순서를 뒤집고 싶으면 std::reverse를 다음과 같이 사용할 수 있다.

```
std::vector<int> list{1, 2, 2, 3, 3, 3, 3, 4, 5};
std::reverse(list.begin(), list.end());
```

여러 범용 자료구조를 결합하고 싶으면 std::merge를 다음과 같이 사용할 수 있다. 이 함수는 합병 정렬에서 합병 기능을 제공하여 주는 함수이므로 결합하는 두 자료구조가 정렬되어 있어야 한다.

```
std::vector<int> list1{1, 4, 5, 8};
std::vector<int> list2{2, 3, 6, 7};
std::vector<int> list3;
```

```
std::merge(list1.cbegin(), list1.cend(), list2.cbegin(), list2.cend(),
    std::inserter(list3, list3.begin()));
```

위 예제를 실행하면 list3는 [1, 2, 3, 4, 5, 6, 7, 8]이 된다.

5. 스택, 큐, 덱

스택(stack)과 큐(queue)는 각각 LIFO 구조와 FIFO 구조를 지원하는 가장 기본적인 자료구조이며, 덱(deque)은 큐의 변형으로 양쪽에서 삽입과 추출을 할 수 있는 자료구조이다.

스택은 기본적으로 push, pop, top 메소드를 제공하며, 큐는 기본적으로 push, pop, front 메소드를 제공하고, 덱은 기본적으로 push_back, push_front, pop_back, pop_front, front, back 메소드를 제공한다. 제시된 이 연산들은 모두 $O(1)$ 연산이다. 다른 언어와 달리 C++에서 pop 연산은 반환 타입이 void이다. 따라서 데이터를 추출하면서 자료구조에서 제거하고 싶으면 2개의 메소드를 연속 호출해야 한다. 예를 들어, 스택의 경우에는 top 메소드를 통해 가장 나중에 추가된 요소를 반환받은 다음에 pop 메소드를 호출해야 추출과 동시에 제거가 이루어진다.

범용 자료구조는 보통 매개 변수가 const T&인 것과 T&&인 것, 두 개 버전의 데이터 삽입 메소드를 제공한다. 이를 통해 인자가 Lvalue인지 Rvalue인지 구분하여 효과적으로 처리해 준다. 또 임시 객체를 전달할 때는 T&&인 버전 대신에 해당 객체를 생성할 때 필요한 인자를 전달하여 삽입하는 emplace로 시작하는 삽입 메소드를 제공하여 준다. 각 자료구조를 사용한 예제는 그림 16.11과 같다.

```
std::stack<int> stack;
stack.push(5);
stack.push(2);
stack.push(3);
```

```
std::queue<int> queue;
queue.push(5);
queue.push(2);
queue.push(3);
```

```
while(!stack.empty()) {
    std::cout << stack.top()
        << ", ";
    stack.pop();
}
std::cout << std::endl;
```

(1) 스택

```
while(!queue.empty()) {
    std::cout << queue.front()
        << ", ";
    queue.pop();
}
std::cout << std::endl;
```

(2) 큐

```
std::deque<int> deque;
deque.push_back(5);
deque.push_back(3);
deque.push_front(2);
while(!deque.empty()) {
    std::cout << deque.front()
        << ", ";
    deque.pop_front();
}
std::cout << std::endl;
```

```
std::deque<int> deque;
deque.push_back(5);
deque.push_back(3);
deque.push_front(2);
while(!deque.empty()) {
    std::cout << deque.back()
        << ", ";
    deque.pop_back();
}
std::cout << std::endl;
```

(3) 덱

〈그림 16.11〉 스택, 큐, 덱 사용 예

우선순위 큐를 사용하고 싶으면 std::priority_queue를 사용하면 된다. 우선순위 큐는 내부적으로 이진 힙(binary heap)이라는 자료구조를 사용한다. 따라서 우선순위 큐의 기본 연산인 push와 pop의 시간 복잡도는 $O(1)$이 아니라 $O(\log n)$이다.

```
std::vector<int> data{1, 8, 5, 6, 3, 4, 0, 9, 7, 2}
std::priority_queue<int> q1{nums.begin(), nums.end()};
std::priority_queue<int, std::vector<int>, std::greater<int>>
    q2{nums.begin(), nums.end()};
std::cout << q1.top() << ", " << q2.top() << '\n';   // 9, 0
```

기본적으로 std::priority_queue〈T〉는 우선순위를 결정할 때 std::less〈T〉를 사용하며, std::less〈T〉는 작은 것이 우선순위가 높다는 것이 아니라 그 반대가 된다. 원시 타입을 우선순위 큐에 유지할 때는 이 예처럼 std::less 대신에 std::greater, std::less_equal, std::greater_equal 등을 사용할 수 있다.

유지하는 데이터가 원시 타입이 아니면 삽입하는 데이터에 < 연산자를 재정의하거나 람다 표현식을 이용하여 우선순위 결정에 사용할 비교 함수를 생성할 때 제공할 수 있다. 우선순위 큐는 이진 힙을 사용하며, 이진 힙은 내부적으로 배열을 사용하므로 초기 용량 확보가 중요하다. 이를 위해 다음과 같이 std::vector로 공간을 확보하여 줄 수 있다.

```
std::vector<Person> people;
people.reserve(1024);
auto comp{[](const Person& p1, const Person& p2) {
    return p1.getName() > p2.getName();
}};
std::priority_queue<Person, std::vector<Person>, decltype(comp)>
    q(comp, std::move(people));
q.emplace("홍길동", 17);
q.emplace("성춘향", 16);
q.emplace("이몽룡", 19);
q.emplace("서장금", 20);
q.emplace("임꺽정", 22);
Person p{q.top()};
std::cout << p.getName() << '\n'; // 서장금
```

최근에 무엇을 했는지 알아야 할 때 사용하는 자료구조가 스택이다. 예를 들어, 문자열이 주어였을 때 괄호 검사를 하는 알고리즘을 생각하여 보자. 이 알고리즘은 닫힌 괄호를 만나면 그것에 대응되는 열린 괄호가 있는지 확인해야 하고, 괄호 쌍이 맞는지 확인해야 한다. 닫힌 괄호는 항상 최근에 열린 괄호와 매칭이 되어야 한다. 따라서 문자열을 분석하면서 열린 괄호를 만나면 그것을 스택에 삽입하고, 닫힌 괄호를 만나면 스택 맨 위에 있는 열린 괄호를 이용하여 매칭이 잘 되는지 확인하면 된다.

스택과 큐는 그래프나 트리를 탐색할 때 널리 사용하는 깊이 우선(DFS, Depth First Search)과 너비 우선(BFS, Breadth First Search) 알고리즘을 구현할 때도 사용한다. 깊이 우선은 스택 자료구조를 이용하고, 너비 우선은 큐 자료구조를 사용한다. 깊이 우선은

스택 자료구조를 이용하지 않고 재귀적으로 구현할 수 있다. 깊이 우선과 너비 우선의 성능은 같다. 따라서 보통 둘 다 사용이 가능하면 관례로 너비 우선을 많이 사용한다.

정렬된 순서로 데이터를 처리해야 하는 경우, 데이터를 정렬한 다음에 차례로 처리할 수 있지만 처리할 데이터를 우선순위 큐에 모두 삽입한 후에 하나씩 추출하여 처리할 수도 있다. 보통 두 방법 중 데이터를 정렬하여 처리하는 방법이 더 간편하다. 하지만 데이터가 계속 추가 및 삭제되는 동적 데이터의 경우에는 매번 새롭게 정렬하는 것은 효율적이지 못하므로 이 경우에는 우선순위 큐가 훨씬 더 효과적인 방법이다. 보통 우선순위 큐는 데이터를 효과적으로 삽입할 수 있지만 가장 우선순위가 높은 데이터를 제외하고 다른 데이터를 삭제하는 기능은 제공하지 않기 때문에 이 측면을 고려하여 사용할 자료구조를 선택해야 한다.

6. std::set

std::set은 집합 개념을 제공해 주는 자료구조로 이미 유지하고 있는 요소는 추가로 삽입하지 않는다. std::set의 기본 연산은 insert, erase, find이다. std::set를 이용한 간단한 예는 다음과 같다.

```
1  std::set<int> set{1 ,5, 2};
2  set.insert(4);
3  set.insert(2);
4  if(set.erase(2) > 0) std::cout << "삭제 성공\n";
5  if(set.find(1) != set.end()) std::cout << "1 존재\n";
```

위 예제에서 3번째 줄의 삽입은 이미 2가 있으므로 추가되지 않는다. 네 번째의 삭제는 삭제한 개수를 반환한다. 집합이기 때문에 이 값은 0 또는 1이다. 여섯 번째의 검색은 찾은 위치를 반환하거나 없으면 end()에 해당하는 위치를 반환하여 준다.

std::set은 내부적으로 균형 이진 검색 트리를 사용한다. 따라서 각 연산의 비용은 $O(\log n)$ 이다. 또 요소를 순서 기반으로 유지하고 있어 순서를 기준으로 요소에 접근하기 쉬우며, 요소 중 최댓값 요소나 최솟값 요소를 효율적으로 알 수 있다.

삽입과 찾기를 더 빠르게 하고 싶으면 std::unordered_set을 사용하면 된다. 이 자료구조는 내부적으로 해싱을 사용하기 때문에 삽입과 찾기가 $O(1)$이다. 하지만 집합에 유지해야 하는 요소의 개수를 충분히 유지할 수 있는 내부 공간을 확보해 주어야 기대하는 만큼의 성능을 얻을 수 있다. 집합에 삽입할 요소의 최대 개수를 알면 그것의 1.3배 이상의 공간을 확보해 주면 삽입과 찾기를 평균 $O(1)$에 할 수 있다. 하지만 std::unordered_set은 std::set과 달리 요소에 대한 순서를 유지하지 않는다. 또 해시값 계산과 충돌 처리 문제 때문에 기대한 것만큼의 성능을 보여주지 않을 수 있다. 여기서 충돌이란 서로 다른 데이터이지만 해시값이 같은 경우를 말한다.

문제 16.1. 공백으로 나누어진 여러 단어로 구성된 두 개의 문장이 주어진다. 두 문장에서 다른 문장에 등장하지 않고, 해당 문장에서 한 번만 등장하는 모든 단어를 찾아라.

```
std::vector<std::string> uncommonStrings(
    std::string_view s1, std::string_view s2);
```

이 문제는 다음 절에서 설명하는 맵 자료구조를 이용하여 더 효과적으로 해결할 수 있는 문제이지만 집합 자료구조를 이용하여 이 문제를 어떻게 해결할 수 있는지 살펴보자. 두 문장을 서로 비교해야 하는 문제로 생각할 수 있지만 각 문장에서 한 번만 등장해야 하는 조건이 있으므로 두 문장을 결합한 다음에 한 번만 등장하는 단어를 찾으면 된다. 우선 두 문장을 결합하고 두 문장에 있는 모든 단어를 추출해야 한다. 이 추출은 std::istringstream을 이용하면 비교적 쉽게 할 수 있다.

이 문제를 집합 자료구조로 해결하기 위한 한 가지 방법으로 여러 번 등장한 것(common)과 한 번만 등장한 것(uncommon)을 유지하는 두 개의 집합 자료구조를 다음과 같이 이용할 수 있다.

```
std::istringstream iss{s1 + " " + s2};
std::set<std::string> common;
std::set<std::string> uncommon;
std::string word;
while(iss >> word) {
```

```
    if(common.find(word) != common.end()) continue;
    else if(uncommon.find(word) != uncommon.end()){
        uncommon.erase(word);
        common.insert(word);
    }
    else uncommon.insert(word);
}
```

단어를 처음 만나면 한 번만 등장한 것을 유지하는 집합에 삽입하고, 다시 만나면 이 단어를 여러 번 등장한 것을 유지하는 집합으로 옮기는 방법으로 한 번만 등장하는 단어를 찾을 수 있다. 위 코드는 std::unordered_set을 사용하지 않고, std::set을 사용하고 있다. std::unordered_set을 사용할 수 있지만 해시맵은 충분한 크기의 공간을 확보해야 충돌이 적게 일어나며, 공간의 동적 확장 없이 데이터를 처리할 수 있는데, 이 문제에서 각 문장의 단어 수를 사전에 파악하기 어렵기 때문에 std::set을 사용하고 있다.

```
template<> struct std::hash<Student> {
    std::size_t operator()(const Student& s) const noexcept {
        std::vector<size_t> vec;
        vec.push_back(std::hash<std::string>{}(s.name));
        vec.push_back(std::hash<std::string>{}(s.number));
        vec.push_back(std::hash<int>{}(s.year));
        size_t hashval{0};
        for(auto n: vec) hashval = hashval * 31 + n;
        return hashval;
    }
};
```

(1) 멤버 변수의 해시값을 결합하여 해시값을 계산하는 방법

```
template<> struct std::hash<Student> {
    std::size_t operator()(const Student& s) const noexcept {
        std::stringstream buf;
```

```
        buf << s.name << s.number << s.year;
        return std::hash<std::string>{}(buf.str());
    }
};
```

(2) 멤버 변수를 문자열로 변환하여 해시값을 계산하는 방법

<그림 16.12> 복합 타입을 위한 해시함수 구현 방법

원시 타입이나 문자열이 아닌 구조체나 객체를 해싱 기반 집합에 삽입하고 싶으면 삽입할 때 사용할 해시함수를 제공해 주어야 하고, 충돌이 발생할 수 있으므로 == 연산자가 다중 정의되어 있어야 한다. 보통 충돌 발생 확률을 줄이기 위해 모든 멤버 변수를 이용하여 해시값을 계산하는 함수를 정의하여 사용할 수 있다. 물론 모든 멤버 변수를 이용하면 계산 비용은 더 커진다.

모든 멤버 변수를 이용하여 해시값을 계산하는 함수를 정의하는 방법은 크게 다음과 같은 두 가지 방법이 있다.

- 방법 1. 각 멤버 변수의 해시값을 계산한 후, 이를 결합하여 최종 해시값을 계산
- 방법 2. 모든 멤버 변수를 문자열로 변환하여 결합한 후에 이 문자열에 대한 해시값을 계산

이 두 방법을 이용한 해시함수 구현의 예는 그림 16.12와 같다.

```
template<> struct std::hash<Student> {
    std::size_t operator()(const Student& s) const noexcept {
        return std::hash<std::string>{}(s.getName());
    }
};
```

<그림 16.13> 이름 멤버 변수만 이용하여 해시값을 계산하는 해시함수

물론 데이터를 저장할 때 데이터의 모든 멤버 변수를 이용하여 해시값을 계산하지 않고, 그림 16.13과 같이 하나의 멤버 변수만 이용하여 해시값을 계산할 수 있다. 모든 멤버 변

수를 이용하면 그만큼 충돌이 발생할 확률은 줄어들지만, 해시함수를 계산하는 비용은 증가한다. 이 절에서 설명하고 있는 해시함수와 관련된 설명은 다음 절에서 소개하는 std::unordered_map에도 그대로 적용된다.

7. std::map

std::map은 키와 값 쌍을 유지하는 자료구조이며, 주어진 키를 매우 빠르게 찾아준다. std::map의 기본 연산은 insert, erase, find이며, 주로 다중 정의된 배열 색인 연산자를 많이 이용한다. std::map를 이용한 간단한 예는 다음과 같다.

```
std::map<std::string, int> map;
map.insert(std::make_pair("apple",3));
map["grape"] = 5;
map.insert(std::make_pair("banana",4));
map["apple"] = 2;
auto loc{map.find("apple")};
if(loc != map.cend()) {
    std::cout << loc->second << std::endl;
}
```

위 예제에 제시된 것처럼 배열 색인 연산자를 이용하여 삽입할 수 있고, insert 메소드를 이용하여 삽입할 수 있다. std::map의 find 메소드는 키에 해당하는 값이 맵에 존재하면 그 위치를 반환하여 주는데, 이 포인터는 std::pair에 대한 포인터이다. 즉, C++에서 맵의 값 위치에는 키와 값 쌍이 저장되어 있다.

std::map은 std::set과 마찬가지로 내부적으로 균형 이진검색 트리를 사용한다. 따라서 각 연산의 비용은 $O(\log n)$ 이다. 삽입과 찾기를 더 빠르게 하고 싶으면 내부적으로 해싱을 이용하는 std::unordered_map을 사용하면 된다. 두 맵의 특성은 두 집합의 특성과 같다.

문제 16.2. 주어진 일련의 문자열에서 k번째 독특한 문자열을 찾아라. 주어진 일련의 문자열에 k번째 독특한 문자열이 없으면 빈 문자열을 반환해야 한다.

```
std::string kthDistinctString(const std::vector<std::string>& vec, size_t k) ;
```

위 문제를 맵 자료구조를 이용하여 어떻게 해결할 수 있는지 생각하여 보자. 문자열을 처리할 때, 문자 빈도수 배열을 이용하는 경우가 많다. 소문자로만 구성된 문자열과 관련된 문제의 경우, 용량이 26인 정수 배열을 이용하여 문자 빈도수 배열을 만들 수 있다. 이것이 가능한 이유는 소문자는 제한적이며, 각 소문자를 0부터 25까지 일대일로 매핑할 수 있기 때문이다. 문제 16.2는 등장하는 문자열의 빈도수를 계산해야 한다. 하지만 문자 빈도수처럼 매핑 함수를 만들 수 없으므로 빈도수 배열을 사용할 수 없다. 이때 활용할 수 있는 것이 맵 자료구조이다.

문제 16.2에서 필요한 빈도수 맵은 다음과 같이 만들 수 있다.

```
std::unordered_map<string, int> map(static_cast<int>(1.3 * vec.size()));
for(auto &s: vec) ++map[s];
```

map에 없는 s를 이용하여 map[s]에 접근하면 기본값으로 맵에 추가하기 때문에 s가 있는지를 다음과 같이 판단할 필요는 없다.

```
if(map.find(s) != map.end()) ++map[s];
else map[s] = 1;
```

문자열 빈도수 배열을 구한 다음, 다시 처음부터 문자열을 하나씩 맵에서 검색하여 빈도수가 1인지 여부를 확인하고, 빈도수가 1인 것을 k번째 만나면 해당 문자열 반환하여 이 문제를 해결할 수 있다. 이 방식으로 해결하면 두 개의 선형 반복문을 이용하여 문제를 해결할 수 있다.

8. std::variant

std::variant는 다양한 타입의 단일 데이터를 유지할 수 있는 범용 클래스이며, 객체지향 설계 패턴의 방문 패턴(visitor pattern)을 활용할 수 있도록 해준다. std::variant는 타입을 정의할 때 유지할 수 있는 타입을 나열해야 하며, 나열된 타입의 데이터만 유지할 수 있다. 반면에 유사한 std::any는 이런 제한이 없다.

보통 다형성을 이용하고 싶으면 상속 관계(또는 포함 관계)를 이용해야 하며, 다양한 타입을 처리할 수 있는 상위 타입과 해당 타입에 선언/정의된 가상 함수가 있어야 한다. 상속 관계에 묶여 있지 않은 타입의 객체를 다형성을 이용하여 처리하고 싶으면 객체지향 설계 패턴의 어댑터 패턴(adapter pattern)을 이용하여 공통 타입을 만들어 처리할 수 있지만 다형성을 이용하여 처리하고 싶은 메소드가 가상 함수가 아니면 C++는 클래스의 수정[17]은 불가피하다.

```cpp
class Cat {
public:
    void meow() const noexcept {
        std::cout << "야옹\n";
    }
};

class Dog {
public:
    void bark() const noexcept {
        std::cout << "멍멍\n";
    }
};
```

```cpp
class Duck {
public:
    void quack() const noexcept {
        std::cout << "꽥꽥\n";
    }
};
```

<그림 16.14> Cat, Dog, Duck 클래스

std::variant와 visit 함수를 이용하면 상속 관계로 묶여 있지 않는 타입의 객체를 다형성을 이용하여 처리할 수 있다. 예를 들어, 그림 16.14에 제시된 3개의 클래스는 서로 어

17) 자바, 파이썬은 C++와 달리 메소드가 기본적으로 가상 함수이다.

떤 의존 관계도 맺고 있지 않으며, 다형성을 이용하여 처리하고 싶은 메소드의 이름이 같지 않고, 가상 함수도 아니다. 이 경우 다음과 같은 std::variant 타입을 만들고, 이 타입을 유지하는 std::vector를 선언하면 Cat, Dog, Duck 타입의 객체를 이 vector에 유지할 수 있다.

```
using Animal = std::variant<Cat, Dog, Duck>;
```

Animal은 타입을 선언할 때, 타입 매개 변수에 포함한 타입의 객체만 유지할 수 있다.

```
struct AnimalSound {
   void operator()(const Cat& cat) const noexcept { cat.meow(); }
   void operator()(const Dog& dog) const noexcept { dog.bark(); }
   void operator()(const Duck& duck) const noexcept { duck.quack(); }
};
```

<그림 16.15> std::variant<Cat, Dog, Duck>을 처리하기 위한 함수 객체

다형성을 활용하고 싶은 메소드를 공통으로 처리하기 위해 함수 객체를 그림 16.15와 같이 선언한 후, std::visit 메소드를 이용하여 animals에 유지하고 각 객체를 다음과 같이 처리할 수 있다.

```
std::vector<Animal> animals{Cat{}, Duck{}, Dog{}, Cat{}};
for(auto& animal: animals)
   std::visit(AnimalSound{}, animal);
```

퀴즈

1. C++의 범용 자료구조 라이브러리의 사용과 관련된 다음 설명 중 **틀린** 것은?

   ① 내부적으로 배열을 사용하면 자동 동적 확장을 이용하기보다는 처음 생성할 때 충분한 공간을 확보해 주는 것이 바람직하다.
   ② pop으로 시작하는 연산은 데이터를 반환하여 준다.
   ③ 데이터를 삽입할 때 삽입 메소드의 인자로 객체를 생성하여 삽입할 때는 emplace로 시작하는 메소드를 이용하여 삽입하는 것이 더 효과적이다.
   ④ 두 개의 객체를 이용하는 반복자를 이용하여 저장된 요소를 하나씩 방문할 수 있다.

2. C++ 반복자의 특징과 관련된 다음 설명 중 **틀린** 것은?

   ① 두 개의 객체를 이용하며, 이 때문에 반복하는 구간을 편리하게 나타낼 수 있다.
   ② begin를 이용하여 얻은 반복자는 항상 일반 반복자이며, 수정불가 반복자가 필요하면 cbegin를 이용해야 한다.
   ③ 포인터 개념을 활용한다. 특히, 역참조와 비교를 할 수 있고, ++를 지원하면 반복자로 사용할 수 있으므로 포인터인 일반 배열도 반복자를 요구하는 함수를 사용할 수 있다.
   ④ 반복자를 이용하여 자료구조를 수정(데이터를 추가 또는 삭제)하면 해당 반복자는 무효화 되기 때문에 해당 반복자는 더 이상 사용할 수 없다.

3. 응용의 요구사항과 그것에 필요한 자료구조를 연결한 다음 설명 중 **틀린** 것은?

   ① 가장 최근에 삽입한 데이터가 필요하면 스택을 사용한다.
   ② 특정 키와 데이터를 연관하여 자주 검색해야 하면 해싱 기반 맵을 사용한다.
   ③ 중복된 요소가 있는지 알고 싶으면 집합 자료구조를 사용한다.
   ④ 삽입된 순서로 데이터를 유지해야 하고, 중간에서 자주 삭제해야 하면 배열 기반 리스트 자료구조를 사용한다.

연습문제

1. 영소문자로만 구성된 문자열이 주어진다. 인접한 문자가 같은 두 문자를 반복적으로 제거하여 최종 남는 문자열을 반환하는 다음 함수를 완성하라.

```
std::string removeDuplicates(std::string word);
```

   예를 들어, “abbaca”가 주어지면 “bb”를 제거하고, 남은 “aaca”에서 “aa”를 다시 제거해야 한다. 최종적으로 반환할 문자열은 ``ca"이다.

2. n개의 정수로 구성된 배열이 주어진다. 길이가 2인 합이 같은 부분 배열이 존재하면 true, 존재하지 않으면 false를 반환하는 다음 함수를 완성하라.

```
bool hasEqualSumSubarrays(int[] nums, size_t size);
```

   길이가 2보다 커지면 같은 문제를 어떻게 효과적으로 해결할 수 있는지 설명하라.

3. 영소문자로만 구성된 두 개의 문자열이 주어졌을 때 두 문자열이 동형인지 판단하는 다음 함수를 완성하라.

```
bool isIsomorphic(std::string_view s, std::string_view t);
```

   예를 들어, "egg"와 "bar", "paper"와 "title"은 동형이지만 "foo"와 "ham"은 동형이 아니다. s에 있는 문자를 교체하여 t를 만들 수 있어야 한다. 특정 문자는 모두 같은 문자로 바뀌어야 하며, 서로 다른 두 문자가 같은 문자로 바뀔 수 없다. 물론 문자는 꼭 다른 문자로 매핑되어야 하는 것은 아니다.

4. 돌들의 집합이 있다. 이 돌들의 무게는 양의 정수로 표현된다. 다음과 같은 과정을 반복적으로 진행하였을 때 마지막 돌의 무게를 찾아주는 다음 함수를 완성하라.

```
int lastStoneWeight(vector<int>& stones);
```

남은 돌 중 가장 무거운 돌 두 개를 선택하여 두 돌을 부닥친다. 두 돌의 무게가 같으면 두 돌은 완전히 사라지고, 한쪽이 크면 작은 쪽은 완전히 사라지고 큰 쪽 작은 쪽만큼 사라진다. 예를 들어, 선택된 두 개의 돌의 무게가 7, 5이면 무게가 5인 돌은 사라지고 7인 돌은 2인 돌로 바뀐다.

5. 영대소문자, 숫자 등으로 구성된 텍스트 데이터가 여러 줄에 걸쳐 입력된다. 이 입력을 문장 단위로 분리하여, 주어진 데이터에서 가장 많은 단어로 구성된 문장을 찾고, 그 문장의 단어 수를 제시하라. 영문 문장은 '.', '!', '?'로 끝날 수 있다. 여기서 단어란 공백 문자로 분리된 문장의 요소를 말한다.

6. std::vector<int>와 predicate 함수가 주어졌을 때, predicate를 만족하는 요소가 앞에 오도록 vector를 분할하는 다음 함수를 완성하라.

```
void partition(
    std::vector<int>& vec, const std::function<bool(int)>& predicate);
```

예를 들어, [1, 2, 3, 4, 5, 6, 7, 8, 9]가 vec의 내부 내용이고, [](auto n){ return n & 1; }이 주어지면, vec은 [1, 9, 3, 7, 5, 6, 4, 8, 2]와 같이 변경되어야 한다. 이때 만족하는 요소는 만족하지 않는 요소 앞에 와야 하며, 그것의 순서는 중요하지 않다. 참고로, 〈algorithm〉에 반복자를 받는 partition 함수가 있다.

제 17 장

기타

제17장 기타

1. 스마트 포인터

C++에서 동적 할당은 new와 delete 연산자를 사용한다. 기존 C에서 사용한 malloc, free와 마찬가지로 new를 이용하여 할당한 공간은 다 사용한 후에는 delete를 이용하여 직접 반납해야 한다. 하지만 메모리를 프로그래머가 직접 관리해야 하는 것은 번거로운 일이며, 잘못 사용하면 여러 가지 문제(여러 번 반납, 반납된 공간 사용 시도 등)를 일으킬 수 있다. 특히, 반납의 책임과 시점이 명확하지 않을 때도 있다. 더욱이 클래스의 멤버 변수 중 동적 할당하여 포인터로 유지하는 것이 있으면 빅5를 모두 정의해 주어야 한다.

자바와 같은 언어는 언어의 특성 때문에 프로그래머가 동적 할당한 공간을 직접 반납하지 않아도 된다. 자바는 실행 파일을 생성한 후 운영체제가 실행을 담당하는 것이 아니라 중간코드를 생성한 후에 JVM(Java Virtual Machine)이라는 시스템 소프트웨어가 실행한다. 따라서 JVM은 실행하는 프로그램의 메모리를 관리할 수 있으며, 동적 할당된 공간을 추적하고 필요한 시점이 되면 반납을 해줄 수 있다.

C++11부터 C++도 동적 할당된 공간에 대한 포인터의 수를 관찰하여 해당 공간을 가리키는 포인터가 없으면 반납해 주는 라이브러리를 개발하여 제공해 주고 있다. 이 라이브러리를 **스마트 포인터**라 한다. 하지만 포인터 수를 추적하는 것은 간단한 것이 아니므로 스마트 포인터를 사용하면 그것을 사용하지 않을 때와 비교하여 프로그램이 무거워지는 단점이 있다.

C++는 std::unique_ptr, std::weak_ptr, std::shared_ptr 3종류의 스마트 포인터를 제공한다. 이 책에서는 동적 할당된 공간에 대한 포인터를 항상 하나만 유지하는 std::unique_ptr과 여러 개를 유지할 수 있는 std::shared_ptr에 관해서만 설명한다. 참고로

std::weak_ptr은 순환 참조와 같은 특수한 문제를 해결하기 위해 std::shared_ptr과 연동하여 사용하는 스마트 포인터이다. 스마트 포인터를 사용하고 싶으면 <memory> 헤더 파일을 포함해야 한다.

스마트 포인터의 장점은 다음과 같다.

- 장점 1. 동적 할당한 공간을 직접 반납하지 않아도 된다.
- 장점 2. 스마트 포인터를 선언하여 동적 할당한 이후에는 기존 포인터 문법과 동일하게 사용할 수 있다.

클래스의 멤버 변수 중 new를 이용하여 동적 할당한 포인터 타입의 멤버 변수가 있으면 이 클래스는 빅5를 프로그래머가 직접 모두 정의해야 한다. 이때 직접 동적 할당하지 않고 스마트 포인터를 사용하면 빅5를 정의하지 않고 제로 규칙을 사용할 수 있을 것으로 생각할 수 있다. 하지만 std::unique_ptr를 이용하면 복사 생성자와 복사 대입 연산자가 제공되지 않는다. 또 std::shared_ptr를 사용하여 다형성 지원 객체를 유지할 때, 시스템에서 제공하는 복사 생성자나 복사 대입 연산자는 깊은 복사를 제공해 주지 않는다. 따라서 빅5 문제를 해결하기 위해 스마트 포인터를 사용하기보다는 동적 할당된 공간을 반납하는 시점이나 책임을 결정하기 어려울 때 스마트 포인터를 활용하는 것이 가장 효과적이다.

스마트 포인터를 생성한 이후에는 연산자가 다중 정의되어 있으므로 일반 포인터처럼 사용할 수 있다. 하지만 함수에서 생성한 스마트 포인터를 반환할 때는 스마트 포인터 자체를 반환해야 한다. 특히, std::unique_ptr은 그 변수의 수명이 끝나면 동적 할당된 공간을 자동 반납하기 때문에 주의가 필요하다. 하지만 스마트 포인터를 멤버 변수로 유지할 때, 그것의 getter는 스마프 포인터로 반환해 줄 필요는 없다.

1.1. 스마트 포인터 사용법

new, std::unique_ptr, std::shared_ptr를 이용하여 int 하나를 동적 할당하는 방법은 다음과 같다.

```
int *p1{new int{10}}
std::unique_ptr<int> p2{new int{10}};
```

```
std::unique_ptr<int> p3{std::make_unique<int>(10)};
std::shared_ptr<int> p4{new int{10}};
std::shared_ptr<int> p5{std::make_shared<int>(10)};
```

각각 두 가지 동적 할당하는 방법을 제시하고 있지만, 스마트 포인터는 std::make_unique와 std::make_shared를 사용하는 것이 가장 효과적이고 안전한 방법이다.

동적 배열은 std::unique_ptr만 가능했는데 C++20부터는 std::shared_ptr도 동적 배열을 생성할 수 있다. 하지만 동적 배열이 필요하면 std::vector를 사용하는 것이 더 바람직하다.

```
int *list1{new int[10]{}};
std::unique_ptr<int[]> list2{std::make_unique<int[]>(10)};
list1[0] = list2[0] = 1;
```

여러 개의 std::shared_ptr이 같은 공간을 가리킬 수 있지만, unique_ptr은 한 공간에 대해 하나의 std::unique_ptr만 가리킬 수 있다. 따라서 std::shared_ptr은 대입이나 복사 생성자를 통해 같은 공간을 가리키도록 할 수 있지만, std::unique_ptr은 가능하지 않다.

```
std::unique_ptr<int> p1{std::make_unique<int>(10)};
std::unique_ptr<int> p2{std::make_unique<int>(5)};
std::unique_ptr<int> p3{p1};  // error
p2 = p1;                      // error

std::shared_ptr<int> p4{std::make_shared<int>(10)};
std::shared_ptr<int> p5{std::make_shared<int>(5)};
std::shared_ptr<int> p6{p4};
p5 = p4;
```

하지만 std::unique_ptr을 다른 std::unique_ptr로 다음과 같이 이동할 수 있다.

```
std::unique_ptr<int> p1{std::make_unique<int>(10)};
std::unique_ptr<int> p2{std::make_unique<int>(5)};
std::unique_ptr<int> p3{std::move(p1)};
p2 = std::move(p3);
```

이때 마지막 문장 이후 유효하게 사용할 수 있는 포인터는 p2밖에 없다. 즉, 이동한 후에는 기존 std::unique_ptr는 사용할 수 없다.

스마트 포인터는 공통으로 get, reset, release 메소드를 제공한다. get은 유지하는 주소를 반환하여 주며, reset은 스마트 포인터를 초기화해 준다. 또 reset를 통해 기존 new를 이용하여 동적 할당한 공간의 소유를 가져올 수 있다. 따라서 std::unique_ptr을 reset하는 것은 공간을 반납하는 것과 같다. 스마트 포인터는 자동으로 bool로 타입 변환되므로 유효 포인터 유지 여부를 일반 포인터와 동일하게 확인할 수 있다.

```
class Person {
private:
   std::unique_ptr<Pet> pet;
public:
   void setPet(Pet* pet) noexcept {
      this->pet.reset(pet);
   }
   const Pet& getPet() const noexcept {
      return *pet;
   }
};
```

〈그림 17.1〉 스마트 포인터를 이용한 다형성 지원 객체 유지

동적 생성된 다형성 지원 객체를 클래스가 포함 관계로 유지할 때 스마트 포인터를 사용할 수 있다. 이때 그림 17.1과 같이 getter와 setter를 만들어 사용할 수 있다. p가 Person 타입의 객체일 때 setter는 다음과 같이 사용한다.

```
p.setPet(new Dog{});
```

setPet에 의해 기존 다른 애완동물을 유지하고 있었다면 reset에 의해 해당 애완동물은 자동으로 반납된다.

그림 17.1의 setter를 다음과 같이 구현할 수 있다.

```
void setPet(std::unique_ptr<Pet> pet) noexcept {
    this->pet = std::move(pet);
}
```

이 경우 사용하는 측에서 스마트 포인터를 만들어 전달해야 한다. 반면에 그림 17.1의 setter는 동적 생성한 것을 전달하지 않으면 프로그램이 오동작하는 문제점이 있다.

클래스가 std::unique_ptr를 이용하여 객체를 유지하면 빅5를 정의하지 않아도 된다. 하지만 std::unique_ptr를 멤버 변수로 유지하면 복사 생성자와 복사 대입이 제공되지 않는다. 따라서 Person 타입 객체를 복제하고 싶으면 다음과 같은 복사 생성자를 정의해야 한다.

```
Person(const Person& other): {
    pet.reset(other.pet->clone());
}
```

여기서 clone은 14장에서 소개한 가상 생성자이다. 복사 대입도 비슷하게 정의할 수 있다. 다만, 이 경우에는 copy-and-swap 기법을 이용하기 어렵다. 또 위와 같이 복사 생성자를 정의하면 이동 생성자를 자동으로 제공해 주지 않는다. 따라서 복사 생성자와 복사 대입을 정의하면 default로 이동 생성자와 이동 대입을 정의해 주어야 한다.

std::shared_ptr를 이용하여 객체를 유지하면 std::shared_ptr은 깊은 복사를 제공하지 않으므로 필요하면 std::unique_ptr처럼 빅5를 직접 정의해야 한다. 하지만 12장에서 제시한 DogSound와 같은 객체를 std:: shared_ptr를 이용하여 유지하면 제로 규칙을 이용할 수 있다. 동적 할당을 이용하여 생성한 객체를 멤버 변수로 유지하면 소멸자에서 이를 반납해야 하지만, DogSound처럼 공유가 가능한 객체를 std::shared_ptr를 사용하여 유지하면 이 반납을 스마트 포인터가 책임지므로 깊은 복사를 하는 복사 생성자나 복사 대입 연산자가 필요 없다.

2. 함수형 프로그래밍

함수형 프로그래밍에서는 함수를 정수와 같은 데이터로 취급할 수 있어, 함수를 다른 함수의 인자로 전달할 수 있고, 함수의 결과로 함수를 반환할 수 있으며, 변수에 함수를 유지할 수 있다. 즉, 함수형 프로그래밍은 고차 함수를 정의할 수 있도록 해준다. 함수형 프로그래밍은 기존처럼 제공해야 하는 기능을 수행하는 절차를 서술하여 프로그래밍하기보다는 수행하고 싶은 것이 무엇인지 서술하는 형태로 프로그래밍한다.

함수를 다른 함수의 인자로 전달할 수 있으면 하나의 함수를 정의하여 다양한 기능을 하도록 만들 수 있다. C언어는 그림 17.2와 같이 원래 함수 포인터라는 개념을 이용하여 함수를 다른 함수의 인자로 전달할 수 있었다.

```
bool isEven(int n) {
    return n % 2 == 0;
}

bool isMultipleOf3(int n) {
    return n % 3 == 0;
}

using pfunc = bool (*)(int); // 함수 포인터

size_t countif_cstyle(const std::vector<int>& vec, pfunc func) {
    size_t count{0};
    for(auto n: vec)
        // if((*func)(n)) ++count;
        if(func(n)) ++count;
    return count;
}

void countif_cstyle_test() {
    std::vector<int> list{1, 5, 6, 4, 3, 8};
```

```
    std::cout << countif_cstyle(list, &isEven) << '\n';
    std::cout << countif_cstyle(list, isMultipleOf3) << '\n';
}
```

<그림 17.2> 함수 포인터를 이용한 고차 함수 정의와 사용

이처럼 최초 C언어는 이미 정의되어 있는 함수를 그것의 주소를 이용하여 다른 함수에 전달하고, 받은 주소를 이용하여 함수를 호출할 수 있다. 함수 포인터에 함수를 전달할 때 함수 이름만 사용해도 되고, 주소 연산자를 함께 사용해도 된다. 위에서는 두 가지 형태를 모두 사용하고 있다. 사용할 때도 역참조 연산자를 사용(주석 형태)할 수 있고, 사용하지 않아도 된다.

C++11부터 함수 포인터를 사용하지 않고 함수 객체를 정의하여 함수형 프로그래밍을 할 수 있다. 다음과 같이 구조체를 정의한 다음

```
struct IsOdd {
    bool operator()(int n) {
        return (n & 1) == 1;
    }
};
```

countif_cstyle에 다음과 같이 구조체를 전달할 수 있다.

```
std::cout << countif_cstyle(list, IsOdd{}) << '\n';
```

보통 함수형 프로그래밍을 지원하는 언어는 함수를 호출할 때 인자로 함수를 간결하여 정의하여 전달할 수 있도록 해준다. 이처럼 이름이 없는 함수를 간결하게 정의한 표현식을 **람다 표현식**이라 한다. C++도 C++11부터 람다 표현식을 작성하여 사용할 수 있고, <functional>에 정의되어 있는 std::function 타입을 이용하여 함수 포인터보다 직관적이고 쉽게 함수 타입을 정의할 수 있다.

예를 들어, 두 개의 정수를 받아 정수를 반환하여 주는 함수를 매개 변수 타입으로 사용하는 foo 함수는 다음과 같이 선언할 수 있다.

```cpp
void foo(const std::function<int(int, int)>& biFunc);
```

이와 같은 매개 변수는 함수 내에서 매개 변수 이름을 이용하여 해당 함수를 다음과 같이 호출할 수 있다.

```cpp
int a{1}, b{3}, c{0};
c = biFunc(a, b);
```

std::function의 클래스 정의는 실제 다음과 같다.

```cpp
template <typename R, typename... Args>
class function<R(Args...)>;
```

std::function을 이용하여 매개 변수를 정의한 함수에 람다 표현식뿐만 아니라 함수 포인터를 이용하여 함수를 인자로 전달할 수 있고, 함수 객체를 인자로 전달할 수도 있다.

2.1. 람다 표현식

람다 표현식은 함수를 간단하게 필요한 위치에 함수 이름 없이 정의한 표현식을 말하며, 보통 함수 호출문에 간단한 함수를 전달하기 위해 많이 사용한다. 람다 표현식의 문법은 다음과 같다.

[capture](parameters)->return_type{ body }

여기서 capture 부분은 2.3절로 설명을 미루고, 이 절에서는 예시를 통해 람다 표현식의 사용법부터 살펴보자.

정수가 짝수인지 검사해 주는 람다 표현식은 다음과 같이 작성할 수 있다.

```cpp
[](int n)->bool{ return n % 2 == 0; }
```

이것을 일반 함수로 정의하면 다음과 같다.

```
bool isEven(int n) {
    return n % 2 == 0;
}
```

이름이 없고 형식만 조금 간결해졌을 뿐 함수 정의에 필요한 요소는 모두 갖추어져 있다.

C++11부터는 auto처럼 컴파일러가 타입을 유추하는 기능을 많이 사용하고 있다. 이 때문에 람다 표현식도 반환 타입은 생략할 수 있다. 따라서 정수가 홀수인지 검사해 주는 람다 표현식은 다음과 같이 정의할 수 있다.

```
[](int n){ return (n & 1) == 1; }
```

C++17부터 람다 표현식을 작성할 때 constexpr로 수식하지 않더라도 constexpr 함수의 조건을 충족하면 constexpr 함수로 인식된다. 원래 람다 표현식을 constexpr로 수식할 때는 다음과 같이 매개 변수 목록과 함수 몸체 사이에 키워드를 사용해야 한다.

```
auto squared = [](auto n) constexpr { return n * n; }
```

람다 표현식 매개 변수 목록에 auto의 사용과 기본 인자의 사용은 C++14부터 가능하다. 매개 변수 타입으로 auto를 사용하면 이 람다는 **범용 람다**(generic lambda)가 된다.

인자가 필요 없는 람다는 매개 변수 목록 부분을 다음과 같이 생략할 수 있다.

```
auto starout = []{ std::cout << '*'; };
for(int i{0}; i < 10; ++i) starout();
```

위 코드가 실행되면 *을 10번 출력한다. 참고로 이 람다 표현식의 반환 타입은 void이다.

```
size_t countif(const std::vector<int>& vec,
    const std::function<bool(int)>& predicate) {
    size_t count{0};
    for(auto n: vec)
        if(predicate(n)) ++count;
    return count;
}
```

〈그림 17.3〉 countif 고차 함수

함수형 프로그래밍을 이용하여 std::vector〈int〉에 유지하고 있는 정수 중 특정 조건을 충족하는 정수의 개수를 계산하여 주는 함수를 그림 17.3과 같이 정의할 수 있다. 이 함수는 짝수의 개수, 홀수의 개수, 3의 배수의 개수, 10보다 작은 수의 개수 등 수 없이 다양한 조건에 대해 그것을 충족하는 정수의 개수를 반환하여 줄 수 있다. 예를 들어, 다음과 같이 람다 표현식을 활용하여 사용할 수 있다.

```
std::vector<int> list{1, 5, 6, 11, 12, 4, 7, 17};
std::cout << countif(list, [](int n){ return n & 1; }) << '\n';
std::cout << countif(list, [](int n){ return n > 10; }) << '\n';
std::cout << countif(list, [](int n){ return n % 3 == 0; }) << '\n';
```

```
size_t numberOfVowels(std::string word) {
    std::for_each(word.begin(), word.end(),
        [](char& c){ c = std::tolower(c); });
    auto it = std::remove_if(word.begin(), word.end(),
        [](char c){
            return std::string{"aeiou"}.find(c) != std::string::npos; });
    return word.cend() - it;
}
```

〈그림 17.4〉 remove_if를 이용한 numberOfVowels 함수

countif와 같은 함수가 16장에서 살펴본 〈algorithm〉에 많이 정의되어 있다. 특히, 16장에서 설명한 함수들의 변형인 std::count_if, std::erase_if, std::remove_if, std::

replace_if 등이 정의되어 있다. 이들은 같은 기능을 하지만 모두 함수를 인자로 받는 고차 함수이다. 이 중에 std::remove_if를 이용하여 문자열에 있는 모음 수를 계산하는 함수를 그림 17.4와 같이 정의할 수 있다.

```
size_t numberOfVowels(std::string word) {
    std::for_each(word.begin(), word.end(),
        [](char& c){ c = std::tolower(c); });
    std::string vowels{"aeiou"};
    size_t count{0};
    std::for_each(word.begin(), word.end(), [&vowels, &count](char c){
        if(vowels.find(c) != std::string::npos) ++count; });
    return count;
}
```

〈그림 17.5〉 for_each를 이용한 numberOfVowels 함수

모음의 개수를 계산하는 함수는 std::remove_if 대신에 std::for_each를 사용하여 그림 17.5와 같이 정의할 수 있다. 제시된 람다 표현식은 두 개의 지역 변수를 모두 참조 방식으로 캡처하여 사용하고 있다. 람다 표현식은 별도 함수이므로 원칙적으로는 외부에 정의된 변수를 람다 표현식 내에서 사용할 수 없다. 따라서 위 예에서는 vowels와 count를 람다 표현식 내에서 사용하고자 하면 캡처해야 한다. 캡처에 대해서는 2.3절에서 더 자세히 설명한다.

라이브러리에 추가된 고차 함수 중에 많이 사용할 수 있는 또 다른 함수가 std::transform이다. std::transform은 주어진 범위에 있는 데이터를 주어진 함수에 적용하여 얻은 값을 또 다른 범위에 저장해 준다. 처리할 입력 범위와 출력 범위를 같은 범위로 지정하면 입력 범위에 있는 데이터를 수정하는 효과가 있다. 예를 들어, s가 std::string일 때, 다음은 s 문자열을 모두 소문자로 바꾸어 준다.

```
std::transform(s.cbegin(), s.cend(), s.begin(),
    [](auto c){ return std::tolower(c); });
```

또 다른 예로 vec이 std::vector<int>일 때, 다음은 vec에서 10보다 큰 수는 10으로

바꾸어 주고, 음수는 모두 0으로 바꾸어 준다.

```
std::transform(vec.cbegin(), vec.cend(), vec.begin(),
    [](auto n){ return (n > 10)? 10: (n < 0)? 0: n; });
```

2.2. 함수 객체와 람다 표현식

람다 표현식을 사용하면 컴파일러는 내부적으로 함수 호출 연산자가 다중 정의된 클래스(구조체)를 만들어 사용한다. 예를 들어, 다음 람다 표현식은

```
[](int n){ return (n & 1) == 1; }
```

내부적으로 다음과 같은 구조체로 바뀐다.

```
struct LambdaXXX {
    auto operator()(int n) const {
        return (n & 1) == 1;
    }
};
```

해당 람다 표현식이 함수의 인자로 전달되면 컴파일러는 이 구조체 변수를 하나 생성하여 인자로 전달하는 형태로 바꾸어 번역한다.

범용 람다는 다중 정의 연산자가 범용 함수로 바뀐다. 이전 절에 제시하였던 auto를 이용한 다음 람다 표현식은

```
[](auto n){ return n * n; }
```

다음과 같은 구조체로 바뀐다.

```
struct LambdaXXX {
    template <typename T>
    T operator()(T n) const {
```

```
        return n * n;
    }
};
```

2.3. 람다 표현식의 캡처

어떤 함수 foo 내에 람다 표현식을 작성하면 람다 표현식의 몸체는 foo와 가시영역이 다르다. 따라서 foo에 선언된 지역 변수는 원칙적으로 람다 표현식 몸체에서 사용할 수 없다. 이를 위해 사용하는 것이 **캡처**(capture)이다. 람다 표현식 몸체에 지역 변수들을 사용하기 위한 캡처 방법은 다음과 같이 크게 4가지 방법이 있다.

- [&]: 모든 지역 변수를 참조 방식으로 사용할 수 있다.
- [&varname]: 지역 변수 이름이 varname인 것만 참조 방식으로 사용할 수 있다.
- [=]: 모든 지역 변수를 복사 방식으로 사용할 수 있다.
- [=varname]: 지역 변수 이름이 varname인 것만 복사 방식으로 사용할 수 있다.

여러 개 변수를 캡처하고 싶으면 쉼표를 사용하여 나열한다. =나 &를 사용한다고 모든 변수를 실제 캡처하는 것은 아니다. 람다 표현식 몸체에서 실제 사용하는 변수만 캡처한다. =나 &와 개별 캡처를 혼합하여 사용하고 싶으면 =나 &를 맨 처음에 제시해야 한다. 예를 들어, [=, &n]을 사용하면 n을 제외하고 모든 지역 변수를 복사 방식으로 캡처하고, n만 참조 방식으로 캡처한다. 자동 지역 변수가 아니면 캡처하는 방식과 무관하게 항상 참조로 캡처한다.

메소드 내에서 람다 표현식을 사용할 때 멤버 변수로 캡처하고 싶으면 멤버 변수를 [] 내에 표시하는 것이 아니라 [this]를 사용해야 한다. C++20 이전에는 메소드에서 [=]을 이용하면 자동으로 this를 캡처했지만, C++20 이후에는 이것이 가능하지 않다. [&]를 사용하면 this를 자동으로 참조로 캡처한다. 즉, [this], [&], [=, this]는 this를 캡처하는 측면에서는 차이가 없다. C++17 이후에는 [*this]를 이용하여 값으로 this를 캡처할 수 있다.

캡처는 인자 전달과 같으므로 람다 표현식 내에서 수정할 필요가 없더라도 효율성 때문에 참조 방식으로 캡처하는 경우가 많다. 복사로 캡처하면 기본이 const이므로 람다 표현식 내부에서 캡처한 변수를 수정할 수 없다. 이 때문에 참조로 캡처할 수 있지만 참조로 캡처하면 람다 표현식 내부에서 수정한 결과가 외부에 영향을 준다. 람다 표현식 내부에서 구현을 위해 캡처한 변수를 수정하고 싶지만, 외부에 영향을 주고 싶지 않으면 다음과 같이 mutable 수식어를 사용할 수 있다.

```
int n{0};
/* auto foo = [n]{ ++n; std::cout << n << '\n'; }; // error */
auto bar = [&n]{ ++n; std::cout << n << '\n'; };
auto ham = [n]() mutable { ++n; std::cout << n << '\n'; };
bar();
std::cout << n << '\n';
ham();
std::cout << n << '\n';
```

위 코드를 실행하면 bar의 실행으로 1이 출력되고, 그다음 문장에서도 1이 출력된다. 그 이유는 ham의 실행은 지역 변수 n에 영향을 주지 않기 때문이다.

C++14부터는 변수를 캡처하면서 초기화할 수 있다. 또 캡처하면서 새 변수를 선언할 수도 있다.

```
int x{2};
auto foo = [&r = x, x = x - 1](){
    r = 5
    return x + x;
};
std::cout << foo() << '\n';
```

위 코드가 실행되면 x의 값은 5가 되며, 출력되는 값은 8이다. 캡처 부분에 있는 x = x - 1에서 = 왼쪽에 있는 x는 지역 변수 x와 다른 것이다.

캡처된 변수를 전문 용어로 자유 변수라 하며, 자유 변수가 있는 함수 정의를 전문 용어로 **클로저**(closure)라 한다. 따라서 C++의 람다 표현식은 클로저에 해당한다. C++는 람다 표현식을 함수 객체로 바꿀 때, 캡처한 변수를 함수 객체의 매개 변수 목록에 추가하고, 람다 표현식을 실행할 때 이들을 인자로 전달하여 처리해 준다.

2.4. 람다 표현식 예

클래스를 정의하고 해당 클래스에 〈 연산자를 다중 정의하면 〈algorithm〉에서 제공하는 sort 함수를 이용할 수 있다. 예를 들어, Student 클래스에 〈 연산자가 다중 정의되어 있다면 std::vector〈Student〉를 다음과 같이 정렬할 수 있다.

```
std::vector<Student> students;
//
std::sort(students.begin(), students.end());
```

〈 연산자에 정의된 비교 함수가 아니라 다른 기준으로 정렬하고 싶다면 어떻게 할 수 있을까? Student 클래스의 〈 연산자를 수정할 수 있지만 필요할 때마다 코드를 다시 컴파일할 수 있는 것은 아니다. 이때 사용할 수 있는 것이 람다 표현식과 함수형 프로그래밍이다. 예를 들어, Student 클래스에 int 타입의 학번 정보를 유지하고 있으며, getNumber 메소드로 학생의 학번을 얻을 수 있다면 다음과 같이 학번을 기준으로 정렬할 수 있다.

```
std::sort(students.begin(), students.end(),
    [](const auto& a, const auto& b){
        return a.getNumber() < b.getNumber(); });
```

이전 예제에서 살펴본 것이지만 std::for_each를 이용하면 반복문을 직접 작성하지 않고 프로그래밍할 수 있다. 예를 들어, std::vector〈BankAccount〉에 유지된 은행 계좌의 평균 잔액을 다음과 같이 일반 반복문을 이용하여 계산할 수 있다.

```
std::vector<BankAccount> accounts;
//
int sum{0};
double average{0.0};
for(const auto& account: accounts) sum += account.getBalance();
average = static_cast<double>(sum)/accounts.size();
```

이와 동일한 기능을 하는 코드를 std::for_each를 이용하여 구현하면 다음과 같다.

```
std::for_each(accounts.cbegin(), accounts.cend(),
    [&sum](const auto& account){ sum += account.getBalance(); });
average = static_cast<double>(sum)/accounts.size();
```

성능이나 간결성 측면에서 람다 표현식을 이용하는 것이 우수하다고 말할 수 없지만 보통 람다 표현식을 이용하면 코드의 간결성은 향상된다.

std::all_of도 반복문을 직접 구현하지 않고 람다 표현식으로 반복이 필요한 기능을 구현할 때 사용할 수 있다. 다음 예는 문자열이 주어졌을 때 문자열이 모두 소문자로 구성되어 있는지 검사하여 준다.

```
bool isLower = std::all_of(word.begin(), word.end(),
    [](char c){ return std::islower(c); });
```

여기서 word는 std::string 타입이다.

2.5. 기타

람다 표현식도 template을 이용하여 범용 람다를 정의할 수 있다. 다음 두 람다는 모두 범용 람다이다. 이처럼 람다를 정의하면서 타입 매개 변수를 이용하고 싶으면 캡처와 매개 변수 목록 사이에 타입 매개 변수 목록을 나열한다.

```
auto p1 = []<typename T>(const T& a, const T& b){ return a >= b? b: a; }
auto p2 = [](const auto& a, const auto& b){ return a >= b? b: a; }
```

p1은 매개 변수 a와 b가 같은 타입이지만 p2는 서로 다른 타입일 수 있다.

```
template <typename T, typename... Ts>
auto cascade(T&& func, Ts&&... funcs) {
    if constexpr (sizeof...(funcs) > 0) {
        return [&](auto&&... args){
```

```
            return func(cascade(funcs...)(
                std::forward<decltype(args)>(args)...));
        };
    }
    else return func;
}
```

〈그림 17.6〉 함수 연쇄 적용 cascade 함수

15장에서 가변 인자 범용 함수를 정의할 때, 재귀적으로 정의하기 위해 기저에 해당하는 범용 함수를 하나 더 정의하였다. 이때 연속적으로 특정 연산을 적용할 때는 함수를 하나 더 정의하지 않고 새롭게 도입된 접기 표현식을 사용할 수 있다. 또 다른 방법은 조건부 컴파일과 람다 표현식을 이용할 수 있다. 일련의 함수를 연속적으로 같은 인자에 적용하고 싶으면 그림 17.6과 같은 범용 함수를 만들어 이용할 수 있다. 여기서 sizeof...은 C++11부터 도입된 가변 인자의 개수를 반환하여 주는 연산자이다.

이 함수는 다음과 같이 이용할 수 있다. 아래 코드의 실행 결과는 32이다. 첫 번째 람다는 두 번째 람다의 결과를 받아 처리하고, 두 번째 람다는 세 번째 람다의 결과를 받아 처리하고, 마지막 람다는 인자로 주어진 값을 처리한다.

```
auto cascaded = cascade(
    [](auto n){ return n * 2; },
    [](auto n){ return n * n; },
    [](auto a, auto b){ return a + b; }
);
std::cout << cascaded(2, 2) << '\n';
```

문제 17.1. 그림 17,6에 제시된 범용 함수를 응용하여 연쇄적으로 함수의 적용 결과를 논리곱하는 범용 함수를 정의하라. 예를 들어, startsWith, endsWith, largerThan이 모두 조건에 해당하는 인자를 받아 이 인자를 이용하여 문자열을 검사하는 람다 표현식을 반환하여 주는 람다 표현식이고, 이 문제에서 정의한 범용 함수가 bool_and이면 다음과 같이 사용할 수 있어야 한다.

```
auto combine = bool_and(startsWith("a"), endsWith("e"), largerThan(10));
std::cout << std::boolalpha << combine("abcdddze") << '\n';
```

3. 정규 표현식

정규 표현식은 문자열의 규칙을 표현하기 위해 사용하는 형식 언어이다. 정규 표현식은 문자열을 검색하기 위한 검색 패턴을 정의하기 위해 많이 사용한다. 정규 표현식을 나타내는 방법은 표 17.1과 같으며, 언어마다 차이가 없지만 언어마다 정규 표현식을 처리하기 위한 라이브러리는 다르다. 예를 들어, [ab]는 a 또는 b 문자를 나타내며, [^ab]는 a와 b를 제외한 임의의 문자를 나타낸다.

〈표 17.1〉 정규 표현식 구성 방법

표현	의미	표현	의미
^	문자열의 시작	a|b	a 또는 b
$	문자열의 끝	re	정규 표현
.	임의의 단일 문자	\w	대소문자 또는 숫자
[...]	대괄호 내 임의의 단일 문자	\W	대소문자와 숫자 제외
[^...]	대괄호 내 임의의 문자 제외	\s	공백문자(\t, \n, \r, \f)
re*	0개 이상 일치	\S	공백문자 제외
re+	최소 하나 이상 일치	\d	숫자
re?	0개 또는 1개 일치	\D	숫자 제외
re{n}	n개 일치	\b	단어 단위로 일치
re{n,}	n개 이상 일치	\	확장 문자

정규 표현식을 이용하여 주어진 문자열이 특정 패턴을 만족하는지 확인하고 싶으면 regex_match 함수를 사용할 수 있다. 예를 들어, 주어진 문자열이 길이가 5인 문자열인지 검사하고 싶으면 다음과 같이 정규 표현식을 이용할 수 있다.

```
1  std::vector<std::string> words{"apple", "grape", "banana", "cherry", "melon"};
2  std::regex pattern{"....."};
3  //std::regex pattern{".{5}"};     // 길이가 5인 문자열
4  //std::regex pattern{"[^a]\\w*"}; // a로 시작하지 않는 문자열
5  //std::regex pattern{"[ab]\\w*"}; // a 또는 b로 시작하는 문자열
6  //std::regex pattern{"\\w*[^e]"}; // e로 끝나지 않는 문자열
7  for(auto& s: words) {
8      std::cout << s << (std::regex_match(s, pattern)?
9          ": matched\n": ": not matched\n");
10 }
```

물론 문자열의 길이가 5인지 알고 싶으면 정규 표현식을 이용하기보다는 문자열의 size() 메소드를 이용하는 것이 더 올바른 방법이다. 주석 처리된 4번째, 5번째, 6번째 문장은 각각 a 문자로 시작되지 않는 것, a 또는 b로 시작하는 것, e로 끝나지 않는 것을 찾을 수 있다. 위 예에서 알 수 있듯이 정규 표현식 표기법을 이용할 때 '\'을 하나 더 추가로 사용해야 한다. 따라서 \w를 사용하고 싶으면 \\w를 사용해야 한다. 하지만 [] 내에 문자를 나타낼 때는 그 안에서 의미가 있는 ^, -, \,]을 제외하고는 '\'을 추가로 사용할 필요가 없다.

이전에 살펴본 예제는 개별 문자열이 분리되어 있을 때 사용할 수 있는 예제이다. 공백으로 구분된 여러 단어를 한 문자열이 유지하고 있으면 std::sregex_iterator를 이용하여 단어 중 특정 패턴을 만족하는 단어를 다음과 같이 찾을 수 있다.

```
std::string input{"apple grape banana cherry melon"};
std::regex pattern{"\\b.{5}\\b"};
auto it = std::sregex_iterator(input.begin(), input.end(), pattern);
auto end = std::sregex_iterator();
for(; it != end; ++it) {
    std::smatch match = *it;
    std::cout << match.str() << '\n';
}
```

보통 하나의 정규 표현식은 다양한 문자열과 매칭될 수 있다. 정규 표현식은 일치하는 문

자열을 찾을 때, 탐욕적인 방법으로 문자열을 찾는다. 예를 들어, 다음과 같이 정규 표현식 ".*e"을 이용하여 input 문자열에 일치하는 패턴을 찾으면 "ae", "aecde", "aecdebbbbe" 등 일치하는 문자열이 많다. 정규 표현식은 이 중에 가장 긴 문자열인 "aecdebbbbe"를 답으로 찾아준다. 따라서 다음은 전체 input 문자열을 결과로 출력한다.

```
std::string input{"aecdebbbbe"};
std::regex pattern{".*e"};
std::smatch match;
std::regex_search(input, match, pattern);
std::cout << match.str() << '\n';
```

더 실용적인 예를 살펴보면 전화번호 매칭하는 간단한 정규 표현식은 다음과 같다.

"\\d{3}-\\d{4}-\\d{4}"

물론 이 예는 3자리, 4자리, 4자리로 구성되어 있고 중간에 공백이 없고 '-'로 구분된 전화번호만 인식한다. 이메일 주소를 매칭하는 정규 표현식은 다음과 같다.

"\\w+(\\.\\w+)*@\\w+(\\.\\w+)*"

정규 표현식과 std::regex_replace 함수를 사용하면 문자열에서 특정 부분 패턴을 쉽게 제거할 수 있다. 예를 들어, 다음과 같이 문자열에 있는 모든 모음을 제거할 수 있고,

```
std::string input{"banana grape apple orange"};
std::regex pattern{"a|e|i|o|u"};
std::cout << std::regex_replace(input, pattern, "") << '\n';
```

인접한 같은 문자는 다음과 같이 제거할 수 있다.

```
std::string input{"aaabbcac"};
std::regex pattern{"(\\w)\\1"};
std::cout << std::regex_replace(input, pattern, "") << '\n';
```

여기서 "\\1"은 괄호에 있는 정규 표현식의 반복을 나타낸다.

std::regex_replace을 이용하여 다음과 같이 특정 HTML 태그를 제거할 수 있다.

```
std::string input{R"(<H1>The Title<\H1>)"};
std::regex pattern{R"(<[^>]*>([^<]*)<\\[^>]*>)"};
std::cout << std::regex_replace(input, pattern, "$1") << '\n';
```

문제 17.2. 숫자와 영소문자로만 구성된 문자열이 주어진다. 이 문자열에서 영소문자를 공백문자로 모두 바꾸면 공백으로 구분된 여러 개의 정수를 얻을 수 있다. 이 정수 중 독특한 정수의 개수를 찾아라. 이때 선행하는 0은 무시해야 한다.

이 문제는 정규 표현식을 사용하지 않고, 반복문으로 이용하여 소문자를 만나면 공백문자로 바꾼 후에 std::istringstream을 이용하여 정수를 추출하고, 각 정수에서 선행 0을 제거한 후에 결과 정수를 집합 자료구조에 삽입하여 독특한 정수의 개수를 계산할 수 있다. 하지만 정규 표현식을 사용하면 간결하게 프로그래밍할 수 있다. 첫째, word가 입력으로 주어진 문자열이면, 다음을 이용하여 영소문자를 모두 공백으로 바꿀 수 있고,

```
word = std::regex_replace(word, std::regex{"\\D+"}, " ");
```

둘째, num이 문자열에서 추출한 정수일 때, 선행 0은 다음과 같이 제거할 수 있다.

```
num = std::regex_replace(num, std::regex{"^0+"}, " ");
```

4. 파일 처리

4.1. 텍스트 파일과 이진 파일

프로그램이 종료된 후 다시 실행하였을 때 이전 프로그램의 실행에서 생성한 데이터를 사용하기 위해서는 해당 데이터를 비휘발성 저장 장치에 저장해야 한다. 이를 위해 간단하

게 해당 데이터를 파일에 저장할 수 있고, 데이터의 양이 많거나 검색을 효과적으로 해야 할 때는 데이터베이스를 사용할 수 있다. 파일은 크게 텍스트 파일과 이진 파일로 구분한다. 텍스트 파일은 사람이 읽을 수 있는 형태로 저장하는 방식이고, 이진 파일은 컴퓨터가 이해할 수 있는 형태로 저장하는 방식이다. 물론 사람이 읽을 수 있는 형태라고 하는 것은 오해의 소지가 있다. 실제로는 데이터를 모두 문자열로 변환하여 해당 문자열의 각 문자에 해당하는 코드를 차례로 저장하는 방식이고, 이진 파일은 해당 데이터를 내부 메모리에 표현된 그대로 파일에 저장하는 방식이다.

예를 들어, 12,345라는 정수를 저장할 경우, 텍스트 파일에는 문자 '1', '2', '3', '4', '5'를 차례로 저장하며, 이진 파일은 12,345를 32bit 정수에 유지하고 있으면 그것의 비트 값을 저장한다. 따라서 C++에서 각 문자가 1byte이면 12,345를 저장하기 위해서는 5byte가 필요하지만 이진 파일로 저장하면 4byte만 필요하다. 이진 파일은 시스템마다 저장하는 방식의 차이가 있을 수 있다. 빅 엔디언(endian), 리틀 엔디언이라는 개념이 있는데, 0x12345678를 저장할 때, 12 34 56 78 순으로 저장하면 빅 엔디언 방식이라 하고, 리틀 엔디언은 78 56 34 12 순으로 저장한다. 텍스트 파일은 저장할 때 시스템마다 차이가 있는 것이 아니라 사용하는 인코딩에 의해 차이가 발생할 수 있다.

4.2. 텍스트 파일 처리

C++에서는 텍스트 파일을 처리할 때 fstream, ifstream, ofstream을 사용하며, 파일을 개방한 후에는 콘솔 출력과 키보드 입력을 할 때 사용한 〈〈, 〉〉 연산자를 사용한다. 예를 들어, 다음은 간단한 텍스트 파일을 생성하여 문자열을 저장하는 코드이다.

```
std::fstream outfile;
outfile.open("1.txt", std::ios_base::out);
if(outfile.is_open()) {
    outfile << "Korea University of Technology and Education\n";
    outfile << "School of Computer Science and Engineering\n";
    outfile.close();
}
```

파일은 개방하여 사용이 끝나면 반드시 닫아 주어야 한다. 파일의 개방은 open 메소드를 이용하며, 파일을 닫고자 할 때는 close를 활용한다. open은 파일명과 파일을 개방하는 형태를 나타내는 상수를 인자로 받는다. 파일을 개방할 때 사용할 수 있는 인자는 다음과 같다.

- std::ios_base::app: 기존 파일 뒤에 데이터를 추가하고자 할 때 사용한다.
- std::ios_base::in: 읽기 전용으로 개방할 때 사용한다.
- ios_base::out: 쓰기 전용으로 개방할 때 사용한다.
- ios_base::trunc: 기존 내용을 삭제하고 빈 파일로 개방하고자 할 때 사용한다.
- ios_base::binary: 이진 파일로 개방하고자 할 때 사용한다. 기본은 텍스트 파일이다.

여러 개의 상수를 지정하고 싶으면 | 연산자를 사용한다. 파일을 개방한 후에는 반드시 성공하였는지 검사하여야 한다. 이때 사용하는 메소드가 is_open이다.

```
std::ifstream infile;
std::ofstream outfile;
infile.open("1.txt", std::ios_base::in);
outfile.open("2.txt", std::ios_base::out);
if(infile.is_open()) {
   if(outfile.is_open()) {
      while(infile.good()) {
         std::string line;
         std::getline(infile, line);
         outfile << line << '\n';
      }
      outfile.close();
   }
   infile.close();
}
```

〈그림 17.7〉 텍스트 파일의 복사

텍스트 파일은 그림 17.7과 같이 한 파일에서 다른 파일로 내용을 복사할 수 있다. 여기서 good() 메소드는 아직도 읽을 데이터가 있으면 true를 반환하여 주는 메소드이다.

4.3. 이진 파일의 처리

구조체 또는 클래스 객체를 이진 파일에 저장하는 방법은 다음과 같다.

```
std::ofstream outfile;
Student student{"홍길동", 2}; // 이름, 학년
outfile.open("1.bin", std::ios_base::out | std::ios_base::binary);
if(outfile.is_open()) {
    outfile.write(
        reinterpret_cast<const char *>(&student), sizeof(student));
    outfile.close();
}
```

이 예는 Student 객체를 이진 파일에 저장하고 있다. 이를 위해 파일을 열 때 쓰기 전용, 이진 파일로 개방하고 있으며, student 객체를 바이트 단위로 읽고 저장하기 위해 const char *로 타입 변환하고 있다.

이 파일로부터 저장된 객체는 다음과 같이 읽을 수 있다.

```
std::ifstream infile;
Student student{"", 1};
infile.open("1.bin", std::ios_base::in | std::ios_base::binary);
if(infile.is_open()) {
    infile.read(reinterpret_cast<char *>(&student), sizeof(student));
    infile.close();
}
```

4.4. 파일 관리

```
void listFiles(const std::filesystem::path& fp) {
    if(!std::filesystem::is_directory(fp)) {
        std::cout << fp.filename() << " is not a folder\n";
        return;
```

```
        }
        std::cout << std::filesystem::absolute(fp) << '\n';
        for(const auto& de: std::filesystem::directory_iterator{fp})
            std::cout << de.path().filename() << '\n';
    }
```

〈그림 17.8〉 텍스트 파일의 복사

C++17부터 파일 자체를 처리할 때 사용할 수 있는 〈filesystem〉 라이브러리가 표준 라이브러리에 추가되었다. 이 라이브러리를 이용한 주어진 폴더에 있는 모든 파일을 출력하는 방법은 그림 17.8과 같다. 이 함수는 directory_iterator를 활용하고 있다.

퀴즈

1. 스마트 포인터와 관련된 다음 설명 중 **틀린** 것은?

   ① unique_ptr을 멤버 변수로 유지하면 빅5를 모두 사용할 수 있다.
   ② 반납의 책임이나 시점을 결정하기 어려울 때 사용하면 효과적이다.
   ③ 스마트 포인터를 이용하여 동적 배열을 생성할 수 있지만 동적 배열이 필요하면 std::vector를 사용하는 것이 더 효과적이다.
   ④ 기존 new를 이용하여 동적 할당한 것의 소유권을 스마트 포인터로 넘길 수 있다.

2. C++ 람다 표현식과 관련된 다음 설명 중 **틀린** 것은?

   ① 람다 표현식의 반환 타입은 생략할 수 있다.
   ② 람다 표현식을 작성할 때 기본 인자를 사용할 수 있다.
   ③ 람다 표현식의 매개 변수 타입으로 auto를 사용할 수 없다.
   ④ 인자가 하나도 필요 없는 람다 표현식은 매개 변수 목록 부분 전체를 생략할 수 있다.

3. C++ 람다 표현식의 캡처와 관련된 다음 설명 중 **틀린** 것은?

   ① 값(복사) 또는 참조로 외부 변수를 캡처하여 사용할 수 있다.
   ② [=] 또는 [&]를 사용하면 모든 변수를 실제 캡처한다.
   ③ 값(복사)으로 캡처하면 수정불가이므로 람다 표현식 몸체에서 수정하고 싶으면 mutable로 수식해 주어야 한다.
   ④ 메소드 내에서 람다 표현식을 작성하면서 멤버 변수를 캡처하고 싶으면 개별 변수를 캡처하는 것이 아니라 this를 캡처해야 한다.

4. 파일 입출력과 관련된 다음 설명 중 **틀린** 것은?

   ① 같은 데이터를 저장하면 텍스트 파일이 이진 파일보다 용량이 적다.
   ② 이진 파일에 데이터를 저장할 때는 시스템마다 데이터를 구성하는 바이트를 저장하는 순서(빅 엔디언, 리틀 엔디언)가 다를 수 있다.
   ③ 텍스트 파일은 데이터를 저장하는 순서는 시스템마다 차이가 없지만 인코딩 방식에 따라 저장하는 데이터의 값이 다를 수 있다.
   ④ 파일 입출력을 할 때 다양한 예외가 발생할 수 있다.

연습문제

1. std::shared_ptr를 구현하는 방법을 제시하라. std::shared_ptr 구현의 가장 어려운 부분은 같은 공간을 가리키는 스마트 포인터의 수를 관리하는 것이다. 생성자, 소멸자, 복사 생성자, 복사 대입 연산자, reset 등에서 이 관리가 필요하다. 이것을 어떻게 할 수 있는지 구체적으로 제시해야 한다.

2. 다음과 같은 범용 함수를 정의하였다.

```
template <typename T>
size_t countif(const std::vector<T>& vec,
    const std::function<bool(const T&)>& predicate) {
    size_t count{0};
    for(auto n: vec) if(predicate(n)) ++count;
    return count;
}
```

std::vector<std::string> 타입의 vec이 있을 때, 이 벡터에서 다음을 충족하는 문자열의 개수를 구하여 주는 countif를 호출하는 문장을 각각 작성하라. 참고로 다음은 이 벡터에서 길이가 5 이상인 문자열의 수를 찾아주는 countif를 호출하는 문장이다.

```
size_t count = countif<std::string>(vec, [](auto& s){ return s.size() >= 5; });
```

① 소문자 'a'로 시작하는 문자열의 수
② 소문자 'a'가 등장하는 문자열의 수
③ 소문자로만 구성된 문자열의 수

3. std::vector를 받아 주어진 벡터에서 특정 조건을 만족하는 요소로만 구성된 새 벡터를 반환하여 주는 범용 함수를 정의하고, 길이가 5인 문자열로만 구성된 새 벡터를 반환하여 주는 호출문을 제시하라.

4. 괄호와 4개의 사칙 이항 연산자, 단항 뺄셈 연산자로만 구성된 문자열 표현식이 유효한지 검사하는 함수를 구현하라. 다음은 유효하지 않은 식의 예임

- 예1) "1 20 +": 피연산자가 연속으로 등장할 수 없음
- 예2) "20 + * 10": 두 개의 이항 연산자가 연속으로 등장할 수 없음
- 예3) "20a + 3", "(20+3) \# 2": 유효하지 않은 문자 사용
- 예4) "(20+3) * 32)": 유효하지 않은 괄호

5. 영단어 게임을 만들고자 한다. 이 게임을 만들기 위해 많은 영단어가 필요하다. 이를 위해 게임에서 사용할 영단어를 텍스트 파일에 저장하고, 새 게임을 시작할 때마다 필요한 수의 단어를 단어가 저장된 텍스트 파일에서 랜덤으로 선택하고자 한다. 이 파일을 어떻게 구성할지 결정한 다음, 다음 함수를 완성하라.

```
void getWords(std::vector<std::string>& words, int k);
```

이 함수는 단어가 저장된 텍스트 파일에서 랜덤하게 k개 단어를 추출하여 인자로 주어진 words에 저장해야 한다.

6. 게임의 명예 전당 기능을 구현하기 위해 다음과 같은 구조체를 정의하여 이를 파일에 저장하고자 한다.

```
struct ScoreData {
    std::string nickname;
    int score;
    time_t gameTime;
};
```

그런데 항상 가장 높은 점수 10명만 보여주면 된다. 따라서 파일에는 최대 지금까지 가장 높은 점수를 받은 10개 정보만 유지한다. 점수 정보가 구조체에 유지되어 있으므로 이진 파일을 이용하여 데이터를 저장하는 것이 유리하다. 이 파일을 어떻게 구성할지 결정하고, 그것을 바탕으로 다음 두 개의 함수를 완성하라.

```cpp
std::vector<ScoreData> getScoreData(std::string_view fileName);
void saveScoreData(std::string_view fileName, const ScoreData& scoreData);
```

getScoreData는 파일에 저장된 최대 10개 데이터를 읽고, 그것을 std::vector에 저장해 반환해 준다. saveScoreData는 이번 게임 결과에 대한 점수 정보를 받아 필요하면 파일에 저장한다.

7. 영대소문자, 숫자 등으로 구성된 텍스트 파일을 읽어 가장 많이 등장하는 5개 단어를 제시하라. 이때 대소문자만 다르면 같은 단어(예, "The"와 "the"는 같은 단어임)로 간주하며, 숫자로만 구성된 단어(예, "In 2,024"에서 2,024는 단어가 아님)는 단어로 간주하지 않는다. 단어 중간에 '-' 문자를 포함할 수 있으며, 괄호 안에 단어가 나열(예, "DFS (Depth First Search)"의 경우 4개 단어(DFS, Depth, First, Search)가 있는 문자열임)되어 있을 수 있다.

INDEX

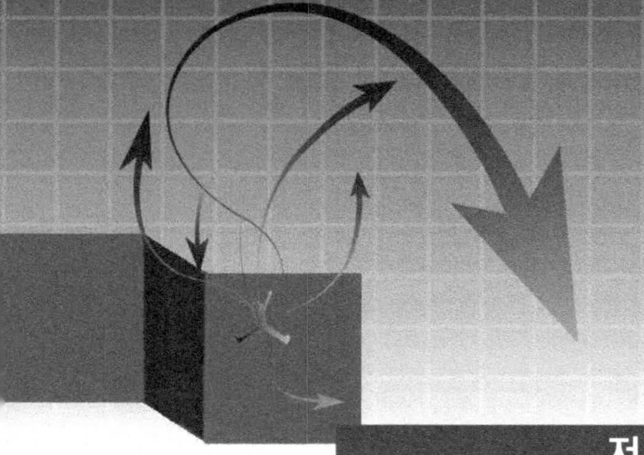

저/자/소/개

◈ 1995년 한양대학교 전자계산학과 공학사
◈ 1997년 한양대학교 전자계산학과 공학석사
◈ 2002년 한양대학교 전자계산학과 공학박사
◈ 2003년 ~ 현재 한국기술교육대학교 컴퓨터공학부 교수
◈ sangjin@koreatech.ac.kr
◈ https://www.youtube.com/SangjinKim

도서출판 **그린**

완전 **모던 C++** 프로그래밍

1판1쇄 인쇄 ▶	2024년 3월 15일
1판1쇄 발행 ▶	2024년 3월 18일
저 자 ▶	김 상 진
발행처 ▶	도서출판 **그린**
발행인 ▶	윤 덕 우
출판등록 ▶	제8-161호(1995. 5. 3.)
주소 ▶	경기 파주시 가람로116번길 107 운정한강듀클래스 411호 (우) 10896
전화 ▶	02) 333-2574, 2575
Fax ▶	02) 333-2561
E-mail ▶	greenpress@greenpress.co.kr
Homepage ▶	http://www.greenpress.co.kr

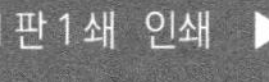

정가 : 33,000원

ISBN 978-89-5727-364-7